改訂版

大学入学共通テスト

化学

の点数が面白いほどとれる本

東進ハイスクール・
東進衛星予備校化学科講師、
駿台予備学校化学科講師
橋爪健作

JN039524

＊この本は，小社より 2020 年に刊行された『大学入学共通テスト　化学の点数が面白いほどとれる本』に，最新の学習指導要領と出題傾向に準じた加筆・修正を施し，令和 7 年度以降の大学入学共通テストに対応させた改訂版です。

＊この本には「赤色チェックシート」がついています。

はじめに

　今，この本を手にとって「はじめに」を読んでくれている人の多くは，「大学入学共通テストではどのような問題が出題され，果たして高得点をとることができるのだろうか？」と不安に思っていると思います。

　大学入学共通テストのようなマークシート型の一次試験は，「共通一次試験」・「センター試験」と名称を変更しながら過去40年以上も実施されてきました。**この長い出題の歴史の中では，「教科書レベルを超えることなく」，「良質な問題を出題する」という基本スタンスがずっと守られてきました。**もちろん，大学入学共通テストでもこの基本スタンスは守られています。ただし，「大学入学共通テスト」と名称が変更されたからには，大きく変わったこともあります。それが，（今まで問題集等で練習したことのない）試験当日にはじめてみる問題を楽々と解く力（＝思考力）を問う点です。

　そこで，「基礎力」に加え，この「思考力」もつけられる参考書にするために，

① 「読みやすく」て「わかりやすい」
② 本文中では，思考過程が見えるような説明を心がける
③ 暗記すべき点がどこかをはっきりさせる
④ 解き方・考え方の解説は，くわしくていねいに
⑤ 受験生が手薄になりがちな有機化学での実験装置をすべてとり上げる
⑥ 教科書では「発展内容」でも共通テストで素材としてとり上げられる可能性が高い内容は扱う

など，考えられるすべての工夫を施すことで「最高の参考書」に仕上げました。

　2002年にこの本の前身になる参考書を出版し，22年以上！も改訂を重ねながらマークシート型一次試験の進化とともに立ち止まることなく成長させてきました。

解説部分には，「化学」がそれほど得意でないキャラクター（原子くん）が登場します。この「原子くん」と一緒に，「なぜなのかな？」と考えながら読み進めてください。

解説の後には，**チェック問題**や（思）**考力のトレーニング**を載せています。この**チェック問題**で基礎〜標準レベルの問題を解き抜く力，（思）**考力のトレーニング**で考える力を身につけてください。ここまでくれば，共通テストに自信をもって臨めるようになるはずです。

勉強をしていると，途中でつらくなることがあると思います。しかし，そのつらさを乗り越えて最後まで読み・解き進めることができたなら，皆さんが目標としている得点，ひいては，第一志望合格に確実に近づきます。**最後の最後まであきらめず，この本でがんばって勉強してくださいね。**

最後になりましたが，本の執筆について適切なアドバイスをくださった㈱KADOKAWA の山崎英知さん，㈲マスターズさんには，この場をお借りして感謝します。

橋爪　健作

もくじ

第 6 章 有機化合物

第 7 章　高分子化合物

本文イラスト：丸橋加奈（熊アート）
本文デザイン：長谷川有香（ムシカゴグラフィクス）

学習項目は教科書に準拠したものばかりです。赤太字は重要用語，太字は重要用語の説明文になっていますので，正確に覚えておきましょう。
また，解説は語り口調でわかりやすく，読みやすく工夫しました。

キャラクター（原子くん）が素朴だけど大切な質問を投げかけてくれます。

---

1 時間目　第1章　物質の状態

物質量 (mol)・固体

１ 単位変換と物質量計算について

❶ 単位変換について

$1\,m = 10^2\,cm$ のように「同じ量を2通りの単位で表せる」とき，

$$\frac{10^2\,cm}{1\,m} \quad または \quad \frac{1\,m}{10^2\,cm}$$

と表し，必要なほうを選び単位ごと計算すると**目的の単位に変換することができる。**

たとえば，$3\,m$ を cm の単位に変換するときには $\dfrac{10^2\,cm}{1\,m}$ を選び，

$$3\,m \times \frac{10^2\,cm}{1\,m} = 3 \times 10^2\,cm$$

└「m」どうしを消去する

とできるね。

❷ /（マイ）について
└英語では「per」（パー）

g/cm^3 のように「/（マイ）」がついている単位を見つけたら，次の(1)と(2)を同時にイメージできるようにしてね。

g/cm^3 なら，$\begin{cases}(1) & 質量 (g) \div 体積 (cm^3) から求めることができる！\\ (2) & 1\,cm^3 あたりの質量 (g) を表している！\end{cases}$

 /（マイ）を見たら，「割り算」と「1がかくれている」だね！

❸ 物質量 (mol) と粒子数・質量・気体の体積の関係について

(1) アボガドロ定数（記号 N_A）

1 mol あたりの粒子の数 6.0×10^{23} 個をアボガドロ定数といい，共通テスト
└原子，分子，イオンなど

では $6.0 \times 10^{23}/mol$ や $N_A\,(/mol)$ と与えられる。

(2) モル質量

物質 1 mol あたりの質量をモル質量といい，共通テストでは原子量・分子量・式量に単位 g/mol をつけて与えられる。

例　$Ne = 20$ は $20\,g/mol$，$H_2O = 18$ は $18\,g/mol$，$NaCl = 58.5$ は $58.5\,g/mol$

(3) モル体積

物質 1 mol あたりの体積をモル体積といい，$0\,℃$，$1.013 \times 10^5\,Pa$ では気体の
└標準状態ということもある

本書は，大学入学共通テスト「化学」に対応した参考書です。基礎事項だけでなく，実験や観察に基づいた化学現象や実験操作といった近年の出題傾向にも即して解説をていねいに行いました。共通テスト過去問・センター試験過去問・共通テスト試行調査の問題などを使って実戦形式での演習を行い，正確に解答を導く「対応力」を養成します。何度もくり返して本番で実力が発揮できるように頑張りましょう。

体積は22.4 L/molになる。

❹ 物質量（mol）計算のコツ

6.0×10^{23}/mol には 6.0×10^{23} 個/mol，g/mol には g/mol，22.4 L/mol には 22.4 L/mol のように，「個や1」を書き加えてから問題を解くようにしよう！

第1章 物質の状態

> 学習項目で必ず覚えておくべき**超重要事項**がまとめられています。

ポイント ┃ 単位変換と物質量計算について

● 単位ごとに計算することでミスを防ぐ
● 個や1を書き加えてから解く

チェック問題 1 ── やや難 ── 3分

ある金属Mの単体の密度は7.2 g/cm^{3}であり，その1.0 cm^{3}中には8.3×10^{22}個のM原子が含まれている。このとき，Mの原子量として最も適当な数値を，次の①～⑦のうちから1つ選べ。ただし，アボガドロ定数は6.0×10^{23}/molとする。

① 7.2 ② 23 ③ 27 ④ 39 ⑤ 52 ⑥ 55 ⑦ 72

> 共通テストの過去問などを使って，学習項目の理解度チェックを行います。問題のレベル表示（易／やや易／標準／やや難／難）と解答目標時間を示していますので，演習時の参考にしてください。
> ㊨は思考力を問う問題を示しています。

解答・解説

⑤

金属Mの原子量をMとおくと，そのモル質量はM（g/mol）と表せる。密度
┗1がかくれている

7.2 g/cm^{3}から「金属M 1.0 cm^{3}は7.2 g」，問題文から「金属M 1.0 cm^{3}には8.3×10^{22}個のM原子が含まれている」とわかる。また，アボガドロ定数は6.0×10^{23}/molと表せ，金属M 1.0 cm^{3}について次の式が成り立つ。単位を組み合わせよう！

mol どうしを消去し，個を残す

$$7.2 \text{ g} \times \frac{1 \text{ mol}}{M \text{ (g)}} \times \frac{6.0 \times 10^{23} \text{ 個}}{1 \text{ mol}} = 8.3 \times 10^{22} \text{ 個}$$

g どうしを消去する

より，$M \fallingdotseq 52$ g/mol

別解 金属Mのモル質量（g/mol）を求めることができれば，金属Mの原子量がわかる。よって，単位がg/molになるように式を立ててもよい。

> 限られた時間内で正解を見つけ出すためのポイントを解説しています。ここで，解法の手順を身につけましょう。

13

物質量（mol）・固体

1 時間目

1 単位変換と物質量計算について

❶ 単位変換について

$1\,\text{m} = 10^2\,\text{cm}$ のように「**同じ量を 2 通りの単位で表せる**」とき，

$$\frac{10^2\,\text{cm}}{1\,\text{m}} \quad \text{または} \quad \frac{1\,\text{m}}{10^2\,\text{cm}}$$

と表し，必要なほうを選び単位ごと計算すると**目的の単位に変換することができる**。

たとえば，3 m を cm の単位に変換するときには $\dfrac{10^2\,\text{cm}}{1\,\text{m}}$ を選び，

$$3\,\text{m} \times \frac{10^2\,\text{cm}}{1\,\text{m}} = 3 \times 10^2\,\text{cm}$$

└──「m」どうしを消去する

とできるね。

❷ /（マイ）について

└→英語では「per」（パー）

g/cm^3 のように「**/（マイ）**」がついている単位を見つけたら，次の(1)と(2)を同時にイメージできるようにしてね。

g/cm^3 なら，
$\begin{cases} \text{(1)} \quad \text{質量 (g)} \div \text{体積 (cm}^3\text{) から求めることができる！} \\ \text{(2)} \quad \textbf{1 cm}^3\textbf{あたりの質量 (g)} \text{を表している！} \end{cases}$

 ──／（マイ）を見たら，「割り算」と「1 がかくれている」だね！

❸ 物質量（mol）と粒子数・質量・気体の体積の関係について

(1) アボガドロ定数（記号 N_A）

1 mol あたりの粒子の数 6.0×10^{23} 個をアボガドロ定数といい，共通テスト

└→原子，分子，イオンなど

では $6.0 \times 10^{23}/\text{mol}$ や $N_\text{A}\ (/\text{mol})$ と与えられる。

(2) モル質量

物質 1 mol あたりの質量をモル質量といい，共通テストでは原子量・分子量・式量に単位 g/mol をつけて与えられる。

例　$\text{Ne} = 20$ は $20\,\text{g/mol}$，$\text{H}_2\text{O} = 18$ は $18\,\text{g/mol}$，$\text{NaCl} = 58.5$ は $58.5\,\text{g/mol}$

(3) モル体積

物質 1 mol あたりの体積をモル体積といい，$\underline{0\,℃,\ 1.013 \times 10^5\,\text{Pa}}$ では気体の

└→標準状態ということもある

体積は22.4 L/mol になる。

❹ 物質量（mol）計算のコツ

6.0×10^{23}/mol には 6.0×10^{23}個/mol，g/mol には g/mol，22.4 L/mol には22.4 L/mol のように，「個や 1」を書き加えてから問題を解くようにしよう！

ポイント　単位変換と物質量計算について

- 単位ごとに計算することでミスを防ぐ
- 個や 1 を書き加えてから解く

チェック問題 1　やや難 3分

　ある金属 M の単体の密度は7.2 g/cm^{3}であり，その1.0 cm^{3}には8.3×10^{22}個の M 原子が含まれている。このとき，M の原子量として最も適当な数値を，次の ①〜⑦のうちから 1 つ選べ。ただし，アボガドロ定数は6.0×10^{23}/mol とする。

① 7.2　② 23　③ 27　④ 39　⑤ 52　⑥ 55　⑦ 72

解答・解説

⑤

　金属 M の原子量を M とおくと，そのモル質量は M（g/mol）と表せる。密度
　　　　　　　　　　　　　　　　　　　　└ 1 がかくれている

7.2 g/cm^{3}から「金属 M 1.0 cm^{3}は7.2 g」，問題文から「金属 M 1.0 cm^{3}には8.3×10^{22} 個の M 原子が含まれている」とわかる。また，アボガドロ定数は6.0×10^{23}個/mol と表せ，金属 M 1.0 cm^{3}について次の式が成り立つ。**単位を組み合わせよう！**

mol どうしを消去し，個を残す

$$7.2 \text{ g} \times \frac{1 \text{ mol}}{M \text{ (g)}} \times \frac{6.0 \times 10^{23} \text{ 個}}{1 \text{ mol}} = 8.3 \times 10^{22} \text{ 個}$$

g どうしを消去する

$$\text{より，} \quad M \fallingdotseq 52 \text{ g/mol}$$

別解　金属 M のモル質量（g/mol）を求めることができれば，金属 M の原子量が わかる。よって，単位が g/mol になるように式を立ててもよい。

$$\underset{\mathclap{\substack{\text{cm}^3\text{どうしを消去する}}}}{\frac{7.2\text{ g}}{1\text{ cm}^3}} \times \frac{1.0\text{ cm}^3}{8.3\times10^{22}\text{ 個}} \times \underset{\mathclap{\substack{\text{個どうしを消去する}\ \ (\text{g/mol})\ \leftarrow\text{この単位にする}}}}{\frac{6.0\times10^{23}\text{ 個}}{1\text{ mol}}} \fallingdotseq 52\text{ g/mol}}$$

モル質量

よって，原子量は 52

(思)考力のトレーニング 1

標準 3分

水素吸蔵合金を利用すると，H_2を安全に貯蔵することができる。ある水素吸蔵合金 X は，0 ℃，1.013×10^5 Pa で，X の体積の1200倍の H_2 を貯蔵することができる。この温度，圧力で248 g の X に貯蔵できる H_2 は何 mol か。最も適当な数値を，次の①～⑤のうちから 1 つ選べ。ただし，X の密度は6.2 g/cm³とする。

① 0.28　② 0.47　③ 1.1　④ 2.1　⑤ 11

解答・解説

④

248 g の X（密度6.2 g/cm³）の体積は，

$$248\text{ g} \div \frac{6.2\text{ g}}{1\text{ cm}^3} = 248\text{ g} \times \underset{\mathclap{\substack{\text{g どうしを消去し，cm}^3\text{を残す}}}}{\frac{1\text{ cm}^3}{6.2\text{ g}}} = 40\text{ cm}^3\text{になる。}$$

この水素吸蔵合金 X は，X の体積40 cm³の1200倍，つまり，40×1200＝48000 cm³の H_2 を貯蔵することができる。

0 ℃，1.013×10^5 Pa で H_2 のモル体積は22.4 L/mol であり，1 cm³＝1 mL なので，0 ℃，1.013×10^5 Pa で248 g の X に貯蔵できる H_2は，

48000 cm³＝48000 mL

$$48000\text{ mL} \times \underset{\mathclap{\substack{\text{mL どうしを消去する}}}}{\frac{1\text{ L}}{10^3\text{ mL}}} \times \underset{\mathclap{\substack{\text{L どうしを消去し，mol を残す}}}}{\frac{1\text{ mol}}{22.4\text{ L}}} \fallingdotseq 2.1\text{ mol}$$

2 結晶と非晶質について

固体は，結晶と*非晶質（アモルファス）に分けることができる。**結晶は，粒子がくり返し規則正しく配列していて融点が一定**で，**非晶質は粒子が不規則に配列していて融点が一定でない**んだ。非晶質の例として**ガラス**と**プラスチック**を覚えてね。

*無定形ともよぶ。

 結晶の粒子ってどんなふうに並んでいるの？

結晶により，粒子の立体的な配列構造（＝**結晶格子**）は何種類もあるんだ。この結晶格子の**くり返しの最小単位**（＝**単位格子**）を調べることで，結晶全体を理解する。

結晶格子

単位格子

単位格子について調べ，全体のようすとする

ポイント 固体について

● 結　晶 ▶ 規則正しく粒子が配列。融点が一定
● 非晶質（アモルファス，無定形）▶ 不規則に粒子が配列。融点は一定でない
　　　　　　　　　　　　　　　　　例 ガラス，プラスチック

チェック問題 2 　　　　　　　　　標準 2分

非晶質に関する記述として誤りを含むものはどれか。最も適当なものを，次の①〜④のうちから１つ選べ。

① ガラスは一定の融点を示さない。
② アモルファス金属やアモルファス合金は，高温で融解させた金属を急速に冷却してつくられる。
③ 非晶質の二酸化ケイ素は，光ファイバーに利用される。
④ ポリエチレンは，非晶質の部分（非晶部分・無定形部分）の割合が増えるほどかたくなる。

解答・解説

④
① 非晶質であるガラスは，結晶と異なり一定の融点を示さない。〈正しい〉
② 通常の金属は結晶であるが，アモルファス金属は原子が不規則に配列した非晶質である。高温で融解させ，急速に冷却してつくられる。〈正しい〉
③ 結晶の二酸化ケイ素 SiO_2 は水晶（共有結合の結晶），非晶質の二酸化ケイ素 SiO_2 は石英ガラス。石英ガラスは，光ファイバーの材料に使われる。〈正しい〉
④ 結晶の部分の割合が増えるほどかたくなり，非晶質の部分の割合が増えるほどやわらかくなる。〈誤り〉

3 金属結晶について

金属元素どうしは金属結合で結びついていたよね。金属原子の間にある電子は，金属原子からほとんど引っぱられず勝手に（自由に）動きまわるんだ。

自由電子

このような電子を**自由電子**といい，金属原子をくっつける「のり」の役割を果たしている。自由電子が，すべての金属原子に共有されてできた結晶を**金属結晶**というんだ。

 自由電子ってどんなはたらきをしているの？

自由電子が光を反射することで金属光沢**（金属のつや）が出て，自由電子が移動することで電気や熱をよく通す**んだ。

また，結晶中の原子どうしの位置がずれても移動する自由電子により原子どうしの結合が保たれるので，金属の形を変えることができる。そのため，たたいてうすく広げたり（＝**展性**という），引っぱって細長く延ばしたり（＝**延性**という）できるんだ。

 金箔は展性を利用して，銅線は延性を利用してつくられるんだね。

たたく

金属原子

配列が変わる

ポイント　金属結晶について

● **自由電子**をすべての原子が共有

▶　① 金属光沢がある　② 熱や電気をよく通す　③ 展性・延性を示す

金属結晶は，金属原子が金属結合で規則正しく結合していて，その構造はたいてい次の図(1)〜(3)のいずれかに分類することができる。

(1) 体心立方格子　　　(2) 面心立方格子　　　(3) 六方最密構造

例 Na, K

例 Cu, Ag, Al

(2)と(3)は同じ大きさの球が最も密につまった最密構造とよばれる

例 Mg, Zn

❶ 単位格子（＿＿＿＿部分）中に含まれる原子の数

まず，◯◯の中を覚え，次に単位格子の図を見ながら考えてみよう。

1個分	$\frac{1}{2}$個分	$\frac{1}{4}$個分	$\frac{1}{8}$個分	$\frac{1}{6}$個分
格子内	面上	辺上	立方体の頂点	正六角柱の頂点

体心立方格子　　面心立方格子　　六方最密構造　　層A，層Bにおける原子の配列（上から見た図）

立方体の「頂点は 8 か所」，「面は 6 面」であることに注意すると，「単位格子（図の立方体つまり＿＿＿部分）中の原子の数」は

体心立方格子： $\frac{1}{8} \times 8 + 1 = 2$ 個

頂点の原子の個数　　格子内の原子の個数

面心立方格子： $\frac{1}{8} \times 8 + \frac{1}{2} \times 6 = 4$ 個

頂点の原子の個数　　面上の原子の個数

になるんだ。

また，正六角柱は「頂点 12 か所」，「上下の面」と「正六角柱内」に原子があることに注意すると，

$$\frac{1}{6} \times 12 + \frac{1}{2} \times 2 + 1 \times 3 = 6 \text{ 個}$$

頂点の原子の個数　　面上の原子の個数　　正六角柱内の原子の個数

の原子が正六角柱内に含まれているよね。ただ，**六方最密構造の単位格子はこの正六角柱の3分の1に相当する**ので，

$$6 \div 3 = 2 \text{ 個}$$

の原子が単位格子中に含まれているんだ。

＿＿＿の部分が単位格子

単位格子を横から見た図　　単位格子を上から見た図

単位格子中に含まれる原子の数は，体心が2，面心が4，六方が2だね。

❷ 配位数

配位数って？

「1個の原子が他の原子何個に囲まれているか」を配位数というんだ。

体心立方格子の場合，単位格子の中心にある原子に注目すると，各頂点にある8個の原子に囲まれていることがわかる。面心立方格子の場合は単位格子の右の面にある原子に注目し，六方最密構造の場合は上の面にある原子に注目して考えるといいんだ。

たてに2つつけて考える

よこに2つつけて考える

●1個は●8個に囲まれている
体心立方格子

●1個は●12個に囲まれている
面心立方格子

●1個は●12個に囲まれている
六方最密構造

❸ 原子の半径 r と単位格子一辺の長さ a との関係

体心立方格子の「原子の半径 r と単位格子一辺の長さ a との関係」は，図のように単位格子の断面に注目して求めるんだ。

$$4r = \sqrt{3}\,a \ \text{より，} \ r = \frac{\sqrt{3}}{4}a$$

体心立方格子

体心立方格子の断面

$$\left(\begin{array}{l} 4 \text{つの } r \text{ が } \sqrt{3}\,a \text{ に相当するので，} \\ 4r = \sqrt{3}\,a \text{ となる。} \end{array} \right)$$

次に，面心立方格子の「原子の半径 r と単位格子一辺の長さ a との関係」は，図のように単位格子の面の部分に注目して求めるんだ。

$$4r = \sqrt{2}\,a \ \text{より，} \ r = \frac{\sqrt{2}}{4}a$$

面心立方格子

$$\left(\begin{array}{l} 4 \text{つの } r \text{ が } \sqrt{2}\,a \text{ に相当するので，} \\ 4r = \sqrt{2}\,a \text{ となる。} \end{array} \right)$$

ポイント 金属結晶

	単位格子中の原子の数	配位数	a と r の関係
体心立方格子	2	8	$\sqrt{3}\,a = 4r$
面心立方格子	4	12	$\sqrt{2}\,a = 4r$
六方最密構造	2	12	―

チェック問題 3 標準 2分

次の記述①～⑤のうちから，誤りを含むものを1つ選べ。

① 銅は，結晶内に動きやすい価電子が存在するので，電気をよく導く。
② ナトリウムの結晶（体心立方格子）では，単位格子中に2個の原子が含まれている。
③ 銅の結晶（面心立方格子）では，単位格子中に4個の原子が含まれている。
④ 銅の結晶（面心立方格子）では，どの原子も，等距離にある12個の原子で囲まれている。
⑤ 体心立方格子と面心立方格子は，ともに単位格子の中心にすき間がない。

解答・解説

⑤

① 自由電子の説明。〈正しい〉　②，③　単位格子中の原子の数の説明。〈正しい〉
④ 配位数の説明。〈正しい〉
⑤ 体心立方格子や面心立方格子の断面を考えてみる。

体心立方格子の断面　　　　　　　　　　　面心立方格子の断面

体心立方格子　単位格子の中心に原子がある　　面心立方格子　単位格子の中心にすき間がある

以上より，体心立方格子の中心にすき間はないが，面心立方格子の中心にはすき間があることがわかる。〈誤り〉

チェック問題 4 標準 2分

銀は右図に示すように，面心立方格子（最密構造）からなる結晶をつくる。右図の立方体の一辺の長さは原子の半径の何倍になるか。最も適当なものを，次の①～⑥のうちから1つ選べ。

① $\dfrac{2}{\sqrt{3}}$　② $\sqrt{2}$　③ 2　④ $\dfrac{4}{\sqrt{3}}$　⑤ $2\sqrt{2}$　⑥ $2\sqrt{3}$

⑤

　面心立方格子では，単位格子の面で図のように原子が接しているので，原子の半径をrとすると，立方体の一辺の長さaとは，$4r = \sqrt{2}a$ の関係式が成り立つ。

　よって，$a = \dfrac{4r}{\sqrt{2}} = 2\sqrt{2}r$ となり，一辺の長さaは原子半径rの$2\sqrt{2}$倍になる。

❹ 結晶格子の密度

金属結晶の密度(g/cm^3)を求めるときは，単位を意識しながら計算すればいいんだ。

 g/cm^3 だから $g \div cm^3$ を求めればいいんだね。

そうなんだ。次のチェック問題で密度の計算に慣れてね。

チェック問題5　やや難 2分

　図のような金属結晶がある。その単位格子の一辺の長さをL (cm)，結晶の密度をd (g/cm^3)，アボガドロ定数をN_A (/mol)としたとき，これに関する次の問い(a・b)に答えよ。

a　この金属の単位格子中に含まれる原子は何個か。
　次の①～⑨のうちから，正しい数値を1つ選べ。

①　1　　②　2　　③　3　　④　4　　⑤　5
⑥　6　　⑦　7　　⑧　8　　⑨　9

b　この金属の原子量をL, d, N_Aを用いて表したものを，次の①～⑥のうちから1つ選べ。

①　dL^3N_A　②　$\dfrac{dL^3N_A}{2}$　③　$\dfrac{dL^3N_A}{4}$　④　$\dfrac{2}{dL^3N_A}$　⑤　$\dfrac{2N_A}{dL^3}$　⑥　$\dfrac{8N_A}{dL^3}$

a　②　　b　②

a　図から，この金属は体心立方格子である。単位格子中に含まれる原子は，

$$\underbrace{\frac{1}{8} \times 8}_{\text{頂点の原子の個数}} + \underbrace{1}_{\text{格子内の原子の個数}} = 2 \text{ 個}$$

b　この金属の原子量を M とおくと，そのモル質量は M (g/mol) と表せる。また，

アボガドロ定数は N_A (^個/mol) となる。

個を書く

1がかくれている

1がかくれている

密度 d の単位は g/cm^3 なので，密度 d (g/cm^3) は g ÷ cm^3 で求めることができる。個を g へと変換し，単位格子の体積 L^3 (cm^3) で割ると，次の式が成り立つ。

分子に単位格子中の原子の数を書く

分子に g

個を消去する

mol を消去し，g を残す

分母に cm^3

cm^3 にするために 3 乗する

$$\text{密度 (g/cm}^3\text{)} : \frac{2\text{ 個} \times \dfrac{1\text{ mol}}{N_A\text{ (個)}} \times \dfrac{M\text{ (g)}}{1\text{ mol}}}{L^3\text{ (cm}^3\text{)}} = d\ (\text{g/cm}^3)$$

よって，$M = \dfrac{dL^3 N_A}{2}$

4 イオン結晶について

金属元素と非金属元素の結合は**静電気力（クーロン力）**で結びついた**イオン結合**だったよね。たとえば，塩化ナトリウム NaCl は，ナトリウムイオン Na$^+$ と塩化物イオン Cl$^-$ が右の図のように，たがいに静電気力で結びついてできているんだ。

NaCl のように，陽イオンと陰イオンが交互に立体的に配列してできた結晶を**イオン結晶**という。**イオン結晶は陽イオンと陰イオンがかなり強い静電気力で結びついているので，融点が高くて硬いものが多い**。ただ，硬いけれど，強い力が加わってイオンの位置がずれると，簡単にこわれてしまうんだ（➡ もろい！）。

強い静電気力で結びついているのに，なんでこわれるの？

それはね，強い力によってイオンの配列がずれると陽イオンどうし，陰イオンどうしが出会うよね。そうすると，イオンどうしが反発してこわれる（＝**へき開**）んだ。

強い力　　強い力　　ずれると…　　反発する

また，イオン結晶はイオンの位置が固定されているから**電気を通さない**んだ。ただ，**加熱してどろどろにして（＝融解）融解液にしたり，水に溶かして水溶液にしたりすると，イオンが動けるようになるので電気を通す**ようになるんだ。

　イオン結晶の単位格子には，代表的な単位格子として，次の**塩化セシウム** CsCl **型の結晶構造**（図1），**塩化ナトリウム** NaCl **型の結晶構造**（図2），閃亜鉛鉱 ZnS **型の結晶構造**（図3）がある。このうち，CsCl 型と NaCl 型は単位格子の図を覚えていないと，共通テストの問題が解けないことがあるんだ。気をつけてね。

● Cs$^+$　○ Cl$^-$　　　　● Na$^+$　○ Cl$^-$　　　　● Zn^{2+}　○ S^{2-}
図1　CsCl の単位格子　　図2　NaCl の単位格子　　図3　硫化亜鉛 ZnS の単位格子

❶ 単位格子中に含まれる陽イオンと陰イオンの数

　まず，イオン結晶の**単位格子中に含まれる陽イオンと陰イオンの数**がきかれるんだ。上の図を見ながら，図1〜図3の各単位格子中に含まれるイオンの数を求めてみよう。

　立方体の頂点は8か所，辺は12辺，面は6面あることに注意すると，

図1　Cs$^+$：● 1個　　Cl$^-$：○ $\dfrac{1}{8} \times 8 = 1$ 個
　　　　　　　　格子内の Cs$^+$ の個数　　　　頂点の Cl$^-$ の個数

図2　Na$^+$：● $\dfrac{1}{4} \times 12 + 1 = 4$ 個　　Cl$^-$：○ $\dfrac{1}{2} \times 6 + \dfrac{1}{8} \times 8 = 4$ 個
　　　　　　　辺上の Na$^+$ の個数　格子内の Na$^+$ の個数　　　　面上の Cl$^-$ の個数　頂点の Cl$^-$ の個数

図3　Zn^{2+}：● 1 $\times$ 4 = 4 個　　S^{2-}：○ $\dfrac{1}{8} \times 8 + \dfrac{1}{2} \times 6 = 4$ 個
　　　　　　　　格子内の Zn^{2+} の個数　　　　頂点の S^{2-} の個数　面上の S^{2-} の個数

　結局，どの単位格子中にも，●と○は同じ個数ずつが含まれていることがわかるよね。つまり，●と○が1：1の比で含まれているから組成式が CsCl，NaCl，ZnS となるんだ。

❷ 配 位 数

 やっぱり，金属結晶のときのように配位数もきかれるの？

そうなんだ。**イオン結晶の場合は，「●の最も近くに存在する○の数」を「●の配位数」，「○の最も近くに存在する●の数」を「○の配位数」**というんだ。

・CsCl　下の図より，●の配位数は 8，○の配位数も 8 になる。
・NaCl　下の図より，●の配位数は 6，○の配位数も 6 になる。

CsCl　● Cs^+　○ Cl^-

→右に $\frac{1}{2}$ 格子加えた図で考える

NaCl　● Na^+　○ Cl^-

$\frac{1}{2}$ 格子を加えて考える

・ZnS　下の図より，●の配位数は 4，○の配位数も 4 になる。

よこに 2 つつけて考える

ZnS　● Zn^{2+}　○ S^{2-}　ここに注目する

ここに注目する

 S^{2-}○の配位数を図から考えるのは難しいね。

たしかにね。実は**組成が 1:1 になるイオン結晶は，「●の配位数＝○の配位数」になる**んだ。この事実を知っていると図を見て Zn^{2+} ●の配位数が 4 とさえわかれば，S^{2-}○の配位数は図を見ずに Zn^{2+} ●の配位数と同じ 4 になるとわかるんだ。

 いろいろな解き方があるんだね。

そうだね。NaCl，CsCl，ZnS のように組成 1:1 のときにだけ成り立つ点に注意してね。

❸ イオンの半径 *r* と単位格子一辺の長さ *a* との関係

CsCl 型では下の図のように単位格子の断面に注目して求め，NaCl 型では単位格子の面の部分に注目して求めるんだ。

断面に注目する

$\sqrt{3}\,a = 2(r_{Cs^+} + r_{Cl^-})$

面に注目する

$a = 2(r_{Na^+} + r_{Cl^-})$

CsCl ● Cs⁺ ○ Cl⁻

NaCl ● Na⁺ ○ Cl⁻

ポイント イオン結晶

	単位格子中のイオンの数		配位数		*a* と *r* の関係
CsCl 型	Cs⁺ 1 個	Cl⁻ 1 個	Cs⁺ 8	Cl⁻ 8	$\sqrt{3}\,a = 2\,(r_{Cs^+} + r_{Cl^-})$
NaCl 型	Na⁺ 4 個	Cl⁻ 4 個	Na⁺ 6	Cl⁻ 6	$a = 2\,(r_{Na^+} + r_{Cl^-})$
ZnS 型	Zn²⁺ 4 個	S²⁻ 4 個	Zn²⁺ 4	S²⁻ 4	——

チェック問題 6 　標準　2分

右図は，陽イオン A(○)と陰イオン B(●)からできたイオン結晶の単位格子（結晶格子のくり返しの基本単位）を示している。この化合物の組成式として最も適当なものを，次の①〜⑦のうちから 1 つ選べ。

○陽イオンA
●陰イオンB

① AB₃　② A₄B₉　③ AB₂　④ AB
⑤ A₂B　⑥ A₉B₄　⑦ A₃B

解答・解説

③

$$\text{陽イオンA} \bigcirc : \underbrace{\frac{1}{8} \times 8}_{\text{頂点}} + \underbrace{\frac{1}{2} \times 6}_{\text{面上}} = 4 \text{個}$$

$$\text{陰イオンB} \bullet : \underbrace{1 \times 8}_{\text{格子内}} = 8 \text{個} \qquad \bigcirc : \bullet = 4 : 8 = 1 : 2 \quad \text{よって，AB}_2 \text{となる。}$$

注 イオン結晶には，NaCl型，CsCl型，ZnS型以外にも多くの単位格子が存在する。

❹ 結晶格子の密度

 イオン結晶の密度も単位を意識しながら計算すればいいの？

そうなんだ。ただ，イオン結晶のときは，単位格子中に含まれるイオンの数を調べるときに注意が必要なんだ。NaClの場合，単位格子中に Na^+ が4個，Cl^- が4個含まれていたよね。じゃあ，NaClは単位格子中に何個含まれていると思う？

 4 + 4 = 8個でしょ？

うーん。原子くんのようにうっかり8個と数えるミスが多いんだ。
単位格子中に Na^+ と Cl^- は 4 + 4 = 8個含まれているけど，NaClは，

だよね。気をつけてね。

チェック問題 7　やや難 2分

塩化ナトリウムの結晶は，図に示すように，ナトリウムイオンと塩化物イオンが交互に並んでいる。図の立方体の一辺の長さを a (cm)，結晶の密度を d (g/cm³)，アボガドロ定数を N_A (/mol)とするとき，塩化ナトリウムの式量を与える式として最も適当なものを，次の①〜⑥のうちから1つ選べ。

① $\dfrac{da^3N_A}{8}$ ② $\dfrac{da^3N_A}{4}$ ③ $\dfrac{da^3N_A}{5}$

④ $\dfrac{8N_A}{da^3}$ ⑤ $\dfrac{4N_A}{da^3}$ ⑥ $\dfrac{2N_A}{da^3}$

● Na^+
○ Cl^-

a (cm)

②

$$Na^+(\bullet):\underset{\text{格子内}}{1}+\underset{\text{辺上}}{\frac{1}{4}\times12}=4\text{ 個},\quad Cl^-(\bigcirc):\underset{\text{頂点}}{\frac{1}{8}\times8}+\underset{\text{面上}}{\frac{1}{2}\times6}=4\text{ 個}$$

がそれぞれ単位格子中に含まれている。よって，単位格子中には Na^+ 4 個，Cl^- 4 個つまり，|4 個| の $NaCl$ が含まれていることがわかる。$NaCl$ の式量を M とおくと，そのモル質量は M (g/mol) と表せる。 ← (Na の原子量＋ Cl の原子量)のこと

また，アボガドロ定数は N_A (個/mol) となる。

よって，結晶の密度 d (g/cm³) は，

単位格子中の $NaCl$ の個数

mol を消去し，g を残す

$$\left\{ \boxed{4}\text{ 個} \times \frac{1\text{ mol}}{N_A\text{(個)}} \times \frac{M\text{ (g)}}{1\text{ mol}} \right\} \div a^3\text{ (cm}^3) = d\text{ (g/cm}^3) \quad \leftarrow \text{g} \div \text{cm}^3 \text{を求める！}$$

個を消去する

単位格子の体積 **(cm³)**

単位格子の質量 **(g)**

と表せ，$\dfrac{\dfrac{4M}{N_A}\text{ (g)}}{a^3\text{ (cm}^3)} = d\text{ (g/cm}^3)$ となり，$M = \dfrac{da^3N_A}{4}$

❺ イオン結晶の融点

　イオン結晶の融点は，**静電気力** (クーロン力) が強くはたらくほど，高くなるんだ。イオン間にはたらく静電気力は，

❶ **イオン間の距離** $(r^+ + r^-)$ **が短いほど強くなり**，

❷ **イオンの価数** $(a,\ b)$ **が大きいほど強く**

なる。たとえば，どちらも $NaCl$ 型の結晶構造をもつ NaF と $NaCl$ の融点を比べてみるね。イオン半径の大きさは，

陽イオン 陰イオン

$$\underset{\text{最外殻が } \mathbf{L} \text{ 殻}}{{}_9F^-} \quad < \quad \underset{\text{最外殻が } \mathbf{M} \text{ 殻}}{{}_{17}Cl^-}$$

になるんだ。

じゃあ，イオン間の距離は，　NaF ＜ NaCl　だね。

　そうだね。イオンの価数は，Na^+F^-，Na^+Cl^- となり，どちらも**1価どうしの組み合わせ**だね。イオン結晶の融点の高低は，イオン間の距離とイオンの価数で決まったよね。イオン間の距離が**短い** NaF は同じ 1 価どうしの組み合わせである $NaCl$ よりも融点が**高く**なるんだ。

イオン間の距離 NaF $<$ NaCl
イオンの価数 $\underbrace{Na^+ F^-,\ Na^+ Cl^-}_{どちらも1価どうし}$

静電気力，融点の順は，
  NaF $>$ NaCl
となる。

:) イオン結晶の融点は，距離と価数に注目だね。

(思)考力のトレーニング2 やや難 4分

　エタノール40 mL を入れたメスシリンダーを用意し，塩化ナトリウム NaCl と同じ結晶構造をもつ硫化カルシウム CaS の結晶40 g をこのエタノール中に加えたところ，結晶はもとの形のまま溶けずに沈み，40 mL の目盛りの位置にあった液面が55 mL の目盛りの位置に移動した。この結晶の単位格子の体積 V は何 cm^3 か。最も適当な数値を，次の①〜⑤のうちから1つ選べ。ただし，原子量は，Ca $=40$，S $=32$とし，アボガドロ定数を6.0×10^{23}/mol とする。

① 4.5×10^{-23}　　② 1.8×10^{-22}　　③ 3.6×10^{-22}

④ 6.6×10^{-22}　　⑤ 1.3×10^{-21}

解答・解説

②

CaS の結晶40 g の体積は，$55-40=15$ mL $=15\ cm^3$であり，CaS の密度は，

$\dfrac{40\ g}{15cm^3} = \boxed{\dfrac{8}{3}}\ g/cm^3$ とわかる。

CaS（式量40＋32＝72より，モル質量72 g/mol）の結晶は NaCl 型の単位格子（体積 V（cm^3））なので，アボガドロ定数6.0×10^{23}個/mol とその密度が $\boxed{\dfrac{8}{3}}$ g/cm^3 になることから次の式が成り立つ。

単位格子中の
CaS の個数
（チェック問題7）
の解説参照

$$\dfrac{4\ 個\times\dfrac{1\ mol}{6.0\times10^{23}個}\times\dfrac{72\ g}{1\ mol}}{V\ (cm^3)}=\dfrac{8}{3}\ g/cm^3$$

CaS の密度

　よって，$V=1.8\times10^{-22}\ cm^3$となる。

5 分子結晶について

❶ 分　子

非金属元素どうしは共有結合で結びついていたよね。共有結合で，いくつかの原子

が結びついた粒を分子というんだ。分子にはどんなものがあるか知っているかい？

 水素 H₂ や二酸化炭素 CO₂ は分子だったね。あと、貴ガス（ヘリウム He，ネオン Ne，アルゴン Ar，……）は単原子分子で存在するんだよね。

そうだね。分子は、原子1個からなるものを**単原子分子**，原子2個からなるものを**二原子分子**，原子3個からなるものを**三原子分子**とよんでいるんだ。

単原子分子

二原子分子

三原子分子

ところで、塩化水素 HCl は、電気陰性度が大きい塩素 Cl 原子と小さい水素 H 原子が結合しているよね。

 電気陰性度は結合と何か関係あるの？

電気陰性度って、結合に使われる電子を引きつける能力を数値にしたものだったね。塩化水素 HCl は、電気陰性度が大きい Cl が電気陰性度の小さい H から共有電子対を自分のほうに引いているんだ。

電気陰性度　　2.2　3.2　　　　　　　　　2.2　2.2
（ポーリングの値）

そのため、Cl のほうが－電荷を少し帯びた状態（➡ $\delta-$ と書く）になり、H が＋の電荷を少し帯びた状態（➡ $\delta+$ と書く）になる。**このような電荷のかたよりを極性**といい、**塩化水素 HCl のように極性のある分子を極性分子**というんだ。水素 H₂ のような単体の場合は、電気陰性度が同じだから極性がないよね。このように極性がない分子を**無極性分子**というんだ。

 じゃあ、極性があればすべて極性分子なの？

そうでもないんだ。**一部分に極性があっても、直線形の二酸化炭素 CO₂ のように分子全体として極性が打ち消されると、無極性分子になる**んだ。
次に、よく出題される「分子の形」と「極性分子か無極性分子か」を示すね。

 分子の形は覚えるの？

予想する方法もあるけど、出題される分子はかぎられているから、次のものを覚えておけばいいんだ。

無極性分子

H-H
水素 H_2
（直線形）

O=O
酸素 O_2
（直線形）

N≡N
窒素 N_2
（直線形）

塩素 Cl_2
（直線形）

二酸化炭素 CO_2
（直線形）

メタン CH_4
（正四面体形）

極性分子

水 H_2O
（折れ線形）

塩化水素 HCl
（直線形）

アンモニア NH_3
（三角すい形）

ポイント　極性分子と無極性分子の見分け方

① 単体 ▶ 二原子分子は，すべて無極性分子（例 H_2, N_2, O_2, Cl_2 など）

② 違う種類の原子からなる二原子分子 ▶ 極性分子（例 HCl, HF など）

③ 多原子分子の化合物
 (a) CO_2（直線形），CH_4（正四面体形）▶ 無極性分子
 (b) H_2O（折れ線形），NH_3（三角すい形）▶ 極性分子

チェック問題 8

標準 2分

　分子の極性についての次の記述ア〜エの中に，正しいものが2つ含まれている。正しいものの組み合わせを，次の①〜⑥のうちから1つ選べ。

ア　メタン分子は，4つの C−H 結合の極性がたがいに打ち消しあって，分子全体として無極性である。

イ　ホルムアルデヒド分子は，C=O 結合に極性がなく，分子全体として無極性である。

ウ　四塩化炭素分子は，4つの C−Cl 結合の極性のため，分子全体として極性を示す。

エ　アンモニア分子は，3つの N−H 結合の極性がたがいに打ち消しあわず，分子全体として極性を示す。

① アとイ　　② アとウ　　③ アとエ　　④ イとウ
⑤ イとエ　　⑥ ウとエ

③

ア　C−H 結合には極性があるが，メタン CH₄ は正四面体形なので 4 つの C−H 結合の極性がたがいに打ち消しあって分子全体として無極性である。〈正しい〉

イ　ホルムアルデヒド HCHO（➡ p.407）は，C＝O 結合に極性があり，分子全体として極性である。〈誤り〉

ウ　四塩化炭素 CCl₄ は，メタン CH₄ と同じ正四面体形である。よって，4 つの C−Cl 結合の極性がたがいに打ち消しあって分子全体として無極性である。〈誤り〉

エ　アンモニア NH₃ は極性分子である。〈正しい〉

❷ 分子間にはたらく力

ドライアイス CO₂ は，固体だよね。だけど，CO₂ 分子をつくっている炭素原子 C や酸素原子 O は，それぞれ不対電子をすべて共有結合に使ってしまっているから，CO₂ どうしが近づいても分子間に新しい結合はできないよね。

 じゃあ，なんでドライアイスは CO₂ が集まって（結合して）できているのかな？

そうだね。何かの結合力がはたらいているから，固体になっているんだよね。ドライアイス CO₂ には，CO₂ 分子の間に弱い引力がはたらいているんだ。この弱い引力のことを**ファンデルワールス力**という。このファンデルワールス力が強くはたらく条件は次の ⓐ〜ⓒ になるんだ。

ⓐ　分子の形が似ているときには，**分子量が大きくなるほど強くなる。**

ⓑ　分子量が同じくらいなら，**極性分子のほうが無極性分子より強くなる。**

ⓒ　分子量や極性が同じくらいなら，**分子の形が直線状になっているほど強くなる。**

水素化合物の沸点

　左下のグラフは14～17族の水素化合物の沸点を調べたものなんだ。何か気がつくことはあるかな？

 14族の水素化合物（CH₄，SiH₄，GeH₄，SnH₄）は、分子量が大きくなるほど沸点が高くなっているね。

　そうなんだ。分子量が大きくなるとファンデルワールス力が強くなるよね。**分子間に強い引力がはたらくと分子を引き離すのに大きなエネルギーが必要になるから，沸点が高くなる**んだ。

ポイント ▶ **ファンデルワールス力について**

① 分子量(大) ▶ ファンデルワールス力(大) ▶ 沸点(高)
② 分子量がほぼ同じとき：無極性分子より極性分子 ▶ 沸点(高)
③ 分子量・極性がほぼ同じとき：分子の形が直線状 ▶ 沸点(高)

 でも、14族以外はおかしな形のグラフになっているよ。

　そうだね。たしかに14族の水素化合物（CH₄，SiH₄，GeH₄，SnH₄）の沸点は**ポイント①**どおりの結果になっているね。ところが左ページのグラフの　　　部分の**アンモニア NH₃，水 H₂O，フッ化水素 HF の沸点は，分子量が小さいのに沸点が異常に高い**。ということは、これらの分子どうしの間に非常に強い引力がはたらいていると考えられるね。次の図から何か気づくことはあるかな？

$$H-\overset{H}{\underset{H}{N}}-H \cdots \overset{\overset{|}{\delta-}}{\underset{H}{N}}-H \qquad H-\overset{\delta-}{\underset{H}{O}} \cdots \overset{\delta+}{\underset{H}{H}}-O \qquad H-\overset{\delta-}{F} \cdots H-\overset{\delta+}{F}$$

…は水素結合

 どんなこと？

　アンモニア NH₃，水 H₂O，フッ化水素 HF のそれぞれの分子は、電気陰性度の大きな原子（F，O，N）が水素原子をはさんだ形をとっているね。
　電気陰性度の大きな F，O，N が、結合している電気陰性度の小さい H から共有電子対を自分のほうに引っ張っているから、F，O，N が $\delta-$ に、H は $\delta+$ になっているんだ。こうして、この F，O，N 原子と H 原子との間に静電気的な引力（＝**水素結合**という）がはたらく。**水素結合は、ファンデルワールス力よりもはるかに強い引力なので、水素結合をつくっている分子の沸点は分子量から予想される温度よりもはるかに高くなる**んだ。

チェック問題 9

やや難 2分

物質 A と物質 B の沸点を比較したとき, 物質 B の沸点のほうが高い組み合わせを, 次の①~⑥のうちから 1 つ選べ。

	物質 A	物質 B
①	水	硫化水素
②	食塩水	水
③	エタノール	ジメチルエーテル
④	アルゴン	ネオン
⑤	フッ化水素	塩化水素
⑥	塩 素	臭 素

解答・解説

⑥

①

よって, 沸点は A > B になる。

② 水溶液の沸点は水の沸点よりも高くなる。この現象を沸点上昇(➡ p.106)という。よって, 沸点は A > B となる。

③ A:エタノール C₂H₅OH　　　B:ジメチルエーテル CH₃OCH₃

C_2H_5 O — H 分子間に水素結合がはたらく
H — O C_2H_5

CH_3 O — CH_3 分子間にファンデルワールス力がはたらく
CH_3 O — CH_3

よって, 沸点は A > B になる。

④ 貴ガスは単原子分子として存在しているので, 原子量=分子量となる。
分子量の順が Ar > Ne なのでファンデルワールス力の強さも Ar > Ne となる。
よって, 沸点は A > B となる。

⑤　　　　H－F　→ 分子間に　　　　　　　　H－Cl　→ 分子間にファンデル
　　　　A：フッ化水素　　水素結合がはたらく　　　　B：塩化水素　　ワールス力がはたらく

　　　よって，沸点は A ＞ B になる。

⑥　分子量の順が Cl_2＜Br_2なので，ファンデルワールス力の強さは Cl_2＜Br_2となり，沸点は Cl_2＜Br_2となる。よって，沸点は A ＜ B となる。

❸ 分子結晶

　共有結合で結びついてできた二酸化炭素 CO_2，ヨウ素 I_2，水 H_2O などの分子が，ファンデルワールス力や水素結合のような**分子間力により引き合ってできている結晶**を分子結晶という。

　分子結晶は，それほどは強くない分子間の引力で結びついているので，**軟らかくて融点の低いものが多く**，電気を通さず，ドライアイス CO_2 やヨウ素 I_2 のように固体から液体にならずに直接気体に変化（＝昇華）するものもあるんだ。

ドライアイス（CO_2）

ヨウ素（I_2）

水素結合　　　共有結合
　　　　　　　正四面体

氷（H_2O）

 氷 H_2O の構造って正四面体形なんだね。

　そうなんだ。**氷は 1 個の水 H_2O 分子が，まわりの 4 個の水 H_2O 分子との間に水素結合を形成して，正四面体構造をとっている**んだ。図を見るとわかるけど，氷はかなりすき間だらけだよね（＝すき間の多い構造）。

　液体の水は水分子の配列がくずれすき間の少ない構造になるから，水の体積は氷の体積よりも小さくなる。同じ重さの氷と水であれば体積の大きい**氷のほうが密度が小さくなる**よね。

密度って，質量÷体積　だからだね。

だから，氷は水より密度が小さく，水に浮くんだ。

氷は水に浮く

温度による水の密度の変化

ポイント　分子結晶について

● 軟らかくて融点の低いものが多く，昇華しやすいものもある

　例　ヨウ素 I_2，ドライアイス CO_2，ナフタレン $C_{10}H_8$，氷 H_2O など

チェック問題10　　標準

次の記述①〜⑤のうちから，内容に誤りを含むものを 1 つ選べ。

① ヨウ素の結晶では，ヨウ素分子どうしが弱い分子間力により規則正しく配列している。

② 氷の結晶では，となり合った水分子の間に水素結合が形成されている。

③ 塩化カリウムの結晶では，塩化カリウムの分子どうしが電気的な引力で結びついている。

④ 金属の結晶が電気をよく導くのは，結晶内を自由に移動できる電子が存在するためである。

⑤ 氷の密度が液体の水よりも小さいのは，水素結合により H_2O 分子が規則的に配列することで，氷の結晶がすき間の多い構造になるためである。

解答・解説

③

① ファンデルワールス力からなる分子結晶である。〈正しい〉

② H_2O 1 個はまわりの H_2O 4 個と水素結合を形成している。〈正しい〉

③ 塩化カリウム KCl の結晶には，分子は存在しない。〈誤り〉

カリウムイオン K^+ ／ 塩化物イオン Cl^-

④ 自由電子の説明。〈正しい〉

⑤ 氷は液体の水よりもすき間が多いため，その密度は液体の水よりも小さくなる。〈正しい〉

6 共有結合の結晶について

　非金属元素どうしは共有結合で結びついていたよね。共有結合で結びついたものは，酸素 O_2 や二酸化炭素 CO_2 のように，分子になることが多いけれど（➡ これらの結晶を分子結晶といったね），**14族元素である炭素 C やケイ素 Si の結晶は，多くの原子が共有結合で規則正しく結びつき大きな結晶**（➡ 結晶全体は 1 個の**巨大な分子**とみなせる）**になっている**。これを共有結合の結晶というんだ。

　共有結合の結晶は，原子が共有結合で強く結合しているので❶ **硬く融点が高い**，価電子がすべて共有結合に使われているのでその多くは❷ **電気を通さない**などの性質があるんだ。

ダイヤモンド C ── C ／ 正四面体

硬く融点が高い 電気を通さない

ケイ素 Si ── Si ／ 正四面体

硬く融点が高いが，電気を少し通す

Si 原子 ／ O 原子

硬く融点が高い

Si 原子 ／ O 原子

SiO_2 は天然に石英・水晶・けい砂などとして存在していて，温度によりさまざまな構造をとる

二酸化ケイ素 SiO_2

あれ？ 炭素原子からできている黒鉛は電気を通さなかった？ たしか，電気分解のときに炭素棒(黒鉛)を使ったよ。

そうなんだ。黒鉛(グラファイト)C は，共有結合の結晶の中では少し変わった性質をもつんだ。

 どう変わっているの？

炭素の価電子って 4 個あったよね。 ← ₆C：K(2)L(4) から考える

黒鉛は，この 4 個の価電子のうち 3 個が共有結合で正六角形の平面層状構造をつくり，**残り 1 個の価電子がこの平面にそって動く。そのため，黒鉛は固体状態で電気をよく通す**んだ。

また，平面層状構造はファンデルワールス力で積み重なっているので，軟らかく，うすくはがれやすい。

あとね，**純度の高いケイ素** Si は，電気が流れると共有結合の一部が切れて価電子が現れ，**わずかに電気を通す**んだ。

C
共有結合

ファンデルワールス力で積み重なっている

黒 鉛

だから，**半導体の材料**として**太陽電池**や**集積回路**(**IC**)などに使われているんだ。

ポイント 共有結合の結晶について

● 硬く，融点が高く，電気を通しにくい　例外　黒鉛(グラファイト)

チェック問題 11

標準 2分

次の①〜⑤のうちから，誤りを含むものを 1 つ選べ。

①　ダイヤモンドと黒鉛はともに炭素の同素体である。

②　ダイヤモンドは，ケイ素の結晶と同様の結晶構造をもつ。

③　黒鉛には電気伝導性があるが，ダイヤモンドには電気伝導性がない。

④　二酸化ケイ素の結晶は，固体の二酸化炭素と同様に分子結晶である。

⑤　ケイ素の単体は，太陽電池の材料に用いられる。

④

① 同素体をつくる原子は，**S̲, C̲, O̲, P̲**（ス コ ッ プ）と覚えておこう。〈正しい〉

② ともに正四面体構造をもつ共有結合の結晶である。〈正しい〉

③ 電気分解の電極に黒鉛が利用されることがある。〈正しい〉

④ ドライアイスは分子結晶だが，二酸化ケイ素 SiO_2 は共有結合の結晶。〈誤り〉

⑤ 太陽電池や集積回路などに用いられる。〈正しい〉

【ダイヤモンドの単位格子】

ダイヤモンドは，炭素原子 1 個が不対電子 4 個 $\cdot\dot{\underset{\cdot}{C}}\cdot$ で**他の炭素原子 C 4 個**と共有結合で**正四面体形**をつ

└→ 配位数は 4 になる

図 1
ダイヤモンドの単位格子

くりながら，1 個の巨大な分子になっているんだ。

まず，「単位格子中に含まれる炭素原子の数」について考えてみるよ。ダイヤモンドの場合，構成原子は炭素原子 C 1 種類だけど，見やすくするために，単位格子の頂点を占める原子を白丸〇，面上のものを灰色の丸●，格子内部にあるものを黒丸●（図 1）で示すね。そうすると，単位格子中には，

$$\underbrace{\frac{1}{8} \times 8}_{\text{頂点の〇}} + \underbrace{\frac{1}{2} \times 6}_{\text{面上の●}} + \underbrace{1 \times 4}_{\text{格子内の●}} = 8 個$$

の炭素原子 C が含まれているんだ。

 ダイヤモンドの配位数は……

炭素原子 1 個が不対電子 4 個で他の炭素原子 4 個と共有結合していたからダイヤモンド C の配位数は 4 だね。配位数は図 1 の単位格子からもわかるんだ。

図 1 の炭素原子⑦に注目すると（図 2），他の炭素原子 4 個が炭素原子⑦を囲んでいることがわかるね。

 あとは，単位格子の 1 辺の長さ a と原子の半径 r の関係だね。

図 2

そうだね。次の **チェック問題** を解きながら，マスターしてね。

チェック問題 12

やや難 3分

ダイヤモンドの単位格子(立方体)と,その一部を拡大したものを右の図に示す。単位格子の1辺の長さを a (cm),ダイヤモンドの密度を d (g/cm^3),アボガドロ定数を N_A (/mol)とする。

問1 炭素の原子量はどのように表されるか。次の①〜④のうちから1つ選べ。

① $\dfrac{a^3 d N_A}{8}$　　② $\dfrac{a^3 d N_A}{9}$　　③ $\dfrac{a^3 d N_A}{10}$　　④ $\dfrac{a^3 d N_A}{12}$

問2 原子間結合の長さ(cm)はどのように表されるか。次の①〜④のうちから1つ選べ。

① $\dfrac{\sqrt{2}\,a}{4}$　　② $\dfrac{\sqrt{3}\,a}{4}$　　③ $\dfrac{\sqrt{2}\,a}{2}$　　④ $\dfrac{\sqrt{3}\,a}{2}$

解答・解説

問1 ①　　**問2** ②

問1　問題文の図より,単位格子中の炭素原子は,

$$\underbrace{\frac{1}{8} \times 8}_{\text{頂点}} + \underbrace{\frac{1}{2} \times 6}_{\text{面上}} + \underbrace{1 \times 4}_{\text{格子内}} = 8 \text{個}$$

また,炭素の原子量を M とおくと,そのモル質量は M (g/mol)でアボガドロ定数は N_A (個/mol)となる。

よって,ダイヤモンドの密度が d (g/cm^3)であることから,単位に注目すると次の式が成り立つ。

$$\text{密度 (g/cm}^3) = \frac{8\,\text{個} \times \dfrac{1\,\text{mol}}{N_A\,\text{（個）}} \times \dfrac{M\,\text{(g)}}{1\,\text{mol}}}{a^3\,\text{(cm}^3)} = d\,\text{(g/cm}^3)$$

単位格子中の炭素原子の数を書く　　個を消去する　　mol を消去し,g を残す

分子に g　　分母に cm^3　　cm^3 にするために,3乗する

より,$M = \dfrac{a^3 d N_A}{8}$

問2　炭素原子の半径を r として,単位格子の一部を拡大した図に注目すると,

$$(\text{体対角線の長さ})^2 = \left(\frac{a}{2}\right)^2 + \left(\frac{\sqrt{2}}{2}a\right)^2 \text{より, 体対角線の長さ} = \frac{\sqrt{3}}{2}a$$

上の図のようになり，**原子間結合の長さ** $2r$ は，

$$2r = \underbrace{\frac{\sqrt{3}}{2}a}_{\text{体対角線}} \times \underbrace{\frac{1}{2}}_{\text{半分}} = \frac{\sqrt{3}}{4}a$$

原子間結合の長さ

と表すことができる。

 結局，a と r の関係は，$2r = \dfrac{\sqrt{3}}{4}a$ より，$8r = \sqrt{3}\,a$ になるね。

ポイント ▶ **共有結合の結晶（ダイヤモンド）について**

● 単位格子中の炭素原子の数　**8**　● 配位数　**4**　● a と r の関係　$8r = \sqrt{3}\,a$

最後に，今までに学んできた 4 種類の結晶についてまとめておくね。

チェック問題 13 　標準 2分

次の記述①〜⑥のうちから，誤りを含むものを1つ選べ。

① 共有結合の結晶は，原子間で電子対を共有するため，電気伝導性を示す
ものはない。

② イオン結晶は，陽イオンと陰イオンからなるが，水に溶けにくいものも
ある。

③ 金属は，一般に熱や電気をよく導き，延性・展性を示す。

④ 分子結晶では，分子間にはたらく力が弱いため，室温で昇華するものが
ある。

⑤ 水分子は，非共有電子対をもつので，水素イオンと配位結合することが
できる。

⑥ イオン結晶は，全体として電気的に中性である。

解答・解説

①

① 共有結合の結晶は，電気伝導性を示さないものが多い。ただし，ケイ素は半導
体の性質を示し，黒鉛（グラファイト）は電気伝導性を示す。よって，電気伝導性
を示すものもある。〈誤り〉

② イオン結晶は NaCl のように，水に溶けやすいものが多い。ただし，$BaSO_4$，
AgCl などは水に溶けにくい。（沈殿➡ p.250）〈正しい〉

③ 金属は，自由電子のはたらきにより，熱や電気をよく導く（➡ 熱伝導性，電気
伝導性が大きい）。また，延性・展性を示す。〈正しい〉

④ 分子結晶であるドライアイス CO_2，ヨウ素 I_2，ナフタレン $C_{10}H_8$ などは室温
で昇華する。〈正しい〉

⑤ 水 H_2O 分子は，水素イオン H^+ と配位結合し，オキソニウムイオン H_3O^+ とな
ることができる。〈正しい〉

⑥ Na^+Cl^-，Cs^+Cl^- のように全体としては電気的に中性になる。〈正しい〉

2 時間目 物質の三態と状態変化

1 状態変化について

　物質の状態には, **固体・液体・気体の 3 つの状態があり, これらを**物質の三態**と**いうんだ。物質の状態を考えるときは, 温度や圧力も意識するようにしてね。

 温度はなんとなくわかるけど, 圧力もなの？

　そうなんだ。たとえば, 200℃の水（液体）っていわれてもピンとこないよね。それは, 原子くんが生活している大気圧（1.013×10^5 Pa ＝ 1 atm（1 気圧））の下で水は 100℃ で沸騰して水蒸気になってしまうからなんだけど, たとえば, 200 気圧の下では水は 200℃ でも液体なんだ。だから, 物質の状態を考えるときには, 温度だけでなく圧力も意識してほしいんだ。**固体・液体・気体の三態間の変化を**状態変化**（このように状態だけが変わる変化は**物理変化**ともいう）**というんだ。

 物理変化があるなら, 化学変化もあるの？

　するどいね。炭素 C と酸素 O_2 が反応して二酸化炭素 CO_2 を生じるように, **ある物質が別の物質に変わる変化を**化学変化**または**化学反応**というんだ。

ポイント　物理変化と化学変化について

● 物理変化 ▶ 状態や形だけが変わる変化

　　例　固体・液体・気体の間の変化（状態変化）

　　　　ガラスが割れてこなごなになるような変化（形だけが変化）

● 化学変化（化学反応）▶ ある物質が別の物質に変わる変化

　氷を加熱したときの状態変化と温度との関係を考えてみるね。1.013×10^5 Pa の下, 氷を加熱したときの状態変化と温度変化のグラフは次のようになる。

1.013×10⁵Pa の下での水の状態変化

液体が沸騰して気体に変化するときの温度を**沸点**，固体がとけて液体に変化するときの温度を**融点**というんだ。

チェック問題 1 　　　　　　　　　標準 3分

　分子結晶をつくっている純物質Aの固体 w (g)を，圧力一定のもとで一様に加熱したところ，Aは液体状態を経てすべて気体状態に変化した。図は，このときの，加えた熱量とAの温度との関係を示したグラフである。Aの融解熱が H (J/mol)であるとき，Aのモル質量は何 (g/mol)か。モル質量を求める式として最も適当なものを，あとの①～⑤のうちから1つ選べ。

① $\dfrac{wH}{Q_a}$ 　② $\dfrac{wH}{Q_b - Q_a}$ 　③ $\dfrac{wH}{Q_c - Q_b}$ 　④ $\dfrac{wH}{Q_d - Q_c}$ 　⑤ $\dfrac{wHT_2}{Q_a(T_2 - T_1)}$

解答・解説

②

　T_2 が融点，T_3 が沸点になる。図から純物質Aの固体 w (g)がすべて液体に変化するために $Q_b - Q_a$ (J)の熱量を吸収したことがわかる。Aのモル質量を M_A (g/mol)

とおくと w (g) の A の物質量は w (g) $\times \dfrac{1\,\text{mol}}{M_A\,(\text{g})} = \dfrac{w}{M_A}$ (mol) となり，融解熱 H (J/1 mol) から次の式が成り立つ。

mol どうしを消去し，J を残す

$$\dfrac{H\,(\text{J})}{1\,\text{mol}} \times \dfrac{w}{M_A}\,(\text{mol}) = Q_b - Q_a\,(\text{J}) \qquad \text{より，}\quad M_A = \dfrac{wH}{Q_b - Q_a}\,(\text{g/mol})$$

T_2 (K) の固体 A すべ
てを T_2 (K) の液体 A
にするために必要な
熱量 (J)

図からよみと
ることのでき
る熱量 (J)

2 状態図について

圧力を縦軸，温度を横軸にとり，物質がどの状態であるかを示した図を**状態図**というんだ。

図1 水H₂Oの状態図　　　　図2 二酸化炭素CO₂の状態図

まずは，それぞれの状態を区切る曲線の名前を覚えてね。

「液体と気体」，「固体と気体」，「固体と液体」

蒸気圧曲線　　　**昇華圧曲線**　　　**融解曲線**

というんだ。水と二酸化炭素の状態図を見くらべて気づくことはあるかな？

水は融解曲線が左に傾いているね。

するどいね。水は融解曲線がわずかに左に傾いている（＝融解曲線の傾きが負）から，図1の矢印 ↕ のように一定温度のもとで圧力を高くすると固体（氷）→液体（水）になるんだ。

三重点って，同時に固体・液体・気体になっているの？

そうなんだ。3つの曲線の交点を**三重点**といい，固体・液体・気体の3つの状態が

共存している。また，図1や図2の，蒸気圧曲線を上にたどっていくと途切れた点があるよね。この点を臨界点といい，臨界点以上の温度や圧力では液体と気体の区別がつかない超臨界状態になるんだ。超臨界状態にある物質を超臨界流体という。超臨界流体は液体と気体の区別がつかない物質のことで，液体と気体の中間的な性質をもっているんだ。

チェック問題2

 やや難 3分

図は温度と圧力に応じて，二酸化炭素がとりうる状態を示す図である。ここで，A，B，Cは固体，液体，気体のいずれかの状態を表す。臨界点以下の温度と圧力において，下の(a・b)それぞれの条件のもとで，気体の二酸化炭素を液体に変える操作として最も適当なものを，それぞれの解答群の①～④のうちから1つずつ選べ。ただし，T_TとP_Tはそれぞれ三重点の温度と圧力である。

a　温度一定の条件

① T_Tより低い温度で，圧力を低くする。
② T_Tより低い温度で，圧力を高くする。
③ T_Tより高い温度で，圧力を低くする。
④ T_Tより高い温度で，圧力を高くする。

b　圧力一定の条件

① P_Tより低い圧力で，温度を低くする。
② P_Tより低い圧力で，温度を高くする。
③ P_Tより高い圧力で，温度を低くする。
④ P_Tより高い圧力で，温度を高くする。

解答・解説

a ④ b ③

A は固体，B は液体，C は気体を表している。図の三重点付近を拡大して考える。

注 気体を液体に変える操作なのでアは上向きの矢印，イは左向きの矢印にする必要がある。また，液体の領域が三重点より高い温度・高い圧力である点に注意しよう。

気体の CO_2 を液体の CO_2 に変える操作には，

矢印ア→温度一定の下，圧力を高くする
　　　　└→三重点の T_T より高い温度で行う操作であることに注意！

矢印イ→圧力一定の下，温度を低くする
　　　　└→三重点の P_T より高い圧力で行う操作であることに注意！

などが考えられる。よって，a は温度一定の条件とあるので矢印ア（T_T より高い温度で，圧力を高くする→④）となり，b は圧力一定の条件とあるので矢印イ（P_T より高い圧力で，温度を低くする→③）となる。

3 気体の拡散と絶対温度について

図のように，臭素 Br_2（液体）の入ったびんを密閉できる容器に入れ，ふたを開けておくと液体の表面から蒸発した赤褐色の気体，臭素 Br_2 がゆっくりと容器の中全体に広がっていく。この，**粒子が熱運動して全体に広がっていく現象を拡散**という。

拡散は，粒子が熱運動により濃度の大きなところから小さなところへ広がって均一な濃度になる現象のことで，逆の現象は起こらないんだ。

チェック問題 3

右図のように，内容積を1：2の割合にしきった密閉容器がある。Aの部分にはアンモニア NH_3，Bの部分には塩化水素 HCl が，室温で，それぞれ$1.013×$

A
アンモニア

B
塩化水素

10^5 Pa で入っている。しきりをとり去り，十分な時間が経過した後の室温での状態として最も適当なものを，次の①～⑤のうちから1つ選べ。ただし，気体はすべて理想気体とする。

① NH_3 と HCl が均等に混合した気体となる。
② NH_3 と HCl がすべて反応して，NH_4Cl の気体となる。
③ NH_3 と HCl がすべて反応して，NH_4Cl の固体を生じる。
④ すべての HCl は NH_4Cl になり，未反応の NH_3 が残る。
⑤ すべての NH_3 は NH_4Cl になり，未反応の HCl が残る。

解答・解説

⑤

同温（室温）・同圧（$1.013×10^5$ Pa）の下では，体積と物質量 (mol) が比例するので $NH_3 : HCl = 1 : 2$（体積比＝物質量 (mol) 比）となる。

しきりをとり去ると NH_3 と HCl が容器全体に拡散し，接触すると NH_4Cl（固体）の白煙を生じる。

	NH_3	+	HCl	$\longrightarrow$	NH_4Cl（固体）
（反応前）	1		2		
（反応後）	0		1 残る		1 生じる

よって，すべての NH_3 が NH_4Cl になり，未反応の HCl が残る。

気体の分子は熱運動により空間をさまざまな方向に飛びまわっていたよね。このとき，同じ温度であっても熱運動する分子の速さはすべて同じではなく，速いもの・遅いものとさまざまあるんだ。ある速さをもつ分子の割合を速さの分布といい，速さの分布は次の図のようになる。

気体の窒素分子 N₂ の場合

温度が高いほど，速さの大きな分子の数の割合が多くなっているね。

チェック問題 4

標準 2分

気体に関する次の文章中の ［ ア ］～［ ウ ］にあてはまる記号および語の組み合わせとして正しいものを，下の①～⑧のうちから１つ選べ。

気体分子は熱運動によって空間を飛び回っている。図は温度 T_1（実線）と温度 T_2（破線）における，気体分子の速さとその速さをもつ分子の数の割合との関係を示したグラフである。ここで T_1 と T_2 の関係は T_1 ［ ア ］ T_2 である。変形しない密閉容器中では，単位時間に気体分子が容器の器壁に衝突する回数は，分子の速さが大きいほど ［ イ ］ なる。これは，温度を T_1 から T_2 へと変化させたときに，容器内の圧力が ［ ウ ］ なる現象と関連している。

	ア	イ	ウ
①	>	多 く	低 く
②	>	多 く	高 く
③	>	少なく	低 く
④	>	少なく	高 く
⑤	<	多 く	低 く
⑥	<	多 く	高 く
⑦	<	少なく	低 く
⑧	<	少なく	高 く

解答・解説

⑥

温度が高くなるほど速さの大きな分子の数の割合が多くなることから，T_1 ア ⟨ < ⟩ T_2 である。また，気体分子が容器の器壁に衝突する回数は分子の速さが大きいほど イ ⟨ 多く ⟩ なる。そして，衝突回数が多くなるほど気体の圧力は高くなる。つまり，温度が高くなると，気体の圧力が ウ ⟨ 高く ⟩ なる現象と関連している。

3 時間目 気 体

■ 気体の圧力・体積・温度について

　ピストン付きの容器に気体を入れると，気体分子が容器の中を熱運動しピストンに衝突する。このときに**ピストンが受ける「単位面積あたりに加わる力」を気体の圧力**というんだ。

　圧力（N/m²）＝力の大きさ（N）÷力を受ける面積（m²）については，中学時代に勉強したよね。単位からわかるように，圧力は**単位面積（1 m²）あたりにかかる力の大きさ（N）**なんだ。

　ぼくたちは，日ごろ空気の重さ（空気にはたらく重力）を感じていないけれど，空気にも重さがあるんだ。そして，地表の空気は，その上にある空気によって押されているために圧力が生じていて，これを大気圧という。大気圧を体に感じることはないけれど，見て確認することはできるんだ。

　大気圧の大きさ

約 640 hPa
1 気圧
約 1013 hPa
富士山頂
空気
海面

$$\begin{pmatrix} \text{N/m}^2 \text{はニュートン毎平方メートル，Pa はパスカル，hPa はヘクトパスカルとよみ，} \\ \text{h（ヘクト）は} 10^2 \text{を表す。} 1 \text{ N/m}^2 = 1 \text{ Pa，} 1 \text{ hPa} = 10^2 \text{ Pa であり，} 1013 \text{ hPa} = 1013 \\ \times 10^2 \text{ Pa} = 1.013 \times 10^5 \text{ Pa} = 1.013 \times 10^5 \text{ N/m}^2 \text{になる。} \end{pmatrix}$$

　約 1 m のガラス管を用意して，その中に水銀 Hg をガラス管いっぱいに満たすんだ。この水銀をこぼさないように，水銀の入っている容器の中にさかさまに立てると，大部分の水銀はガラス管の中に残り，その高さは 76 cm で止まるんだ。

これで，大気圧が確認できているの？

　そうなんだ。ここで，ガラス管の真空部分を割ると，水銀は高さが 0 cm になってしまう。つまり，割ることによってガラス管中にも大気圧 $(1.013 \times 10^5$ Pa$)$ がかかるようになるから，水銀の高さが 0 cm になるんだ。

　このことから，**大気圧 $(1.013 \times 10^5$ Pa $= 1$ atm$)$ は高さ 76 cm $=760$ mm の水銀が示す圧力と等しい**ことが確認できるね。この関係を，

$$\text{大気圧} = 1 \text{ atm} (1 \text{ 気圧}) = 76 \text{ cmHg} = 760 \text{ mmHg}$$

ミリメートル水銀柱
└─Hg は水銀を表す

と書くんだ。

圧力の単位に(Pa)は使わないの？

　もちろん使えるよ。ここで，**76 cm の水銀 Hg が示す圧力**，**つまり大気圧 $= 1$ atm $(1$ 気圧$)$ を Pa で表してみる**ね。
　水銀柱の底面積を S (cm^2) とすると，水銀の体積は，"底面積×高さ"より，

$$S \text{ (cm}^2) \times 76 \text{ cm} = 76S \text{ (cm}^3)　\Leftarrow \text{cm}^2 \times \text{cm} = \text{cm}^3 \text{ となる}$$

となり，水銀の密度は13.6g/cm^{3}なので，水銀柱の質量 (g) は，

$$76S \text{ (cm}^3) \times \frac{13.6 \text{ g}}{1 \text{ cm}^3} = 1033.6S \text{ (g)}　\Leftarrow \begin{array}{l}\text{cm}^3 \text{ どうしを}\\\text{消去して g を残す}\end{array}$$

ここで，「1 kg の物体にはたらく重力は9.8 N」であることと，**圧力 (N/m²) ＝力の大きさ (N) ÷力を受ける面積 (m²)** であることから，水銀柱の底面にはたらいている圧力は，

$$\left\{ 1033.6S \text{ (g)} \times \frac{1\text{ kg}}{10^3\text{g}} \times \frac{9.8\text{ N}}{1\text{ kg}} \right\} \div \left\{ S \text{ (cm}^2) \times \left(\frac{1\text{ m}}{10^2\text{ cm}} \right)^2 \right\}$$

kg どうしを消去して N を残す　cm² にするために 2 乗する
g どうしを消去する　cm² どうしを消去して m² を残す

$$= \frac{1033.6S \times 10^{-3} \times 9.8 \text{ (N)}}{S \times 10^{-4} \text{ (m}^2)} \fallingdotseq 1.013 \times 10^5 \text{ N/m}^2$$

となり，また「1 Pa ＝ 1 N/m²」なので，1.013×10^5 N/m² ＝ 1.013×10^5 Pa

つまり，大気圧は次のように表せるんだ。

大気圧 **＝ 1 atm** ＝ 76 cmHg ＝ **760 mmHg** ＝ 1.013×10^5 N/m² ＝ **1.013×10^5 Pa**

気体の体積は，気体分子の大きさのことではないんだ。**気体が自由に熱運動している空間を気体の体積**というので，同じ物質量 (mol) の気体を入れてもピストンを押す力が変化すれば，体積も変化するんだ。

体積 大 ← 小

日常生活では，水の凝固点(融点)を 0 ℃，沸点を 100℃ として決められたセルシウス温度 t (℃) を使っていたよね。ただ，分子の熱運動が完全に停止する温度の最低限界が−273℃ (この温度を**絶対零度**という) だとわかってきたので，**−273℃ (絶対零度)を原点とする新しい温度の表し方である絶対温度 T 〔K〕 (ケルビン)も使われる**ようになったんだ。

T と t には，　T (K) ＝ 273 ＋ t (℃)　の対応関係があるんだ。

思考力のトレーニング やや難 2分

　イギリスの科学者ボイルは，17世紀の中ごろ，管内に閉じこめられた空気の体積(V)と圧力(P)との関係を調べ，ボイルの法則(PV＝一定)を導いた。常温で大気圧(760 mmHg)の下，断面積が一定のJ字管を用いて図のような実験を行ったとき，PおよびVに対応する長さはどれか。最も適当なものを，次の①〜⓪のうちから1つずつ選べ。ただし，同じものをくり返し選んでもよい。

Pに対応する長さ [1] mm，Vに対応する長さ [2] mm

① c
② $b + c$
③ $c + d$
④ $a + b + c$
⑤ $b + c + d$
⑥ $c + 760$
⑦ $b + c + 760$
⑧ $c + d + 760$
⑨ $a + b + c + 760$
⓪ $b + c + d + 760$

水銀

空気

水銀

d mm
c mm
b mm
a mm

解答・解説

[1]　⑥　　[2]　③

[1]　大気圧：760 mmHg

・は空気を表す

空気の圧力を P (mmHg) とする

c (mmHg)

······ でのつり合いの式

$\underset{\text{空気の圧力}}{P\,(\text{mmHg})}$
$= \underset{\text{大気圧}}{760\,\text{mmHg}} + \underset{\substack{\text{水銀}\,c\,(\text{mm})\,\text{が}\\\text{示す圧力}}}{c\,(\text{mmHg})}$

[2]　空気の体積 V は，空気が自由に熱運動している空間つまり � の部分になる。

$d + c$ (mm)

Vに対応する長さは，$d + c$ (mm)

② 気体の状態方程式について

　分子の大きさがなく，分子間力がはたらかないと考えた気体を理想気体といい，理想気体については次の重要公式が成り立つんだ。

　　$PV = nRT$　　重要公式

　この式を「気体の状態方程式」という。この式をみると，**気体の物質量 n (mol) は，圧力 P・体積 V・温度 T (K) の 3 つの値がわかれば求められる**ことがわかるね。

　R は何を表しているの？

　R は気体定数とよばれる定数なんだ。標準状態(0 ℃，1.013×10^5 Pa ＝ 1 atm)では，1 mol の気体の体積は 22.4L だったよね。だから，気体定数 R は，

❶　0 ℃，1.013×10^5 Pa (標準状態) で 1 mol の気体は 22.4L を占めるので，

$$R = \frac{PV}{nT} = \frac{1.013 \times 10^5 \text{ Pa} \cdot 22.4 \text{ L}}{1 \text{ mol} \cdot 273 \text{ K}} \fallingdotseq 8.3 \times 10^3 \underset{\text{単位に注目しよう！}}{\text{ Pa} \cdot \text{L}/ (\text{K} \cdot \text{mol})}$$

　● 気体定数 R の値が**8.3×10^3**のとき ➡ 圧力 P は Pa，体積 V は L，温度 T は K を使用する

❷　0 ℃，1 atm (標準状態) で 1 mol の気体は 22.4L を占めるので，

$$R = \frac{PV}{nT} = \frac{1 \text{ atm} \cdot 22.4 \text{ L}}{1 \text{ mol} \cdot 273 \text{ K}} \fallingdotseq 0.082 \text{ atm} \cdot \text{L}/ (\text{K} \cdot \text{mol}) \quad \text{単位に注目しよう！}$$

　● 気体定数 R の値が**0.082**のとき ➡ 圧力 P は atm，体積 V は L，温度 T は K を使用する

のようにさまざまな値・単位になるんだ。共通テストでの気体定数 R は，$R = 8.3 \times 10^3$ Pa・L/ (K・mol) で与えられることが多い。ただし，与えられる R の単位によっては P や V の単位が変化する点に注意してね。

　気体の問題を解くときには，まず R の単位を確認するようにするよ。

ポイント 　**気体計算のポイント**

● $(P,\ V,\ T)$ の値がわかれば，n の値が求められる
　　3 つのデータ

● $PV = nRT$ （与えられる気体定数 R の値や単位によって，$P,\ V$ の単位を使い分けて解くようにしよう。）

　次の図を見てほしいんだ。

気体の法則間の関係

ボイルの法則 $P_1 V_1 = P_2 V_2$	シャルルの法則 $\dfrac{V_1}{T_1} = \dfrac{V_2}{T_2}$

ボイル・シャルルの法則 $\dfrac{P_1 V_1}{T_1} = \dfrac{P_2 V_2}{T_2}$	アボガドロの法則 $\dfrac{V_1}{n_1} = \dfrac{V_2}{n_2}$

気体の状態方程式

気体の状態方程式には，他の法則の
関係がすべて含まれている

P：圧力
V：体積
T：絶対温度（K）
n：物質量（mol）

 $PV = nRT$ には，他の法則の関係がすべて含まれているんだね。

そうなんだ。つまり，**気体の計算は $PV = nRT$ ですべて解くことができる**んだ。

 $PV = nRT$ ばかり使っていたら，解くのに時間がかかってたいへんじゃないの？

それほどでもないんだ。共通テストは，計算量が少ないからね。もし，**圧力・体積・温度のうち数値が与えられていないものがあれば，圧力なら P，体積なら V，温度なら T と文字でおいたまま計算すればいい**んだ。

> **ポイント** **気体の計算問題について**
>
> ● 気体の計算問題 ➡ $PV = nRT$ を使えば，すべて解くことができる

チェック問題 1 やや易 2分

水素ガスを容積 1.0 L の容器に入れ，密封して 400 K に加熱したところ，圧力は 3.3×10^5 Pa となった。容器内の水素の質量は何 g か。最も適当な数値を，①〜⑥のうちから 1 つ選べ。H＝1.0，気体定数は 8.3×10^3 Pa・L/(K・mol) とする。

①　0.1　　　②　0.2　　　③　1　　　④　2　　　⑤　10　　　⑥　20

②

水素 H_2 の分子量は，$1.0 \times 2 = 2.0$ なのでそのモル質量は 2.0 g/mol であり，容器内の水素 H_2 の質量を w (g) とすると，その物質量(mol)は，w (g) $\times \dfrac{1\,\text{mol}}{2.0\,\text{g}}$ になる。

R の単位から $P \to$ Pa，$V \to$ L，$n \to$ mol，$T \to$ K を $PV = nRT$ に代入する。

$$\underbrace{3.3 \times 10^5}_{P \text{に Pa}} \times \underbrace{1.0}_{V \text{に L}} = \underbrace{\frac{w}{2.0}}_{n \text{は mol}} \times \underbrace{8.3 \times 10^3}_{R} \times \underbrace{400}_{T \text{に K}} \quad \text{より，} \ w \fallingdotseq 0.2\,\text{g}$$

チェック問題 2 標準 2分

右図に示すように，容積 3.0 L の容器 A と容積 2.0L の容器 B をコックで連結した装置がある。すべてのコックが閉じている状態で，容器 A には 4.0×10^5 Pa の，容器 B には 5.0×10^5 Pa の窒素が入っている。

温度を一定に保ったまま，中央のコックを開き，十分な時間が経過した後，容器内の圧力は何 Pa になるか。有効数字 2 桁で次の形式で表すとき，□ 1 ～ □ 3 にあてはまる数字を答えよ。□ 1 . □ 2 $\times 10^{□3}$ Pa

解答・解説

□ 1 4   □ 2 4   □ 3 5

温度が数値で与えられていないので，T (K) とおいて考える。

コックを開く前の容器 A 中の窒素 N_2 の物質量(mol)は，$PV = nRT$ より，

$$n_A = \frac{4.0 \times 10^5 \times 3.0}{RT} = \frac{12 \times 10^5}{RT} \ \text{(mol)} \ \xleftarrow{} \begin{array}{l} R \text{ は与えられていないので，}\\ R \text{ の単位を Pa・L／(K・mol) と考える} \end{array}$$

同様に，容器 B 中の窒素 N_2 の物質量 (mol) は，

$$n_B = \frac{5.0 \times 10^5 \times 2.0}{RT} = \frac{10 \times 10^5}{RT} \ \text{(mol)}$$

温度 T を一定に保ったまま，コックを開いた後の圧力 P (Pa) は，

$$P \times \underbrace{(3.0 + 2.0)}_{\substack{\text{コックを開いた後}\\\text{の容器の容積}}} = \left(\underbrace{\frac{12 \times 10^5}{RT}}_{\text{A 中の } N_2 \text{ (mol)}} + \underbrace{\frac{10 \times 10^5}{RT}}_{\text{B 中の } N_2 \text{ (mol)}} \right) \times RT \quad \text{より，} \ P = 4.4 \times 10^5 \ \text{Pa}$$

コックを開くと混合する

チェック問題 3

標準 3分

物質量が一定の理想気体の温度を T_1 (K)または T_2 (K)に保ったまま，圧力 P を変える。このときの気体の体積 V (L)と圧力 P (Pa)との関係を表すグラフを，次の①〜⑥のうちから1つ選べ。ただし，$T_1 > T_2$ とする。

①
②
③
④
⑤
⑥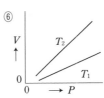

解答・解説

③

「物質量(mol)が一定の理想気体」とあるので，n は一定の値となる。「気体定数は一定の値」なので，R も一定の値となる。

T_1 (K)において，　　　　　　　T_2 (K)において，
$PV = nRT_1$ が成立する。　　　$PV = nRT_2$ が成立する。

n, R, T_1 が一定の値なので，□をつける　　　n, R, T_2 が一定の値なので，□をつける

$PV = \boxed{n}\,\boxed{R}\,\boxed{T_1}$ …(ア)　　$PV = \boxed{n}\,\boxed{R}\,\boxed{T_2}$ …(イ)

（□ は一定の値であることを示している）

＊ T_1, T_2 は，それぞれ**その温度の下で考えている**ので一定値になる。

式(ア)，(イ)のグラフは，横軸に P，縦軸に V をとると**反比例のグラフ**(ボイルの法則)になる。たとえば，$P = 1$ を代入すると $T_1 > T_2$ なので，式(ア)，(イ)より，$V = nRT_1 > V = nRT_2$ → T_1 のときの V の値は T_2 のときの V の値よりも大きくなる。

よって，グラフは右図のようになる。

3 気体の分子量について

気体 1 L あたりの質量 (g) を気体の密度というんだ。単位はどうなると思う？

 1 L あたりの質量 (g) だから，g/L だね。

そうだね。単位からわかるように，気体の密度 (g/L) は g ÷ L で求めることができるんだ。

質量 w (g) の気体の物質量 n (mol) は，分子量を M とすると

$$n \ (\text{mol}) = w \ (\text{g}) \times \frac{1 \ \text{mol}}{M \ (\text{g})}$$ ◀ モル質量は M (g/mol) となり，g どうしを消去して，mol を残す

となり，これを $PV = nRT$ に代入すると

$$PV = \frac{w}{M} \times RT \quad \cdots\cdots ①$$ ◀ $PV = nRT$ に $n = \frac{w}{M}$ を代入した

となるね。ここで，気体の密度を d (g/L) とすると

$$d \ (\text{g/L}) = w \ (\text{g}) \div V \ (\text{L})$$ ◀ 単位に注目すると，g ÷ L で求められる

なので，①式を変形した

$$PM = \frac{w}{V} \times RT \quad \cdots\cdots ②$$ ◀ $\frac{w}{V}$ の形をつくる

に代入して

$$PM = d \times RT \quad \cdots\cdots ③$$ ◀ $\frac{w}{V} = d$ となる

が成立する。

 この式から，ある温度 T での気体の圧力 P と密度 d がわかれば，気体の分子量 M を求めることができるね。

そうだね。また，③式を変形すると $d = \dfrac{P}{RT} \times M$ になるよね。この式から，圧力 P と温度 T が一定のとき，気体定数 R はもともと一定値なので，**気体の密度 d は気体の分子量 M に比例すること**がわかるんだ。

 分子量 M の大きい気体ほど重いってことだね。

> **ポイント** **気体の分子量について**
>
> ● ①式から，$M = \dfrac{wRT}{PV}$　　● ③式から，$M = \dfrac{dRT}{P}$

チェック問題 4

揮発性の純物質 A の分子量を求めるために実験を行った。内容積が 500 mL の容器に A の液体を約 2 g 入れ，小さな穴をあけたアルミニウム箔で口をふさいだ。これを，図のように 87 ℃の温水に浸し，A を完全に蒸発させて容器内を 87 ℃の A の蒸気のみで満たした。その後，この容器を室温まで冷却したところ，容器内の A の蒸気はすべて液体になり，その液体の質量は 1.4 g であった。A の分子量はいくらか。最も適当な数値を，①〜⑤のうちから 1 つ選べ。ただし，大気圧は 1.0×10^5 Pa であり，室温は27℃，気体定数は $R = 8.3 \times 10^3$ Pa・L/(K・mol) とする。

穴┐ アルミニウム箔

温水

A

① 20 ② 63 ③ 84 ④ 110 ⑤ 120

解答・解説

③

大気圧(1.0×10^5 Pa)とつり合うまで A の蒸気が出ていく

1.0×10^5 Pa（大気圧）

（大気圧）
1.0×10^5 Pa

1.0×10^5 Pa

$\dfrac{500}{1000}$ L の
フラスコ

87 ℃の
温水に浸す

～1.0×10^5 Pa

87 ℃の
温水

容器を
冷却する

室温
（27 ℃）

A 約 2 g

A 1.4 g

フラスコ内の蒸気Aの圧力は，大気圧とつり合い 1.0×10^5 Pa になっている。

この1.4 g は
フラスコ内を満たした
A の蒸気の質量（●4 個分）に相当する

87 ℃で A はすべて気体として存在しており，この温度において蒸気 A について $PV = \dfrac{w}{M} RT$ が成立する。このとき，1.4 g の A は $\dfrac{500}{1000}$ L のフラスコ内ですべて気体であり，その圧力は 1.0×10^5 Pa になる。よって，

$$1.0 \times 10^5 \times \frac{500}{1000} = \frac{1.4}{M} \times 8.3 \times 10^3 \times (273 + 87)$$

から，$M \fallingdotseq 84$ になる。

チェック問題 5

標準 2分

次の①〜⑤のうちから，常温，常圧で密度が最も小さいものを1つ選べ。
C = 12, N = 14, O = 16, Ar = 40

① N_2　　② O_2　　③ NO_2　　④ CO_2　　⑤ Ar

解答・解説

①

それぞれの分子量は，

　　$N_2 = 28$, $O_2 = 32$, $NO_2 = 46$, $CO_2 = 44$, $Ar = 40$

$d = \dfrac{P}{RT} \times M$ より，気体の密度 d は，一定温度(常温)，一定圧力(常圧)の下，

分子量 M に比例するので，**分子量の最も小さな N_2 の密度が最も小さい。**

混合気体，理想気体と実在気体

4
時間目

1 モル分率と平均分子量について

容器の中で n_A (mol) の気体 A (分子量 M_A) と n_B (mol) の気体 B (分子量 M_B) が混合している。このとき，混合気体全モルに対する**気体 A と B のモルの割合をそれぞれ気体 A と気体 B の**モル分率というんだ。

$$モル分率 = \frac{成分気体の物質量(mol)}{混合気体の全物質量(mol)}$$

$A のモル分率 = \dfrac{(n_A)}{(n_A + n_B)}$ ← A の mol
← A と B の mol の合計

$B のモル分率 = \dfrac{n_B}{n_A + n_B}$

$A : n_A$ (mol) (モル質量 M_A (g/mol))，
$B : n_B$ (mol) (モル質量 M_B (g/mol))

ここで，この混合気体の平均(見かけの)分子量 $\overline{M}$ を求めてみるね。

今回は 2 種類の気体 A，B が混合しているから，この**混合気体を(●と●を区別せず)1 種類の気体のようにとりあつかって，分子量 $\overline{M}$ を求める**。この $\overline{M}$ を平均分子量(見かけの分子量)というんだ。

$$混合気体の全質量 (g) = \underbrace{n_A \text{ (mol)} \times \frac{M_A \text{ (g)}}{1 \text{ mol}}}_{気体 A の質量 (g)} + \underbrace{n_B \text{ (mol)} \times \frac{M_B \text{ (g)}}{1 \text{ mol}}}_{気体 B の質量 (g)}$$

$$混合気体の全物質量 (mol) = \underbrace{n_A}_{気体 A の物質量 (mol)} + \underbrace{n_B}_{気体 B の物質量 (mol)} \text{ (mol)}$$

平均分子量 $\overline{M}$ はそのモル質量が $\overline{M}$ (g/mol) なので，g ÷ mol で求められるね。

$\overline{M}$ (g/mol) ＝混合気体の全質量 (g) ÷混合気体の全物質量 (mol)

$$= (n_A \times M_A + n_B \times M_B) \div (n_A + n_B) = \frac{n_A M_A + n_B M_B}{n_A + n_B}$$

 平均分子量って何か役に立つの？

混合気体を 1 種類の気体とみなして，$PV = nRT$ に代入することができるので，平均分子量を調べることで混合気体があつかいやすくなることがあるんだ。

チェック問題 1

やや難 2分

1.0×10^5 Pa の酸素6.0L と 2.0×10^5 Pa のアルゴン 2.0 L を混合した。この混合気体の平均分子量はおよそいくらか。次の①〜⑤のうちから，最も適当な数値を1つ選べ。$O_2 = 32$，$Ar = 40$

①　18　　　②　26　　　③　28　　　④　35　　　⑤　38

解答・解説

④

温度が数値として与えられていないので，T とおいて考える。酸素 O_2 の物質量を n_{O_2} (mol)とおくと，$PV = nRT$ より，

$$n_{O_2} = \frac{1.0 \times 10^5 \times 6.0}{RT} = \frac{6.0 \times 10^5}{RT} \text{ (mol)}$$　◀ R の単位は Pa・L／(K・mol) と考える

アルゴン Ar の物質量を n_{Ar} (mol)とおくと，同様に，

$$n_{Ar} = \frac{2.0 \times 10^5 \times 2.0}{RT} = \frac{4.0 \times 10^5}{RT} \text{ (mol)}$$

O_2 のモル質量32 g/mol と Ar のモル質量40 g/mol から，

混合気体の全質量(g)は，$\underbrace{\dfrac{6.0 \times 10^5}{RT} \text{(mol)} \times \dfrac{32\,g}{1\,mol}}_{O_2 \text{ の質量 (g)}} + \underbrace{\dfrac{4.0 \times 10^5}{RT} \text{(mol)} \times \dfrac{40\,g}{1\,mol}}_{Ar \text{ の質量 (g)}}$

混合気体の全物質量(mol)は，$\underbrace{\dfrac{6.0 \times 10^5}{RT}}_{O_2 \text{ (mol)}} + \underbrace{\dfrac{4.0 \times 10^5}{RT}}_{Ar \text{ (mol)}} \text{ (mol)}$

$$\overline{M} \text{ (g/mol)} = \frac{\dfrac{6.0 \times 10^5}{RT} \times 32 + \dfrac{4.0 \times 10^5}{RT} \times 40 \text{ (g)}}{\dfrac{6.0 \times 10^5}{RT} + \dfrac{4.0 \times 10^5}{RT} \text{ (mol)}} = \frac{6.0 \times 32 + 4.0 \times 40}{6.0 + 4.0} \fallingdotseq 35 \text{ (g/mol)}$$

2 ドルトンの分圧の法則について

1 と同じように気体 A と気体 B が混合して，同じ容器の中に入っているとするね。**この気体 A や気体 B がそれぞれ単独で混合気体と同じ体積を占めたときに，気体 A や気体 B の示すそれぞれの圧力 P_A，P_B を A の分圧，B の分圧とよぶ**んだ。また，この混合気体全体が示す圧力を**全圧 P** という。

そして，気体 A と気体 B からなる混合気体について，

$P = P_A + P_B$　◀ 全圧は，分圧の和となる

が成り立つ。この関係は，**混合気体の全圧は，その成分気体の分圧の和に等しい(＝**

ドルトンの分圧の法則という)ことを示しているんだ。

すべて同じ体積 V、すべて同じ温度 T

チェック問題2 　標準 3分

　ドライアイスの小片と9.2 g のエタノール(分子量46)を、容積 4.1 L の密閉容器中で、加熱して完全に気化させた。さらに温度を上げて127℃にすると、この2種類の気体の分圧は、合わせて 2.0×10^5 Pa になった。ドライアイスの質量 (g)として最も適当な数値を、次の①〜⑤のうちから1つ選べ。ただし、気体定数は $R = 8.3 \times 10^3$ Pa・L/(K・mol)とする。C = 12, O = 16

　① 0.6　　② 2.1　　③ 4.2　　④ 10.5　　⑤ 25.2

解答・解説

②

　ドライアイス CO_2 の分子量は44なのでモル質量は44 g/mol となり、その物質量 (mol)はドライアイス CO_2 の質量を x (g)とすると、

$$x \text{ (g)} \times \frac{1 \text{ mol}}{44 \text{ g}} = \frac{x}{44} \text{ (mol)} \quad \Leftarrow \text{g どうしを消去して mol を残す}$$

エタノールの物質量 (mol)は、そのモル質量46 g/mol から、

$$9.2 \text{ g} \times \frac{1 \text{ mol}}{46 \text{ g}} = 0.20 \text{ mol} \quad \Leftarrow \text{g どうしを消去して mol を残す}$$

この混合気体について、$PV = nRT$ が成り立つ。

$$2.0 \times 10^5 \times 4.1 = \left(\frac{x}{44} + 0.20 \right) \times 8.3 \times 10^3 \times (273 + 127) \text{ より、} x \fallingdotseq 2.1 \text{ g}$$

分圧の和＝全圧　　　└ドライアイス CO_2 は、完全に気化している

分圧の考え方は難しいね。

　たしかにね。体積 V・温度 T はそのままで，それぞれの成分気体に注目することを，
　　「V，T：一定で分ける」
と書くようにクセづけてね。混合気体を見つけたら，「V，T：一定で分けた図」を書くようにしてみてね。

 混合気体を見つけたら，V，T：一定の図を書く……と。

　そうだね。図をかき，じっくり考えるトレーニングをつんでいけば混合気体の計算がいつのまにか得意になっていると思うよ。

● N_2 x (mol) と O_2 y (mol) が混合して，容器の中に入っている場合

すべて同じ体積 V，すべて同じ温度 T

P：全圧	V，T：一定で分ける	P_{N_2}：分圧		P_{O_2}：分圧
混合気体 $x+y$ (mol)	N_2やO_2がそれぞれ単独で混合気体と同じ体積を占めたと考える	成分気体 N_2 x (mol)	＋	成分気体 O_2 y (mol)

$P = \dfrac{RT}{V} \times n$ より P と n が比例するため，
（一定値になる）

$P = P_{N_2} + P_{O_2}$ や $\quad P : P_{N_2} : P_{O_2} = (x+y) : x : y \quad$ が成り立つ。
圧力は mol のように　　　　　圧力比＝物質量(mol)比 ← 圧力と mol が比例する
足すことができる

$$P : P_{N_2} = (x+y) : x \text{ から，} P_{N_2} = P \times \frac{x}{x+y}$$
（圧力比）（モル比）（分圧）（全圧 モル分率）

$$P : P_{O_2} = (x+y) : y \text{ から，} P_{O_2} = P \times \frac{y}{x+y}$$
（圧力比）（モル比）（全圧 モル分率）

ポイント ▶ 混合気体の分け方について

● V，T：一定で分けたとき，
　{ 圧力比＝物質量(mol)比
　　分圧＝全圧×モル分率 } となる

チェック問題 3

標準 3分

容積が 2.0 L，2.5 L，0.50 L の容器 A ～ C を右図のように連結し，A には 2.0×10^5 Pa の窒素，C には 4.0×10^5 Pa の酸素を入れた。B は真空である。温度一定のまま，中

央の 2 つのコックを開け，十分に長い時間がたったとき，全圧 (Pa) はいくらになるか。有効数字 2 桁で次の形式で表すとき，□1□ ～ □3□ にあてはまる数字を答えよ。

□1□．□2□ × 10$^{□3□}$ Pa

解答・解説

| □1□ | 1 | □2□ | 2 | □3□ | 5 |

温度が数値として与えられていないので，T (K) とおいて考える。

コックを開ける前の容器 A 中の窒素 N_2 の物質量 (mol) は，$PV = nRT$ より，

$$n_{N_2} = \frac{2.0 \times 10^5 \times 2.0}{RT} = \frac{4.0 \times 10^5}{RT} \ (\text{mol})$$

◀ R の単位は，Pa・L/(K・mol) と考える

同様に，容器 C 中の酸素 O_2 の物質量 (mol) は，

$$n_{O_2} = \frac{4.0 \times 10^5 \times 0.50}{RT} = \frac{2.0 \times 10^5}{RT} \ (\text{mol})$$

コックを開け，十分に長い時間がたつと N_2 と O_2 がたがいに拡散しあう。

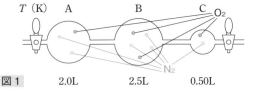

図 1　　2.0L　　2.5L　　0.50L

ここで，混合気体(図 1)について V, T：一定の図 を考える。

図2 成分気体 N_2 の物質量 $\dfrac{4.0 \times 10^5}{RT}$ (mol)　**図3** 成分気体 O_2 の物質量 $\dfrac{2.0 \times 10^5}{RT}$ (mol)

図2において，N_2 について，$PV = nRT$ が成り立つ。

$$\underset{\substack{\text{A，B，C はつながっている}}}{P_{N_2} \times (2.0+2.5+0.50)} = \underset{\substack{N_2\ (\text{mol})}}{\dfrac{4.0 \times 10^5}{RT} \times RT} \text{ より，} P_{N_2} = 0.80 \times 10^5 = 8.0 \times 10^4 \text{ Pa}$$

図3において，O_2 について，$PV = nRT$ が成り立つ。

$$P_{O_2} \times (2.0+2.5+0.50) = \underset{\substack{O_2\ (\text{mol})}}{\dfrac{2.0 \times 10^5}{RT} \times RT} \text{ より，} P_{O_2} = 0.40 \times 10^5 = 4.0 \times 10^4 \text{ Pa}$$

全圧 $P_全$ は，$P_全 = P_{N_2} + P_{O_2} = 8.0 \times 10^4 + 4.0 \times 10^4 = 12 \times 10^4 = 1.2 \times 10^5 \text{ Pa}$

3 理想気体と実在気体について

　理想気体とは，分子自身の大きさ(体積)がなく，分子間力がはたらかないと仮定した仮想の気体のことなんだ。理想気体は，状態方程式 $PV = nRT$ に厳密にしたがうんだ。ところが，実際に存在するアンモニア NH_3 や二酸化炭素 CO_2 などの気体(= 実在気体)は，分子自身の大きさがあり，分子間に引力がはたらいている。

　実在気体は分子間の引力や分子自身の大きさが無視できず，$PV = nRT$ が厳密に成立しないんだ。

 実在気体は，理想気体とどれくらい違うの？

　実在気体が理想気体とどれくらい異なるか(ずれるか)を考えるのに，理想気体や実在気体について，一定温度の下で圧力 P を変えながら $\dfrac{PV}{nRT}$ の値を調べたり(図1)，一定圧力の下で温度 T を変えながら $\dfrac{PV}{nRT}$ の値を調べる(図2)ことがあるんだ。

図1　圧力変化にともなう
　　　理想気体からのずれ

図2　温度変化にともなう
　　　理想気体からのずれ

図を見て，気づくことはあるかい？

　図1を見ると，実在気体のそれぞれのグラフは左に
いけばいくほど理想気体のグラフに近づいていくね。

　そうなんだ。**左にいくほど**（➡ **低圧になり，P が 0 Pa に近づくほど**），**実在気体は
理想気体に近づく**ことがわかるね。圧力についてもう少し考えてみよう。

おもりが1つ
なので低圧

おもりが3つも
あるので高圧

同体積で
考えてみよう

低圧の場合　　　　　　　　　　　　　高圧の場合

　圧力の低い状態では，気体が密につまっていないね。

　そうだね。**低圧状態では，気体分子間の距離が遠く離れているので，分子の大きさ
や分子間力が無視できる**んだ。

　分子間力はわかるけど，分子の大きさはどうして無視できるの？

　低圧の場合，同じ体積で考えると含まれている分子の数は少ないよね。そうすると，
容器の体積に対して分子の大きさが気にならない（無視できる）ということなんだ。つ
まり，**気体全体の体積に対して分子の大きさが無視できる**んだ。

　図2を見ると，実在気体のグラフは温度が高くなるほど理想気体に近づ
いているね。

　そうだね。**高温になるほど実在気体は理想気体に近づく**ね。**高温になるほど気体は
はげしく熱運動するので，分子間力の影響が無視できる**んだ。

低温 → 分子間力が強くはたらく　　高温　　●　　→ はげしい熱運動
　　　　　　　　　　　　　　　　　　　　　　　　　　　　　　　一瞬ですれ違うので,
　　　　　　　　　　　　　　　　　　　　　　　　　　　　　　　分子間力がはたらきにくい

低圧・高温になると実在気体が理想気体に近づくんだね。

ポイント ▶ **理想気体と実在気体について**

● 実在気体が理想気体に近づく条件：高温・低圧

$\dfrac{PV}{nRT}$　　　　　　　　　　　　　実在気体

1.0　　　　　　　　　　　理想気体

分子間力の効果　　　　　　　　　　　　分子の大きさの効果
　　∨　　　　　　　　　　　　　　　　　∨
分子の大きさの効果　　　　　　　　　分子間力の効果

（分子間力がはたらくこ）　　　　　　（分子の大きさが無視で）
（とでその体積が理想気体の）　　　　（きなくなるとその体積）
（体積より小さくなる。）　　　　　　（が理想気体の体積より）
　　　　　　　　　　　　　　　　　　（大きくなる。）

T （K）のとき　　　　　　　　　P

チェック問題 4　　　　　　　　　　標準 2分

　気体に関する記述として次の①〜⑦のうちから，正しいものを2つ選べ。ただし，P は圧力，V は気体の体積，R は気体定数，T は絶対温度を表す。

① P, V をどのような単位で表しても，R の数値は同一である。

② 0 ℃，1.013×10^5 Pa における実在気体 1 mol の体積 V は，気体の種類によらず一定で 22.4 L である。

③ 理想気体では，$\dfrac{PV}{nRT}$ の値が P に比例して増加する。

④ 理想気体では，$\dfrac{PV}{nRT}$ の値が T に比例する。

⑤ 実在気体の $\dfrac{PV}{nRT}$ の値が理想気体の値からずれるのは，分子間力が1つの原因である。

⑥ 実在気体は，常圧では温度が低いほど理想気体に近いふるまいをする。

⑦ 実在気体であるアンモニア 1 mol の体積が，0 ℃，1.013×10^5 Pa において 22.4 L より小さいのは，アンモニア分子間に分子間力がはたらいているためである。

解答・解説

⑤, ⑦

① P, Vの単位が変われば，Rの数値は変化する。（➡ p.54）〈誤り〉

② 実在気体〈誤り〉→理想気体が正しい。

③ Pが変化しても，理想気体では$\dfrac{PV}{nRT}$の値は常に一定値(1.0)になる。〈誤り〉

④ Tが変化しても，理想気体では$\dfrac{PV}{nRT}$の値は常に一定値(1.0)になる。〈誤り〉

⑤ 分子間力や分子の大きさが原因でずれる。〈正しい〉

⑥ 実在気体は，温度が高いほど理想気体に近いふるまいをする。〈誤り〉

⑦ アンモニアNH_3は，分子間に強い引力である水素結合がはたらく。〈正しい〉

チェック問題5　標準 2分

実在気体に関する記述として誤りを含むものはどれか。最も適当なものを，次の①〜④のうちから1つ選べ。

① 実在気体は，低温・高圧になるにつれて，理想気体のふるまいに近づく。
② 分子の極性は，実在気体のふるまいが理想気体のふるまいからずれる原因の1つになる。
③ 分子自身の体積は，実在気体のふるまいが理想気体のふるまいからずれる原因の1つになる。
④ 実在気体が理想気体とみなせるとき，1 molの気体の圧力と体積の積と絶対温度の比の値は，物質の種類によらない。

解答・解説

①

① 高温・低圧になるにつれて，理想気体に近づく。〈誤り〉
② 極性分子の間には，無極性分子の間よりも強い分子間力がはたらく。〈正しい〉
③ 分子間力や分子自身の体積が原因でずれる〈正しい〉
④ 理想気体とみなせるときは，気体1 molについて$PV = RT$が成り立つ。気体の圧力Pと体積Vの積PVと絶対温度Tの比の値$\dfrac{PV}{T}$は$\dfrac{PV}{T} = R$となり，その値Rは物質の種類によらない。〈正しい〉

チェック問題 6

標準 2分

実在気体に関する次の文章中の ア ・ イ にあてはまる語句の組み合わせとして最も適当なものを，下の①〜⑥のうちから1つ選べ。

図はヘリウム He とメタン CH_4 について，温度 T (K) を一定（300 K）とし，$\dfrac{PV}{nRT}$ の値が圧力 P (Pa) とともに変化するようすを示したものである。ここで，V は気体の体積（L），n は物質量（mol），R は気体定数（Pa・L/(K・mol)）である。メタン CH_4 では，図の圧力の範囲で，$\dfrac{PV}{nRT}$ の値は1よりも小さく，圧力が大きくなるとこの値は減少している。これは ア の影響に比べて イ の影響が大きいことによる。一方，ヘリウム He では，$\dfrac{PV}{nRT}$ の値は1より大きく，圧力が大きくなるとこの値は増加している。これは，イ の影響が非常に小さく，ア の影響が大きくあらわれるためである。

	ア	イ
①	分子間力	分子自身の体積
②	分子間力	分子の熱運動
③	分子自身の体積	分子間力
④	分子自身の体積	分子の熱運動
⑤	分子の熱運動	分子間力
⑥	分子の熱運動	分子自身の体積

解答・解説

③

ヘリウム He のような分子量が小さな無極性分子は，理想気体に近い挙動を示す。

5 時間目 （飽和）蒸気圧

1 （飽和）蒸気圧について

ビーカーの中に水滴を入れて，そのまま放置するとどうなるかな？

そのうち蒸発して，すべてなくなってしまうね。

そうだね。次に，右下のようにビーカーに水を入れ，ふたをし，長い時間放置すると，水は一部が残ったままになるよね。このとき，**水の一部は蒸発して水蒸気になっていくとともに，水蒸気の一部は凝縮して水に戻り，そのうち，蒸発も凝縮も起こらなくなったように見える状態になる**んだ。

蒸発も凝縮も起こっていないの？

ちょっと，ちがうんだ。**蒸発する水分子の数と凝縮する水分子の数が等しくなっているだけで，蒸発や凝縮が止まっているわけではない**んだ。このように，見かけ上（残っている水の量）の変化がない状態を**気液平衡（蒸発平衡）**といい，この平衡状態における蒸気の圧力を**飽和蒸気圧**または**蒸気圧**という。飽和蒸気圧は，**❶ 液体の種類と温度だけで決まる最大の圧力**で，**❷ 温度が一定ならば，残っている液体の量，容器の大きさ，他の気体の存在に関係なく一定**になるんだ。

温度によって，（飽和）蒸気圧はどう変化するの？

液体の温度が高くなると，液体の表面から蒸発する分子の数が増え，気体分子が多くなり熱運動も激しくなるので，(飽和)蒸気圧は温度が高くなると増加する。この**(飽和)蒸気圧と温度の関係を示すグラフ**を**蒸気圧曲線**というんだ。

思考力のトレーニング 1　　やや難 3分

図に示すような装置を用い，大気圧が 1.013×10^5 Pa（＝760 mmHg）のとき，温度25℃で次の操作aを行うと，ガラス管内の水銀柱の上部に空間ができる。この実験に関する記述として誤りを含むものを，下の①〜⑤のうちから1つ選べ。

操作a　一端を閉じた全長 900 mm のガラス管に水銀を満たし，容器内の水銀に沈んでいるガラス管の長さが 50 mm となるように，容器内の水銀面に対してガラス管を垂直に倒立させる。

① 操作aで，容器内の水銀に沈めるガラス管の長さを 100 mm にするとガラス管内上部の空間の体積は減少する。

② 図に示したガラス管の下端から上部の空間に少量のメタノールを入れると水銀柱は低くなる。

③ 大気圧が下がると図に示したガラス管内上部の空間の体積は減少する。

④ 操作aで，全長 700 mm のガラス管に変えると，ガラス管内の上部に空間は生じない。

⑤ 操作aで，全長 1200 mm のガラス管に変えると，図と同様にガラス管内の上部に空間が生じ，水銀柱の高さは全長 900 mm の長さのガラス管を用いた場合と同じになる。

解答・解説

③

p.51で学んだ水銀柱の内容を再度確認しておくこと。

① 沈めるガラス管の長さを 50 mm → 100 mm にすれば，上部の空間の体積は 50 mm 分減少する。〈正しい〉

② 入れたメタノールの量が与えられていないため，メタノールが空間中ですべて気体として存在しているか気液平衡の状態なのかはわからない。いずれにしてもメタノールの蒸気は圧力を示し，このメタノールが示す圧力を $P_{メタ}(\mathrm{mmHg})$ とすると，水銀柱の高さは $760 - P_{メタ}(\mathrm{mm})$ となり，低くなる。〈正しい〉

$$P_{メタ} + \underset{\text{水銀柱による圧力}}{P_{Hg}} = \underset{\text{大気圧}}{760\,\mathrm{mmHg}}$$

$$P_{Hg} = 760 - P_{メタ}(\mathrm{mmHg})$$

よって，水銀柱の高さは $760 - P_{メタ}(\mathrm{mm})$

> 注 メタノールが気液平衡の状態であれば，$P_{メタ}(\mathrm{mmHg})$ はメタノールの(飽和)蒸気圧になる。

③ 大気圧が 760 mmHg より下がると，大気圧とつり合う水銀柱の高さは 760 mm より低くなり，空間の体積は増加する。〈誤り〉

④ 全長が 700 mm になると水銀柱は 760 mm の高さで大気圧とつり合おうとするために空間は生じない。〈正しい〉

⑤ 全長が 1200 mm になっても水銀柱は 760 mm の高さで大気圧とつり合うため，水銀柱の高さは 760 mm のまま全長 900 mm のときと同じ。〈正しい〉

② （飽和）蒸気圧の計算について

（飽和）蒸気圧の計算問題は，温度一定の密閉容器の中で，次の@と⑥のどちらの状態になるかを判定させる問題がよく出題されるんだ。

- @ 揮発性の液体 X がすべて気体として存在している。
- ⑥ 液体 X と気体 X が共存して，X は（飽和）蒸気圧 P_0 を示している。

イメージがわきにくいね。

次の図から，密閉容器での X のようすを見ながら@と⑥との違いをおさえてね。
（T (K) における X の（飽和）蒸気圧を P_0 とする。）

どう解いたらいいの？

X の（飽和）蒸気圧 P_0 は，温度が一定だったら常に一定の値をとり続けるんだ。いいかえると，**X は（飽和）蒸気圧 P_0 を超える圧力をとることはできない**よね。この性質を利用し計算問題を解くんだ。

【（飽和）蒸気圧の計算問題の解き方】

温度一定の下，内容積一定の容器に入れた X の状態を調べる。

ステップ1

容器内の X が**すべて気体である**と 仮定 して，仮の圧力 P_{if} を求める。

ステップ2

@ $P_{if} \leqq$ （X の（飽和）蒸気圧 P_0）の場合

P_{if} が X の（飽和）蒸気圧 P_0 以下になることは可能なので仮定は正しく，容器内には X がすべて気体として存在している。また，その圧力は P_{if} を示す。

⑥ $P_{if} >$ （X の（飽和）蒸気圧 P_0）の場合

P_{if} が X の（飽和）蒸気圧 P_0 を超えることはないので，仮定は間違っており，容器内には液体 X と気体 X が共存している。また，その圧力は X の（飽和）蒸気圧 P_0 を示す。

チェック問題 1

標準 2分

　図はエタノールの蒸気圧曲線である。容積 1.0 L の密閉容器に 0.010 mol のエタノールのみが入っている。容器の温度が 60℃および 40℃のとき，容器内の圧力はそれぞれ何 Pa か。圧力の値の組み合わせとして最も適当なものを，下の①～⑦のうちから 1 つ選べ。ただし，気体定数は $R = 8.3 \times 10^3$ Pa・L/(K・mol) とする。また，容器内での液体の体積は無視できるものとする。

	60℃での圧力（Pa）	40℃での圧力（Pa）
①	2.3×10^4	1.8×10^4
②	2.8×10^4	1.8×10^4
③	4.5×10^4	1.8×10^4
④	2.3×10^4	2.3×10^4
⑤	2.8×10^4	2.3×10^4
⑥	2.8×10^4	2.6×10^4
⑦	4.5×10^4	2.6×10^4

解答・解説

②

　図から 60℃のときのエタノール蒸気圧を読みとると，$P_0 \fallingdotseq 4.5 \times 10^4$ Pa になる。

[ステップ1]

　1.0 L の密閉容器に入れたエタノール 0.010 mol が 60℃ですべて気体であると 仮定 して，仮の圧力 P_{if} を求める。

　　　$P_{if} \times 1.0 = 0.010 \times 8.3 \times 10^3 \times (273 + 60)$ より，$P_{if} \fallingdotseq 2.8 \times 10^4$ Pa

[ステップ2]

　$P_{if} = 2.8 \times 10^4$ Pa $< P_0 = 4.5 \times 10^4$ Pa（60℃のエタノールの（飽和）蒸気圧）となり，仮定 が正しく，容器内にはエタノールがすべて気体として存在している。

また，その圧力は 2.8×10^4 Pa になる。

図から 40 ℃ のときのエタノールの蒸気圧を読みとると，$P_0 \fallingdotseq 1.8 \times 10^4$ Pa になる。

[ステップ1]

1.0 L の密閉容器に入れたエタノール 0.010 mol が 40 ℃ ですべて気体であると 仮定 して，仮の圧力 P_{if} を求める。

$$P_{if} \times 1.0 = 0.010 \times 8.3 \times 10^3 \times (273 + 40) \text{より，} P_{if} \fallingdotseq 2.6 \times 10^4 \text{ Pa}$$

[ステップ2]

$P_{if} = 2.6 \times 10^4$ Pa $> P_0 = 1.8 \times 10^4$ Pa(40 ℃ のエタノールの(飽和)蒸気圧)となり，仮定 が間違っていたので，容器内には液体のエタノールと気体のエタノールが共存している。また，その圧力は(飽和)蒸気圧である $\underline{1.8 \times 10^4 \text{ Pa}}$ になる。

チェック問題2

やや難 3分

0 ℃，1.013×10^5 Pa で，体積 1.12 L の窒素と 0.10 mol のエタノールをピストンの付いた容器に入れ，57 ℃ で容積を 2.46 L にした。このとき，気体として存在するエタノールの物質量(mol)は，窒素の物質量(mol)の何倍になるか。最も適当な数値を，次の①〜⑥のうちから1つ選べ。ただし，57 ℃ におけるエタノールの(飽和)蒸気圧は 4.0×10^4 Pa とし，気体定数は $R = 8.3 \times 10^3$ Pa・L/(K・mol) とする。

① 0.2 　② 0.5 　③ 0.7 　④ 1.1 　⑤ 1.4 　⑥ 2.0

解答・解説

③

窒素 N_2 の体積は，0 ℃，1.013×10^5 Pa(標準状態)で 1.12 L とあるので，その物質量(mol)は，$1.12 \cancel{L} \times \dfrac{1 \text{ mol}}{22.4 \cancel{L}} = 0.050 \text{ mol}$ ◀ L どうしを消して mol を残す

エタノールについては，

[ステップ1]

容器内(2.46 L)に入れたエタノール 0.10 mol がすべて気体であると 仮定 して，仮の圧力 P_{if} を求める。

$$P_{if} \times 2.46 = 0.10 \times 8.3 \times 10^3 \times (273 + 57) \text{ より,} \quad P_{if} \fallingdotseq 1.1 \times 10^5 \, \text{Pa}$$

ステップ2

$P_{if} = 1.1 \times 10^5 \, \text{Pa} > P_0 = 4.0 \times 10^4 \, \text{Pa}$（エタノールの（飽和）蒸気圧）となり，仮定が間違っていたので，容器内には液体のエタノールと気体のエタノールが共存していて，エタノールの分圧（Pa）は $P_0 = 4.0 \times 10^4 \, \text{Pa}$ となる。

ここで，気体として存在するエタノールの物質量（mol）は，$PV = nRT$ より，

気体として存在するエタノールの分圧 P_0 を代入する

$$n = \frac{PV}{RT} = \frac{4.0 \times 10^4 \times 2.46}{8.3 \times 10^3 \times (273 + 57)} \fallingdotseq 0.036 \, \text{mol}$$

よって，気体のエタノールの物質量（mol）は窒素 N_2 の物質量（mol）の

エタノール ➡ $\dfrac{0.036}{0.050} \fallingdotseq 0.7$ 倍
窒素 ➡

3 水上置換や沸点について

水素 H_2 のような水に溶けにくい気体を発生させたときは，どう集めたらいい？

 水に溶けにくいのだから，水上置換で集めるのがいいね。

そうだね。このとき，メスシリンダー内は水素 H_2 と水蒸気 H_2O の混合気体になっているよね。**メスシリンダー内の水面と外の水面が一致している（つまり，メスシリンダーの内と外の圧力が等しい）こと**から，次の関係式が成り立つんだ。

（大気圧）＝（捕集した水素の分圧）＋（水蒸気の分圧（水の（飽和）蒸気圧））

思 考力のトレーニング 2 やや難 3分

　水への溶解度が無視できる気体 A の
分子量を求めるため，右図に示す装置を
使って，次の a ～ d の順序で実験した。
a　気体 A がつまった耐圧容器の質量を
　測定したところ，W_1 (g) であった。

b　耐圧容器から，ポリエチレン管を通
　じて気体 A をメスシリンダーにゆっくりと導き，内部の水面が水槽の水面よ
　り少し上まで下がったとき，気体 A の導入をやめた。メスシリンダーの目盛
　りを読んだところ，気体の体積は V_1 (L) であった。
c　メスシリンダーを下に動かし，内部の水面を水槽の水面と一致させて目盛り
　を読んだところ，気体 A の体積は V_2 (L) であった。
d　ポリエチレン管を外して耐圧容器の質量を測定したところ，W_2 (g) であった。
　実験中，大気圧は P (Pa)，気温と水温は常に T (K) であった。水の (飽和) 蒸
気圧を p (Pa)，気体定数を R (Pa・L/(K・mol)) とするとき，気体 A の分子量は
どのように表されるか。最も適当なものを，次の①～⑥のうちから 1 つ選べ。た
だし，ポリエチレン管の内容積は無視できるものとする。

①　$\dfrac{RT(W_1 - W_2)}{(P + p)\,V_1}$　　②　$\dfrac{RT(W_1 - W_2)}{P V_1}$　　③　$\dfrac{RT(W_1 - W_2)}{(P - p)\,V_1}$

④　$\dfrac{RT(W_1 - W_2)}{(P + p)\,V_2}$　　⑤　$\dfrac{RT(W_1 - W_2)}{P V_2}$　　⑥　$\dfrac{RT(W_1 - W_2)}{(P - p)\,V_2}$

解答・解説

⑥

　耐圧容器の質量差 $W_1 - W_2$ (g) の気体 A を水上置換で捕集したことがわかる。

　水上置換で捕集する場合，**容器内部の水面と水槽の水面を一致させる**ことで，
　　↳本問では V_1 (L) でなく，V_2 (L) で考えなくてはいけない。
メスシリンダー内と大気圧を等しく保つことができる。T (K) における水の (飽和)
蒸気圧つまり分圧が p (Pa) であることに注意して，V, T：一定で分ける (このとき
の気体 A の分圧を P_A (Pa) とおく)。

「V, T：一定で分けた」ときは，$\underbrace{P}_{\text{全圧 (Pa)}} = \underbrace{P_A}_{A \text{ の分圧}} + \underbrace{p}_{H_2O \text{ の分圧}(H_2O \text{ の}(飽和)蒸気圧)}$

となり，$P_A = P - p \text{ (Pa)}$……②

気体 A の分子量を M_A とすると，気体 A について，$PV = nRT$ が成り立つ。

$$\underbrace{(P - p)}_{(気体 A の分圧②より)} \times V_2 = \overset{①より}{\overbrace{\frac{W_1 - W_2}{M_A}}} \times R \times T \text{ より，} M_A = \frac{RT(W_1 - W_2)}{(P - p) V_2}$$

　液体を加熱していくと，液体の表面からだけでなく**液体の内部からも蒸気が気泡となって発生する**。この現象を沸騰といい，沸騰が続いている間は加えた熱が液体の分子を気体にするために使われ一定の温度が続く。このときの温度を沸点というんだ。

気泡をつぶそうとする
大気圧のようす

気泡内にはたらいている
(飽和)蒸気圧のようす

　図からもわかるとおり，**大気圧 ＝ (飽和)蒸気圧 ($P = P_0$) になると，気泡がつぶれずに液体中に存在できる**。ふつう，大気圧は $1.013 \times 10^5 \text{ Pa}$ (1 atm) なので，(飽和)蒸気圧が $1.013 \times 10^5 \text{ Pa}$ (1 atm) になる温度がその液体の沸点になるんだ。

沸騰
している

(飽和)蒸気圧が大気圧と同じ P (Pa) になった温度を読みとる

大気圧が P (Pa) なので，気泡内部の蒸気の
圧力 ＝ P (Pa) になれば沸騰する。

チェック問題 3

やや難 2分

図は，水の温度と蒸気圧との関係を示したグラフである。外圧(液体に接する気体の圧力)が変化したときの，水の沸点を表すグラフとして最も適当なものを，次の①～⑥のうちから1つ選べ。

解答・解説

③

水に接する気体の圧力(外圧)と水の(飽和)蒸気圧が等しくなると，沸騰が起こる。このときの温度が沸点になる。

対応する水の沸点を表すグラフは③になる

外圧が 2.0×10^5 Pa のときの水の沸点は120℃とわかる。

外圧が 0.5×10^5 Pa のときの水の沸点は80℃とわかる。

外圧が 1.0×10^5 Pa のときの水の沸点は100℃とわかる。

4 気体・蒸気圧計算の応用について

チェック問題をくり返し解いていると，少しずつ余裕が出てきて同じ問題を解いていても見える景色が変わってくるよね。原子くんもレベルアップしてきたし，ここで難しめの気体計算の解き方の【コツ】を紹介することにするね。

解き方の【コツ①】

気体・蒸気圧の計算問題では，問題文の操作を簡単な図で表す。

解き方の【コツ②】

$PV = nRT$ と書き，変化していない値 (一定の値) を探し□をつけ，□をまとめることで得られる式を使う。

 うまく解けるかな…

次のチェック問題をいっしょに解きながら慣れていこうよ。

チェック問題4 　　標準 2分

27 ℃，1.0×10^5 Pa で，体積一定の密閉容器をアルゴン Ar で満たした。この容器内の温度を 177 ℃に上げたとき，容器内の圧力は何 Pa か。有効数字 2 桁で次の形式で表すとき，　1 　〜　3 　にあてはまる数字を答えよ。

　1 　.　2 　$\times 10^{\boxed{3}}$ Pa

解答・解説

　1　 1　　　2　 5　　　3　 5

問題文の操作を次の図で表す (【コツ①】)

温度を上げる前と後で，物質量 n (mol)，体積 V (L) が等しく，気体定数 R も等しいので，【コツ②】より

$$P\boxed{V} = \boxed{n} \boxed{R} T \quad \text{より} \quad \frac{P}{T} = \boxed{\frac{nR}{V}} = \text{(一定)}$$

変化していない値に□をつける　　　新しく得られた式

となり，温度を上げる前と後の$\dfrac{P}{T}$が同じ値になるとわかる。

よって，$\dfrac{P}{T} = \dfrac{1.0 \times 10^5}{273 + 27} = \dfrac{P}{273 + 177}$ となり，$P = 1.5 \times 10^5\,\text{Pa}$

チェック問題 5　　　　　やや難　3分

　　ピストン付きの密閉容器に窒素と少量の水を入れ，27℃で十分な時間静置したところ，圧力が $4.50 \times 10^4\,\text{Pa}$ で一定になった。密閉容器の容積が半分になるまで圧縮して27℃で十分な時間静置すると，容器内の圧力は何 Pa になるか。有効数字3桁で下の形式で表すとき，$\boxed{1}$〜$\boxed{4}$にあてはまる数字を答えよ。ただし，密閉容器内に液体の水は常に存在し，その体積は無視できるものとする。また，窒素は水に溶解しないものとし，27℃の水の蒸気圧は $3.60 \times 10^3\,\text{Pa}$ とする。

$\boxed{1}\,.\,\boxed{2}\,\boxed{3} \times 10^{\boxed{4}}\,\text{Pa}$

解答・解説

$\boxed{1}$　8　　$\boxed{2}$　6　　$\boxed{3}$　4　　$\boxed{4}$　4

　密閉容器内に液体の水が**常に**存在している点に注意しよう。

図に表す（【コツ①】）

図1と図2の**窒素** N_2 に注目する。物質量 n (mol)，温度 T (K) $(273+27=300\,K)$，気体定数 R が変化していない。図2における**窒素 N_2 の分圧**を P_{N_2} (Pa) とすると，【コツ②】から $PV=\boxed{n}\,\boxed{R}\,\boxed{T}$ より $PV=$ (一定) となり，N_2について次の式が成り立つ。

$$PV = (4.50\times10^4 - 3.60\times10^3)\times V = P_{N_2}\times\frac{1}{2}V$$

より，$P_{N_2}=8.28\times10^4\,Pa$

図2での全圧 $P_{全}$ (Pa) は，

$$P_{全} = \underset{\text{(N}_2\text{の分圧)}}{8.28\times10^4} + \underset{\text{(H}_2\text{O の分圧)}}{3.60\times10^3} = \underset{\text{(全圧)}}{8.64\times10^4}\,Pa$$

6 時間目 溶 液

1 溶液について

塩化ナトリウム NaCl やスクロース $C_{12}H_{22}O_{11}$（砂糖の主成分）をビーカー中の水に入れたらどうなるかな？

 水に溶けるね。

そうだね。このように，塩化ナトリウムやスクロース（＝溶質という）が水（＝溶媒という）に溶けて均一になる現象を溶解，できた混合物のことを溶液というんだ。

 ふーん，溶媒って水だけなの？

溶媒には，水 H_2O やエタノール C_2H_5OH のような極性分子からなる極性溶媒とベンゼン C_6H_6 や四塩化炭素 CCl_4 のような無極性分子からなる無極性溶媒があるんだ。

水 H_2O や四塩化炭素 CCl_4 は前に勉強したから知っていたけど，エタノール C_2H_5OH やベンゼン C_6H_6 についてはわからないよ。

そうだね。それぞれの分子は次のような形をしていて，それぞれ極性分子，無極性分子に分けることができるんだ。

水 エタノール
極性分子

ベンゼン 四塩化炭素
無極性分子（分子全体では，極性がない）

じゃあ，溶質にもいろいろあるの？

そうなんだ。溶質には，塩化ナトリウム NaCl や塩化水素 HCl のように，水に溶けて陽イオンと陰イオンに電離する物質（＝電解質という）があるんだ。

$$NaCl \longrightarrow Na^+ + Cl^- \qquad HCl \longrightarrow H^+ + Cl^- \qquad \Leftarrow 電解質$$

また，グルコース $C_6H_{12}O_6$ やスクロース $C_{12}H_{22}O_{11}$ のように水に溶けても電離しない物質（＝非電解質という）もあるんだよ。

ポイント 溶液について

● 溶液は，溶質 {電解質・非電解質} と溶媒 {極性溶媒・無極性溶媒} からなる

塩化ナトリウム NaCl やスクロース $C_{12}H_{22}O_{11}$ は水によく溶けるけど，ベンゼン C_6H_6 や四塩化炭素 CCl_4 は水にはほとんど溶けないんだ。

 溶ける・溶けないの溶質と溶媒の組み合わせがあるの？

そうなんだ。溶け方の違いは「溶質と溶媒の極性や構造が似たものどうしなのか」で決まってきて，ふつう，**極性や構造が似たものどうしであればよく溶け合うし，そうでなければあまり溶けない**んだ。

塩化ナトリウム NaCl は極性溶媒である水 H_2O に溶けたね。これは，電気陰性度が O ＞ H なので水 H_2O 分子の共有電子対が酸素 O 原子のほうにかたよって，水 H_2O 分子の酸素 O 原子は $\delta-$，水素 H 原子は $\delta+$ に分極している。ここで，イオン結晶である NaCl を水の中に入れると，水 H_2O の $\delta-$ に帯電している O 原子の部分が Na^+ に，$\delta+$ に帯電している H 原子の部分が Cl^- に引きつけられて，それぞれのイオンをとり囲んで混ざっていくんだ。このように，**溶質が水にとり囲まれることを水和，水和されているイオンを水和イオン**という。

水分子の構造
水和された陽イオン Na^+　水和された陰イオン Cl^-

塩化ナトリウムの水への溶解

ただ，同じイオン結晶でも AgCl や $BaSO_4$ などはイオンが強く結びついて水にほとんど溶けない（**沈殿** ➡ p.250）んだ。

 じゃあ，スクロースは水にどうやって溶けるの？

スクロース（$C_{12}H_{22}O_{11}$ または $C_{12}H_{14}O_3(OH)_8$）はヒドロキシ基－OH を多くもっているから，水分子に水素結合によってとり囲まれて（水和されて）よく混ざり合うんだ。

ここで，無極性分子であるベンゼンを水に加えてみるね。

ベンゼンの分子間にはどんな力がはたらいていたかな？

スクロース分子　水和されたスクロース分子　水分子

スクロースの水への溶解

 無極性分子の間だからファンデルワールス力だよね。

そうだね。そして，極性分子である水 H_2O 分子の間には水素結合がはたらいているよね。**水分子間の水素結合のほうがはるかに強いので，弱いファンデルワールス力で結びついているベンゼンが入りこむことはできない**んだ。

 入りこめないとどうなるの？

ベンゼンは水に溶けず，ベンゼンの層と水の層に分かれるんだ。このとき，密度の小さいベンゼンの層が水の層の上にくるんだよ。

ポイント ▶ **物質の溶解について**

● イオン結晶（例外 $AgCl$，$BaSO_4$）や－OH をもつ物質…極性溶媒に溶ける
● 無極性分子……無極性溶媒に溶ける

溶質 ＼ 溶媒	極性溶媒（水など）	無極性溶媒（ベンゼンなど）
イオン結晶の物質（例 $NaCl$） 極 性 物 質 （例 スクロース）	溶けるものが多い	溶けないものが多い
無 極 性 物 質 （例 ヨウ素 I_2）	溶けないものが多い	溶けるものが多い

チェック問題 1 標準 2分

溶解に関する記述として誤りを含むものを，次の①〜⑦のうちから１つ選べ。

① 固体の臭化ナトリウムを水に入れると，ナトリウムイオンと臭化物イオンはそれぞれ水分子に囲まれた水和イオンとなって溶解する。
② 多くの水溶性の固体の水に対する溶解度は，水温が高くなるほど大きくなる。
③ 塩化水素を水に溶かすと，$H－Cl$ 間の結合が切れて電離する。
④ エタノールは，極性溶媒である水に溶ける。
⑤ 四塩化炭素は，無極性溶媒であるヘキサンに溶けない。
⑥ ヘキサンが水にほとんど溶けないのは，ヘキサン分子の極性が小さいためである。
⑦ ナフタレンが溶解したヘキサン溶液では，ナフタレン分子とヘキサン分子の間に分子間力がはたらいている。

解答・解説

⑤

① 臭化ナトリウム NaBr は Na^+ と Br^- に電離し，Na^+ と Br^- はそれぞれ水分子により水和される。〈正しい〉

② 水酸化カルシウム $Ca(OH)_2$ のように水温が高くなると溶解度が小さくなるものもあるが，多くは水温が高くなるほど溶解度は大きくなる（p.94）。〈正しい〉

③ H－Cl 間の共有結合が切れて次のように電離する。〈正しい〉

$$HCl \longrightarrow H^+ + Cl^-$$

④ エタノール C_2H_5OH は親水基である－OH と疎水基である炭化水素基 C_2H_5－ をもつ。エタノールは，炭化水素基のもつ C 原子の数が少なく疎水基の影響が小さいため，極性溶媒である水に溶ける。〈正しい〉

⑤ 四塩化炭素 CCl_4 は無極性分子なので，無極性溶媒であるヘキサン C_6H_{14} に溶ける。〈誤り〉

⑥ ヘキサンは極性が小さく水分子との間に静電気的な引力がはたらかないので，水にほとんど溶けない。〈正しい〉

⑦ ともに無極性分子であり，ファンデルワールス力がはたらいている。〈正しい〉

2 濃度について

溶質の量が，「基準とするものの量」に対してどれくらい溶けているかを表したものを濃度というんだ。溶液の場合，何を基準にしたらいいのかな？

基準を溶質を溶かす前にするか，溶質を溶かした後にするかってこと？

そうなんだ。溶質を溶かす前の**溶媒を基準**にとるか，溶かした後の**溶液を基準**にとるかで，濃度の表し方がいくつかあるんだ。

溶液を基準にとった濃度って？

まず，**溶液の質量（g）を基準**にとった「**質量パーセント濃度**」があるんだ。

ポイント 質量パーセント濃度について

- 質量パーセント濃度 $(\%) = \dfrac{\text{溶質の質量 (g)}}{\text{溶液の質量 (g)}} \times 100$

  ➡ 溶液 $100\,\mathrm{g}$ の中に溶けている溶質の質量 (g) を表す

溶質 (g)

溶液 $100\,\mathrm{g}$

チェック問題 2   易 1分

グルコース $18\,\mathrm{g}$ を水 $182\,\mathrm{g}$ に溶かした水溶液の質量パーセント濃度 (%) を小数第 2 位まで求めよ。

解答・解説

9.00 %

$$\frac{\text{溶質}：18\,\mathrm{g}}{\text{溶液}：(18+182)\,\mathrm{g}} \times 100 = 9.00\ \%$$

チェック問題 3   標準 2分

質量パーセント濃度 $8.0\,\%$ の水酸化ナトリウム水溶液の密度は $1.1\,\mathrm{g/cm^3}$ である。この溶液 $100\,\mathrm{cm^3}$ に含まれる水酸化ナトリウムの物質量は何 mol か。有効数字 2 桁で次の形式で表すとき，$\boxed{1}$ ～ $\boxed{3}$ にあてはまる数字を答えよ。$H = 1.0$，$O = 16$，$Na = 23$ とする。　$\boxed{1}$. $\boxed{2}$ $\times 10^{-\boxed{3}}$ mol

解答・解説

$\boxed{1}$ 2　$\boxed{2}$ 2　$\boxed{3}$ 1

質量パーセント濃度は，溶液 $100\,\mathrm{g}$ の中に溶けている溶質の質量 (g) を表すので，$8.0\,\%$ は $\dfrac{8.0\,\mathrm{g\,NaOH}}{100\,\mathrm{g\,溶液}}$ と表すことができる。

水酸化ナトリウム NaOH

質量パーセント濃度 8.0 %
溶液 $100\,\mathrm{cm^3}$
密度 $1.1\,\mathrm{g/cm^3}$

NaOH の式量は $\underset{Na}{23} + \underset{O}{16} + \underset{H}{1.0} = 40$ なので，モル質量は 40g/mol となる。

水溶液の cm^3 どうしを消去する　　　NaOH の g どうしを消去し，mol を残す

$$100 \text{ cm}^3 \times \frac{1.1\text{g}}{1 \text{ cm}^3} \times \frac{8.0\text{g}}{100\text{g}} \times \frac{1\text{ mol}}{40\text{g}} = 2.2 \times 10^{-1} \text{ mol}$$

$$\underset{\substack{\text{NaOH} + \text{H}_2\text{O} \\ \text{(g)}}}{} \quad \underset{\substack{\text{NaOH} \\ \text{(g)}}}{} \quad \underset{\substack{\text{NaOH} \\ \text{(mol)}}}{}$$

水溶液の g どうしを消去する

次に，**溶液の体積 (L) を基準にとった濃度を「モル濃度」（単位：mol/L）という。**
/(マイ)に注目すると次のポイントのようになるね。

ポイント ▶ **モル濃度について**

● モル濃度 (mol/L)
　　=溶質の物質量 (mol)÷溶液の体積 (L)
　➡ 溶液 1 L に溶けている溶質の物質量 (mol) を表す

溶質 (mol)
溶液 1 L

チェック問題 4 　　　　　　　標準 1分

　グルコース（分子量180）18 g を水に溶かして 100 mL とした水溶液のモル濃度
（mol/L）を小数第 2 位まで求めよ。

解答・解説

1.00 mol/L

$$\left(18\text{g} \times \frac{1\text{ mol}}{180\text{g}}\right) \div \left(100 \text{ mL} \times \frac{1\text{ L}}{10^3\text{mL}}\right) = 1.00 \text{ mol/L}$$

溶質 (mol)　　　　　　溶液 (L)

●**チェック問題** **4** の1.00 mol/Lのグルコース水溶液100 mLの調製のしかた

18gのグルコース
純粋な水
メスフラスコ
洗瓶
標線
液面の底と標線がそろうようにする

よくかき混ぜて溶かす。

メスフラスコに水溶液を移す。ビーカーに付着している水溶液は純粋な水で洗って入れる。

標線まで純粋な水を加える。

栓をし，上下によく振って均一にする。

チェック問題 5　　　　　標準 3分

モル濃度に関する次の問い(a, b)に答えよ。

a　0℃，1.013×10^5 Pa で560 mLの塩化水素を純水に溶かし，塩酸50 mLをつくった。この塩酸のモル濃度は何 mol/Lか。①〜⑥のうちから1つ選べ。

 ① 0.025 ② 0.050 ③ 0.25 ④ 0.50 ⑤ 2.5 ⑥ 5.0

b　硫酸銅(Ⅱ)五水和物50 gを水に溶解させ，500 mLの水溶液とした。この水溶液のモル濃度は何 mol/Lか。①〜⑤のうちから1つ選べ。H = 1.0，O = 16，S = 32，Cu = 64とする。

 ① 0.10 ② 0.20 ③ 0.31 ④ 0.40 ⑤ 0.63

解答・解説

a　④ b　④

a　0℃，1.013×10^5 Pa(標準状態)では，塩化水素 HCl 1 molの体積は

$22.4 \text{ L} \times \dfrac{10^3 \text{ mL}}{1 \text{ L}}$ であり，そのモル体積は22.4×10^3 mL/molとなる。よって，塩酸(塩化水素 HCl の水溶液)のモル濃度は，

$$\left(560 \text{ mL} \times \frac{1 \text{ mol}}{22.4 \times 10^3 \text{mL}}\right) \div \left(50 \text{ mL} \times \frac{1 \text{ L}}{10^3 \text{mL}}\right) = 0.50 \text{ mol/L}$$

溶質 HCl（mol）   溶液（L）

b　硫酸銅（Ⅱ）五水和物 $CuSO_4 \cdot 5H_2O$ 1個に含まれる $CuSO_4$ は1個なので，$CuSO_4 \cdot 5H_2O$ 6.0×10^{23}個（1 mol）には $CuSO_4$ が6.0×10^{23}個（1 mol）含まれている。つまり，「個数の関係＝物質量（mol）の関係」となる。

また，$CuSO_4 \cdot 5H_2O$ の式量：$\underset{\text{Cu}}{64} + \underset{\text{S}}{32} + \underset{\text{O}}{16 \times 4} + (\underset{\text{H}}{1.0 \times 2} + \underset{\text{O}}{16}) \times 5 = 250$ のモル質量は250 g/mol になる。よって，溶かした $CuSO_4 \cdot 5H_2O$ は$50\,g \times \dfrac{1\,mol}{250\,g} = \dfrac{1}{5}$ mol であり，$CuSO_4 \cdot 5H_2O$ の物質量（mol）＝ $CuSO_4$ の物質量（mol）なので，水溶液中の $CuSO_4$ も $\dfrac{1}{5}$ mol になる。

　よって，この水溶液のモル濃度は，

$$\left(\frac{1}{5}\,mol\right) \div \left(500\,mL \times \frac{1\,L}{10^3\,mL}\right) = 0.40\,mol/L$$

溶質 $CuSO_4$（mol）　　溶液（L）

溶媒を基準にとった濃度って？

溶媒の質量（kg）を基準にとった濃度を「質量モル濃度」（単位 mol/kg）という。 /（マイ）に注目すると次のポイントのようになるね。

ポイント　質量モル濃度について

溶質（mol）

● 質量モル濃度（mol/kg）
　＝溶質の物質量（mol）÷溶媒の質量（kg）
　➡ 溶媒1 kg に溶けている溶質の物質量（mol）を表す

←水1 kg

チェック問題6　標準　1分

グルコース（分子量180）18 g を水に溶かして218 g とした水溶液の質量モル濃度（mol/kg）を小数第2位まで求めよ。

解答・解説

0.50 mol/kg

$$\underbrace{\left(18\,\text{g} \times \frac{1\,\text{mol}}{180\,\text{g}}\right)}_{\text{溶質（mol）}} \div \underbrace{\left\{\overset{\text{水}}{(218-18)\,\text{g}} \times \frac{1\,\text{kg}}{10^3\,\text{g}}\right\}}_{\text{溶媒（kg）}} = 0.10\,\text{mol} \div 0.20\,\text{kg}$$

$$= 0.50\,\text{mol/kg}$$

 ここまでの**チェック問題**の計算だったら簡単だね。

そうだね。ここまでの濃度計算だったら，公式を覚えて代入するという機械的な作業でも解けるよね。でもね，公式代入の練習だけでは共通テストの問題を「いつも」「確実に」解くことはできないんだ。ただ，公式暗記では対応できないといっても，問題を解くうえで**最低限必要な「定義」は覚えてね**。

 共通テストの問題をいつも確実に解くためには，「定義」をどう覚えたらいいの？

何が基準になっていたかを考えながら，**単位を覚えていくん**だ。前にも紹介したけど，「**単位**」に注目しながら計算していくことが大切。単位に注目すればミスを減らすことができ，「いつも」「確実に」問題を解くことができるよ。

チェック問題 7

質量パーセント濃度が c（%）の過酸化水素水の密度を d（g/cm³）とするとき，この水溶液のモル濃度（mol/L）を表す式として正しいものはどれか。次の①～⑥のうちから１つ選べ。ただし，原子量は H = 1.0，O = 16 とする。

① $\dfrac{0.1c}{34d}$ ② $\dfrac{10c}{34d}$ ③ $\dfrac{100c}{34d}$ ④ $\dfrac{0.1cd}{34}$ ⑤ $\dfrac{10cd}{34}$ ⑥ $\dfrac{100cd}{34}$

解答・解説

⑤

p.88の **ポイント** より，質量パーセント濃度は，**溶液100gの中に溶けている溶質（g）を表す**ので，$\dfrac{c\,(\text{g})\,溶質}{100\,\text{g}\,溶液}$ ……① と表すことができる。

密度 d（g/cm³）より，$\dfrac{d\,(\text{g})\,溶液}{1\,\text{cm}^3\,溶液}$ と表すことができ，

$1\,\text{cm}^3 = 1\,\text{mL}$ なので，$\dfrac{d\,(\text{g})\,溶液}{1\,\text{mL}\,溶液}$ または $\dfrac{1\,\text{mL}\,溶液}{d\,(\text{g})\,溶液}$ ……② と表すこともできる。

また，過酸化水素 H_2O_2 の分子量は34なので，そのモル質量は 34 g/mol となる。

モル濃度は，$\dfrac{溶質 \,(\text{mol})}{溶液 \,(\text{L})}$ なので，分母や分子に①および②，モル質量を代入し，

溶質，溶液の単位である mol，L に変換して求める。

溶質gどうしを消去し，mol にする

モル質量34 g/mol より

$$\dfrac{溶質 \,(\text{mol}) : c\,(\text{g}) \times \dfrac{1\,\text{mol}}{34\,\text{g}}}{溶液 \,(\text{L}) : 100\,\text{g} \times \dfrac{1\,\text{mL}}{d\,(\text{g})} \times \dfrac{1\,\text{L}}{10^3\,\text{mL}}} = \dfrac{10cd}{34}\,(\text{mol/L})$$

①より ②より

溶液gどうしを消去する

問われている単位は L なので，mL を消去して L とする

チェック問題8 やや難 3分

ある溶液のモル濃度が $C\,(\text{mol/L})$，密度が $d\,(\text{g/cm}^3)$，溶質のモル質量が M (g/mol) であるとき，この溶液の質量モル濃度 (mol/kg) を求める式はどれか。正しいものを，次の①～⑤のうちから１つ選べ。

① $\dfrac{C}{1000d}$　② $\dfrac{1000CM}{d}$　③ $\dfrac{CM}{10d}$　④ $\dfrac{C}{1000d-CM}$　⑤ $\dfrac{1000C}{1000d-CM}$

解答・解説

⑤

モル濃度が $C\,(\text{mol/L})$ なので，溶液 1 L＝1000 mL に溶けている溶質は $C\,(\text{mol})$ とわかる。また，$d\,(\text{g/cm}^3)$，$M\,(\text{g/mol})$ より，この溶液の質量モル濃度 (mol/kg) は，

$$\dfrac{溶質 \,(\text{mol}) : \quad C\,(\text{mol})}{溶媒 \,(\text{kg}) : \left\{ \underbrace{1000\,\text{mL} \times \dfrac{d\,(\text{g})}{1\,\text{mL}}}_{溶液\,(\text{g})} - \underbrace{C\,(\text{mol}) \times \dfrac{M\,(\text{g})}{1\,\text{mol}}}_{溶質\,(\text{g})} \right\}_{溶媒\,(\text{g})} \text{g} \times \dfrac{1\,\text{kg}}{10^3\,\text{g}}}$$

溶媒の g を消去して kg とする

$$= \dfrac{1000\,C}{1000\,d - CM}\,(\text{mol/kg})$$

3 固体の溶解度について

硫酸銅(Ⅱ)$CuSO_4$ を**温度一定**の水に溶かし続けていくと，どうなるかな？

 そのうち，溶けきれなくなってビーカーの底に析出してくるね。

そうだね。溶媒(水)に溶ける溶質の量は，**溶媒の量や温度によって**限界があるんだ。限界まで溶質が溶けた溶液のことを**飽和溶液**といい，このときに溶けている溶質の量を**溶解度**という。

ふつう，溶解度は**溶媒100gに溶ける溶質の最大質量（g）**で表される。溶媒には水を使うことがほとんどなので，**水100gに溶ける溶質の最大質量（g）**といいかえることもできるね。ここで，100gの水に溶ける溶質の最大質量を S（g）として，p.14で勉強した /（マイ）を使って溶解度を表すと，どうなるかな？

 S（g）/100g 水となるね。

ポイント　固体の溶解度について

● 水100gに溶ける溶質の最大質量 S（g）⟺ S（g）/100g水

溶ける溶質の最大質量　　　　水100gあたり

溶解度って，溶媒の温度によって変化するんだったよね。これを，ひと目でわかるように表すならどうする？

 グラフを使うといいね。

そうだね。ふつう，右の図のように「横軸に温度」，「縦軸に溶解度」をとったグラフで表すんだ。このグラフのことを**溶解度曲線**という。

溶解度は，温度が高くなると大きくなっているね。

溶解度曲線

そうだね。ただ，水酸化カルシウム Ca(OH)$_2$のように温度が高くなると溶解度が小さくなる物質もあるので，すべての固体についていえるわけではないんだ。気をつけてね。

 固体の溶解度の計算問題はどう解けばいいの？

　固体の溶解度は，次の【コツ①〜③】に注目しながら問題を解くといいんだ。溶解度は，Sg/100g水とするね。

【コツ①】　**飽和溶液を探し，それぞれの温度**において，次のどちらかの式を立てる。

$$\frac{溶質 \, (g)}{溶媒 \, (g)} = \frac{S}{100} \quad \cdots\cdots (A \, 式)$$
溶質は最大Sg溶ける
溶媒100 g に，

$$\frac{溶質 \, (g)}{飽和溶液 \, (g)} = \frac{S}{100 + S} \quad \cdots\cdots (B \, 式)$$
溶質は最大S(g)溶ける
飽和溶液 100 + S(g)に

　(A式)は両辺とも「分母が溶媒」，「分子が溶質」でその比が同じ値になること，(B式)は両辺とも「分母が飽和溶液」，「分子が溶質」でその比が同じ値になることを表しているんだ。

 2つの式は，どっちを使ったらいいの？

　飽和溶液では，(A式)と(B式)のどちらも成り立つ。だから，計算がラクになるほうの式を使えばいいんだよ。

 計算がラクになる式をどうやって見つけたらいいの？

　はじめは，(B式)を使う練習を積んでみてね。慣れてきたら，「ここでは(B式)よりも(A式)を使うと計算がラクになるかな？」と検討する。このような練習を積んでいくと，だんだん最適な式がわかってくると思うよ。

【コツ②】　うわずみ液に注目する。

 うわずみ液ってどんな溶液なの？

　溶質が溶けきれなくなって，ビーカーの底に析出したときのうわずみのところをいうんだ。

→ うわずみ液（飽和溶液）

　うわずみの部分は，溶質がこれ以上溶けることができない（→ つまり，限界まで溶けている溶液）ので，**飽和溶液**になるんだ。

【コツ③】　**結晶水をもつ物質は，無水物と水に分ける。**

　たとえば，結晶水をもつ物質には，CuSO$_4$・5H$_2$O があるよ。

 無水物と水にどうやって分けたらいいの？

CuSO$_4$・5H$_2$O ＝ 250 で，CuSO$_4$ ＝ 160，H$_2$O ＝ 18 だから，CuSO$_4$・5H$_2$O が X (g) あったとすると，次のように無水物 CuSO$_4$ と水 H$_2$O に分けることができるんだ。

$$X\,(g) \begin{cases} \text{CuSO}_4 : X\,\text{g CuSO}_4\cdot5\text{H}_2\text{O} \times \dfrac{160\text{g CuSO}_4}{250\text{g CuSO}_4\cdot5\text{H}_2\text{O}} \\[2mm] \qquad = \dfrac{160}{250}X\,(g)\,\text{CuSO}_4 \\[3mm] \text{H}_2\text{O} \ : X\,\text{g CuSO}_4\cdot5\text{H}_2\text{O} \times \dfrac{90\text{g H}_2\text{O}}{250\text{g CuSO}_4\cdot5\text{H}_2\text{O}} \\[2mm] \qquad = \dfrac{90}{250}X\,(g)\,\text{H}_2\text{O} \end{cases}$$

CuSO$_4$・5H$_2$O
160　90
250

チェック問題 9　　標準　3分

80℃で，100 g の硝酸カリウム KNO$_3$ を水 100 g に溶かした。この溶液を 27℃まで冷却したところ，硝酸カリウムが析出した。析出した硝酸カリウムの質量として最も適当な値を，次の①〜⑤のうちから1つ選べ。ただし，硝酸カリウムは，水 100 g に対して 27℃で 40 g，80℃で 169 g まで溶ける。

① 100 g　　② 80 g　　③ 60 g　　④ 40 g　　⑤ 20 g

解答・解説

③

27℃のときの KNO$_3$ の溶解度は，40 g/100 g 水

【コツ②】より，27℃におけるうわずみ液（飽和溶液）は，$100 + 100 - x$ (g)
　うわずみ液に溶けている溶質（KNO$_3$）は $100 - x$ (g) となるので，
【コツ①】より，27℃で（B 式）を立てる。

$$\underset{\text{うわずみ液は飽和溶液}}{\underset{\text{うわずみ液中の溶質}\to}{\frac{\overset{\text{溶質}}{100 - x}}{\underset{\text{飽和溶液}}{100 + 100 - x}}}} = \frac{\overset{\text{溶解度}}{40}}{\underset{\text{溶解度}}{100 + 40}} \quad \text{より，} \ x = 60\,g$$

27℃の溶解度 $S = 40$ を代入

別解　（A 式）を使っても解ける。

$$\underset{\text{うわずみ液中の溶媒}\to}{\underset{\text{うわずみ液中の溶質}\to}{\frac{\overset{\text{溶質}}{100 - x}}{\underset{\text{溶媒}}{100}}}} = \frac{\overset{\text{溶解度}}{40}}{100} \quad \text{27℃の溶解度}\ S = 40\ \text{を代入} \quad \text{より，} \ x = 60\,g$$

チェック問題 10

標準 3分

40℃での硝酸カリウム KNO₃ の飽和溶液 100 g を 20℃まで冷却したら析出する硝酸カリウムの質量として最も適当な値を，次の①〜⑤のうちから 1 つ選べ。ただし，硝酸カリウムは，水 100 g に対して 20℃で 31 g，40℃で 64 g まで溶ける。

① 20 g ② 25 g ③ 30 g ④ 35 g ⑤ 40 g

解答・解説

①

KNO₃ の溶解度は， 40℃ 64 g/100 g 水， 20℃ 31 g/100 g 水

【コツ①】より， 40℃ において（B 式）を立てる。

$$\frac{x}{100} = \frac{64}{100+64}$$

より，$x = 39.0$ g

40℃の溶解度 $S=64$ を代入

【コツ②】より， 20℃ におけるうわずみ液（飽和溶液）は， $100 - y$ (g)

うわずみ液に溶けている溶質（KNO₃）は $x - y$ (g) となるので，

【コツ①】より， 20℃ で（B 式）を立てる。 $x = 39.0$ g を代入すると，

$$\frac{39.0-y}{100-y} = \frac{31}{100+31}$$

より，$y ≒ 20$ g

20℃ の溶解度 $S=31$ を代入

別解 20℃ で（A 式）を使ってもよい。$x = 39.0$ を代入すると，

$$\frac{39.0-y}{100-39.0} = \frac{31}{100}$$

より，$y ≒ 20$ g

20℃ の溶解度 $S=31$ を代入

チェック問題 11

ある濃度の硫酸銅(Ⅱ)$CuSO_4$水溶液205gを，60℃から20℃に冷却したところ，25gの $CuSO_4 \cdot 5H_2O$(式量250)の結晶が得られた。もとの水溶液に含まれていた $CuSO_4$(式量160)の質量として最も適当な値を，次の①～⑤のうちから1つ選べ。ただし，$CuSO_4$(無水塩)は，水100gあたり，60℃で40g，20℃で20gまで溶ける。

① 32 g　　② 46 g　　③ 48 g　　④ 53 g　　⑤ 80 g

解答・解説

②

【コツ③】より，$\underset{16090}{\overset{250}{CuSO_4 \cdot 5H_2O}}$ 25 g を分ける。

$$CuSO_4 : \frac{160}{250} \times 25 \text{ g} \quad H_2O : \frac{90}{250} \times 25 \text{ g}$$

【コツ②】より，20℃ におけるうわずみ液(飽和溶液)は，205－25 g

うわずみ液に溶けている溶質($CuSO_4$)は $x - \frac{160}{250} \times 25$ (g)なので，

【コツ①】より，20℃ で(B式)を立てる。

うわずみ液中の溶質→　$\dfrac{x - \dfrac{160}{250} \times 25}{205 - 25} = \dfrac{20}{100 + 20}$ ←溶解度　より，$x = 46$ g

うわずみ液は飽和溶液　　飽和溶液　　溶解度　　20℃の溶解度より $S=20$ を代入

別解　20℃ で(A式)を使っても解ける。

うわずみ液中の溶質→　$\dfrac{x - \dfrac{160}{250} \times 25}{205 - x - \dfrac{90}{250} \times 25} = \dfrac{20}{100}$ ←溶解度 20℃の溶解度 $S=20$ を代入　より，$x = 46$ g

うわずみ液中の溶媒→

4 気体の溶解度について

夏の暑い日に，池の水温が上がり魚が窒息死することがある。これは，暑くなり水温が上がり水の中に溶けている酸素 O_2 の量が減少することで起こるんだ。

 気体は，温度が高くなると水に溶けにくくなるんだね。

そうなんだ。また，炭酸飲料水のキャップをあけると，二酸化炭素 CO_2 の泡が水溶液中からシュワシュワ出てくる。これは，炭酸飲料水は高圧で CO_2 を水に溶かしているので，キャップを開けると圧力が下がり水溶液中に溶けきれなくなった CO_2 が気体となって発生するからなんだ。

 気体は，圧力が下がっても水に溶けにくくなるのか…。

そうだね。**気体の溶解度は ① 温度が高く，② 圧力が低いほど小さく**なることがわかるね。

1803年，イギリスのヘンリーは，

> **溶解度のあまり大きくない気体では，一定温度で，一定量の溶媒に溶ける気体の溶解度は，その気体の圧力に比例する**
> 物質量（mol），質量（mg，g）　混合気体の場合は分圧

ことを発見した。これを**ヘンリーの法則**というんだ。

水に溶解する気体の物質量（mol）　〔温度一定〕　気体の圧力（Pa）

圧力に比例して溶ける

ヘンリーの法則を考えるときに，注意してほしいポイントが 2 つあるんだ。ここでは，溶媒として「水」を使う場合を考えることにするね。

ポイント 1 「**溶解度のあまり大きくない気体**」とは，水素 H_2，酸素 O_2，窒素 N_2 などの**水に溶けにくい気体**をいう。水に非常によく溶ける塩化水素 HCl やアンモニア NH_3 などの気体について，ヘンリーの法則は成り立たないんだ。

ポイント 2 **混合気体では，一定量の水に溶ける気体の質量（mg，g）や物質量（mol）は，それぞれの気体の分圧に比例**する。たとえば，窒素 N_2 と酸素 O_2 の混合気体のときは，N_2 の分圧に比例して N_2 が，O_2 の分圧に比例して O_2 が一定量の水に溶

けるんだ。

 計算問題が解けるか心配だよ。

ヘンリーの法則を使った計算は，問題文で与えられている条件を，

$$\frac{\text{水に溶ける気体の物質量 (mol)または質量 (mg, g)}}{\text{気体の圧力 (Pa)・水の体積 (mL, L)}}$$

の形に表して，単位を消去しながら解けばいいんだ。

たとえば，問題文に

「$0\,℃$，$1.0×10^5\,Pa$ で $1.0\,L$ の水に酸素 O_2 は $2.2×10^{-3}\,mol$ 溶ける。」

と与えられていたら，まず，

$$\underbrace{\frac{\boxed{2.2×10^{-3}\,mol}\text{溶解する}}{\boxed{1.0×10^5\,Pa}\cdot\boxed{水1.0\,L}}}\quad\cdots\cdots(*)$$
＿＿$1.0×10^5\,Pa$ の下，水1.0 Lに溶解する酸素の物質量（mol）
酸素 O_2 は，　の下で　　に対して

と表し，あとは単位を消去し，計算していくんだ。

ポイント ヘンリーの法則について

● 分数の式の形に表して単位を消去することで解く
　① 溶解度のあまり大きくない気体について成立する
　② 混合気体の場合，それぞれの気体の分圧に比例する

チェック問題 12　　標準 3分

　$25\,℃$，$1.0×10^5\,Pa$ の地球の大気と接している水2.0 Lに溶ける CO_2 の物質量は何 mol か。有効数字2桁で下の形式で表すとき，$\boxed{1}$ 〜 $\boxed{3}$ にあてはまる数字を答えよ。ただし，CO_2 の水への溶解はヘンリーの法則のみに従い，$25\,℃$，$1.0×10^5\,Pa$ の CO_2 は水1.0 Lに0.033 mol溶け，地球の大気は CO_2 を体積で0.040 ％含むものとする。　$\boxed{1}$．$\boxed{2}$ $×10^{-\boxed{3}}$ mol

解答・解説

$\boxed{1}$ 2　　$\boxed{2}$ 6　　$\boxed{3}$ 5

同じ圧力，同じ温度の下では，$V = \boxed{\dfrac{RT}{P}} \times n$ となり

└→ P：一定，T：一定　　　　　　└→一定の値となる

気体の体積 V と物質量 n が比例する。つまり，　$\underline{\text{体積比＝物質量(mol)比，体積\%}}$

$\underline{= \text{mol\%}}$ になるので，CO_2 の体積\% 0.040\%はモル分率にすると $\dfrac{0.040}{100}$ になる。

注 a（\%）は割合で表すと $\dfrac{a}{100}$

└┄→ 0.040 や $\dfrac{4}{100}$ と
しないように
注意しよう！

2

章

溶
液
の
性
質

CO_2 の分圧 P_{CO_2} は「**分圧＝全圧×モル分率**」から，

$$P_{CO_2} = 1.0 \times 10^5 \times \frac{0.040}{100}\ \text{Pa} \quad \cdots\cdots ① \quad \text{になる。}$$

本問の場合，25℃での CO_2 のデータは，

分子は mol，g，mg の
いずれかで書く！　　　　　　P_{CO_2}＝1.0×10^5 Pa の下，水 1.0 L に溶ける CO_2 の物質量（mol）

└→

$$\frac{\boxed{0.033\ \text{mol}}}{\boxed{1.0 \times 10^5\ \text{Pa}} \cdot \boxed{\text{水}\,1.0\ \text{L}}} \quad \cdots\cdots ② \quad \text{と表せる。}$$

CO_2 は　　　　　　の下で，　　に対して

よって，25℃で 1.0×10^5 Pa の地球の大気（全圧に相当）と接している水 2.0 L に溶ける CO_2 は，①と②から，

$$\frac{0.033\ \text{mol}}{1.0 \times 10^5\ \text{Pa} \cdot \text{水}\,1.0\ \text{L}} \times \left(1.0 \times 10^5 \times \frac{0.040}{100}\ \text{Pa} \right) \times 2.0\ \text{L}$$

②より　　　　　　　　①より　　　　　　　水は 2.0 L なので

Pa どうしを消去する　　　L どうしを消去する

$$= 0.033 \times \frac{1.0 \times 10^5 \times \dfrac{0.040}{100}}{1.0 \times 10^5} \times \frac{2.0}{1.0} \fallingdotseq 2.6 \times 10^{-5}\ \text{mol}$$

チェック問題 13

やや難 3分

　水に対する酸素の溶解度曲線を右図に示す。縦軸は，$1.0×10^5$ Pa で水 1 mL に溶ける酸素の体積を，0℃，$1.013×10^5$ Pa(標準状態)での値に換算したものである。0℃で$2.0×10^5$ Pa の酸素と接していた4.0 L の水を，同じ圧力で60℃に温めたとき，出てくる酸素は何 g か。最も適当な数値を，次の①〜⑤のうちから 1 つ選べ。$O_2 = 32$

① 0.32　② 0.22　③ 0.16　④ 0.11　⑤ 0.080

解答・解説

①

分数の式に表すとき，分子は mol，g，mg で表すんだよね……

　そうなんだ。本問は問題の条件が体積 (mL)で表されているよね。体積で表されているときは，体積を物質量 (mol)に変換する必要があるんだ。変換するときには，必ず圧力と温度の条件をチェックしてね。

この問題は，0℃，$1.013×10^5$ Pa(標準状態)って書いてあるね。

　0℃，$1.013×10^5$ Pa(標準状態)では，気体 1 mol の体積は22.4 L だったよね。これを利用して，グラフの値を体積 (mL)から物質量 (mol)に変換してみるね。まず，0℃と60℃のときのデータをグラフから読みとってみよう。

0℃では約0.048 mL，
60℃では0.020 mL だね。

　そうだね。0℃，$1.013×10^5$ Pa で酸素 O_2 1 mol の体積は$22.4 \text{ L} × \dfrac{10^3 \text{ mL}}{1 \text{ L}}$ であることと，グラフのデータは酸素 O_2 の圧力が $1.0×10^5$ Pa で水 1 mL に溶ける酸素の体積が与えられていることから，

0℃のデータは，

mL を mol に変換して代入する

$$\frac{\dfrac{0.048}{22.4\times10^{3}}\,\text{mol}}{1.0\times10^{5}\,\text{Pa}\cdot\text{水 1 mL}}\quad\left(0.048\,\text{mL}\times\frac{1\,\text{mol}}{22.4\times10^{3}\,\text{mL}}\text{と変換する}\right)\quad\cdots\cdots①$$

溶解する

酸素 O_2 は，　の下で，　に対して

60℃のデータは，同じように

$$\frac{\dfrac{0.020}{22.4\times10^{3}}\,\text{mol}}{1.0\times10^{5}\,\text{Pa}\cdot\text{水 1 mL}}\quad\cdots\cdots②$$

とそれぞれ表せる。0℃で $2.0\times10^{5}\,\text{Pa}$ の酸素 O_2 と接している $4.0\,\text{L}\times\dfrac{10^{3}\,\text{mL}}{1\,\text{L}}$ の水には，①より，

$$\frac{\dfrac{0.048}{22.4\times10^{3}}\,\text{mol}}{1.0\times10^{5}\,\text{Pa}\cdot\text{水 1 mL}}\times2.0\times10^{5}\,\text{Pa}\times4.0\times10^{3}\,\text{mL}=\frac{0.048\times8}{22.4}\,\text{mol}$$

①より

の O_2 が溶けていて，60℃で $2.0\times10^{5}\,\text{Pa}$ の酸素 O_2 と接している $4.0\,\text{L}\times\dfrac{10^{3}\,\text{mL}}{1\,\text{L}}$ の水には，②より，

$$\frac{\dfrac{0.020}{22.4\times10^{3}}\,\text{mol}}{1.0\times10^{5}\,\text{Pa}\cdot\text{水 1 mL}}\times2.0\times10^{5}\,\text{Pa}\times4.0\times10^{3}\,\text{mL}=\frac{0.020\times8}{22.4}\,\text{mol}$$

②より

の O_2 が溶けている。0℃の水 $4.0\,\text{L}$ を60℃に温めたとき，

$$\underset{(0℃)}{\frac{0.048\times8}{22.4}}-\underset{(60℃)}{\frac{0.020\times8}{22.4}}=\frac{8}{22.4}\times(0.048-0.020)\,\text{mol}$$

の O_2 が出てくるので，その質量 (g)は O_2 のモル質量32 g/molより，

$$\frac{8}{22.4}\times(0.048-0.020)\,\text{mol}\times\frac{32\,\text{g}}{1\,\text{mol}}=0.32\,\text{g}$$

チェック問題 14 　　

　一定量の水に酸素を溶かす実験を行った。この実験に関する記述について，誤りを含むものを，次の①〜⑤のうちから1つ選べ。

①　酸素の圧力を $1.0\times10^{5}\,\text{Pa}$ から $2.0\times10^{5}\,\text{Pa}$ に上げると，溶ける酸素の質量は約2倍になる。

② 圧力を変えたときに溶ける酸素の体積は，溶かしたときの圧力のもとで
　測れば，ほぼ一定である。
③ 酸素と水が接触する面積を変えても，溶かすことのできる酸素の質量は
　変わらない。
④ 1.0×10^5 Pa の空気に接した水には，0.20×10^5 Pa の酸素に接した水に比べ，
　質量で約5倍の酸素が溶ける。
⑤ 水の温度を上げると，溶ける酸素の質量は減る。

解答・解説

④

① 水の量は一定とあるので，酸素 O_2 の圧力が2倍に上がれば溶ける酸素 O_2 の
　質量(g, mg)は約2倍になる。〈正しい〉
② たとえば，温度一定(0℃＝273 K)の下で考えてみる。

圧力 p（Pa）　　　　圧力 $2p$（Pa）　　　　圧力 $3p$（Pa）

O_2

　　　　　　　　　a（mol）　　　　$2a$（mol）　　　　$3a$（mol）───溶媒(水)

一定量の
水に溶けている
O_2 の物質量（mol）　　a（mol）　　　　$2a$（mol）　　　　$3a$（mol）

溶けている O_2 の
物質量を標準状態に
換算した体積（L）　　$22.4 \times a$（L）　　$22.4 \times 2a$（L）　　$22.4 \times 3a$（L）

それぞれの
圧力（p, $2p$, $3p$）
（溶かしたときの圧力）
の下での体積（L）　　$\dfrac{a \times R \times 273}{p}$（L）　　$\dfrac{2a \times R \times 273}{2p}$（L）　　$\dfrac{3a \times R \times 273}{3p}$（L）

$V = \dfrac{nRT}{p}$ を使って求める　　**圧力に関係なく，同じ値 $\dfrac{273\,aR}{p}$（L）になる。**〈正しい〉

③ 面積を変えても，水の量が一定で酸素の圧力が一定であれば，溶かすことので
　きる酸素 O_2 の質量(g, mg)は変わらない。〈正しい〉
④ 空気は，窒素 N_2 と酸素 O_2 の物質量(mol)比がほぼ 4：1 である。よって，1.0
　$\times 10^5$ Pa の空気中の酸素 O_2 の分圧はほぼ $1.0 \times 10^5 \times \dfrac{1}{4+1} = 0.20 \times 10^5$ Pa とな
　り，0.20×10^5 Pa の酸素 O_2 に接した水に溶けている酸素 O_2 の質量と同じ質量(約
　1倍)の酸素 O_2 が溶ける。〈誤り〉
⑤ 水の温度が上がれば，酸素 O_2 は水に溶けにくくなる。〈正しい〉

7時間目 希薄溶液とコロイド溶液

1 蒸気圧降下・沸点上昇について

　純粋な溶媒は決まった温度で決まった(飽和)蒸気圧を示し，その表面では，液体分子の蒸発と気体分子の凝縮が常に起こっていたよね。このとき，スクロースなどの蒸発しにくい溶質(＝**不揮発性の物質**)を溶かすと，溶液の表面から蒸発する溶媒分子の数が溶質を溶かす前に比べて少なくなるんだ。そのため，**溶液の蒸気圧が純粋な溶媒の蒸気圧に比べて低くなる蒸気圧降下**という現象が起こる。蒸気圧降下の大きさ(＝蒸気圧降下度 ΔP)は，溶質の種類には関係なく，**溶質の物質量(mol)**によって決まるんだ。

えっ，種類は関係ないの？

　そうなんだ。溶質の種類に関係なく溶質の物質量(mol)が多くなるほど，つまり**濃度が大きくなるほど蒸気圧降下度 ΔP は大きくなる**。このとき，電解質の場合は電離した後の溶質の物質量(mol)を考えることに注意してね。

◎水分子　　蒸気圧が低くなる　　◎溶質粒子

純粋な水の蒸気圧　　　　水溶液の蒸気圧

＊正確には99.974℃だが，テストではふつう100℃とする

　沸点は，**大気圧＝(飽和)蒸気圧になるときの温度**だったね。じゃあ，蒸気圧降下が起こっている溶液の沸点はどうなるかな？

溶媒の沸点よりも高くなるね。

そうだね。**溶液の沸点のほうが純粋な溶媒の沸点よりもわずかに高くなる現象を沸点上昇**といい，溶液と溶媒の沸点の差 ΔT_b を**沸点上昇度**というんだ。

チェック問題 1　標準 2分

　図は，純溶媒とこれに不揮発性の溶質を少量溶解した溶液の蒸気圧変化を示したものである。次のうち，誤りを含むものを2つ選べ。なお，大気圧を 1×10^5 Pa とする。

① 曲線 a は溶液の蒸気圧曲線である。
② 純溶媒の大気圧における沸点は T_2 (K) である。
③ 溶液の大気圧での沸点上昇度は $T_3 - T_2$ (K) である。
④ T_3 (K) で溶液は純溶媒よりも $(P_2 - 1) \times 10^5$ (Pa) だけ低い蒸気圧を示す。
⑤ $P_1 \times 10^5$ (Pa) における溶液の沸点は T_2 (K) である。
⑥ T_2 (K) における純溶媒の蒸気圧は $P_1 \times 10^5$ (Pa) である。
⑦ T_2 (K) で純溶媒は溶液よりも $(1 - P_1) \times 10^5$ (Pa) だけ高い蒸気圧を示す。
⑧ T_2 (K)，$P_2 \times 10^5$ (Pa) では，溶液と純溶媒のどちらも液体で存在する。

解答・解説

①，⑥

純溶媒の蒸気圧曲線（①は誤り）
溶液の蒸気圧曲線
溶液の大気圧における沸点

純溶媒の大気圧における沸点であり，溶液の $P_1 \times 10^5$ (Pa) における沸点でもある（②や⑤は正しい）

① <u>溶液</u>ではなく<u>純溶媒</u>が正しい。〈誤り〉
③ 大気圧（1×10^5 Pa）での沸点上昇度は，$\Delta T_b = T_3 - T_2$ (K) である。〈正しい〉
④ T_3 (K) で蒸気圧降下度は，$\Delta P = P_2 \times 10^5 - 1 \times 10^5 = (P_2 - 1) \times 10^5$ (Pa) になる。〈正しい〉

⑥　T_2 (K)における純溶媒の蒸気圧は $\underline{1 \times 10^5 \text{ (Pa)}}$ になる。〈誤り〉

⑦　T_2 (K)で純溶媒は溶液よりも $1 \times 10^5 - P_1 \times 10^5 = (1 - P_1) \times 10^5$ (Pa)だけ高い蒸気圧を示す。〈正しい〉

⑧　蒸気圧曲線より上ではどちらも液体で存在する（➡ p.45）。〈正しい〉

2 凝固点降下について

　溶液を冷やしていくと，まず溶媒だけが凝固しはじめる。この溶媒だけが凍りはじめる温度をふつう**溶液の凝固点**というんだ。

 まず，溶媒だけが凝固するんだね。知らなかったよ。

　そして，**溶液の凝固点は，溶媒の凝固点よりも低くなる。この現象を凝固点降下**というんだ。

　溶媒の凝固点では，凝固する溶媒分子と溶け出す溶媒分子の数が同じでつり合った状態になっている。ここに，溶質を加えて溶液にすると，溶質粒子の数の分だけ，凝固する溶媒分子の数が減少して凝固が起こりにくくなるよね。そこで，溶液全体の温度をさらに下げることで固体から溶媒分子が溶け出す数を減少させて，つり合った状態にするんだ。だから，溶液の凝固点は溶媒の凝固点よりも低くなるんだ。

凝固点降下のモデル

凝固した溶媒粒子

溶液全体の温度を下げることによって，溶け出す溶媒分子の数を減少させる

● 溶媒粒子
○ 溶質粒子

溶質は溶媒が凝固するのをジャマする

　右下図のような装置を使い，溶媒や溶液の温度が時間とともにどのように変化するかを調べると左下図を得ることができるんだ。純粋な溶媒と溶液の凝固点の差 ΔT_f を**凝固点降下度**という。

温度（℃）

液体のみで存在
液体と固体が共存
固体のみで存在

純粋な溶媒の凝固点
ΔT_f
溶液の凝固点

純粋な溶媒の冷却曲線
溶液の冷却曲線

凝固が始まる
過冷却
冷却時間

この右下がりの直線を延長してぶつかった点が溶液の凝固点になる

冷却曲線

水銀だめ
ベックマン温度計（0.01Kの温度差まで測定できる）
かくはん棒
空気（急激な冷却をやわらげる）
寒剤（冷却剤）
試料溶液

測定装置

純粋な溶媒をゆっくり冷やしていくと，**凝固点より低い温度になっても凝固が起こらず液体のままで存在している状態**(過冷却)になり，その後，凝固がはじまると凝固熱が発生し温度が凝固点まで上昇するんだ。

 凝固熱についてくわしく教えてよ。

固体を加熱すると液体になるから，固体＋熱(kJ)→液体 と表せるよね。この式の右辺と左辺を入れかえると，液体→固体＋熱(kJ) となる。この**液体が固体になる**(凝固する)**ときに発生する熱**(kJ)**を凝固熱**(凝固熱は凝固エンタルピーとよぶこともある。)というんだ。

温度が凝固点まで上昇した後も純粋な溶媒をゆっくり冷やしていくと，溶媒がすべて凝固するまでは発生する凝固熱をまわりの寒剤(冷却剤)が吸収するので**温度が一定に保たれる**んだ。

溶液の場合も過冷却の後に発生する凝固熱により温度が上昇し，凝固が進んでいくんだ。

 冷却曲線を見ると，溶液の場合は純粋な溶媒とちがって，凝固中も徐々に温度が低下しているね。

そうだね。これは，**溶液中の溶媒だけが凝固することで溶液の濃度が増加し，凝固点降下が大きくなるから**なんだ。

チェック問題 2

標準 2分

図は，ある純溶媒を冷却したときの冷却時間と温度の関係を表したものである。図に関する記述として誤りを含むものを，次の①～⑤のうちから1つ選べ。

① 温度 T は凝固点である。
② 点 A では過冷却の状態にある。
③ 点 B から凝固がはじまった。
④ 点 C では，液体と固体が共存していた。
⑤ この溶媒に少量の物質を溶かして冷却時間と温度の関係を調べたところ，点 D に相当する状態の温度は純溶媒に比べて低下した。

解答・解説

③

③ 凝固が始まるのはココ。〈誤り〉

⑤ 溶液では，凝固が進むと温度が徐々に下がり続けるため点Bに相当する状態→点Dに相当する状態に向かって右下りのグラフになる。よって，点Dに相当する状態の温度は，純溶媒に比べて低下する。〈正しい〉

3 沸点上昇，凝固点降下の計算について

不揮発性の溶質を溶かした溶液の**沸点上昇度 ΔT_b や凝固点降下度 ΔT_f は，うすい溶液では溶質の種類に関係なく，溶液の質量モル濃度 m (mol/kg) に比例する**ことが知られている。これを式で表すと，

沸 点 上 昇 度：$\Delta T_b = K_b \times m$
凝固点降下度：$\Delta T_f = K_f \times m$

となるんだ。

 K_b や K_f は何を表しているの？

K_b は**モル沸点上昇**，K_f は**モル凝固点降下**とよばれる「溶媒の種類によって決まっている値」，つまり「**比例定数**」なんだ。この式を使うときに注意しなければいけないのは，**電解質のときには電離した後のすべての溶質粒子（分子やイオン）の質量モル濃度 (mol/kg) を代入する点**なんだ。あと，温度差を表す ΔT_b や ΔT_f の単位にはふつう (K) を使う。温度の差を考えているときは (℃) を (K) に変換できることも確認しておいてね。

● 温度差を考えるときは，273 (℃)＝273 (K) つまり (℃)＝(K) と変換できる。

ポイント 沸点上昇，凝固点降下の計算について

● 沸点上昇度：$\Delta T_b = K_b \times m$ ● 凝固点降下度：$\Delta T_f = K_f \times m$
m：電解質の場合，m は電離した後のすべての溶質粒子の質量モル濃度 (mol/kg)

チェック問題3 標準 2分

沸点上昇度が最も小さいものを，次の水溶液①〜⑤のうちから１つ選べ。ただし，電解質を溶質とする場合の沸点上昇度の大きさは，一定質量の溶媒に溶けているイオンの総数に比例するものとする。

① 0.3 mol/kg グリセリン水溶液   ② 0.5 mol/kg グルコース水溶液
③ 0.3 mol/kg KCl 水溶液   ④ 0.3 mol/kg AlK(SO₄)₂ 水溶液
⑤ 0.2 mol/kg MgCl₂ 水溶液

解答・解説

①

$$KCl \longrightarrow K^+ + Cl^-$$
溶質粒子数が２倍になる

$$AlK(SO_4)_2 \longrightarrow Al^{3+} + K^+ + 2SO_4^{2-}$$
溶質粒子数が４倍になる

$$MgCl_2 \longrightarrow Mg^{2+} + 2Cl^-$$
溶質粒子数が３倍になる

注 グリセリンとグルコースは電離しない。

とそれぞれ電離する。よって，

① $\Delta T_b = K_b \times 0.3 = 0.3 K_b$ ② $\Delta T_b = K_b \times 0.5 = 0.5 K_b$
③ $\Delta T_b = K_b \times 0.3 \times 2 = 0.6 K_b$ ④ $\Delta T_b = K_b \times 0.3 \times 4 = 1.2 K_b$
⑤ $\Delta T_b = K_b \times 0.2 \times 3 = 0.6 K_b$ となり，ΔT_b が最も小さいものは，$0.3 K_b$ の①

思 考力のトレーニング やや難 4分

融点6.52℃のシクロヘキサン15.80 g にナフタレン C₁₀H₈ 30.0 mg を加えて完全に溶かした。その溶液を氷水で冷却し，よくかき混ぜながら溶液の凝固点を求めたところ6.22℃となった。溶液の凝固点を用いて，シクロヘキサンのモル凝固点降下を求めると，何 K・kg/mol になるか。有効数字２桁で次の形式で表すとき，□1□〜□3□にあてはまる数字を答えよ。ただし，H＝1.0，C＝12とする。

□1□.□2□×10^□3□ K・kg/mol

解答・解説

□1□ 2   □2□ 0   □3□ 1

凝固点降下度：$\Delta T_f = 6.52 - 6.22 = 0.30$ (K)

溶媒
（シクロヘキサン）の凝固点

溶液の凝固点

融点＝凝固点になる

ナフタレン $C_{10}H_8$ の分子量は $12 \times 10 + 1.0 \times 8 = 128$ なので，

C　　　　H

そのモル質量は128 g/mol となり，ナフタレン溶液の質量モル濃度 (mol/kg) は，

mg どうしを消去する　g どうしを消去し，mol に直す

ナフタレン

$$\frac{溶質\,(\text{mol}): \quad 30.0\,\text{mg} \times \dfrac{1\,\text{g}}{10^3\,\text{mg}} \times \dfrac{1\,\text{mol}}{128\,\text{g}}}{溶媒\,(\text{kg}): \qquad\qquad 15.80\,\text{g} \times \dfrac{1\,\text{kg}}{10^3\,\text{g}}} \fallingdotseq 0.0148\,\text{mol/kg}$$

シクロヘキサン

g どうしを消去し，kg に直す

になる。これらを $\Delta T_f = K_f \times m$ に代入すると，

$0.30\,\text{K} = K_f \times 0.0148\,\text{mol/kg}$

となり，シクロヘキサン（溶媒）の $K_f \fallingdotseq 2.0 \times 10^1\,\text{K·kg/mol}$ とわかる。

4 浸透圧について

　セロハン膜，生物の細胞膜，動物のぼうこう膜などは，水などの小さな溶媒分子は通すけど，デンプンなどの大きな溶質粒子は通しにくい性質があるんだ。このように，**ある成分は通すけれど，他の成分は通さない性質をもつ膜を半透膜**という。

溶媒分子

溶質粒子

左右どちらにも移動できる

半透膜を通過できない

半透膜

左から右へ移動する溶媒分子の数 ＞ 右から左へ移動する溶媒分子の数

溶質粒子は半透膜を通過できていないね。

　そうなんだ。半透膜にはいろいろな種類があって，ここでは溶媒分子は通すけれど溶質粒子は通さない半透膜を使うことにするね。

　半透膜で中央を仕切ったU字管の左右に，純粋な水と水溶液を液面の高さが同じ

になるように入れて放置してみるね（下の図1）。このとき，小さな水分子は半透膜の左右どちらにも移動することができるけど，「右（水溶液）から左（水）へ」は「左（水）から右（水溶液）へ」に比べると溶質粒子が存在しているので移動できる水分子の数が少なくなって，水溶液のほうにより多くの**水分子が移動**（浸透）して水溶液の濃度が低くなっていく。つまり，水の液面が下がり，水溶液の液面が上がっていくんだ。

 水の液面は下がって，水溶液の液面は上がるんだね。

　そうなんだ。このとき，**水の浸透をくい止め，両液の液面を同じ高さに保つには，水溶液の液面に余分な圧力を加えて**「右（水溶液）から左（水）へ」移動する水分子の数を増やす必要があるよね（図2）。**この圧力を浸透圧**というんだ。

　余分な圧力を加えない場合は，両液面の高さの差が h になったところで見かけ上水の浸透が止まり，この差はそれ以上変化しなくなる（図3）。

水と水溶液を
入れた直後

図1

両液の液面を同じ高さに
保つために，浸透圧に
等しい圧力を水溶液側に加える

図2

圧力を加えず
図1から十分な
時間がたった後

図3

　図2で水溶液側に浸透圧より高い圧力を加えたらどうなると思う？

 水溶液中の水分子が水側に移動するの？

　するどいね。この現象を逆浸透といって，海水の淡水化に利用されているんだ。

チェック問題 4　標準 1分

浸透圧に関する次の記述①〜⑤のうちから，内容が正しいものを1つ選べ。

① 浸透圧は，半透膜を通して純水側から水溶液側へ水を浸透させるために，純水側に加える余分の圧力である。
② 半透膜で純水と水溶液をへだてるとき，純水の量を多くすると浸透圧は大きくなる。
③ 赤血球を純水に入れると，細胞膜が半透膜としてはたらき，水分を失って縮む。

④　純水とスクロース水溶液を半透膜で仕切り，液面の高さをそろえて放置すると，スクロース水溶液の体積が減少し，純水の体積が増加する。
⑤　浸透圧は，高分子化合物の分子量の測定に利用される。

解答・解説

⑤

①　浸透圧は，純水と水溶液の液面の高さの差をゼロにするため，**水溶液側**に加える余分の圧力となる。〈誤り〉
②　浸透圧は水溶液の濃度や温度が変化すると変化するが，純水の量には**影響されない**。（浸透圧について成り立つ式 $\Pi = CRT$ から，Π は C と T で決まる。）〈誤り〉
③　細胞膜内は溶液なので，赤血球は**水分を得てふくらみ**やがて破裂する。〈誤り〉
④　スクロース水溶液の体積は増加し，純水の体積が減少する。〈誤り〉
⑤　デンプンなどの高分子化合物の平均分子量の測定に，浸透圧について成り立つ式 $\Pi V = \dfrac{w}{M} RT$ を利用することが多い。〈正しい〉

うすい溶液の浸透圧 Π (Pa) と溶液の体積 V (L)，溶液中の溶質の物質量 n (mol)，絶対温度 T (K) の間には，

重要公式　$\Pi V = nRT$　　　R (Pa·L/(K·mol))

の関係式が成り立ち，この関係を**ファントホッフの法則**というんだ。

 気体の状態方程式 $PV = nRT$ と同じ形だね。

そうなんだ。R (Pa·L/(K·mol)) は，気体定数と同じ値だからね。また，浸透圧 Π (Pa) は溶液のモル濃度 C (mol/L) を使って，

$$\Pi = \frac{n}{V} RT = CRT \qquad \Leftarrow \frac{n \ (\text{mol})}{V \ (\text{L})} = C \ (\text{mol/L}) \ \text{におきかえる}$$

モル濃度 (mol/L)

と表すこともできるんだ。

 浸透圧 Π (Pa) は，溶液のモル濃度 C (mol/L) と絶対温度 T (K) に比例するんだね。

そうだね。たとえば，1.0×10^{-3} mol/L のデンプン水溶液について，27℃（=300K）におけるその浸透圧は，次のように求めることができる。ただし，$R = 8.3 \times 10^3$ Pa·L/(K·mol) とするね。

$$\Pi = 1.0 \times 10^{-3} \times 8.3 \times 10^3 \times 300 \fallingdotseq 2.5 \times 10^3 \text{ Pa} \qquad \Leftarrow \Pi = CRT \text{ に代入する}$$

単位については，$\dfrac{\text{mol}}{\text{L}} \times \dfrac{\text{Pa·L}}{\text{K·mol}} \times \text{K}$

ここで，**溶質が電解質の場合**，電離する割合に応じて溶質粒子の総数が増加するので，**電離した後のすべての溶質粒子（分子やイオン）のモル濃度（mol/L）を考える**ことに注意してね。

ポイント　　**浸透圧について**

● 浸透圧 Π（Pa）は，絶対温度 T（K）とモル濃度 C（mol/L）に比例し，気体定数を R（Pa·L/(K·mol)）とおくと，次の式から求めることができる。

$$\underset{\substack{\text{浸透圧} \\ (\text{Pa})}}{\Pi} \quad = \quad \underset{\substack{\text{モル濃度} \\ (\text{mol/L})}}{C} \quad \times \quad \underset{\substack{\text{気体定数} \\ (\text{Pa·L/(K·mol)})}}{R} \quad \times \quad \underset{\substack{\text{絶対温度} \\ (\text{K})}}{T}$$

このとき，モル濃度（mol/L）はすべての溶質粒子（電離する溶質では電離した後のすべての溶質粒子（分子やイオン））のモル濃度である点に注意しよう。

チェック問題 5

標準 3分

　金が水中に分散しているコロイド溶液 200 mL がある。この溶液の浸透圧は 27 ℃ で $8.31×10^3$ Pa であった。この溶液に含まれるコロイド粒子（➡ p.116）の数は何個か。次の①〜⑧のうちから最も適当な数値を 1 つ選べ。ただし，気体定数は $8.31×10^3$ Pa·L/(K·mol)，アボガドロ定数は $6.02×10^{23}$/mol とする。

① $4.4×10^{19}$　　② $1.2×10^{20}$　　③ $4.0×10^{20}$　　④ $2.0×10^{21}$

⑤ $4.4×10^{21}$　　⑥ $1.2×10^{23}$　　⑦ $4.0×10^{23}$　　⑧ $6.0×10^{23}$

解答・解説

③

$\Pi = CRT$ に代入する。

　$8.31×10^3 = C ×8.31×10^3 ×(273+27)$ より，$C = \dfrac{1}{300}$ mol/L

溶液 200mL 中のコロイド粒子の数は，アボガドロ定数 $6.02×10^{23}$個/mol より

$$\underset{(\text{mol/L})}{\dfrac{\dfrac{1}{300}\,\text{mol}}{1\,\text{L}}} \times \underset{(\text{mol})}{\dfrac{200}{1000}\,\text{L}} \times \underset{(\text{個})}{\dfrac{6.02×10^{23}\text{個}}{1\,\text{mol}}} ≒ 4.0×10^{20}\,\text{個}$$

チェック問題 6

標準 3分

U字管の中央に半透膜を固定し，一方の側に純水を，もう一方の側に水溶液 a ～ c の1つを，液面の高さが同じになるように入れた。十分な時間をおくと，水分子だけが半透膜を透過し，図のように，液面の高さに h の差が生じた。同様の実験を他の水溶液についても行ったところ，h の大きさはそれぞれの水溶液で異なっていた。水溶液 a ～ c を h が大きい順に並べたものはどれか。正しいものを，下の①～⑥のうちから1つ選べ。ただし，電解質は完全に電離しているものとする。

a　0.20 mol/L のグリセリン水溶液
b　0.25 mol/L の塩化カリウム水溶液
c　0.10 mol/L の硫酸ナトリウム水溶液

① a＞b＞c　　② a＞c＞b
③ b＞a＞c　　④ b＞c＞a
⑤ c＞a＞b　　⑥ c＞b＞a

純水　　半透膜　　水溶液

解答・解説

④

液面差 h の示す圧力は，浸透後の水溶液の浸透圧になる。また，浸透圧 Π は $\Pi = CRT$ より，モル濃度 C に比例する。

この結果，$\left\{\begin{array}{c} h \text{と浸透圧} \\ \text{浸透圧とモル濃度} \end{array}\right\}$ が<u>比例</u>することから，h はモル濃度に<u>比例</u>することがわかる。ここで，a ～ c のすべての溶質粒子のモル濃度(mol/L)は，

a　グリセリンは電離しないので，0.20 mol/L のまま

b　塩化カリウム KCl は，KCl $\longrightarrow$ $\overset{\text{溶質粒子数が2倍になる}}{\text{K}^+ + \text{Cl}^-}$ のように完全に電離するので，
　0.25×2＝0.50 mol/L

c　硫酸ナトリウム Na₂SO₄ は Na₂SO₄ $\longrightarrow$ $\overset{\text{溶質粒子数が3倍になる}}{2\text{Na}^+ + \text{SO}_4^{2-}}$ のように完全に電離するので，0.10×3＝0.30 mol/L となる。よって，浸透後の水溶液のモル濃度の濃さの順は，b＞c＞a となり，h とモル濃度は比例するので，h の大きさの順も b＞c＞a となる。

5 コロイド溶液について

スクロースや NaCl を水に溶かした水溶液を観察したら…？

 透き通って見えるね。

　そうだね。溶質（スクロース分子や NaCl が電離して生じる Na^+ と Cl^-）はとても小さく，溶媒（水分子）とほぼ同じ大きさなので，光がそのまま通過するんだ。このような溶液を**真の溶液**という。それに対して，デンプンやタンパク質などの溶質を水に溶かした溶液は，真の溶液とは異なるさまざまな性質を示す。この**デンプンやタンパク質などの溶液をコロイド溶液**というんだ。

 デンプンやタンパク質の大きさはどれくらいなの？

　ろ紙は通れるけれどセロハンなどの半透膜は通れない大きさで，**直径 $10^{-9}\,\mathrm{m}$ 〜 $10^{-7}\,\mathrm{m}$ 程度**なんだ。これくらいの大きさの粒子を**コロイド粒子**という。
　コロイド粒子を分散させている物質を**分散媒**，分散しているコロイド粒子を**分散質**といい，コロイド粒子が分散した状態または物質を**コロイド**というんだ。分散媒や分散質には，さまざまな状態があるので，さまざまなコロイドが知られているよ。

いろいろなコロイドの例

分散媒		固体	液体	気体
分散質	固体	ルビー，ステンドグラス	墨汁，絵の具	煙，空気中のホコリ
	液体	ゼリー，豆腐	牛乳，マヨネーズ	霧，雲，もや
	気体	マシュマロ，スポンジ	泡	気体どうしは混ざる

ポイント　コロイド溶液について

コロイド粒子 ➡ 直径は $10^{-9}\,\mathrm{m}$ 〜 $10^{-7}\,\mathrm{m}$ の粒子

10^{-9}〜$10^{-7}\,\mathrm{m}$
コロイド粒子

　➡ ろ紙は通過，半透膜は通過しない大きさ

　例 デンプン，タンパク質，セッケン，水酸化鉄（Ⅲ）

　デンプンやタンパク質は分子 1 個が大きく，分子 1 個でコロイド粒子になれる。このようなコロイドを**分子コロイド**というんだ。
　また，セッケンを水に溶かすと多くのセッケンが集まってコロイド粒子の大きさになる。このように分子が集まってできたコロイド粒子は**ミセル**といい，ミセルによるコロイドは**会合コロイド（ミセルコロイド）**という。
　水酸化鉄（Ⅲ）のような無機物質が大きくなりすぎずにコロイド粒子の大きさになる

ことがあり，このようなコロイドは**分散コロイド**というんだ。

 コロイド溶液の示す性質にはどんなものがあるの？

コロイド溶液に横から強い光を当てると，光の進路がはっきりと観察できる現象を**チンダル現象**というんだ。

 なぜ，はっきりと観察できるの？

分子やイオンよりも大きな**コロイド粒子が光を散乱する**からなんだ。そして，チンダル現象を起こしているコロイド溶液を限外顕微鏡で観察すると，光ったコロイド粒子が不規則なジグザグ運動（＝**ブラウン運動**）をしているようすが観察できる。

 ブラウン運動って，コロイドが勝手にジグザグに動いているの？

ちがうんだ。**熱運動している溶媒分子が，コロイド粒子に不規則に衝突することで，コロイド粒子が自分からジグザグに動いているように見える**んだ。

チンダル現象

光は通るが，その進路は認められない

光の進路が見える

レーザー光線

真の溶液　　コロイド溶液

光　　　　　　　　　　透過光

散乱光

真の溶液　　コロイド溶液

溶媒分子が熱運動により
コロイド粒子に衝突して
起こる不規則な運動

U字管にコロイド溶液を入れて直流電圧をかけると,コロイド粒子が陽極または陰極に向かってゆっくりと移動する現象を電気泳動という。コロイド粒子が＋または－に帯電しているので,反対符号の電極に引きよせられて移動するんだ。

電気泳動

注意
水酸化鉄(Ⅲ)は,
FeO(OH)やFe$_2$O$_3$・nH$_2$O
などからなる混合物であり,
1つの化学式で表すことが
できません。

＋電荷をもつコロイド（正コロイド）の例として水酸化鉄(Ⅲ)のコロイド,－電荷をもつコロイド（負コロイド）の例として粘土のコロイドを覚えてね。
　コロイド粒子は,ろ紙は通れるけどセロハン膜などの半透膜は通れない大きさだったね。もし,コロイド溶液に分子やイオンなどの不純物が含まれていたら,不純物を除くためにどうすればいいかな？

 セロハン膜を使って分ければいいね。

　そうだね。コロイド粒子はセロハン膜を通ることができないから,分子やイオンなどの不純物を含んだコロイド溶液をセロハン膜に包んで,流水中に浸すと,不純物である分子やイオンがセロハン膜の外に出ていってしまう。このようにコロイド溶液を精製する操作のことを透析というんだ。

透析

例 塩化鉄(Ⅲ) $FeCl_3$ 水溶液を沸騰した水に滴下して得た赤褐色の
水酸化鉄(Ⅲ)のコロイド溶液を精製する。

FeCl₃ + 熱水 ⟶ 水酸化鉄(Ⅲ)のコロイド + 塩酸 HCl
　　　　　　　　　　赤褐色の疎水コロイド　　　　　不純物

不純物を含んだコロイド溶液をセロハン膜(半透膜)の袋に入れる

$\left(\begin{array}{l}\text{この反応は，生成物を FeO(OH) とすると,} \\ \text{FeCl}_3 + 2\text{H}_2\text{O} \longrightarrow \text{FeO(OH)} + 3\text{HCl} \\ \text{と表すことができる}\end{array}\right)$

塩酸 HCl を
不純物
含む水酸化鉄(Ⅲ)
のコロイド溶液

純水→
糸
半透膜
H^+
Cl^-
排水
水酸化鉄(Ⅲ)のコロイド

● $(H^+$や $Cl^-)$は半透膜の
外に出ていくが,
○ (水酸化鉄(Ⅲ))は半透膜の
外に出られない

ポイント コロイド溶液の性質について

- **チンダル現象**：コロイド粒子が光を散乱するために，光の進路が見える現象
- **ブラウン運動**：熱運動している溶媒が衝突することで起こるコロイド粒子の
　　　　　　　　　不規則な運動
- **電気泳動**　：帯電したコロイド粒子が電極に引かれて移動する現象
- **透　析**　：半透膜を用いてコロイド溶液を精製する操作

水分子を引きつける力(水と仲がよいのか，あまりよくないのか)の違いで，コロイドを分類することもできるんだ。

 分類するとどうなるの？

水分子との親和力が小さい(水と仲があまりよくない)コロイドは疎水コロイドという。**疎水コロイドは，表面が＋または－のどちらかに帯電して，同じ電荷で反発しながら沈殿せずに分散している**んだ。
また，水分子との親和力が大きい(水と仲がよい)コロイドは親水コロイドという。

親水コロイドは，表面に多くの水分子を強く引きつけて水中で安定しているんだ。

水酸化鉄（Ⅲ），粘土などの
無機物質に多い

デンプン，タンパク質，セッケン
などの有機化合物に多い

は水分子

 コロイドによって，沈殿しない理由が違うんだね。

　そうだね。だから，**それぞれのコロイドが沈殿しない原因を除くとコロイドは沈殿してしまう**んだ。疎水コロイドを沈殿させるにはどうしたらいいかな？

 表面が同じ電荷で反発して分散しているのだから，
反対符号のイオンを加えてあげればいいね。

　そうなんだ。ただ，このとき陽イオンや陰イオンだけを加えることはできないので，**少量の電解質**を加えるんだ。この電解質から電離して生じた陽イオンと陰イオンのうち，コロイド表面の電荷と反対符号のイオンが，コロイドにくっつき反発する力を除いてくれる。すると，疎水コロイドは集まって沈殿する。これを **凝析** というんだ。

少量の
電解質を
加える

疎水コロイド

水分子

がくっついて
反発する力を除く

陽イオン　　陰イオン

凝析のようす

　また，少量の電解質を加えるにしても，**「コロイド表面の電荷と反対符号」で「その価数の大きいイオン」が含まれている電解質のほうが凝析の効果が大きい**んだ。

 ＋電荷をもつ水酸化鉄（Ⅲ）のコロイドは，塩化物イオン Cl^- よりも硫酸イオン $SO_4{}^{2-}$ のほうが，－電荷をもつ粘土のコロイドならナトリウムイオン Na^+ よりもアルミニウムイオン Al^{3+} のほうが効果的に凝析させることができるんだね。

　親水コロイドは，多くの水分子がコロイドを安定化させていたね。親水コロイドに**多量の電解質**を加えると，コロイドをとりまいている水和水が，電離して生じた陽イオンや陰イオンに水和することで引き離される。コロイドを支えていた水和水が除か

れたので，親水コロイドは集まって沈殿してしまう。これを塩析というんだ。

塩析のようす　多量の電解質を加える　水和水がうばわれる　水分子　親水コロイド　陰イオン　陽イオン

疎水コロイドに親水コロイドを加えると，親水コロイドが疎水コロイドをおおう。**表面を親水コロイドがおおっているので，そのまわりをさらに水和水がとりまくんだ。これで，少量の電解質を加えても凝析しにくくなる**よね。このようなはたらきをもつ親水コロイドを保護コロイドというんだ。

保護コロイド（親水コロイド）　疎水コロイド　水分子

保護コロイドにはどんなものがあるの？

インク中の**アラビアゴム**や，墨汁中の**ニカワ**がそうなんだ。また，ゼラチンは保護コロイドとしての作用がとても強いんだ。

ポイント　コロイドの性質について

● 疎水コロイド
　　少量の電解質でコロイドのもつ電荷が中和され凝析する
　　【凝析効果】
　　"反対符号"で"その価数の大きい"イオンの効果が大きい
　　例　水酸化鉄（Ⅲ）（＋に帯電）………$PO_4^{3-} > SO_4^{2-} > Cl^-$
　　　　粘土（－に帯電）…$Al^{3+} > Mg^{2+} > Na^+$

● 親水コロイド：多量の電解質を加えると水和水が除かれ塩析する

● 保護コロイド：疎水コロイド安定化のために加える親水コロイド

コロイドに関する次の(1)～(13)の記述について，正しいものには○を，誤っているものには×をつけよ。

(1) 流動性を示す液体状のコロイド溶液をゲル，流動性を失って固体状となったものをゾルという。

(2) 流動性のあるコロイド溶液に加熱などの操作を行うと，流動性を失ったかたまりになることがある。このかたまりを乾燥させたものをキセロゲルという。

(3) デンプンの水溶液に強い光線をあてると光の通路が明るく輝いて見える。

(4) コロイド溶液を限外顕微鏡で観察すると，静止しているコロイド粒子が見える。

(5) ブラウン運動は，コロイド粒子とコロイド粒子が不規則に衝突するために起こる現象である。

(6) 水酸化鉄(Ⅲ)のコロイド溶液に，電極を入れて直流電圧をかけると，コロイド粒子は陰極側に移動する。

(7) コロイド粒子はセロハン膜を通過しないが，小さな分子やイオンはセロハン膜を通過する。この性質を利用して，コロイド溶液を精製する操作を塩析という。

(8) 疎水コロイドの溶液に少量の電解質を加えると，コロイド粒子が集合して沈殿する。この現象を凝析という。

(9) 疎水コロイドである硫黄のコロイドは，多量の電解質を加えても沈殿しない。

(10) 粘土で濁った川の水を浄化するには，硫酸アルミニウムのほうが硫酸ナトリウムよりも有効である。

(11) 豆乳やゼラチン溶液に多量の電解質を加えると，沈殿が生じる。

(12) 水酸化鉄(Ⅲ)のコロイド溶液に，親水コロイドを加えておくと，少量の電解質を加えても，コロイド粒子は容易には沈殿しない。

(13) 多数の界面活性剤が集合するとミセルとよばれるコロイド粒子になる。これを分子コロイドという。

解答・解説

(1) ×　(2) ○　(3) ○　(4) ×　(5) ×　(6) ○　(7) ×

(8) ○　(9) ×　(10) ○　(11) ○　(12) ○　(13) ×

(1) $\left\{\begin{array}{l}\text{ゾル…流動性を示すコロイド溶液}\\\text{ゲル…流動性を失った固体状のコロイド溶液〈誤り〉}\end{array}\right.$

(2)　流動性のあるコロイド溶液(ゾル)に加熱などの操作を行うと，流動性を失った
　　かたまり(ゲル)になることがある。このゲルを乾燥させたものは，キセロゲルと
　　いう。〈正しい〉例えば，豆乳(ゾル)をゲル化すると豆腐(ゲル)になり，豆腐を
　　乾燥させると高野豆腐(キセロゲル)になる。

(3)　チンダル現象の説明。〈正しい〉

(4)　静止している〈誤り〉　→　動いている〈正しい〉

(5)　ブラウン運動は，溶媒がコロイド粒子に衝突することによる不規則な運動。
　　〈誤り〉

(6)　電気泳動の説明。〈正しい〉

(7)　塩析〈誤り〉　→　透析〈正しい〉

(8)　凝析の説明。〈正しい〉

(9)　疎水コロイドは，少量の電解質で凝析する。〈誤り〉

(10)　粘土は−電荷をもつコロイドなので，Na^+より価数の大きなAl^{3+}のほうが有
　　効。〈正しい〉

(11)　塩析の説明。〈正しい〉

(12)　保護コロイドの説明。〈正しい〉

(13)　分子コロイド〈誤り〉　→　会合コロイドまたはミセルコロイド〈正しい〉

8時間目 化学反応と熱

1 化学エネルギーとエンタルピーについて

メタン CH_4 や黒鉛 C などの物質は，化学エネルギーとよばれる固有の大きさのエネルギーをもっている。

化学エネルギーって？

おもに原子どうしが結合することで物質に蓄えられるエネルギーのことなんだ。化学反応が起こると，反応物がもつ化学エネルギーと生成物がもつ化学エネルギーとの差が熱や光などとして出入りする。

例1 メタン CH_4 1 mol が完全燃焼すると891 kJ の熱が発生する。

$$CH_4(気) + 2O_2(気) \longrightarrow CO_2(気) + 2H_2O(液) \quad (891\ kJ\ の発熱)$$

気体を表す　　　　　　　　　　　　液体を表す　　発熱反応という

例2 赤熱した黒鉛 C 1 mol に水蒸気を触れさせると131 kJ の熱が吸収される。

$$C(黒鉛) + H_2O(気) \longrightarrow CO(気) + H_2(気) \quad (131\ kJ\ の吸熱)$$

吸熱反応という

物質がもつエネルギーは，**エンタルピー H** とよばれる量を使って表せる。化学反応によるエンタルピーの変化した量を**エンタルピー変化 ΔH** といい，反応物がもつエンタルピーの和を H_1，生成物がもつエンタルピーの和を H_2 とすると，

反応物がもつエンタルピーの和 H_1	化学反応→	生成物がもつエンタルピーの和 H_2

と表せ，ΔH は $\Delta H = H_2 - H_1$　← 化学反応式の「（右辺）−（左辺）」になる!!
のように求めることができるんだ。

ポイント エンタルピー変化 ΔH について

$\Delta H = （生成物がもつエンタルピーの和） - （反応物がもつエンタルピーの和）$

発熱反応や吸熱反応の ΔH について教えてよ。

$$CH_4(気) + 2O_2(気) \longrightarrow CO_2(気) + 2H_2O(液) \quad (891\ kJ\ の発熱)$$

反応物　　　　　　　　　　生成物

のような発熱反応では，反応物（CH_4（気）＋$2O_2$（気））が熱を発生して生成物（CO_2（気）＋$2H_2O$（液））になるので，反応物がもつエンタルピーの和 H_1より生成物がもつエンタルピーの和 H_2のほうが小さくなる。

つまり，$\Delta H = H_2 - H_1 = -891\,kJ < 0$ となるんだ。

エンタルピーが減少した分，熱として放出される

また，C（黒鉛）＋ H_2O（気） $\longrightarrow$ CO（気）＋ H_2（気） （131 kJ の吸熱）

　　　　　反応物　　　　　　　　　　　生成物

のような吸熱反応では，反応物（C（黒鉛）＋ H_2O（気））が熱を吸収して生成物（CO（気）＋ H_2（気））になるので，反応物がもつエンタルピーの和 H_1より生成物がもつエンタルピーの和 H_2のほうが大きくなる。

エンタルピーH

大きい　H_2 ----- CO（気）＋H_2（気）

エンタルピーが 131 kJ 大きくなるので，131 kJ 吸熱する　$\Delta H=131\,kJ$と書く

〔吸熱する〕

小さい　H_1 ----- C（黒鉛）＋H_2O（気）

〔正の値〕

つまり，$\Delta H = H_2 - H_1 = 131\,kJ > 0$ となるんだ。

エンタルピーが増加した分，熱として吸収される

ポイント　発熱反応と吸熱反応

発熱反応 ➡ 熱を発生し，エンタルピーが減少する ➡ $\Delta H < 0$
吸熱反応 ➡ 熱を吸収し，エンタルピーが増加する ➡ $\Delta H > 0$

　化学反応や状態変化にともなうエンタルピー変化は，化学反応式とエンタルピー変化 ΔH をあわせて次のように書くんだ。

発熱反応
$$CH_4(気) + 2O_2(気) \longrightarrow CO_2(気) + 2H_2O(液) \qquad \Delta H = -891\,kJ$$
吸熱反応
$$C(黒鉛) + H_2O(気) \longrightarrow CO(気) + H_2(気) \qquad \Delta H = 131\,kJ$$

化学反応式の横に ΔH を書けばいいんだね。

そうだね。あと，いくつか注意してほしいことがあるんだ。
次のポイントで確認してね。

**ポイント　化学反応式にエンタルピー変化 ΔH を
あわせて書くときの注意点**

注1 ΔH の単位には kJ を使う

　　　$1\,kJ = 10^3\,J$ の関係があり，k(キロ)は 10^3 を表す

注2 ΔH は反応式の横に書く

　　　ΔH が負($\Delta H < 0$)のときが発熱反応，ΔH が正($\Delta H > 0$)のとき
　　　が吸熱反応になる

注3 固体は(固)，液体は(液)，気体は(気)と書く

　　　問題文に状態が示されていないときは，$25℃$，$1.013×10^5\,Pa$(常温，
　　　常圧)での状態を書く

注4 反応式の係数が分数になることがある

　　　注目する物質の係数を1にするので，他の物質の係数が分数になること
　　　がある

この反応は，$\Delta H < 0$ だから，発熱反応だね！

2 反応エンタルピーについて

　注目する物質 $1\,mol$ あたりのエンタルピーの変化量を反応エンタルピー(kJ/mol)
という。反応エンタルピーはふつう25℃，$1.013×10^5\,Pa$(常温，常圧)での値になるんだ。
　反応エンタルピー(kJ/mol)や結合エネルギー(結合エンタルピー)(kJ/mol)には，
次のようなものがあるんだ。どの物質 $1\,mol$ について表しているかをチェックしなが
ら覚えていくといいよ。

❶ **生成エンタルピー**

化合物 1 mol がその成分元素の単体から生成するときのエンタルピー変化 (kJ/mol)
→ H₂O, NH₃, ……など   → H₂, N₂, ……など

例　アンモニア NH₃(気) の生成エンタルピーが −46 kJ/mol であることを表す。

$$\frac{1}{2} N_2(気) + \frac{3}{2} H_2(気) \longrightarrow 1 NH_3(気) \quad \Delta H = -46 \text{ kJ}$$

化合物 1 mol を表している

❷ **燃焼エンタルピー**

物質 1 mol が完全燃焼するときのエンタルピー変化 (kJ/mol)
→単体・化合物のどちらでもよい　→ C は CO₂ に, H は H₂O に変化する

例　エタン C₂H₆(気) の燃焼エンタルピーが −1560 kJ/mol であることを表す。ただし, 生成する H₂O は液体とする。

$$1 C_2H_6(気) + \frac{7}{2} O_2(気) \longrightarrow 2CO_2(気) + 3H_2O(液) \quad \Delta H = -1560 \text{ kJ}$$

完全燃焼する物質 1 mol を表している

❸ **中和エンタルピー**

酸と塩基が中和反応して, 1 mol の水が生じるときのエンタルピー変化 (kJ/mol)

例　HCl aq + NaOH aq ⟶ 1H₂O(液) + NaCl aq　$\Delta H = -57$ kJ

水溶液を表している　　H₂O 1 mol を表している

❹ **溶解エンタルピー**

溶質 1 mol が多量の水に溶けるときのエンタルピー変化 (kJ/mol)

例　水酸化ナトリウム NaOH(固) が多量の水に溶けるときの溶解エンタルピーが −45 kJ/mol であることを表す。

$$1 NaOH(固) + aq \longrightarrow NaOH aq \quad \Delta H = -45 \text{ kJ}$$

多量の水を表している

溶質 1 mol を表している

❺ **結合エネルギー (結合エンタルピー)**

気体分子のもつ共有結合 1 mol を切り離して気体状の原子にするのに必要なエネルギー (kJ/mol)　→気体分子内の共有結合 1 mol あたりを表している

例　H−H 結合の結合エネルギーが 436 kJ/mol であることを表す。

H−H(気) + | H−H(気)の 結合エネルギー | ⟶ H(気) + H(気)

気体状　　　　「左辺」に結合エネルギー(436 kJ)を加えて　　バラバラになっても
　　　　　　　結合を切断する　　　　　　　　　　　　　気体状のまま

のような吸熱反応なので, 次のように表せる。

H₂(気) ⟶ 2H(気)　$\Delta H = 436$ kJ

吸熱反応のエンタルピー変化は $\Delta H > 0$ になる。

第**3**章

化学反応とエネルギー

3個以上の原子からなる多原子分子をそれぞれの構成原子(バラバラの原子状態)にするには，分子をつくっているそれぞれの原子間の結合エネルギーの総和に相当するエネルギーが必要になる。

　結合エネルギー(kJ/mol)は，**気体分子のもつ共有結合 1 mol を切り離すのに必要なエネルギー**だったね。ここで，C－H結合の結合エネルギーを x(kJ/mol) (ただし，$x > 0$)とすると，気体状のメタン CH_4 1 mol をバラバラの原子状態(C(気)，H(気))にするには，C－H(気)結合 1 mol は x(kJ)で切るとバラバラ(C(気)，H(気))になる

C + H(気)は，x(kJ)で切れる

ので，メタン CH_4(気)のもつ結合をすべて切るには H + C + H(気)から，$4 \times x$ (kJ) が必要になる。

だから，CH_4(気) ＋ │C－H(気)の結合エネルギー│ × 4 ⟶ C(気) ＋ 4H(気)

気体状　　　　左辺に結合エネルギーの総和 $4x$(kJ)を加えて CH_4(気)のもつ共有結合をすべて切断する　　　　バラバラになっても気体状のまま

のような吸熱反応になり，CH_4(気) ⟶ C(気) ＋ 4H(気)　$\Delta H = 4x$ (kJ) (ただし，$4x > 0$)と表すことができる。

　いろいろな反応エンタルピーがあるね。

　そうだね。くり返しになるけど，反応エンタルピーや結合エネルギーは，**どの物質 1 mol について表しているのか**をおさえると，覚えやすいよ。

ポイント　**反応エンタルピーや結合エネルギーについて**

● **反応エンタルピーや結合エネルギーは kJ/mol** ⟵ココに注意して覚えるとよい！

$\Delta H < 0$ (発熱反応)や $\Delta H > 0$ (吸熱反応)かは覚えるの？

　生成エンタルピーや**溶解エンタルピー**は，$\Delta H < 0$ (発熱反応)・$\Delta H > 0$ (吸熱反応) **どちらのときもある**んだ。だから，問題の中で $\Delta H > 0$ (吸熱反応)なら＋で(ただし，＋は省略されて書かれるから気をつけてね)，$\Delta H < 0$ (発熱反応)なら－で与えられるから，その場で判断できるよ。また，**燃焼エンタルピー**と**中和エンタルピーは常に $\Delta H < 0$ (発熱反応)**になり，結合エネルギーは常に $\Delta H > 0$ (吸熱反応)になるんだ。

他に覚えておくエンタルピー変化はあるの？

固体⟷液体⟷気体のように物質がその状態を変えることが状態変化だったね。この状態変化を表す用語と熱の出入りは下の図で覚えてほしいんだ。

「放出」・「吸収」を覚えるのは大変だよ。

「放出」か「吸収」かは，具体例で考えてね。固体である氷を加熱すると，液体である水になるよね。つまり，固体＋熱 ⟶ 液体（吸熱）となるので，**固体から液体になるときには ⟶（左辺から右辺）で考えて，融解熱を吸収する，液体から固体になるときには ⟵（右辺から左辺）で考えて，固体＋熱 ⟵ 液体となり凝固熱を放出す**ると考えればいいんだ。他も同じように考えてみてね。

　このように，状態が変化するときにも熱の出入りをともなうのでエンタルピーが変化するんだ。物質 1 mol が融解・凝固・蒸発・凝縮・昇華するときのエンタルピー変化はそれぞれ，融解エンタルピー・凝固エンタルピー・蒸発エンタルピー・凝縮エンタルピー・昇華エンタルピーという。たとえば，0℃の氷の融解エンタルピー 6.0 kJ/mol は，

$$H_2O（固）＋\boxed{熱} \quad \longrightarrow \quad H_2O（液）➡ 融解熱を吸収する ➡ 吸熱反応の \varDelta H は$$
$$\varDelta H > 0 ➡ \quad H_2O（固） \quad \longrightarrow \quad H_2O（液） \quad \varDelta H = 6.0 \text{ kJ} \quad \cdots①$$

と表せる。また，0℃の水の凝固エンタルピーは，

$$H_2O（液） \quad \longrightarrow \quad H_2O（固） \quad \varDelta H = -6.0 \text{ kJ} \quad \cdots②$$

と表せる。

「凝固は融解の逆である」ことから，
$\varDelta H$ の符号を融解のときと逆の－にする

②式を書くときは，①式の左辺と右辺を入れかえて，符号を逆にすればいいね。

チェック問題 1　　　標準

化学反応や状態変化にともなうエンタルピー変化に関する記述として誤って

いるものを，次の①～⑥のうちから1つ選べ。

① 物質1 molがその成分元素の単体から生成するときの反応エンタルピーを生成エンタルピーという。
② 物質1 molが完全燃焼するときの反応エンタルピーを燃焼エンタルピーという。
③ H^+とOH^-が反応して水1 molが生じるときの反応エンタルピーを中和エンタルピーという。
④ 溶質1 molが多量の溶媒に溶解するときの反応エンタルピーを溶解エンタルピーという。
⑤ 物質1 molが蒸発するときのエンタルピー変化は，正の値となる。
⑥ 物質1 molが融解するときのエンタルピー変化は，負の値となる。

解答・解説

⑥

反応エンタルピーについては，もう一度p.127～129を確認しておこう！（①，②，③，④はすべて〈正しい〉）

⑤ たとえば，液体の水（H_2O（液））を加熱すると気体の水（H_2O（気））になる。この

状態変化を蒸発といい，H_2O（液）＋熱 $\xrightarrow{\text{蒸発}}$ H_2O（気）のように表せる吸熱反応になる。よって，蒸発エンタルピー ΔH は $\Delta H > 0$（正の値）になる。〈正しい〉
蒸発エンタルピーは，H_2O（液）$\longrightarrow$ H_2O（気） $\Delta H > 0$ と表せる。

⑥ ⑤と同様に考える。H_2O（固）＋熱 $\xrightarrow{\text{融解}}$ H_2O（液）のように表せる吸熱反応になる。よって，融解エンタルピー ΔH は $\Delta H > 0$（正の値）になる。〈誤り〉
融解エンタルピーは，H_2O（固）$\longrightarrow$ H_2O（液） $\Delta H > 0$ と表せる。

チェック問題 2　　　　　標準 3分

次のエンタルピー変化を付した反応式を参考に，記述として誤りを含むものを，次の①～⑤のうちから1つ選べ。H ＝ 1.0，O ＝ 16

N_2（気）＋O_2（気）$\longrightarrow$ 2 NO（気）　$\Delta H = 180.6$ kJ
C（黒鉛）＋O_2（気）$\longrightarrow$ CO_2（気）　$\Delta H = -394$ kJ
2 CO（気）＋O_2（気）$\longrightarrow$ 2 CO_2（気）　$\Delta H = -566$ kJ
$AgNO_3$（固）＋aq $\longrightarrow$ $AgNO_3$ aq　$\Delta H = 22.6$ kJ
H_2O（液）$\longrightarrow$ H_2O（気）　$\Delta H = 43.9$ kJ（25℃の水の蒸発エンタルピー）

① 一酸化窒素の生成エンタルピーは，90.3 kJ/mol である。
② $CO_2 \longrightarrow C$（黒鉛）$+ O_2$ の反応は，吸熱反応である。
③ 一酸化炭素 2 mol と酸素 1 mol がもっているエンタルピーの和は，二酸化炭素 2 mol がもっているエンタルピーより大きい。
④ 純水に硝酸銀を溶解させると，溶液の温度が上がる。
⑤ 25℃の水 6 g を蒸発させるためには，約14.6 kJ の熱を加えなければならない。

解答・解説

④

① **NO の生成エンタルピーは，NO 1 mol がその成分元素の単体**(N_2, O_2)**から生成するときのエンタルピー変化のこと**なので，$\dfrac{180.6 \, kJ}{2 \, mol} = 90.3 \, kJ/mol$ となる。〈正しい〉

② 与えられた式の左辺と右辺を入れかえると，
CO_2（気）$\longrightarrow C$（黒鉛）$+ O_2$（気）　$\Delta H = 394 \, kJ$ となり，$\Delta H > 0$ は吸熱反応なので〈正しい〉。

③ $\boxed{2CO\,（気）+ O_2\,（気）}$ $\longrightarrow$ $\boxed{2CO_2\,（気）}$　$\Delta H = -566 \, kJ$
CO 2 mol と O_2 1 mol が　　　CO_2 2 mol が
もつエンタルピーの和　　　もつエンタルピー

物質がもつエンタルピーが減少するので，〈正しい〉。

④ 与えられた式は，$AgNO_3$（固）$+ aq \longrightarrow AgNO_3 \, aq$　$\Delta H = 22.6 \, kJ$
この反応は $\Delta H > 0$ の吸熱反応なので，溶液の温度が**下がる**。上がるは〈誤り〉。
➡ 下がるが〈正しい〉。

⑤ 与えられた式から，25℃の H_2O（液）1 mol を蒸発させるのに43.9 kJ 必要になることがわかる。ここで，水 6 g の物質量(mol)は，$H_2O = 18$ からそのモル質量が18 g/mol になるので，$6 \, g \times \dfrac{1 \, mol}{18 \, g} = \dfrac{1}{3} \, mol$ となる。よって，25℃の水 6 g を蒸発させるためには，$\dfrac{43.9 \, kJ}{H_2O \,（液）1 \, mol} \times \dfrac{1}{3} \, mol \fallingdotseq 14.6 \, kJ$　が必要になる。〈正しい〉

（思）**考力のトレーニング**　やや難

　将来のエネルギー資源として期待されているメタンハイドレートは，水分子が形成するかご状構造の中にメタン分子がとりこまれた固体物質として海底などに存在する。メタン 1 分子あたり平均5.8個の水分子で構成されるメタンハイドレート1.2 kg から，メタンを気体としてすべてとり出して完全燃焼させる。

次の問い(a・b)に答えよ。ただし，H = 1.0，C = 12，O = 16とする。

a　燃焼で消費される酸素の物質量は何 mol か。最も適当な数値を，次の①～⑥のうちから1つ選べ。

　　① 5.0　　　② 10　　　③ 20　　　④ 65　　　⑤ 75　　　⑥ 130

b　このとき放出される熱量は何 kJ か。最も適当な数値を，次の①～⑥のうちから1つ選べ。ただし，気体のメタンの燃焼エンタルピーは−890 kJ/mol とする。

　　① 8.9×10^2　　　② 4.5×10^3　　　③ 5.8×10^3
　　④ 8.9×10^3　　　⑤ 4.5×10^4　　　⑥ 5.8×10^4

解答・解説

a　③　　b　④

a　メタンハイドレートは「メタン CH_4 1分子あたり平均5.8個の水分子で構成される」とあるので，**その化学式は $CH_4 \cdot 5.8 H_2O$ と予想できる。**
　　　　　　　　　　　　　　　　　　　　　└→ポイント

　　$CH_4 \cdot 5.8 H_2O$ のモル質量は120.4 g/ mol となり，その1.2 kg の物質量は，

　　　（$CH_4 = 16$，$H_2O = 18$ なので $16 + 5.8 \times 18$ から求める）

$$1.2 \text{ kg} \times \frac{10^3 \text{ g}}{1 \text{ kg}} \times \frac{1 \text{ mol}}{120.4 \text{ g}} \fallingdotseq 10 \text{ mol}$$

になる。また，メタンハイドレート $CH_4 \cdot 5.8 H_2O$ 1個中に含まれているメタン
CH_4は1個なので，メタンハイドレート10 mol＝メタン10 mol　になる。
　　　　　mol

　　よって，メタン CH_4 の完全燃焼の反応式

　　　　1 CH_4 + 2O_2 ⟶ CO_2 + 2H_2O

から，消費される O_2 の物質量(mol)は CH_4 の ×2 (mol)とわかるので，

　　　10 ┐ ×2 ┌ ＝ 20 mol になる。
　　　　└─────┘
　　CH_4 (mol) O_2 (mol)

b　CH_4 の燃焼エンタルピー−890 kJ/ mol より，CH_4(気)の完全燃焼は発熱反応になることがわかる。よって，メタンハイドレート10 mol からとり出せる CH_4 10 mol を完全燃焼させることで放出される熱量(kJ)は，

$$\frac{890 \text{ kJ}}{CH_4 \text{ 1 mol}} \times 10 \text{ mol} = 8.9 \times 10^3 \text{ kJ} \quad になる。$$

3 エネルギー図について

反応物と生成物のもつエンタルピーの関係を図で表したものを**エネルギー図**という

んだ。エネルギー図がかけるようになると，「速く」・「ミスなく」問題が解けるようになるので，次の【エネルギー図のかき方】をマスターしてね。

【エネルギー図のかき方】の手順
手順①　化学反応式の左辺を書く。
　　　　　<u>　左辺　</u>

手順②　$\Delta H < 0$ のときは右辺を左辺の下に書き，$\Delta H > 0$ のときは右辺を左辺の上
　　　　　発熱反応　　　　　　　　　　　　　　　　　吸熱反応
　　　　　に書く。

「$\Delta H < 0$ のとき」　　　　　　　　　「$\Delta H > 0$ のとき」
　　　　　　　　　　　　　　　　　　　　<u>　右辺　</u>　← 左辺の上に書く

<u>　左辺　</u>　- - - - - - - - - - - -　<u>　左辺　</u>

<u>　右辺　</u>　← 左辺の下に書く

手順③　左辺から右辺にむかって，上下の矢印（↑または↓）を書く。
　　　　　このとき，上下の矢印の横に ΔH の値を符号とともに書く。

「$\Delta H < 0$ のとき」　　　　　　　　「$\Delta H > 0$ のとき」
たとえば，$\Delta H = -30$ kJ なら　　　たとえば，$\Delta H = 30$ kJ なら

 左辺から右辺にむかって，↑または↓を書くんだよね

例1　CH_4（気）$+2O_2$（気）$\longrightarrow$ CO_2（気）$+2H_2O$（液）　$\underline{\Delta H = -891}$ kJ の場合
　　　　　　　　　　　　　　　　　　　　　　　　　　　　　　　　発熱反応

例2 C（黒鉛）＋ H₂（気） ⟶ CO（気）＋ H₂（気） $\Delta H = 131\,\text{kJ}$ の場合

4 ヘスの法則について

黒鉛 C から一酸化炭素 CO ができるときの反応エンタルピー，つまり**一酸化炭素 CO の生成エンタルピー ΔH_1 を求める**ことができるかな？

 簡単だよ。黒鉛を不完全燃焼させる実験から求めればいいね。

ところが，そうもいかないんだ。黒鉛 C を不完全燃焼させても，一酸化炭素 CO と二酸化炭素 CO₂ が同時に発生してしまうんだ。

 じゃあ，どうしたらいいの？

黒鉛 C の燃焼エンタルピー ΔH_2（下の式①）や一酸化炭素 CO の燃焼エンタルピー ΔH_3（式②）は，実験により求められているから，このデータを使って一酸化炭素 CO の生成エンタルピー ΔH_1 を**間接的に求めることができる**んだ。

$$C（黒鉛）＋ O_2（気） \longrightarrow CO_2（気） \quad \Delta H_2 = -394\,\text{kJ} \quad \cdots\cdots①$$

$$CO（気）＋ \frac{1}{2} O_2（気） \longrightarrow CO_2（気） \quad \Delta H_3 = -283\,\text{kJ} \quad \cdots\cdots②$$

 間接的にって？

①式から②式を引き算すると，どうなるかな？

 CO₂（気）が消えて，C（黒鉛）＋ $\frac{1}{2}$ O₂（気）⟶ CO（気） $\Delta H_2 - \Delta H_3$ になるね。

ここで，$\Delta H_2 - \Delta H_3 = (-394\,\text{kJ}) - (-283\,\text{kJ})$ を求めると，どうなるかな？

あっ，C（黒鉛）＋$\frac{1}{2}$ O$_2$（気）$\longrightarrow$ CO（気）　$\Delta H_1 = -111$ kJ になるね。
一酸化炭素 CO の生成エンタルピー ΔH_1を求めることができたね。

　というように，一酸化炭素 CO の生成エンタルピー ΔH_1を求めることができる。今，簡単に引き算して求めたけど，じつは重要な法則を使って解いているんだ。

　次の図からもわかるとおり，反応のはじめと終わりの状態さえ決まっていれば，［経路Ⅰ］を通っても［経路Ⅱ］を通っても反応エンタルピーの変化は変わっていないよね。

　反応の経路に関係なく，反応エンタルピーが決まることを**ヘスの法則**という。ヘスの法則を使って，**実験で直接判定することが難しい反応エンタルピーも，数学の連立方程式のように求めることができる**んだ。

❶ さまざまな反応エンタルピーを求める

パターンⅠ　生成エンタルピーのデータを使って反応エンタルピーを求める

‐【例題1】‐　　　　　　　　　　　　　　　　　　　　**やや難**‐**3分**

　アセトアルデヒド CH$_3$CHO，メタン CH$_4$ および一酸化炭素 CO の生成エンタルピーは，それぞれ次のように表される。

$$2C（黒鉛）+ 2H_2（気）+ \frac{1}{2} O_2（気）\longrightarrow CH_3CHO（気）\quad \Delta H_1 = -166 \text{kJ}$$

　　　　　　　　　　　　　　　　　　　　　　　　　　……(1)

$$C（黒鉛）+ 2H_2（気）\longrightarrow CH_4（気）\quad \Delta H_2 = -74 \text{kJ} \quad ……(2)$$

$$\text{C (黒鉛)} + \frac{1}{2} O_2 \text{(気)} \longrightarrow CO \text{(気)} \quad \Delta H_3 = -111\,\text{kJ} \qquad \cdots\cdots(3)$$

アセトアルデヒドがメタンと一酸化炭素に熱分解する反応のエンタルピー変化 ΔH_4 を $\Delta H_4 = Q$ (kJ) とすると次のように表される。

$$CH_3CHO \text{(気)} \longrightarrow CH_4 \text{(気)} + CO \text{(気)} \quad \Delta H_4 = Q\,(\text{kJ}) \qquad \cdots\cdots(4)$$

このとき, Q の数値として最も適当なものを, ①〜⑥のうちから1つ選べ。

① -351 ② -190 ③ -19 ④ 19 ⑤ 190 ⑥ 351

 さっきのように，連立方程式の要領で解けばいいよね。

そうだね。(1)〜(3)式を使って，(4)式をつくればいいんだ。このとき，(1)〜(3)式にあって**(4)式の中にない化学式を消去すればいい**んだ。この例題では，(1)〜(3)式すべてにある C (黒鉛) が消しやすそうだね。

(2)式 + (3)式 − (1)式より，C (黒鉛) を消去し式を整理すると，

$$CH_3CHO \text{(気)} \longrightarrow CH_4 \text{(気)} + CO \text{(気)} \quad \underline{-\Delta H_1 + \Delta H_2 + \Delta H_3}$$
 → これが ΔH_4 に相当する

となり，C (黒鉛) だけでなく(4)式にない O_2 (気) や H_2 (気) もまとめて消える。

$$\Delta H_4 = -\Delta H_1 + \Delta H_2 + \Delta H_3$$

となり，

$$Q = -(-166\,\text{kJ}) + (-74\,\text{kJ}) + (-111\,\text{kJ})$$

よって，$Q = \boxed{-19}\,\text{kJ}$ とわかる。

$$CH_3CHO \text{(気)} \longrightarrow CH_4 \text{(気)} + CO \text{(気)} \quad \Delta H_4 = -19\,\text{kJ} \quad となる。$$

答 ③

 他の問題も連立方程式の要領で解けるか，自信ないな。

たしかに，この練習を多く積んでも「他の問題も解ける！」という自信はわいてこないかもね。もちろん，**反応エンタルピーを求める問題を解くのに連立方程式の要領で解くことも大切**だけど，いつもたしたり引いたりしていても，何が起こっているのか見えにくいし，確実に解けるか少し不安かもね。

どうすればいいの？

エネルギー図を使って解けばいいんだ。エネルギー図がうまくかけるようになると，「確実に」かつ「(問題によっては)速く解く」ことができる。もちろん，たしたり引いたりしたほうが簡単に答えが出るときもあるので，エネルギー図を使って解くかどうかはその場で判断してね。エンタルピー変化を付した反応式の数が少ないときにはたしたり引いたりして求めるほうが，楽に解けることが多いんだ。

エネルギー図を使ってどう解いたらいいの？

今回のように「**生成エンタルピーのデータを使って反応エンタルピーを求める**」ときには，まず「**単体**」ラインをいちばん上に引いて，図をつくっていくんだ。そうすると次のようになる。

エネルギー図を使って解く場合の注意点は，次の2つ。

注1 本問のように求める ΔH の符号がわからないときは，$\Delta H < 0$ と仮定しエネルギー図をかいて計算する。$\Delta H > 0$ のときは，計算すると正の値で求まる。

注2 すべての上下の矢印の向きがそろっていること（この問題ではすべて下向き（↓）にそろっている！）を確認すること。もし，すべての矢印の向きが上向き（↑）または下向き（↓）にそろっていないときには，**符号と矢印の向きを逆にして**（＋は－，－は＋に直す）すべての矢印の向きをそろえてから計算する。

左右どちらの経路を通ってもエンタルピー変化の合計は等しい（**ヘスの法則**）から，左＝右となって $(-166 \text{ kJ}) + Q = (-74 \text{ kJ}) + (-111 \text{ kJ})$ となるんだ。

だから，$Q = -19 \text{ kJ}$ だね。

公式 **反応エンタルピー＝（右辺にある物質の生成エンタルピーの合計）**
－（左辺にある物質の生成エンタルピーの合計）

を使ってもいいんだ。公式 に(4)式をあてはめて解いてみるね。

$$\underset{\substack{\text{反応}\\\text{エンタルピー}}}{Q} = \underset{\substack{CH_4(気)とCO(気)の\\生成エンタルピーの合計(右辺)}}{\{(-74 \text{ kJ}) + (-111 \text{ kJ})\}} - \underset{\substack{CH_3CHO(気)の\\生成エンタルピー(左辺)}}{(-166 \text{ kJ})} = -19 \text{ kJ}$$

 これはあざやかに解けたね！

たしかにうまくいくとあざやかに解けるね。ただ，エネルギー図であれば，あらゆる問題に対応できるんだ。公式 をたよりすぎないようにね。あと，今回紹介した公式は（右辺）－（左辺）になることに注意しておいてね。

ポイント エネルギー図や公式について①

● 「生成エンタルピーのデータを使って反応エンタルピーを求める」場合，次の図にあてはめて解く。

```
                          単 体
            ┌──────────┐
            │ ΔH₁               │ ΔH₂
            ↓                   ↓
            └──────────┘
               ↓ ΔH＝Q(kJ)
```

● 反応エンタルピー＝（右辺にある物質の生成エンタルピーの合計）
　　　　　　　　　　－（左辺にある物質の生成エンタルピーの合計）

パターン Ⅱ　燃焼エンタルピーのデータを使って反応エンタルピーを求める

【例題2】 やや難 3分

　一酸化炭素 CO と水素 H_2 から酢酸 CH_3COOH が生成する反応は，そのエンタルピー変化 $ΔH_1$ を $ΔH_1 = Q(kJ)$ とすると次のように表される。

$$2CO（気）+ 2H_2（気）\longrightarrow CH_3COOH（液）\quad ΔH_1 = Q(kJ) \quad \cdots(1)$$

　この $Q(kJ)$ を，次の(2)～(4)を用いて求める。その数値として最も適当なものを，①～⑥のうちから1つ選べ。

$$CH_3COOH（液）+ 2O_2（気）\longrightarrow 2CO_2（気）+ 2H_2O（液）$$
$$ΔH_2 = -877.4 \, kJ \quad \cdots(2)$$

$$CO（気）+ \frac{1}{2}O_2（気）\longrightarrow CO_2（気）\quad ΔH_3 = -284.3 \, kJ \quad \cdots(3)$$

$$H_2（気）+ \frac{1}{2}O_2（気）\longrightarrow H_2O（液）\quad ΔH_4 = -286.9 \, kJ \quad \cdots(4)$$

① 265.0　② 132.7　③ 21.0　④ -21.0　⑤ -132.7　⑥ -265.0

😊 まずは，連立方程式の要領で解いてみるね。

　そうだね。(2)～(4)式を使って，(1)式をつくればいいよね。このとき，(2)～(4)式にあって(1)式の中にない化学式を消去すればいいんだ。この例題は，(2)～(4)式すべてにある O_2（気）が消しやすそうだね。

　(3)式×2 +(4)式×2 -(2)式より，O_2（気）を消去すると，

$$2CO（気）+ 2H_2（気）\longrightarrow CH_3COOH（液）\quad \underline{-ΔH_2 + ΔH_3×2 + ΔH_4×2}$$
　　　　　　　　　　　　　　　　　　　　　　↳これが $ΔH_1$ に相当する

となり，O_2（気）だけでなく(1)式にない CO_2（気）や H_2O（液）もまとめて消える。

$\Delta H_1 = -\Delta H_2 + \Delta H_3 \times 2 + \Delta H_4 \times 2$ となり，

$Q = -(-877.4\,\text{kJ}) + (-284.3\,\text{kJ}) \times 2 + (-286.9\,\text{kJ}) \times 2$

よって，$Q = \boxed{-265.0}\,\text{kJ}$ とわかる。

$$2CO\,(気) + 2H_2\,(気) \longrightarrow CH_3COOH\,(液) \qquad \Delta H_1 = -265.0\,\text{kJ}$$

答 ⑥

 エネルギー図はどうかけばいいの？

(2)式は CH_3COOH（液）の燃焼エンタルピー，(3)式は CO（気）の燃焼エンタルピー，(4)式は H_2（気）の燃焼エンタルピーを表しているよね。**「燃焼エンタルピーのデータを使って反応エンタルピーを求める」**ときには，まず**「完全燃焼後（CO_2（気）＋ H_2O（液））」**をいちばん下に引いて，図をつくっていくんだ。

$\left(\begin{array}{l} x = 2，y = 2，z = 2 \text{ だが，文字式のままや漢字を使って} \\ \text{エネルギー図をかけば，解く時間を省略できる。} \end{array}\right)$

エネルギー図の矢印の向きはすべて下向き（↓）なので，次の式が成り立つ。

$(-284.3\,\text{kJ}) \times 2 + (-286.9\,\text{kJ}) \times 2 = Q + (-877.4\,\text{kJ})$

よって，$Q = -265.0\,\text{kJ}$

公式

反応エンタルピー＝（左辺にある物質の燃焼エンタルピーの合計）

－（右辺にある物質の燃焼エンタルピーの合計）

を使って解くこともできるんだ。公式に(1)式をあてはめて解いてみるね。

$$\underset{\substack{\text{反応}\\\text{エンタルピー}}}{Q} = \underset{\substack{CO\,(気)\,と\,H_2\,(気)\,の\\\text{燃焼エンタルピーの合計（左辺）}}}{\{(-284.3\,\text{kJ}) \times 2 + (-286.9\,\text{kJ}) \times 2\}} - \underset{\substack{CH_3COOH\,(液)\,の\\\text{燃焼エンタルピー（右辺）}}}{(-877.4\,\text{kJ})} = -265.0\,\text{kJ}$$

😊 燃焼エンタルピーのデータのときは（左辺）－（右辺）なんだね。

そうなんだ。この 公式 は（左辺）－（右辺）になっているので，注意してね。

ポイント ▶ **エネルギー図や公式について②**

- 「燃焼エンタルピーのデータを使って反応エンタルピーを求める」場合，次の図にあてはめて解く。

- 反応エンタルピー＝（左辺にある物質の燃焼エンタルピーの合計）
  ー（右辺にある物質の燃焼エンタルピーの合計）

パターン Ⅲ　結合エネルギーのデータを使って反応エンタルピーを求める

{例題3} ─────────────────── やや難 **3分**

　H_2（気）1 mol 中の O－H 結合を，すべて切断するのに必要なエネルギーは何 kJ か。最も適当な数値を，①〜⑤のうちから1つ選べ。ただし H－H および O＝O の結合エネルギーは，それぞれ 436 kJ/mol，498 kJ/mol とする。また，H_2O（液）の生成エンタルピー（kJ/mol）および 25℃ の水の蒸発エンタルピー（kJ/mol）は，それぞれ次の(1)，(2)で表されるものとする。

$$H_2（気）+ \frac{1}{2} O_2（気） \longrightarrow H_2O（液） \quad \Delta H_1 = -286\,\text{kJ} \quad \cdots(1)$$

$$H_2O（液） \longrightarrow H_2O（気） \quad \Delta H_2 = 44\,\text{kJ} \quad \cdots(2)$$

①　443　　　②　692　　　③　927　　　④　971　　　⑤　1176

与えられた結合エネルギーから，次のように表せる。

このとき，結合エネルギーを表す式の ΔH は常に $\Delta H > 0$ になる点に注意しよう！

H－H の結合エネルギーが 436 kJ/mol なので，

$$H_2（気） \longrightarrow 2H（気） \quad \Delta H_3 = 436\,\text{kJ} \quad \cdots(3)$$

O＝O の結合エネルギーが 498 kJ/mol なので，

$$O_2（気） \longrightarrow 2O（気） \quad \Delta H_4 = 498\,\text{kJ} \quad \cdots(4)$$

と表せる。

　O－H の結合エネルギーを x（kJ/mol）（ただし，$x > 0$）とすると，求めるエネルギーは，H_2O（気）1 mol 中の O－H 結合をすべて切断するのに必要なエネルギーなので

$$2x（\text{kJ}） \quad \Longleftarrow \quad \underset{x(\text{kJ}) \quad x(\text{kJ})}{\text{H} \uparrow \overset{\text{O}}{\quad} \uparrow \text{H}} \quad \text{になる。}$$

となる。

　よって，

$$H_2O（気） \longrightarrow 2H（気）+ O（気） \quad \Delta H_5 = 2x（\text{kJ}）（ただし，2x > 0） \quad \cdots(5)$$

140　第3章　化学反応とエネルギー

と表せる。

(1)～(4)式を使って，(5)式を表現するので，

(1)式　＋　(2)式　－　(3)式　－　(4)式　× $\dfrac{1}{2}$　より，

この2つを加えると
H₂O（液）が消える　　この式を引くと
H₂（気）が消える　　この式を引くと $\dfrac{1}{2}$ O₂（気）が消える

$$2H（気）+ O（気）\longrightarrow H_2O（気）\quad \Delta H_1 + \Delta H_2 - \Delta H_3 - \Delta H_4 \times \dfrac{1}{2}$$

左辺と右辺を入れかえ，符号を逆にすると，

$$H_2O（気）\longrightarrow 2H（気）+ O（気）\quad -\Delta H_1 - \Delta H_2 + \Delta H_3 + \Delta H_4 \times \dfrac{1}{2}$$

└→これが ΔH_5 に相当する

$\Delta H_5 = -\Delta H_1 - \Delta H_2 + \Delta H_3 + \Delta H_4 \times \dfrac{1}{2}$ となり，

$2x = -(-286\,\text{kJ}) - (44\,\text{kJ}) + (436\,\text{kJ}) + (498\,\text{kJ}) \times \dfrac{1}{2}$

よって，$2x = \boxed{927}\,\text{kJ}$（求める数値は $2x$ の値）　　　答 ③

今回のような「結合エネルギーのデータを使って反応エンタルピーを求める」ときには，まず「気体状の原子（バラバラ原子）」ラインをいちばん上に引いて，図をつくっていく。

ここで，エネルギー図を見ると，すべての矢印の向きがそろっていないことに気づくので「すべて上向き（↑）」か「すべて下向き（↓）」にそろえることが必要になる。

「すべて上向き(↑)」にそろえた場合

「すべて下向き(↓)」にそろえた場合

> 矢印の向きを上向き(↑)に変えたので、符号を逆(＋)にする

> 矢印の向きを下向き(↓)に変えたので、符号を逆(−)にする

よって、
$(436\,\text{kJ}) + (498\,\text{kJ}) \times \dfrac{1}{2} + (286\,\text{kJ})$
$= (2x) + (44\,\text{kJ})$
が成り立つ。

よって、
$(-436\,\text{kJ}) + (-498\,\text{kJ}) \times \dfrac{1}{2} + (-286\,\text{kJ})$
$= (-2x) + (-44\,\text{kJ})$
が成り立つ。

以上から、どちらからも $2x = 927\,\text{kJ}$ と求められる。

求める数値は、H_2O(気)1 mol 中の O−H 結合をすべて切断するのに必要な$2x(\text{kJ})$になる

公式 反応エンタルピー＝（左辺にある物質の結合エネルギーの合計）
　　　　　　　　　　　　− （右辺にある物質の結合エネルギーの合計）

を使うこともできる。ただ、**公式** は反応物と生成物がすべて気体のときに成立するので、(1)式＋(2)式より H_2O (液)を消去してから **公式** にあてはめて解いてね。

😊 ⟨ 結合エネルギーのデータのときも（左辺）−（右辺）なんだね。

$$H_2\,(気) + \frac{1}{2}\,O_2\,(気) \longrightarrow H_2O\,(液) \quad \Delta H_1 = -286\,\text{kJ} \quad \cdots\cdots(1)$$

$+)\qquad H_2O\,(液) \longrightarrow H_2O\,(気) \quad \Delta H_2 = 44\,\text{kJ} \quad \cdots\cdots(2)$

$$H_2\,(気) + \frac{1}{2}\,O_2\,(気) \longrightarrow H_2O\,(気) \quad \Delta H = -242\,\text{kJ} \quad \cdots\cdots(*)$$

H_2O(液)を消去するためにたす

(*)の式を **公式** にあてはめる。

$$\underset{\text{反応エンタルピー}}{(-242\,\text{kJ})} = \underbrace{\left\{(436\,\text{kJ}) + (498\,\text{kJ}) \times \frac{1}{2}\right\}}_{\substack{H_2\,(気)と\frac{1}{2}\,O_2\,(気)の結合 \\ エネルギーの合計(左辺)}} - \underbrace{(2x)}_{\substack{H_2O\,(気)の結合 \\ エネルギーの合計(右辺)}}$$

より、$2x = 927\,\text{kJ}$

ポイント ▶ エネルギー図や公式について③

● 「結合エネルギーのデータを使って反応エンタルピーを求める」場合，次の図にあてはめて解く。

気体状の原子（バラバラ原子）

ΔH_1

$\Delta H = Q$ (kJ)

ΔH_2

> すべての矢印の向きをそろえてから計算すること！

● 反応エンタルピー＝（左辺にある物質の結合エネルギーの合計）
　　　　　　　　　－（右辺にある物質の結合エネルギーの合計）

注 公式 は反応物と生成物がすべて気体のときに成立する

5 物質の比熱について

　物質1gの温度を1K上げるのに必要な熱量を，その物質の比熱といい，単位の記号にはふつう J/(g・K) を使う。比熱の問題を解くときには，まずgが何1gあたりを表しているのかをチェックしてほしいんだ。水の比熱であれば「水1gあたり」，水溶液の比熱であれば「水溶液1gあたり」を表すことになるんだ。

比熱が c （J/(g・K)）のとき

→水の比熱であれば，水1gあたりを表している
→水溶液の比熱であれば，水溶液1gあたりを表している

 単位もややこしいね。

　そうなんだ。あと，温度差の単位には，ふつうKを使ったことや，温度差を考えているときは単位(K)を(℃)に変換することができた（➡ p.109参照）ことも思い出してね。比熱の問題は，数字や言葉をおぎなうと考えやすくなるよ。

　たとえば，水の比熱4.2 (J/(g・K))なら，次のように書く。

$$\frac{4.2\,J\,必要}{1\,g\,の水を・1\,K\,上げるのに} \quad または \quad \frac{4.2\,J\,発生}{1\,g\,の水が・1\,K\,上がると}$$

 どう利用すればいいの？

　問題を解くときには，**単位に注目しながら**この分数式を利用するんだ。つまり，比熱が c (J/(g・K))，質量 m (g)の物質を，温度 Δt (K)上昇させるのに必要な熱量 Q (J)は，

$$Q\,(J) = \frac{c\,J\,必要}{1\,g\,の物質・1\,K\,上げるのに} \times m\,g \times \Delta t\,K\,(上昇) = cm\Delta t\,(J)$$

となる。

> ### ポイント 比熱について
>
> - 物質1gの温度を1K上げるのに必要な熱量
>   ➡ 比熱の問題を解くときは，数字や言葉をおぎなって解くとよい

チェック問題 3   標準

プロパン C_3H_8 の完全燃焼により10Lの水の温度を22℃上昇させた。この加熱に必要なプロパン C_3H_8 の体積は，0℃，1.013×10^5 Pa で何Lか。最も適当な数値を，①～⑥のうちから1つ選べ。ただし，水の密度と比熱はそれぞれ 1.0 g/cm^3，4.2 J/(g・K) とする。また，プロパン C_3H_8 の燃焼エンタルピーは -2200 kJ/mol で，燃焼によって放出された熱はすべて水の温度上昇に使われたものとする。

① 0.019 ② 0.42 ③ 0.53 ④ 2.4 ⑤ 9.4 ⑥ 53

解答・解説

⑤

必要なプロパン C_3H_8（気）の 0℃，1.013×10^5 Pa（標準状態）での体積を V(L)とすると，その物質量は $V(\text{L}) \times \dfrac{1\,\text{mol}}{22.4\,\text{L}} = \dfrac{V}{22.4}\,\text{mol}$ となる。

C_3H_8（気）の燃焼エンタルピー -2200 kJ/mol から，C_3H_8（気）の完全燃焼は発熱反応であることがわかる。

そのため，C_3H_8（気）の完全燃焼により放出された熱量(kJ)は，

$$\frac{2200\,\text{kJ 発生}}{C_3H_8\ 1\,\text{mol 完全燃焼}} \times \frac{V}{22.4}\,\text{mol} \quad \cdots\cdots ①$$

となる。また，水10Lが22K上昇するために必要な熱量(kJ)は，比熱 4.2 J/($\underline{1}$g・$\underline{1}$K) や密度 1.0 g/cm^3＝1.0 g/mL より，

（温度差は(℃)＝(K)）

$$\frac{4.2\,\text{J 必要}}{\text{水}\ 1\,\text{g}\cdot1\,\text{K 上昇}} \times \underbrace{\left\{10\,\text{L} \times \frac{10^3\,\text{mL}}{1\,\text{L}} \times \frac{1.0\,\text{g}}{1\,\text{mL}}\right\}}_{\text{水}} \times 22\,\text{K 上昇} \times \frac{1\,\text{kJ}}{10^3\,\text{J}} \quad \cdots\cdots ②$$

よって，C_3H_8（気）の完全燃焼により水の温度が上昇したので，①式＝②式となり，

$$\underbrace{2200 \times \frac{V}{22.4}}_{\text{放出された熱量(kJ)}} = \underbrace{4.2 \times 10 \times 10^3 \times 1.0 \times 22 \times \frac{1}{10^3}}_{\text{22K 上昇するのに必要な熱量(kJ)}} \quad \text{より，} \quad V \fallingdotseq 9.4\,\text{L}$$

そういえば，比熱が大きい・小さいってどういうことなの？

たとえば，比熱が c（J／（g・K））の物質で考えてみるね。比熱 c が大きいということは，物質 1 g を 1 K 上げるのに**多くの熱量が必要**ということになるよね。

 熱を加えたときの温度変化が小さいともいえるね。

そうだね。**比熱の大きな物質はあたたまりにくく，さめにくい**といえるんだ。

共通テストで比熱の問題が出題されるときには溶解エンタルピーや中和エンタルピーがからんだ問題がよく出題されるんだ。次の **チェック問題** 4 と 5 をていねいに解いてみてね。

チェック問題 4　（やや難）（3分）

硝酸アンモニウム NH_4NO_3 の水への溶解エンタルピー ΔH は，次式のように表される。

$$NH_4NO_3（固）＋ aq \longrightarrow NH_4NO_3\,aq \quad \Delta H = 26\ kJ$$

熱の出入りのない容器(断熱容器)に 25℃ の水 V（mL）を入れ，同温度の NH_4NO_3 を m（g）溶解して均一な水溶液とした。このときの水溶液の温度（℃）を表す式として正しいものを，次の①〜⑥のうちから 1 つ選べ。ただし，水の密度を d（g/cm³），この水溶液の比熱を c（J／（g・K）），NH_4NO_3 のモル質量を M（g/mol）とする。また，溶解熱はすべて水溶液の温度変化に使われたものとする。

①　$25 + \dfrac{2.6 \times 10^4 m}{c(Vd + m)M}$ 　　②　$25 - \dfrac{2.6 \times 10^4 m}{c(Vd + m)M}$

③　$25 + \dfrac{2.6 \times 10^4 m}{cVdM}$ 　　④　$25 - \dfrac{2.6 \times 10^4 m}{cVdM}$

⑤　$25 + \dfrac{2.6 \times 10^4 M}{c(Vd + m)m}$ 　　⑥　$25 - \dfrac{2.6 \times 10^4 M}{c(Vd + m)m}$

解答・解説

②

$\Delta H > 0$ だから

溶解エンタルピー $\Delta H = 26\ kJ$（>0）より，NH_4NO_3（固）の水への溶解は吸熱反応とわかり，NH_4NO_3 m（g）が水 V（mL）に溶解すると水溶液の温度は下がる。ここで，NH_4NO_3 m（g）の物質量はそのモル質量 M（g/mol）より，m（g）$\times \dfrac{1\ mol}{M（g）} = \dfrac{m}{M}$（mol）

になる。よって，$NH_4NO_3\ m(g)$の水への溶解で吸収された熱量(kJ)は，

$$\frac{26\ \text{kJ 吸収}}{NH_4NO_3\ 1\ \text{mol}} \times \frac{m}{M}\ (\text{mol}) \quad \cdots\cdots(1)$$

となる。

また，水 $V(\text{mL})$ の質量はその密度 $d(\text{g/cm}^3) = d\ (\text{g/mL})$ から $V\ (\text{mL}) \times \dfrac{d(\text{g})}{1\ \text{mL}}$ になる。

この水 $Vd(\text{g})$ に $m(\text{g})$ の NH_4NO_3(固)が溶解して得られる NH_4NO_3 水溶液の質量は $\underset{\text{水} \quad NH_4NO_3}{Vd + m}\ (\text{g})$ なので，この水溶液(比熱 $c(\text{J}/(\text{g}\cdot\text{K}))$)の温度が $\varDelta T(\text{K})$ 下がるのに

必要とされる熱量(kJ)は，

> 水の比熱でなく水溶液の比熱である点に注意しよう！

$$\frac{c\ \text{J 吸収}}{1\ \text{g 水溶液が}\cdot 1\ \text{K 下がるのに}} \times \underset{\text{水溶液}}{(Vd + m)}\ (\text{g}) \times \varDelta T(\text{K})\text{下がる} \times \frac{1\ \text{kJ}}{10^3\ \text{J}}$$
$$\cdots\cdots(2)$$

となる。ここで，(1)＝(2)となり，

$$\underset{\text{吸収された熱量(kJ)}}{26 \times \frac{m}{M}} = \underset{\varDelta T\text{K 下がるのに必要な熱量(kJ)}}{c \times (Vd + m) \times \varDelta T \times \frac{1}{10^3}}$$

$$\varDelta T = \frac{2.6 \times 10^4\ m}{c(Vd + m)M}\ (\text{K})$$

よって，**25℃**の水に**25℃**の NH_4NO_3(固)を溶解しているので，水溶液の温度は

$$25 - \varDelta T = 25 - \frac{2.6 \times 10^4\ m}{c(Vd + m)M}\ (℃)\text{になる。}$$

温度差は(K)＝(℃)なので

チェック問題 5

 やや難 4分

　塩酸と水酸化ナトリウムの水溶液から，1 mol の水が生成するときの中和エンタルピー $\varDelta H$ を求めるために，次の実験を行った。実験の結果から求められた $\varDelta H$ の値(kJ/mol)として最も適当な数値を，①〜⑥のうちから1つ選べ。

　この実験に用いられたすべての水溶液について，水溶液の比熱は4.2 J/(g・K)，また，密度は 1 g/mL であるとして計算せよ。

実験　発泡スチロールで断熱した容器に，0.2 mol/L の塩酸200 mL を入れ，あらかじめ温度を測っておく。この中に，塩酸と同じ温度に保った1.0 mol/L の水酸化ナトリウム水溶液40 mL を加え，よく混合したのち，再び水溶液の温度を測定した。温度は，2.20 K 上昇した。

①　−2.22　　　②　−44.4　　　③　−55.4

④　−2217.6　　⑤　−4.44×10⁴　　⑥　−5.54×10⁴

③

0.2 mol/L 塩酸200 mL 中の塩化水素 HCl の物質量(mol)は，$\dfrac{0.2\ \text{mol}}{1\ \text{L}} \times \dfrac{200}{1000}\ \text{L} =$ 0.040 mol になり，1.0 mol/L 水酸化ナトリウム水溶液40 mL 中の水酸化ナトリウム NaOH の物質量(mol)は，$\dfrac{1.0\ \text{mol}}{1\ \text{L}} \times \dfrac{40}{1000}\ \text{L} = 0.040$ mol になる。塩酸と水酸化ナトリウム水溶液との中和の反応式と反応前後の物質量(mol)の量関係は次のようになる。

	HCl	+	NaOH	⟶	NaCl	+	H₂O
(反応前)	0.040 mol		0.040 mol				
(反応後)	0		0		0.040 mol		0.040 mol

中和エンタルピー ΔH は常に $\Delta H < 0$ なので中和反応は常に発熱反応になる。中和エンタルピー ΔH を $\Delta H = - Q$(kJ/mol)$(Q > 0)$ とおくと，H_2O が0.040mol 生成したことから放出された熱量 (kJ) は，

$$\underset{H_2O\ 1\ \text{mol}\ 生成}{\dfrac{Q(\text{kJ})が放出される}{}} \times 0.040\ \text{mol} = 0.040Q\ (\text{kJ}) \quad \cdots\cdots(1)$$

塩酸200 mL と水酸化ナトリウム水溶液40 mL を混合すると，混合水溶液全体の体積は，ほぼ(200＋40) mL となる。

200 mL ＋ 40 mL ⟶ ほぼ (200＋40) mL

混合水溶液の質量(g)は，密度が 1 g/mL なので，$(200+40)\ \text{mL} \times \dfrac{1\ \text{g}}{1\ \text{mL}} = (200+40)$ g となり，この水溶液の温度が2.20 K 上昇するのに必要な熱量(kJ)は，

$$\underset{水溶液\ 1\ \text{g}\ が・\ 1\ \text{K}\ 上昇するのに}{\dfrac{4.2\ \text{J}\ 必要}{}} \times (200+40)\ \text{g} \times 2.20\ \text{K}\ 上昇 \times \dfrac{1\ \text{kJ}}{10^3\text{J}} = 2.2176\ \text{kJ}$$
$$\cdots\cdots(2)$$

中和反応により，温度上昇が起こったので，(1)＝(2)となり，

$$\underset{放出された熱量\ (\text{kJ})}{0.040Q} = \underset{2.20\ \text{K}\ 上昇するのに必要な熱量\ (\text{kJ})}{2.2176} \quad より，Q \fallingdotseq 55.4\ \text{kJ/mol}$$

よって，中和エンタルピー ΔH は，$\Delta H = - Q = -55.4$ kJ/mol になる。

9 時間目 酸化還元滴定とイオン化傾向・電池

■1 酸化還元滴定について

　酸化還元反応は，電子 e^- が受けわたされる反応だったよね。このとき，**相手の物質に電子 e^- を与えて相手を還元する物質を** 還元剤，**相手の物質から電子 e^- を受けとって相手を酸化する物質を** 酸化剤 というんだ。

　たとえば，銅 Cu の電子 e^- を含むイオン反応式を書いてみるね。

$$\underset{\text{酸化数}\ \ 0}{Cu} \longrightarrow \underset{+2}{Cu^{2+}} + 2e^-$$

 銅 Cu は電子 e^- を与えているから，**還元剤**だね。

　そうだね。また，還元剤である Cu は酸化剤に酸化されることで Cu^{2+} に変化し，その酸化数は 0 から ＋2 に増えている。つまり，

　　　　　　還元剤 ➡ **酸化されて，電子 e^- を失い，酸化数が増える**

とわかるね。酸化剤については，還元剤の逆を考えればいいんだ。

ポイント 酸化還元の定義と還元剤・酸化剤について

● 定義を確認しておこう

還元剤	酸化される	電子 e^- を失う	酸化数が増加する
酸化剤	還元される	電子 e^- を得る	酸化数が減少する

チェック問題 1　　　　　　やや易

　二硫化炭素 CS_2 を水とともに150℃以上に加熱すると，式(1)の反応が起こる。
　　　$CS_2 + 2H_2O \longrightarrow CO_2 + 2H_2S$　　　　(1)
式(1)の反応は，各原子の酸化数が変化しないので酸化還元反応ではない。
式(1)と同様に，酸化還元反応でないものを次の①～④のうちから1つ選べ。

① $2Na + 2H_2O \longrightarrow 2NaOH + H_2$　　② $CaO + H_2O \longrightarrow Ca(OH)_2$

③ $3NO_2 + H_2O \longrightarrow 2HNO_3 + NO$　　④ $CO + H_2O \longrightarrow H_2 + CO_2$

解答・解説

②

　各原子の酸化数を調べ，反応前後で同じ原子の酸化数が変化していればその反応は酸化還元反応であり，変化していなければ酸化還元反応でない。

$$CS_2 + 2H_2O \longrightarrow CO_2 + 2H_2S$$

酸化数　+4 −2　　+1 −2　　　+4 −2　　+1 −2 ➡ 各原子の酸化数が変化していない式(1)は酸化還元反応でない。

　このように酸化数の変化を調べてもよいが，反応式のどこかに単体(➡ Na，Fe，C，H_2 など)があるとその反応は酸化還元反応になることを知っていると便利。これにより，反応式中に Na や H_2 という単体がある①と④は酸化還元反応とわかる。あとは，②と③について酸化数の変化を調べ，判定すればよい。

②　$CaO + H_2O + Ca(OH)_2$　➡ どの原子の酸化数も変化していない
　　　+2 −2　　+1 −2　　+2 −2 +1

③　$3NO_2 + H_2O \longrightarrow 2HNO_3 + NO$　➡ N の酸化数が変化している
　　　+4　　　　　　　　+5　　　+2

よって，酸化還元反応でないものは②になる。

　酸化還元反応を利用し，還元剤または酸化剤の濃度を求める操作を酸化還元滴定**という。よく知られているのが**「過マンガン酸カリウム $KMnO_4$ を用いた酸化還元滴定」で，酸・塩基の中和滴定のときと同じ器具(ホールピペット，メスフラスコ，ビュレット，コニカルビーカーや三角フラスコなど)が使われるんだ。

指示薬は，何を使ったらいいの？

　$KMnO_4$ を用いる滴定は，**$KMnO_4$ が「酸化剤」と「指示薬」の2つの役割をもっている**ので指示薬を使う必要がないんだ。酸化剤である MnO_4^- の水溶液は赤紫色で，硫酸で酸性にした条件の下，還元剤と反応し**ほぼ無色の Mn^{2+} の水溶液**に変化する。この色の変化から反応の終点を知ることができるんだ。

滴下量（mL）

KMnO₄
酸化剤

KMnO₄ 水溶液を
滴下すると

還元剤が入っている
例 H₂O₂

還元剤である H_2O_2 がなくなると，赤紫色の MnO_4^- がほぼ無色の Mn^{2+} に変化できなくなり MnO_4^- の赤紫色が消えなくなる

うっすらMnO_4^- の赤紫色が残る(終点)

第**3**章　化学反応とエネルギー

「**酸化還元滴定の終点**」では，還元剤と酸化剤が過不足なく（ぴったり）反応することに注目すると，次の関係式が成り立つ。

還元剤が放出した電子 e⁻ の物質量（mol）
＝酸化剤が受けとった電子 e⁻ の物質量（mol）

チェック問題 2

標準 2分

濃度不明の過酸化水素水10.0 mL を希硫酸で酸性にし，これに0.0500 mol/L の過マンガン酸カリウム水溶液を滴下した。滴下量が20.0 mL のときに赤紫色が消えずにわずかに残った。過酸化水素水の濃度として最も適当な数値を，下の①〜⑥のうちから1つ選べ。ただし，過酸化水素および過マンガン酸イオンの反応は，電子を含む次のイオン反応式で表される。

$$H_2O_2 \longrightarrow O_2 + 2H^+ + 2e^-$$
$$MnO_4^- + 8H^+ + 5e^- \longrightarrow Mn^{2+} + 4H_2O$$

① 0.0250 ② 0.0400 ③ 0.0500
④ 0.250 ⑤ 0.400 ⑥ 0.500

解答・解説

④

求める過酸化水素 H_2O_2 水の濃度を x (mol/L) とおく。H_2O_2 は赤紫色が消えずにわずかに残った点（➡ 終点）までに，

$$\underline{1}H_2O_2 \longrightarrow O_2 + 2H^+ + \underline{2}e^- \text{ より}$$

$$\frac{x\,(mol)}{1\,L} \times \frac{10.0}{1000}\,L \times 2\,(mol) \quad (\times 2)$$

の e⁻ を放出する。また，$KMnO_4$（MnO_4^-）は終点までに，

$$\underline{1}MnO_4^- + 8H^+ + \underline{5}e^- \longrightarrow \cdots \text{ より}$$

$$\frac{0.0500\,mol}{1\,L} \times \frac{20.0}{1000}\,L \times 5\,(mol) \quad (\times 5)$$

の e⁻ を受けとる。この滴定の終点では，

$$\underbrace{x \times \frac{10.0}{1000} \times 2}_{\text{還元剤が放出した e⁻ (mol)}} = \underbrace{0.0500 \times \frac{20.0}{1000} \times 5}_{\text{酸化剤が受けとった e⁻ (mol)}}$$

が成り立つ。よって，$x = 0.250\,mol/L$

思考力のトレーニング1 （やや難）4分

窒素と H_2S からなる気体試料 A がある。気体試料 A に含まれる H_2S の量を次の式(1)〜(3)で表される反応を利用した酸化還元滴定によって求めたいと考え，後の実験を行った。

$$H_2S \longrightarrow 2H^+ + S + 2e^- \tag{1}$$

$$I_2 + 2e^- \longrightarrow 2I^- \tag{2}$$

$$2S_2O_3^{2-} \longrightarrow S_4O_6^{2-} + 2e^- \tag{3}$$

実験 ある体積の気体試料 A に含まれていた H_2S を水に完全に溶かした水溶液に，0.127 g のヨウ素 I_2（分子量254）を含むヨウ化カリウム KI 水溶液を加えた。そこで生じた沈殿をとり除き，ろ液に 5.00×10^{-2} mol/L チオ硫酸ナトリウム $Na_2S_2O_3$ 水溶液を4.80 mL 滴下したところで少量のデンプンの水溶液を加えた。そして，$Na_2S_2O_3$ 水溶液を全量で5.00 mL 滴下したときに，水溶液の青色が消えて無色となった。

この**実験**で用いた気体試料 A に含まれていた H_2S は，0 ℃，1.013×10^5 Pa において何 mL か。最も適当な数値を，次の①〜⑤のうちから1つ選べ。

① 2.80　② 5.60　③ 8.40　④ 10.0　⑤ 11.2

解答・解説

③

この滴定をヨウ素滴定といい，H_2S と反応して余った I_2 をデンプンを指示薬としてチオ硫酸ナトリウム $Na_2S_2O_3$ 水溶液で滴定している。

このとき，I_2 が少しでも残っているとヨウ素デンプン反応により青色に呈色しているが，I_2 がなくなり反応の終点になると無色となる。

気体試料 A に含まれる H_2S を x (mol) とすると，H_2S の水溶液とヨウ素 I_2 を含むヨウ素カリウム水溶液は次のように反応する。

(1)+(2)より，化学反応式が完成する。

$$H_2S \quad + \quad I_2 \quad \longrightarrow \quad S \quad + \quad 2HI$$

（反応前）　x (mol)　$\dfrac{0.127}{254}$ mol

（反応後）　0　$\dfrac{0.127}{254} - x$ (mol)　x (mol)　$2x$ (mol)

この後，$Na_2S_2O_3$ を加えることから I_2 が余ることがわかる。

生じた沈殿（とり除く）

次に，余った I_2 を $Na_2S_2O_3$ 水溶液で滴定する。

$$I_2 + 2e^- \longrightarrow 2I^- \qquad (2)$$
$$2S_2O_3{}^{2-} \longrightarrow S_4O_6{}^{2-} + 2e^- \qquad (3)$$

(2)＋(3)，両辺に $4Na^+$ を加えると化学反応式が完成する。

$$I_2 + 2Na_2S_2O_3 \longrightarrow 2NaI + Na_2S_4O_6$$

完成した化学反応式から，I_2 1 mol と $Na_2S_2O_3$ 2 mol が反応することが読みとれ，次の関係式が成り立つ。

青紫色が消えるのは5.00 mL滴下したとき

$$\left(\frac{0.127}{254} - x\right) \underset{\substack{\text{余った}\\I_2(\text{mol})}}{\Big|} \times 2 \underset{\substack{\text{反応に必要な}\\Na_2S_2O_3(\text{mol})}}{\Big|} = 5.00 \times 10^{-2} \times \frac{5.00}{1000} \underset{\substack{\text{使った }Na_2S_2O_3\\(\text{mol})}}{\Big|}$$

よって，$x = 3.75 \times 10^{-4}$ mol

別解　電子 e^- の物質量(mol)に注目し，次の式を立てることもできる。

$$\underbrace{x \underset{\substack{\\H_2S(\text{mol})}}{\Big|} \times 2 \underset{e^-(\text{mol})}{\Big|} + 5.00 \times 10^{-2} \times \frac{5.00}{1000} \underset{Na_2S_2O_3(\text{mol})}{\Big|} \times 1 \underset{e^-(\text{mol})}{\Big|}}_{\text{還元剤}(H_2S,\ Na_2S_2O_3)\text{が放出した }e^-(\text{mol})} = \underbrace{\frac{0.127}{254} \underset{I_2(\text{mol})}{\Big|} \times 2 \underset{e^-(\text{mol})}{\Big|}}_{\text{酸化剤}(I_2)\text{が受けとった }e^-(\text{mol})}$$

式(2)　$2S_2O_3{}^{2-} \longrightarrow S_4O_6{}^{2-} + 2e^-$　の係数の読みとりミスに注意しよう

$$x = 3.75 \times 10^{-4} \text{ mol}$$

0 ℃，1.013×10^5 Pa で気体 1 mol の体積は22.4 L なので，気体試料 A に含まれていた H_2S は0 ℃，1.013×10^5 Pa において

$$x \underset{H_2S(\text{mol})}{\Big|} \times 22.4 \underset{H_2S(\text{L})}{\Big|} \times 10^3 \underset{H_2S(\text{mL})}{\Big|} = 8.40 \text{ mL}$$

化学的酸素要求量(COD)

　河川の汚れの原因の１つに，工場排水などに含まれる有機化合物があるんだ。この有機化合物の量は COD の値(mg/L)で表すことが多い。**COD (mg/L) は，有機化合物を酸化するために消費された $KMnO_4$ の量を O_2 の質量(mg)に換算(試料水 1 L あたり)して表す**んだ。

難しいね。

そうだね。単位（mg/L）に注目すれば覚えやすいんだけど，共通テストで出題されるときは COD の説明は問題文中に書いてあるから心配しなくていいよ。

（O₂の mg ／ 試料水 1 L の注記）

思 考力のトレーニング 2　　難　3分

COD（化学的酸素要求量）の値（mg/L）は，水 1 L に含まれる有機化合物などを酸化するのに必要な過マンガン酸カリウム $KMnO_4$ の量を，酸化剤としての酸素 O_2 の質量（mg）に換算したもので，水質の指標の 1 つである。

過マンガン酸イオン MnO_4^- と酸素 O_2 は，酸性溶液中で次のように酸化剤としてはたらく。

$$MnO_4^- + 8H^+ + 5e^- \longrightarrow Mn^{2+} + 4H_2O \quad \cdots\cdots(1)$$
$$O_2 + 4H^+ + 4e^- \longrightarrow 2H_2O \quad\quad\quad\quad \cdots\cdots(2)$$

したがって，$KMnO_4$ 4 mol は，酸化剤としての O_2 ☐1 mol に相当する。

この試料水100 mL 中の有機化合物と過不足なく反応する $KMnO_4$ の物質量は，2.0×10^{-5} mol であった。試料水1.0 L に含まれる有機化合物を酸化するのに必要な $KMnO_4$ の量を，O_2 の質量（mg）に換算して COD の値を求めると，☐2 . ☐3 mg/L になる。

☐1 ～ ☐3 にあてはまる数字を答えよ。ただし，O = 16とする。

解答・解説

☐1 　5　☐2 　8　☐3 　0

COD の問題は，「e^- の個数（係数）を MnO_4^- にそろえる」ことからはじめるとよい。

MnO_4^- のかわりに O_2 を酸化剤として用いるなら，(1)式と(2)式 $\times \dfrac{5}{4}$ より，

$$\boxed{1}\; MnO_4^- + 8H^+ + \boxed{5e^-} \longrightarrow Mn^{2+} + 4H_2O \quad \Leftarrow (1)式より$$

$$\boxed{\tfrac{5}{4}}\; O_2 + 5H^+ + \boxed{5e^-} \longrightarrow \tfrac{5}{2}H_2O \quad \Leftarrow (2)式を \tfrac{5}{4} 倍にしたもの$$

受けとる e^- の個数（係数）をそろえる

となり，MnO_4^- ☐1 mol に相当する O_2 は $\dfrac{5}{4}$ mol とわかる。

O_2（mol）は，MnO_4^-（mol）の $\dfrac{5}{4}$ 倍に相当する！

したがって，$KMnO_4$ 4 mol は，酸化剤としての O_2 ☐5 mol に相当する。

$KMnO_4^-$（mol）の $\dfrac{5}{4}$ 倍

次に，この試料水100 mL中の有機化合物と過不足なく反応する$KMnO_4$ 2.0×10^{-5} mol を O_2 の質量（mg）に換算する。

$O_2 = 32$ より，そのモル質量は32 g/molなので，

$$\underset{\text{KMnO}_4\,(\text{mol})}{2.0 \times 10^{-5}} \times \underset{\substack{\text{O}_2\,(\text{mol})\\ \text{に換算}}}{\frac{5}{4}} \times \underset{\text{O}_2\,(\text{g})}{32} \times \underset{\text{O}_2\,(\text{mg})}{10^3} = 0.80 \text{ mg}$$

O_2 は $KMnO_2$ の $\frac{5}{4}$ 倍に相当

よって，COD の値（ mg/L ）は，試料水が $\frac{100}{1000}$ L であることに注意して，

mg ÷ L で求めることができる

$$\underset{\text{O}_2\,(\text{mg})}{0.80 \text{ mg}} \div \underset{\text{試料水(L)}}{\frac{100}{1000} \text{L}} = \frac{0.80 \text{ mg}}{\frac{100}{1000} \text{L}} = \boxed{8.0} \text{ mg/L になる。}$$

2 金属のイオン化傾向について

還元剤は電子 e^- を放出する物質で，酸化剤は電子 e^- を受けとる物質なので，

（還元剤）$\rightleftarrows$（酸化剤）$+ ne^-$（$n = 1, 2, 3, \dots\dots$）

の関係がある。

金属の単体は，おもに還元剤として反応する物質だったよね。

金属の単体っていろいろあるよね。

そうなんだ。**金属単体の還元剤としての強さの順序を覚える必要がある**んだ。そのために，**金属のイオン化傾向の順序**（**イオン化列**という）を覚えてほしいんだ。これを覚えると，おもな金属単体の還元剤としての強さの順序を知ることができる。

ポイント ▶ **イオン化傾向について①**

- 金属単体が水中で電子 e^- を失って**陽イオン**になろうとする性質を**イオン化傾向**といい，その大きさの順（イオン化列）は，

リ カ バ カ ナ マ ア ア テ ニ ス ナ
Li > K > Ba > Ca > Na > Mg > Al > Zn > Fe > Ni > Sn > Pb

覚える！

ヒ ド ス ギ る 借 金
> (H₂) > Cu > Hg > Ag > Pt > Au

これで，酸化還元反応が起こるか・起こらないかを判定できるようになるんだ。

たとえば，「銀イオン Ag^+ の水溶液に銅 Cu を入れる」と……，**Cu は Ag よりもイ**

オン化傾向が大きい，つまり陽イオンになりやすいので，Cu が Cu^{2+} となって溶けていくんだ。

$$Cu \longrightarrow Cu^{2+} + 2e^- \quad \cdots\cdots①$$

このとき，（還元剤）$\rightleftarrows$（酸化剤）$+ ne^-$ の関係を Ag にあてはめて考えると，$Ag \rightleftarrows Ag^+ + e^-$ となり，Ag^+ は酸化剤として Cu の放出した e^- を受けとる。

$$Ag^+ + e^- \longrightarrow Ag \quad \cdots\cdots②$$

よって，①＋②×2より，

$$Cu + 2Ag^+ \xrightarrow{\text{反応する}} Cu^{2+} + 2Ag \quad \Leftarrow イオン化傾向が Cu > Ag$$
なので反応する

の反応が起こり，Ag が析出する（これを<u>銀樹</u>という）んだ。

放置すると → 溶液は青色（Cu^{2+} の水溶液は青色）になり，Ag（銀樹）が析出する

ところが，これとは逆に，銅（Ⅱ）イオン Cu^{2+} の水溶液に銅 Cu よりイオン化傾向の小さな銀 Ag を入れても，反応しない。

放置しても → 反応しない

$$2Ag + Cu^{2+} \xrightarrow{\text{反応しない}} 2Ag^+ + Cu \quad \Leftarrow イオン化傾向が Cu > Ag$$
なので反応しない

😊 イオン化傾向の大きな金属は，自分よりイオン化傾向の小さな金属を水溶液中から追い出すことができるんだね。

そうなんだ。でも，イオン化傾向の小さな金属が自分よりイオン化傾向の大きな金属を追い出すことはできないんだ。

ポイント イオン化傾向の利用について②

●イオン化傾向　M ＞ N のとき

$N^{n+} + M \Rightarrow$ 反応する　　　$M^{m+} + N \Rightarrow$ 反応しない

チェック問題 3

金属 A と金属 B は，Au，Cu，Zn のいずれかである。A と B の金属板の表面をよく磨いて，金属イオンを含む水溶液にそれぞれ浸した。金属板の表面を観察したところ，表のようになった。A と B の組み合わせとして最も適当なものを，下の①～⑥のうちから 1 つ選べ。ただし，金属をイオン化傾向の大きな順に並べた金属のイオン化列は，Zn > Sn > Pb > Cu > Ag > Au である。

金属	水溶液に含まれる金属イオン	観察結果
A	Cu^{2+}	金属が析出した
A	Pb^{2+}	金属が析出した
A	Sn^{2+}	金属が析出した
B	Ag^{+}	金属が析出した
B	Pb^{2+}	金属は析出しなかった
B	Sn^{2+}	金属は析出しなかった

	金属 A	金属 B
①	Au	Cu
②	Au	Zn
③	Cu	Au
④	Cu	Zn
⑤	Zn	Au
⑥	Zn	Cu

解答・解説

⑥

　イオン化傾向の大きな金属がイオン化傾向の小さな金属を追い出す(析出させる)。
　金属 A は，Cu^{2+}，Pb^{2+}，Sn^{2+}のいずれとも反応し金属を析出させるので，イオン化傾向の順は A > Cu，A > Pb，A > Sn となり，A > Sn > Pb > Cu の順になる。与えられた金属の中で，Sn よりイオン化傾向の大きな金属は Zn のみ。よって，金属 A は Zn。
　金属 B は Ag^{+}と反応するが，Pb^{2+}や Sn^{2+}と反応しないので，イオン化傾向の順は B > Ag，B < Pb，B < Sn となり、Sn > Pb > B > Ag の順になる。与えられた金属の中で Ag よりイオン化傾向が大きく Pb よりイオン化傾向の小さな金属 B は Cu。

3 金属の反応性について

金属の反応性(空気中の酸素 O_2 との反応，水 H_2O との反応)は，次のようになるんだ。

金　属	Li	K	Ba	Ca	Na	Mg	Al	Zn	Fe	Ni	Sn	Pb	(H₂)	Cu	Hg	Ag	Pt	Au

まず，**イオン化傾向の大きな金属が酸化されやすくて反応性が高く，イオン化傾向が小さくなると酸化されにくく，反応性が低いという原則**をおさえてね。次に，❶ 空気中の酸素 O_2 との反応，❷ 水 H_2O との反応を理解していくといいよ。

❶ 空気中の酸素 O_2 との反応

イオン化傾向の大きな Li，K，Ba，Ca，Na は，乾いた空気中で酸素 O_2 に速やかに酸化されて金属光沢を失う。たとえば，ナトリウム Na と O_2 の反応は次のようにつくればいいんだ。

$$
\begin{array}{rcll}
4 \times (Na & \longrightarrow & Na^+ + e^-) & \Leftarrow \text{Na は Na}^+\text{へ} \\
+)\quad O_2 + 4e^- & \longrightarrow & 2O^{2-} & \Leftarrow O_2 \text{ は } 2O^{2-}\text{へ} \\
\hline
4Na + O_2 & \longrightarrow & 2Na_2O &
\end{array}
$$

 完全燃焼の反応式をつくるようにつくったほうが楽じゃない？

たしかに，完全燃焼の反応式をつくるときのやり方でつくるほうが速くつくることができるね。次の ❶ ～ ❹ のようにつくればいいね。

❶　反応式の右辺に生成物 Na_2O を書き，Na の係数を 1 とおく。

$$1Na + O_2 \longrightarrow Na_2O \qquad \Leftarrow \text{Na は } Na_2O \text{ に酸化される}$$

❷　生成物 Na_2O に係数をつける。

$$1Na + O_2 \longrightarrow \frac{1}{2}Na_2O \qquad \Leftarrow \text{Na は左辺に 1 個あるので，} Na_2O \text{ の係数は } \frac{1}{2}$$

❸　O_2 に係数をつける

$$1Na + \frac{1}{4}O_2 \longrightarrow \frac{1}{2}Na_2O \qquad \Leftarrow \text{O は右辺に } \frac{1}{2} \text{ 個あるので } O_2 \text{の係数は} \frac{1}{4}$$

❹　全体を 4 倍して，完成させる。

$$4Na + O_2 \longrightarrow 2Na_2O \qquad \Leftarrow \text{係数すべてを整数にして完成する}$$

次に紹介する O_2 との反応も同じやり方でつくってみてね。イオン化傾向が Na よりも小さなマグネシウム Mg やアルミニウム Al などは，空気中で徐々に酸化されて表面に酸化物の被膜を生じる。

$$2Mg + O_2 \longrightarrow 2MgO$$
$$4Al + 3O_2 \longrightarrow 2Al_2O_3$$

イオン化傾向の小さな Ag, Pt, Au などは空気中で酸化されにくく, ずっと美しい金属光沢が保たれるんだ。

 Ag, Pt, Au って, **貴金属**だね。

そうだね。あと, 空気中で高温に熱すると, マグネシウム Mg やアルミニウム Al は多くの熱と強い光を放ちながら激しく燃焼することを知っておいてね。

$$2Mg + O_2 \longrightarrow 2MgO + 光$$
$$4Al + 3O_2 \longrightarrow 2Al_2O_3 + 光$$

ポイント **金属単体と酸素との反応について①**

大 (反応性大)　　　　イオン化傾向　　　　(反応性小) 小

| Li | K | Ba | Ca | Na | Mg | Al | Zn | Fe | Ni | Sn | Pb | (H_2) | Cu | ... |

空気中で速やかに酸化される　　空気中で酸化されて酸化物の被膜を生じる

例 $4Na + O_2 \longrightarrow 2Na_2O$
　　 $4Al + 3O_2 \longrightarrow 2Al_2O_3$

❷ 水 H_2O との反応

イオン化傾向の大きな Li, K, Ba, Ca, Na は常温の水とはげしく反応して水素 H_2 を発生するんだ。とくにナトリウム Na やカルシウム Ca と水 H_2O の反応については, その反応式をつくれるようにしておこう。

 反応式中に単体(➡ Na, Ca, ……)があると, その反応は酸化還元反応だったね。

そうだね。だから, Na や Ca が, Na^+ や Ca^{2+} となって H_2O と酸化還元反応を起こすんだ。

$$Na \longrightarrow Na^+ + e^- \quad ……①$$
$$2H_2O + 2e^- \longrightarrow H_2 + 2OH^- \quad ……②$$

①×2＋②より,

$$2Na + 2H_2O \longrightarrow 2NaOH + H_2$$

 ②式(H_2O の電子 e^- を含んだイオン反応式)は難しいね。

そうだね。②式は, 水 H_2O からわずかに電離して生じている H^+ が電子 e^- を受け

とると考えて式をつくり,

$$2H^+ + 2e^- \longrightarrow H_2 \qquad \Leftarrow H^+ は e^- を受けとって H_2 となる$$

H$^+$ は H$_2$O のことだから,**その両辺に 2OH$^-$ を加えて H$_2$O に戻す**と考えてつくるといいね。

$$\begin{array}{rcll}
2H^+ & + & 2e^- \longrightarrow & H_2 \\
+)\ 2OH^- & & & 2OH^- \\
\hline
2H_2O & + & 2e^- \longrightarrow & H_2 + 2OH^-
\end{array}$$

$\Leftarrow$ H$^+$ に OH$^-$ を加えると H$_2$O に
$\Leftarrow$ 戻すことができる!!

$\Leftarrow$ ②式の完成!!

カルシウム Ca も同じように反応して,水素 H$_2$ を発生する。

$$\begin{array}{rcll}
Ca & \longrightarrow & Ca^{2+} & + 2e^- \\
+)\ 2H_2O & + 2e^- \longrightarrow & H_2 & + 2OH^- \\
\hline
Ca & + 2H_2O \longrightarrow & Ca(OH)_2 & + H_2
\end{array}$$

 水酸化ナトリウム NaOH や水酸化カルシウム Ca(OH)$_2$ ができているね。

そうなんだ。NaOH や Ca(OH)$_2$ ができるので,**反応後の水溶液は強い塩基性を示す**んだ。

イオン化傾向が Na より小さなマグネシウム Mg は常温の水とは反応しなくなるけど,**熱水(沸騰水)とは反応**して水素 H$_2$ を発生する。

$$Mg + 2H_2O \longrightarrow Mg(OH)_2 + H_2$$

そして,イオン化傾向が Mg より小さなアルミニウム Al,亜鉛 Zn,鉄 Fe になると**高温の水蒸気と反応**して,水素 H$_2$ を発生し酸化物になるんだ。**今までは,水酸化物イオン OH$^-$ と金属イオンからなる水酸化物($\Rightarrow$ NaOH,Ca(OH)$_2$ など)が生じていたけれど,今回は酸化物イオン O^{2-} と金属イオンからなる酸化物($\Rightarrow$ Al$_2$O$_3$,ZnO,Fe$_3$O$_4$)になる**んだ。とくに鉄 Fe の酸化物が四酸化三鉄 Fe$_3$O$_4$ になることは予想しにくいから注意してね。

$$\begin{array}{rcll}
2Al & + 3H_2O \longrightarrow & Al_2O_3 & + 3H_2 \\
Zn & + H_2O \longrightarrow & ZnO & + H_2 \\
3Fe & + 4H_2O \longrightarrow & Fe_3O_4 & + 4H_2
\end{array}$$

ポイント **金属単体と水との反応について②**

大 (反応性大)	イオン化傾向	(反応性小) 小
Li K Ba Ca Na	Mg	Al Zn Fe Ni ……
高温の水蒸気や熱水はもちろん常温の水でも反応して，水酸化物と H_2 になる。	高温の水蒸気はもちろん熱水でも反応して，水酸化物と H_2 になる。（常温の水とは反応しない）	高温の水蒸気と反応して，酸化物と H_2 になる。（常温の水や熱水とは反応しない）

例
$$2K \ + \ 2H_2O \text{（常温の水）} \longrightarrow 2KOH + H_2$$
$$2Na \ + \ 2H_2O \text{（常温の水）} \longrightarrow 2NaOH + H_2$$
$$Zn \ + \ H_2O \text{（高温の水蒸気）} \longrightarrow ZnO + H_2$$

4 電池について

　還元剤Ⓡは電子 e^- を放出する物質で，酸化剤Ⓞは電子 e^- を受けとる物質だったね。

　ここで，容器中にしきり板を入れて還元剤Ⓡの部屋と酸化剤Ⓞの部屋をつくると，どうなるかな？

しきり板を入れる
➡ 何も起こらない

しきり板があるから，電子 e^- の受けわたしは起こらないね。

そうだね。次に，還元剤Ⓡ部屋と酸化剤Ⓞ部屋を導線でつなぐとどうなるかな？

還元剤の部屋から酸化剤の部屋に向かって導線中を電子 e^- が流れるね。

　そうだね。このときの**電子 e^- の流れを得る装置を電池**(化学電池)といい，これが**電池のおおよそのしくみ**になるんだ。

[負極] ● e^- ● [正極]

　ただ，ビーカー中のしきりは還元剤の部屋と酸化剤の部屋を分けきれてはいない。くわしくは，⑩ **電池**(➡ p.165) で説明するね。

　あと，**電子 e^- が流れ出る電極を負極(記号●)，電子 e^- が流れこむ電極を正極(記号●)**というんだ。

負極には還元剤，正極には酸化剤が使われているんだよね。

そうだね。「**還元剤は酸化され**」て，「**酸化剤は還元され**」たよね。だから，電池を使う（電池を**放電**させる）と，還元剤のある**負極では酸化反応**，酸化剤のある**正極では還元反応**が起こる。また，電子 e^- のやりとりをする物質は活物質といい，負極で酸化される還元剤は負極活物質，正極で還元される酸化剤は正極活物質というんだ。

あと，電池式で $(-)$ Zn | H₂SO₄ aq | Cu $(+)$ と表されるボルタ電池や $(-)$ Zn | ZnSO₄ aq | CuSO₄ aq | Cu $(+)$ と表されるダニエル電池のように 2 種類の金属（＝電極）を電解質水溶液に浸してつくった電池では，イオン化傾向の大きな金属板が負極になると覚えておくと役に立つよ。

 電池式って，はじめて出てきたね。

電池を $(-)$**負極** | **電解質** | **正極** $(+)$ のように表したものを電池式というんだ。

ポイント ▶ **電池について**

● 電池 ➡ 還元反応と酸化反応の起こる場所を導線で接続した装置

- 「還元剤を見つけて負極 ➖ と決定する」
- 「イオン化傾向の大きいほうの金属板を見つけて負極 ➖ と決定する」

のどちらかを使い，負極 ➖ を決めよう。

 電池って多くの種類があるよね。

そうだね。ここでは，身近にある実用電池を見ていくことにするね。

 たくさんあると覚えきれないよ。

たしかにね。電池式を見て，負極と正極を判定する練習をしておくだけでいいので

やってみてね。

❶ マンガン乾電池　$(-)Zn \mid ZnCl_2\,aq,\ NH_4Cl\,aq \mid MnO_2 \cdot C\,(+)$

(+)
炭素棒C
正極合剤
(MnO₂, C粉末
NH₄Cl, ZnCl₂,
水)
亜鉛Zn（容器）
(−)

マンガン乾電池は，**還元剤である亜鉛 Zn が負極**となり電子 e^- を放出し，**酸化剤である酸化マンガン（Ⅳ）MnO_2 が正極**として電子 e^- を受けとるんだ。

マンガン乾電池は，充電できず放電だけが起こる一次電池なんだ。

❷ アルカリマンガン乾電池　$(-)Zn \mid KOH\,aq \mid MnO_2\,(+)$

(+)
負極合剤
(Zn, KOH aq,
ZnO)
正極合剤
(MnO₂, C粉末)
(−)

マンガン乾電池の電解質に水酸化カリウム KOH 水溶液を使った電池で，マンガン乾電池と同じように**亜鉛 Zn が負極，酸化マンガン（Ⅳ）MnO_2 が正極**になるんだ。マンガン乾電池より長持ちするよ。

❸ リチウム電池　$(-)Li \mid Li\,塩 \mid MnO_2\,(+)$

還元剤である**リチウム Li が負極，酸化剤である酸化マンガン（Ⅳ）MnO_2 が正極**になる。

❹ 酸化銀電池（銀電池）　$(-)Zn \mid KOH\,aq \mid Ag_2O\,(+)$

還元剤である**亜鉛 Zn が負極，酸化剤である酸化銀 Ag_2O が正極**になるんだ。

❺ 空気亜鉛電池（空気電池）　$(-)Zn \mid KOH\,aq \mid O_2(空気)\,(+)$

還元剤である**亜鉛 Zn が負極，正極では空気中の酸素 O_2 が酸化剤**としてはたらくんだ。

❻ 鉛蓄電池　$(-)Pb \mid H_2SO_4\,aq \mid PbO_2\,(+)$

(+)　(−)
負極板Pb
正極板PbO₂

還元剤である鉛 Pb が負極，**酸化剤**である酸化鉛（Ⅳ）PbO_2 が**正極になる**んだ。鉛蓄電池は，**充電**（➡ 起電力を回復させる操作）によってくり返し使うことのできる二次電池（蓄電池ともいう）なんだ。

 起電力ってはじめて出てきたね。

そうだね。**正極と負極の間に生じる電圧のことを起電力**といい，**電流を流そうとするはたらきの大きさを電圧**というんだ。

そういえば，電流の単位はアンペア（A）やミリアンペア（mA），電圧の単位はボルト（V）を使ったね。

❼ ニッケル・カドミウム電池（ニカド電池）
$(-)$ Cd ｜ KOH aq ｜ NiO (OH) $(+)$
還元剤であるカドミウム Cd が負極，酸化剤である酸化水酸化ニッケル（Ⅲ）NiO (OH) が正極になる。

❽ ニッケル・水素電池 $(-)$ MH ｜ KOH aq ｜ NiO (OH) $(+)$
MH は水素 H_2 を吸着・放出できる水素吸蔵合金を表している。**還元剤である水素 H_2 をもつ合金が負極，酸化剤である酸化水酸化ニッケル（Ⅲ）NiO (OH) が正極**になる。

❾ リチウムイオン電池 $(-)$ Li_xC_6 の化合物 ｜ Li 塩 ｜ $Li_{(1-x)}CoO_2$ $(+)$
この電池はしくみが複雑なので，**C（黒鉛）と Li の化合物 Li_xC_6 が負極**になると知っておいてね。

❿ 燃料電池（リン酸形） $(-)$ H_2 ｜ H_3PO_4 aq ｜ $O_2(+)$
還元剤である水素 H_2 が負極，酸化剤である酸素 O_2 が正極になるんだ。

❶ ～ ❿で見てきた実用電池の電池式・分類，起電力は次の表のようになるんだ。

電池の名称	電池式・分類		起電力
❶ マンガン乾電池	$(-)$ Zn ｜ $ZnCl_2$ aq，NH_4Cl aq ｜ MnO_2・C $(+)$	一次電池	1.5 V
❷ アルカリマンガン乾電池	$(-)$ Zn ｜ KOH aq ｜ $MnO_2(+)$	一次電池	1.5 V
❸ リチウム電池	$(-)$ Li ｜ Li 塩 ｜ $MnO_2(+)$	一次電池	3.0 V
❹ 酸化銀電池	$(-)$ Zn ｜ KOH aq ｜ $Ag_2O(+)$	一次電池	1.55 V
❺ 空気亜鉛電池	$(-)$ Zn ｜ KOH aq ｜ $O_2(+)$	一次電池	1.4 V
❻ 鉛蓄電池	$(-)$ Pb ｜ H_2SO_4 aq ｜ $PbO_2(+)$	二次電池	2.0 V
❼ ニッケル・カドミウム電池	$(-)$ Cd ｜ KOH aq ｜ NiO (OH) $(+)$	二次電池	1.3 V
❽ ニッケル・水素電池	$(-)$ MH ｜ KOH aq ｜ NiO (OH) $(+)$	二次電池	1.35 V
❾ リチウムイオン電池	$(-)$ Li_xC_6 ｜ Li 塩 ｜ $Li_{(1-x)}CoO_2(+)$	二次電池	4.0 V
❿ 燃料電池（リン酸形）	$(-)$ H_2 ｜ H_3PO_4 aq ｜ $O_2(+)$		1.2 V

リチウムイオン電池って，起電力が他の電池とくらべるとかなり高いね。

そうだね。放電や充電により，リチウムイオン Li^+ が負極と正極の間を行ったりきたりする電池なんだ。小型・軽量・高電圧で，電解質に水が含まれていないので，寒さにも強い。ノートパソコンやスマートフォンなどに使われているよ。

チェック問題 4 標準 2分

電池に関する記述として正しいものを，次の①～⑥のうちから1つ選べ。

① ダニエル電池は，希硫酸に亜鉛板と銅板を浸したものである。
② 一次電池は，外部から電流を流して，起電力を回復させることができる。
③ リチウム電池の起電力は，マンガン乾電池の起電力より小さい。
④ マンガン乾電池では，正極に酸化マンガン(IV)，負極に炭素を用いる。
⑤ 電解液としてリン酸水溶液を用いた燃料電池では，正極で水が生成する。
⑥ 太陽電池は，熱エネルギーを電気エネルギーに変換して，起電力を生じる。

解答・解説

⑤

① ダニエル電池は，硫酸亜鉛 $ZnSO_4$ 水溶液に亜鉛板を浸したものと，硫酸銅(II) $CuSO_4$ 水溶液に銅板を浸したものを，両方の水溶液が混じらないように素焼き板で仕切った電池（➡ p.165）である。希硫酸に亜鉛板と銅板を浸した電池は，ボルタ電池（➡ p.161）である。〈誤り〉

② 起電力と回復させることができるのは**二次電池**である。〈誤り〉

③ リチウム電池（起電力3.0 V）やリチウムイオン電池（起電力4.0 V）のようにイオン化傾向の大きなリチウム Li が使われている電池は起電力が大きい。マンガン乾電池の起電力は1.5 V 程度。小さいではなく，大きいであれば正しい。〈誤り〉

④ マンガン乾電池では，正極に酸化マンガン(IV) MnO_2 が，負極に**亜鉛** Zn が用いられる。〈誤り〉

⑤ 電解液としてリン酸 H_3PO_4 水溶液を用いた燃料電池では負極と正極でそれぞれ次の反応が起こる（➡ p.173）。

[負極] $H_2 \longrightarrow 2H^+ + 2e^-$
[正極] $O_2 + 4H^+ + 4e^- \longrightarrow 2H_2O$

正極で水 H_2O が生成する。〈正しい〉

⑥ ここまでにでてきた電池は，化学エネルギーを電気エネルギーとしてとり出す化学電池だが，太陽電池のように**光エネルギー**を電気エネルギーに化学反応を行わずに直接変換する電池を物理電池という。〈誤り〉

10 時間目 電　　池

1 ダニエル電池について

ダニエル電池

　　亜鉛 Zn 板を浸した硫酸亜鉛 $ZnSO_4$ 水溶液と銅 Cu 板を浸した硫酸銅（Ⅱ）$CuSO_4$ 水溶液を素焼き板でしきり，導線で結んだものをダニエル電池という。

　　Zn は Cu よりもイオン化傾向が大きい（陽イオンになりやすい）ので，還元剤である Zn が Zn^{2+} になるとともに，亜鉛板から銅板に向かって電子 e^- が流れる。この流れてくる電子 e^- を銅板の表面上で酸化剤の Cu^{2+} が受けとり**銅 Cu が析出する**んだ。このことから，ダニエル電池の負極活物質は Zn，正極活物質は Cu^{2+} とわかるね。

イオン化傾向は
Zn＞Cu

[負極] $Zn \longrightarrow Zn^{2+} + 2e^-$

[正極] $Cu^{2+} + 2e^- \longrightarrow Cu$

Zn^{2+} は正極＋側に，$SO_4{}^{2-}$ は負極－側に素焼き板の小さな穴を通り移動する

　　素焼き板（しきり板）の役割は，わかるかい？

 還元剤である Zn が入っている部屋と酸化剤である Cu^{2+} が入っている部屋とを分けているね。

　　そうだね。**素焼き板は，負極の水溶液と正極の水溶液が混ざるのを防いでいる**んだ。でもそれだけではないんだ。仮に，還元剤の部屋と酸化剤の部屋を，**素焼き板を使わずに** 2 つのビーカーを使って分けたとするよね。この場合，電子 e^- が流れると，負極側では Zn^{2+} が生じるんだ。

　　また，正極側では Cu^{2+} が Cu として析出することで，Cu^{2+} といっしょに入っていた $SO_4{}^{2-}$ が余る。その結果，電子 e^- の流れは次の図のように止まってしまう。

e^- の流れが止まる！

e^- を引く！　待て－　生じた Zn^{2+}

e^- をはじき返す！　くるな！　余った $SO_4{}^{2-}$

負極－側
　Zn^{2+}（プラス）が
　e^-（マイナス）を引っ張る！
正極＋側
　$SO_4{}^{2-}$（マイナス）が
　e^-（マイナス）をはね返す！

「素焼き板なし」では，e^- の流れが止まり，このままでは使えない!!

第 3 章 化学反応とエネルギー

ところが，素焼き板を使うと素焼き板には小さな穴が数多くあいているので，この穴を「生じた Zn^{2+}」が正極➕側に，「余った SO_4^{2-}」が負極➖側にたがいに引かれて移動する。このように素焼き板を**イオンが移動し，両水溶液が電気的につながれ，電子 e^- が流れるようになる**んだ。つまり，**導線中を電子 e^- が移動し電解質水溶液中をイオンが移動することで電池が機能する。**

　だから，素焼き板を「イオンを通さないしきり板」に変えると，電池は使えなくなるんだ。

チェック問題 1

標準 3分

　銅板と亜鉛板を電極として図のようなダニエル電池をつくり，電極間に電球をつないで放電させた。この電池について，下の問い(a ～ c)に答えよ。ただし，Cu = 64，Zn = 65とする。

　a　電球が点灯しているとき，還元されるものはどれか。

① Zn　　② Zn^{2+}　　③ Cu　　④ Cu^{2+}
⑤ H^+　　⑥ OH^-　　⑦ SO_4^{2-}

　b　素焼き板を通って，硫酸銅(II)水溶液から硫酸亜鉛水溶液のほうへ移動するものはどれか。

① Zn　　② Zn^{2+}　　③ Cu　　④ Cu^{2+}　　⑤ SO_4^{2-}

　c　この実験に関する記述として誤りを含むものを，次の①～⑦のうちから2つ選べ。

① 放電を続けると，銅板側の水溶液の色がうすくなった。
② 銅板上には水素の泡が発生した。
③ 素焼き板のかわりに白金板を用いると電球は点灯しなかった。
④ 硫酸銅(II)水溶液の濃度を高くすると，電球はより長い時間点灯した。
⑤ 亜鉛板と硫酸亜鉛水溶液のかわりにマグネシウム板と硫酸マグネシウム水溶液を用いても電球は点灯した。
⑥ 負極の亜鉛板の質量変化と，正極の銅板の質量変化は等しい。
⑦ 電流は，銅板から豆電球を経て亜鉛板に流れる。

解答・解説

　a ④　　b ⑤　　c ②，⑥

　ダニエル電池を放電させると右の図のようになり，負極と正極で次の反応が起こる。

$$[\text{負極}] \quad Zn \longrightarrow Zn^{2+} + 2e^-$$
$$[\text{正極}] \quad Cu^{2+} + 2e^- \longrightarrow Cu$$

a 還元されるものは，酸化剤としてはたらく Cu^{2+}。

b 負極⊖側で過剰になる Zn^{2+} は，正極⊕側で過剰に
なる $SO_4{}^{2-}$ に引かれる。また，正極⊕側で過剰になる
$SO_4{}^{2-}$ は負極⊖側で過剰になる Zn^{2+} に引かれる。よっ
て，素焼き板を通って，硫酸銅(II)水溶液から硫酸亜
鉛水溶液のほうへ移動するのは $SO_4{}^{2-}$ になる。図を見
て，イオンの動きを確認しよう！

c ① 放電を続けると銅板側では Cu^{2+} が減少し，Cu
が析出する。Cu^{2+} の濃度が小さくなるので，水溶液の色はうすくなる（Cu^{2+}
の水溶液は青色）。〈正しい〉

② 銅板上には銅 Cu が析出する。〈誤り〉

③ 白金板はイオンを通さない。素焼き板のかわりに白金板を用いると，イオ
ンが移動できないので電池は使えなくなり，電球は点灯しない。〈正しい〉

④ 放電すると Cu^{2+} の濃度が小さくなるので $CuSO_4$ 水溶液の濃度を高く（Cu^{2+}
の濃度を大きく）すると，長い時間放電することができる。〈正しい〉

⑤ このような電池をダニエル型電池という。ダニエル型電池では，**2種類の**
金属のイオン化傾向の差が大きいほど起電力が大きくなる。電池式は，
$(-)Mg | MgSO_4\,aq | CuSO_4\,aq | Cu(+)$ となり，電球はダニエル電池

イオン化傾向は Mg > Cu なので，Mg 板が負極になる

$(-)Zn | ZnSO_4\,aq | CuSO_4\,aq | Cu(+)$ よりも明るく点灯する。〈正しい〉
$\left(\begin{array}{l}\text{イオン化傾向は Mg > Zn > Cu なので，イオン化傾向の差は Mg と Cu}\\ \text{の組み合わせのほうが Zn と Cu の組み合わせよりも大きくなる。}\end{array}\right)$

⑥ 負極では $Zn \longrightarrow Zn^{2+} + 2e^-$，正極では $Cu^{2+} + 2e^- \longrightarrow Cu$ が起こって
いる。よって，2 mol の e^- が流れると Zn 1 mol が溶解し，Cu 1 mol が析出
することがわかる。**物質量(mol)の変化は等しくなるが，Zn と Cu の原子量**
が異なるので質量変化は等しくならない。〈誤り〉

⑦ 電子 e^- は亜鉛板から銅板に流れ，電流は銅板から亜鉛板に流れる。電流が
流れる向きと，電子 e^- が流れる向きは逆になる。〈正しい〉

チェック問題 2　標準 2分

起電力が最も大きいものを，次の電池①～④のうちから1つ選べ。ただし，電
解質の濃度はすべて同じ（0.5 mol/L）とする。aq は水溶液を表す。

① $Zn | ZnSO_4\,aq | FeSO_4\,aq | Fe$　② $Zn | ZnSO_4\,aq | NiSO_4\,aq | Ni$

③ $Zn | ZnSO_4\,aq | CuSO_4\,aq | Cu$　④ $Ni | NiSO_4\,aq | CuSO_4\,aq | Cu$

③

　ダニエル型電池では，2種類の金属の**イオン化傾向の差が大きいほど起電力が大きくなる**。選択肢中の金属をイオン化傾向の大きい順に並べると，Zn > Fe > Ni > Cu の順になるので，イオン化傾向の差が最も大きい③の電池(ダニエル電池)の起電力が最も大きくなる。

2 鉛蓄電池について

希硫酸 H_2SO_4 に浸した鉛 Pb の極板と酸化鉛(Ⅳ) PbO_2 の極板が導線で結ばれたものを鉛蓄電池という。

　この電池は，金属単体の Pb が**還元剤**(→負極活物質であり負極➖になる)として，PbO_2 が**酸化剤**(→正極活物質であり正極➕になる)として使われていて，電子 e^- が流れると Pb および PbO_2 はともに Pb^{2+} に変化する。その後，負極や正極で生じた Pb^{2+} は希硫酸 H_2SO_4 中の SO_4^{2-} と結びつき，水に不溶な白色の硫酸鉛(Ⅱ)$PbSO_4$ となって，極板の表面にくっつくんだ。

[負極]

$$Pb \longrightarrow Pb^{2+} + 2e^- \quad \Leftarrow Pb は Pb^{2+} に変化する$$

（＋）SO_4^{2-} 　　　　　　SO_4^{2-} 　$\Leftarrow Pb^{2+}$ が SO_4^{2-} と結びつく

加えてまとめる

$$Pb + SO_4^{2-} \longrightarrow PbSO_4 + 2e^-$$

[正極] $PbO_2 + 4H^+ + 2e^- \longrightarrow Pb^{2+} + 2H_2O \quad \Leftarrow PbO_2 は Pb^{2+} に変化する$

（＋）SO_4^{2-} 　　　　　　SO_4^{2-} 　$\Leftarrow Pb^{2+}$ が SO_4^{2-} と結びつく

加えてまとめる $PbO_2 + 4H^+ + SO_4^{2-} + 2e^- \longrightarrow PbSO_4 + 2H_2O$

あれっ？　今回の電池には，素焼き板が使われていないね。

　そうなんだ。還元剤である Pb と酸化剤である PbO_2 はともに固体なのでしきりはいらないし，同じ電解質水溶液に浸されていて電気的にもつながっているからね。
　また，充電によってくり返し使える二次電池(または蓄電池)なので，鉛蓄電池は自

動車のバッテリーとして使われているんだ。それに対して，乾電池のように充電できない電池を**一次電池**といったね。

第3章 化学反応とエネルギー

ポイント ▶ **鉛蓄電池について**

- $(-)$Pb $|$ H_2SO_4 aq $|$ $PbO_2(+)$

    [負極] $Pb + SO_4^{2-} \longrightarrow PbSO_4 + 2e^-$

    [正極] $PbO_2 + 4H^+ + SO_4^{2-} + 2e^- \longrightarrow PbSO_4 + 2H_2O$

鉛蓄電池については，計算問題が出題されることが多いんだ。

まずは，負極と正極で起こる反応について見直してみるね。

[負極] $Pb + SO_4^{2-} \longrightarrow PbSO_4 + 2e^-$

　　　　　　SO$_4$ 分の質量が増加する

[正極] $PbO_2 + 4H^+ + SO_4^{2-} + 2e^- \longrightarrow PbSO_4 + 2H_2O$

　　　　　　　　SO$_2$ 分の質量が増加する

放電により両極板ともPbSO$_4$ が付着するので質量が増加する。

 e^- 2 mol あたり，負極➖は SO$_4$，正極➕は SO$_2$ の分だけ質量が増加しているね。

そうなんだ。原子量を S = 32，O = 16 とすると，SO$_4$ = 96，SO$_2$ = 64 だから，**放電すると e^- 2 mol あたり負極➖は96 g，正極➕は64 g質量が増加する**ことがわかる。

チェック問題 **3**　やや難 **4分**

鉛蓄電池を放電したとき，負極，正極の質量の変化量の関係を表す直線として最も適当なものを，図中の①〜⑥のうちから1つ選べ。

ただし，原子量は，H = 1.0，O = 16，S = 32，Pb = 207とする。

①

放電により e^- 2 mol あたり負極➖は SO_4(式量96)，正極➕は SO_2(式量64)の分だけそれぞれ質量が増えるので，負極➖と正極➕の質量の変化量の比は，

e^- 2 mol で　負極➖：正極➕ ＝ ＋96 g：＋64 g ＝ 3：2(質量比)

質量比が　負極➖：正極➕ ＝ 3：2 なので，負極(たて)＋30 mg，正極(横)＋20 mg を通る①のグラフが解答となる。

次に，鉛蓄電池全体の反応式をつくるね。負極➖と正極➕の反応式はどうまとめたらいいかな？

 負極➖と正極➕でやりとりする電子 e^- が同じ 2 mol だから，負極➖極と正極➕をそのまま加えるだけでいいね。

そうだね。負極と正極の e^- を含んだイオン反応式を加えてまとめてみるね。

$$[\text{負極}]\ \ Pb\ +\ SO_4^{2-}\ \longrightarrow\ PbSO_4\ +\ 2e^-$$

$$\underline{+)\ \ [\text{正極}]\ \ PbO_2\ +\ 4H^+\ +\ SO_4^{2-}+\ 2e^-\ \longrightarrow\ PbSO_4\ +\ 2H_2O}$$

加える $\ \ Pb\ +\ PbO_2\ +\ \underbrace{4H^+\ +\ 2SO_4^{2-}}_{\text{まとめる}}\ \xrightarrow{\ e^-2\,mol\ }\ 2PbSO_4\ +\ 2H_2O$

$$(\text{全体})\ Pb\ +\ PbO_2\ +\ 2H_2SO_4\ \xrightarrow{\ e^-\,2\,mol\ }\ 2PbSO_4\ +\ 2H_2O$$

 (全体)の反応式から，H_2SO_4 が減少して H_2O が生成することがわかるね。

そうだね。**鉛蓄電池は放電するにつれて，H_2SO_4 が減少し H_2O が生成するので，電解質水溶液である希硫酸の濃度が低下する**んだ。また，このとき，e^- 2 mol あたり H_2SO_4 が 2 mol 減少し，H_2O が 2 mol 増加することがわかるね。

チェック問題 4 標準 3分

　濃度3.00 mol/L の硫酸100 mL を用いた鉛蓄電池を外部回路に接続し，しばらく放電させたところ，硫酸の濃度が2.00 mol/L に低下した。このとき，外部回路に流れた電気量は何 C か。最も適当な数値を，次の①～⑥のうちから 1 つ選べ。ただし，ファラデー定数は $9.65×10^4$ C/mol とし，電極での反応による電解液の体積変化は無視できるものとする。

① $9.65×10^1$ 　 ② $1.93×10^2$ 　 ③ $2.90×10^2$
④ $9.65×10^3$ 　 ⑤ $1.93×10^4$ 　 ⑥ $2.90×10^4$

解答・解説

④

この鉛蓄電池の放電で硫酸 H_2SO_4 は，

電解液の体積変化は無視できるとあるので 100 mL のまま変化しない

$$\underbrace{\frac{3.00\ \text{mol}}{1\ \text{L}} \times \frac{100}{1000}\ \text{L}}_{\text{放電前の } H_2SO_4\,(\text{mol})} - \underbrace{\frac{2.00\ \text{mol}}{1\ \text{L}} \times \frac{100}{1000}\ \text{L}}_{\text{放電後の } H_2SO_4\,(\text{mol})} = \underbrace{0.100\ \text{mol}}_{\text{減少した } H_2SO_4\,(\text{mol})}$$

減少したことがわかる。鉛蓄電池（全体）の反応式

$$Pb + PbO_2 + \overset{\overset{\displaystyle e^-\ 2\ mol}{}}{2H_2SO_4} \longrightarrow 2PbSO_4 + 2H_2O$$

から，H_2SO_4 が 2 mol 減少すると e^- 2 mol が流れることがわかる。また，ファラデー定数は 9.65×10^4 C/mol になる。

よって，

$$\underbrace{0.100\ \text{mol}}_{\text{減少した } H_2SO_4\,(\text{mol})} \times \underbrace{\frac{2\ \text{mol}}{2\ \text{mol}}}_{\substack{\text{流れた } e^-\,(\text{mol}) \\ H_2SO_4\ 2\ \text{mol 減少すると}}} \times \underbrace{\frac{9.65 \times 10^4\ \text{C}}{1\ \text{mol}}}_{\text{流れた電気量(C)}} = 9.65 \times 10^3\ \text{C}$$

e^- 2 mol 流れる

最後に。鉛蓄電池は充電することができたよね。**充電するときには，外部電源の負極を鉛蓄電池の負極に外部電源の正極を鉛蓄電池の正極につなぐ必要があるんだ。**

😊 充電するときは，➖と➖，➕と➕をつなぐんだね。

思 考力のトレーニング 1　難 4分

ある程度放電した鉛蓄電池を図1のように充電したとき，電解液中の硫酸イオンの質量の増加と，電極Aの質量の変化の関係を表す直線として最も適当なものを，図2の①〜⑤のうちから1つ選べ。ただし，電極の質量には表面に付着している固体の質量を含め，O = 16，S = 32とする。

図1　図2

解答・解説

④

充電は−と−，＋と＋をつなぐので，電源の−とつながれている電極Aは鉛蓄

電池の負極⊖つまり，Pb とわかる。

　　（電源の＋とつながれている電極 B は，鉛蓄電池の正極⊕である PbO_2 になる。）

　　充電では放電の逆反応が起こるので，電極 A では，

　　　（電極 A）　$PbSO_4$　＋　$2e^-$　$\xrightarrow{充電}$　Pb　＋　$SO_4{}^{2-}$　　……(1)

　　　　　　　　　e^- 2 mol あたり SO_4 分の質量が減少する

が起こる。

　　鉛蓄電池を放電すると e^- 2 mol あたり電解液中の $H_2SO_4(SO_4{}^{2-})$ が 2 mol **減少**する（➡ p.170）ので，充電では e^- 2 mol あたり電解液中の $H_2SO_4(SO_4{}^{2-})$ は 2 mol **増加**することがわかる。

　　　（電解液）　e^- 2 mol で $SO_4{}^{2-}$ が 2 mol 増加　　　……(2)

　(1)と(2)より，充電することで，

e^- 2 mol あたり，電極 A は SO_4 ＝ 96 g 質量が**減少**し，

電解液中の $\underline{SO_4{}^{2-}}$ は $2\ \text{mol} \times \dfrac{96\ \text{g}}{1\ \text{mol}} = 192\ \text{g}$ 質量が**増加**することになる。

　　　　　　$SO_4{}^{2-}$＝96より，モル質量は 96 g/mol
　（電子の質量は非常に小さいので式量は SO_4 と同じ96でよい）

　　よって，電極 A と電解液中の $SO_4{}^{2-}$ の質量の変化量の比は，

　　　（電極 A）：（電解液中の $\underline{SO_4{}^{2-}}$）　＝　-96 g　：　$+192$ g　＝　1：2（質量比）
　　　　　たて　　　　　　　　　　よこ　充電により電極 A は　　充電により $SO_4{}^{2-}$ は
　　　　　　　　　　　　　　　　　　　　軽くなるのでマイナス！　増えるのでプラス！

　　質量比が 1：2 なので，電極 A(たて)-100 mg，電解液中の $SO_4{}^{2-}$(よこ) ＋200 mg を通る④のグラフが解答になる。

3 　電気量と電子の物質量について

　1 アンペア(A)の電流が 1 秒(s)間流れたときに運ぶ電気量が 1 クーロン(C)なんだ。

　ややこしいね。

　そうだね。電流の単位であるアンペア(A)とクーロン(C)や秒(s)の関係は，

　　　A ＝ C/ 秒　　つまり $(A) = \dfrac{(C)}{(s)}$

になることを知っていればいいんだ。単位を見ると，

　　　アンペア(A)×秒(s)＝クーロン(C)　　　　←$\dfrac{C}{\cancel{s}} \times \cancel{s} = C$

になることがわかるね。

　　また，電子 e^- 1 mol がもつ電気量の大きさを**ファラデー定数**(F)といって，

　　　$F = 9.65 \times 10^4$ C/mol

となり，電子 e^- 1 個がもつ電気量を x (C)，アボガドロ定数を N (/mol)とすると，

それぞれ x (C/個)，N (個/mol) と表せるので，ファラデー定数 F (C/mol) との関係は，

$$x \times N = F \qquad \leftarrow \frac{C}{個} \times \frac{個}{mol} = \frac{C}{mol}$$

になるんだ。

ポイント　電流とファラデー定数について

- 電流：$(A) = \dfrac{(C)}{(s)}$
- ファラデー定数：$F = 9.65 \times 10^4$ C/mol

まとめると，I (A) の電流を t (s) 間流したときに流れた電子 e^- の物質量 (mol) は，

$$\text{式}: I \times t \times \frac{1}{96500} \text{ (mol)} \qquad \left(\text{単位}: \frac{C}{s} \times s \times \frac{mol}{C} = mol \right)$$

となるんだ。

4 燃料電池について

2 枚の多孔質の電極でしきられた容器に電解質を入れ，両側には**水素** H_2 **などの燃料**と**酸素** O_2 を供給し，導線で結んだものを燃料電池というんだ。

電解質には，いろいろあるの？

そうなんだ。電解質水溶液としてリン酸 H_3PO_4 水溶液を用いた**リン酸形燃料電池**，水酸化カリウム KOH 水溶液を用いた**アルカリ形燃料電池**を知っておいてね。

負極はどちらになるの？

還元剤である水素 H_2 **が負極**に，**酸化剤である酸素** O_2 **が正極**になるんだ。

❶ リン酸形燃料電池

負極では還元剤である H_2 が H^+ になるとともに，負極から正極に向かって電子 e^- が流れるんだ。この流れてくる電子 e^- を正極では酸化剤である O_2 が受けとって O^{2-} が生成する。ただし，**生成した** O^{2-} **はすぐに電解質**の H^+ **と反応して** H_2O **に変化してしまう**ので，注意してね。

$$[負極] \quad H_2 \longrightarrow 2H^+ + 2e^- \quad \cdots\cdots①$$

$$[正極] \quad O_2 + 4e^- \longrightarrow 2O^{2-}$$

$$+) \quad (O^{2-} + 2H^+ \longrightarrow H_2O) \times 2 \quad \longleftarrow O^{2-} を消去するために 2倍して加える$$

$$\overline{\quad O_2 + 4H^+ + 4e^- \longrightarrow 2H_2O \quad \cdots\cdots②}$$

 電池(全体)の反応は，①式を2倍して②式を加えればつくれるね。

そうだね。① × 2 ＋ ②から，電池(全体)の反応は，

$$2H_2 + O_2 \xrightarrow{\ e^-\ 4\ mol\ } 2H_2O \quad \longleftarrow (全体)の反応式は 完全燃焼の反応式になる$$

となるんだ。

水素を空気中で完全燃焼させたときの反応式と同じだね。

そうなんだ。燃料電池は，**燃焼のときに放出されるエネルギーを電気エネルギーとして効率よくとり出す装置**なんだよ。あと，水素 H_2 を燃料にしたときは，地球温暖化の原因といわれている CO_2(温室効果ガス)が出ていない点にも注目しておいてね。

チェック問題 5   標準 3分

リン酸形燃料電池で H_2 2.00 mol，O_2 1.00 mol が反応したとき，外部回路に流れた電気量は何 C か。最も適当な数値を，次の①～⑤のうちから1つ選べ。ただし，ファラデー定数は9.65×10^4 C/mol とし，電極で生じた電子はすべて外部回路を流れたものとする。

① 1.93×10^4　② 9.65×10^4　③ 1.93×10^5
④ 3.86×10^5　⑤ 7.72×10^5

解答・解説

④

リン酸形燃料電池(全体)の反応式

$$②H_2 + ①O_2 \xrightarrow{\boxed{e^-\ 4\ mol}} 2H_2O$$

から，H_2 $\boxed{2.00\ mol}$，O_2 $\boxed{1.00\ mol}$ が反応すると，外部回路に $\boxed{e^-\ 4\ mol}$ が流れることがわかるので，流れた電気量は，ファラデー定数9.65×10^4 C/ mol から，

$$4\ mol \quad \times \quad \frac{9.65 \times 10^4\ C}{1\ mol} \quad = 3.86 \times 10^5\ C$$

$\underset{e^-(mol)}{} \qquad\qquad \underset{e^-(C)}{}$

になる。

❷ アルカリ形燃料電池

リン酸形と同じように，負極では H_2 が H^+ になるんだけど，**H^+ は電解質の OH^- とすぐに反応して H_2O に変化する。**このとき，負極から正極に向かって電子 e^- が流れ，この電子 e^- を正極で O_2 が受けとって O^{2-} が生成する。ただし，生成した O^{2-} はすぐに電解質中の H_2O と反応して OH^- に変化してしまうんだ。

$$[負極] \quad H_2 \quad \longrightarrow \quad 2H^+ \quad + \quad 2e^-$$

$$+) \quad (H^+ \quad + \quad OH^- \quad \longrightarrow \quad H_2O \quad) \times 2$$

←H^+を消去するために2倍して加える

$$\overline{H_2 + 2OH^- \quad \longrightarrow \quad 2H_2O + 2e^-} \cdots\cdots ①$$

$$[正極] \quad O_2 \quad + \quad 4e^- \quad \longrightarrow \quad 2O^{2-}$$

$$+) \quad (O^{2-} \quad + \quad H_2O \quad \longrightarrow \quad 2OH^- \ ) \times 2$$

←O^{2-}を消去するために2倍して加える

$$\overline{O_2 + 2H_2O + 4e^- \quad \longrightarrow \quad 4OH^-} \cdots\cdots ②$$

(全体)の反応は，①×2＋②より，

$$2H_2 \ + \ O_2 \ \xrightarrow{e^- 4\ mol} \ 2H_2O$$

←(全体)の反応式は完全燃焼の反応式になる

 （（全体）の反応式は，リン酸形と同じになるんだね。）

ポイント ▸ 燃料電池について

- $(-)H_2 \mid H_3PO_4\ aq \mid O_2\ (+)$ 　　……リン酸形燃料電池

  [負極] $H_2 \longrightarrow 2H^+ + 2e^-$

  [正極] $O_2 + 4H^+ + 4e^- \longrightarrow 2H_2O$

- $(-)H_2 \mid KOH\ aq \mid O_2\ (+)$ 　　……アルカリ形燃料電池

  [負極] $H_2 + 2OH^- \longrightarrow 2H_2O + 2e^-$

  [正極] $O_2 + 2H_2O + 4e^- \longrightarrow 4OH^-$

図はメタノールを用いた燃料電池の模式図である。この燃料電池の両極で起こる化学反応は次の式で示される。

負　極：$CH_3OH + H_2O$
$\longrightarrow CO_2 + 6H^+ + 6e^-$

正　極：$O_2 + 4H^+ + 4e^-$
$\longrightarrow 2H_2O$

この燃料電池を作動させたところ，0.30Aの電流が19300秒間流れた。このとき燃料として消費されたメタノール

の物質量は何 mol になるか。物質量の値を有効数字2桁で次の形式で表すとき，□1□ ～ □3□ にあてはまる数字を答えよ。ただし，メタノールが電解質を透過することはなく，消費されたメタノールはすべて二酸化炭素に酸化されたものとする。また，ファラデー定数は9.65×10^4 C/molとする。

□1□ . □2□ $\times 10^{-}$□3□ mol

解答・解説

□1□ 1 　□2□ 0 　□3□ 2

　燃料電池では，水素 H_2 以外にも本問のようなメタノール CH_3OH などさまざまな燃料が使われる。作ったことがない反応式を見かけてもあわてることなく，問題文中のヒントを使って解こう！

　　　　負極の反応：$1CH_3OH + H_2O \longrightarrow CO_2 + 6H^+ + 6e^-$
より，e^- が6 mol 流れると，メタノール CH_3OH 1 mol が消費されることがわかる。
　よって，$\underset{\text{秒の単位は s}}{19300秒 = 19300 \text{ s}}$，$0.30\text{ A} = 0.30\text{ C/s}$，$9.65 \times 10^4$ C/mol
より，消費された CH_3OH は，

$$\frac{0.30\ \text{C}}{1\ \text{s}} \times 19300\ \text{s} \times \underset{e^-(\text{mol})}{\frac{1\ \text{mol}}{9.65 \times 10^4\ \text{C}}} \times \underset{CH_3OH(\text{mol})}{\overset{CH_3OH\ 1\ \text{mol 消費}}{\frac{1\ \text{mol}}{6\ \text{mol}}}} = 0.010\ \text{mol} = 1.0 \times 10^{-2}\ \text{mol}$$

e⁻6 mol で

思 考力のトレーニング 3　標準 3分

補聴器に用いられる空気亜鉛電池では，次の式のように正極で空気中の酸素がとりこまれ，負極の亜鉛が酸化される。

正極　$O_2 + 2H_2O + 4e^- \longrightarrow 4OH^-$
負極　$Zn + 2OH^- \longrightarrow ZnO + H_2O + 2e^-$

この電池を一定電流で7720秒間放電したところ，上の反応により電池の質量は16.0 mg 増加した。このとき流れた電流は何 mA か。最も適当な数値を，次の①〜④のうちから1つ選べ。ただし，O = 16，ファラデー定数は9.65×10^4 C/mol とする。

① 6.25　② 12.5　③ 25.0　④ 50.0

解答・解説

③

空気亜鉛電池の正確な知識は必要とされていない。与えられたヒントを使って解く力が問われている。質量が増加するのは，Zn が ZnO に変化する負極だけになる。負極の反応

$Zn + 2OH^- \longrightarrow ZnO + H_2O + 2e^-$
　　　　　　　　O(=16)の分だけ質量が増加する

から，電池の質量は e^- 2 mol あたり16 g 増加することがわかる。流れた電流を x (mA)とおくと，1 A = 10^3 mA より次の式が成り立つ。

$$x(\text{mA}) \times \frac{1\,\text{A}}{10^3\,\text{mA}} \times 7720\,\text{s} \times \frac{1\,\text{mol}}{9.65 \times 10^4\,\text{C}} \times \frac{16\,\text{g}}{2\,\text{mol}}$$
$$= 16.0\,\text{mg} \times \frac{1\,\text{g}}{10^3\,\text{mg}}$$

よって，$x = 25.0$ mA になる。

11 時間目 電気分解

1 電気分解のようすについて

電気分解は，外部電源（電池）の電気エネルギーを使い，酸化還元反応を**無理やり**起こしているんだ。

無理やりなの？

そうなんだ。ふだん見かけない反応を無理やり起こすことが多いので，**覚えることが他の分野より多くなる**んだ。がんばってね。

電気分解では，
- 外部電源の負極（●）につないだ電極を陰極（●）
- 外部電源の正極（＋）につないだ電極を陽極（＋）

というんだ。

－に－が，＋に＋がつながれているんだね。

そうだね。たとえば，外部電源（電池），電極として炭素棒 C を使って，電解質である塩化銅（Ⅱ）$CuCl_2$ の水溶液を電気分解してみるね。

塩化銅（Ⅱ）$CuCl_2$ は電解質なので，水溶液中でそのほとんどが Cu^{2+} と Cl^- に，水 H_2O はごくわずかに H^+ と OH^- に電離している。

$$CuCl_2 \longrightarrow Cu^{2+} + 2Cl^- \quad \Leftarrow 完全に電離している$$

$$H_2O \rightleftharpoons H^+ + OH^- \quad \Leftarrow わずかに電離している$$

電気分解を開始すると，外部電源（電池）の負極から電子 e^- が流れてきて，陰極が負に帯電するので，陰極（－に帯電）に陽イオンの Cu^{2+} と H^+（＋に帯電）が引きよせられ集まってくる。また，外部電源（電池）の正極には電子 e^- が吸いとられ，陽極が正に帯電するので，陽極（＋に帯電）に陰イオンの Cl^- と OH^-（－に帯電）が引きよせられ集まってくる。

そして，陰極では Cu^{2+} が電子 e^- を受けとり銅 Cu が析出し，陽極では Cl^- が電子 e^- を放出し塩素 Cl_2 が発生する。

⊖ (C) $Cu^{2+} + 2e^- \longrightarrow Cu$

⊕ (C) $2Cl^- \longrightarrow Cl_2 + 2e^-$

なぜ，陰極では H^+ でなく Cu^{2+} が，
陽極では OH^- でなく Cl^- が反応するの？

Cu^{2+} が H^+ より，Cl^- が OH^- より反応しやすいからなんだけど，ここまでの説明

→ ここが覚えるポイントになる！

ではまだ反応式は書けないよね。そこで，陰極と陽極に分けて，水溶液の電気分解のようすを紹介していくね。

2 水溶液中の陰極における反応について

陰極では，水溶液中の陽イオンが電子 e^- を受けとるんだよね。このとき，**イオン化傾向の小さな陽イオンが電子 e^- を受けとる**んだ。

イオン化傾向	小		大
酸化剤としての強さ （e^- の受けとりやすさ）	強 $Ag^+ > Cu^{2+} > H^+ > \cdots > Zn^{2+} > \cdots\cdots\cdots > K^+ > Li^+$ 弱 電子 e^- を受けとりやすい		← 還元されやすい順

水溶液の濃度や電圧などの条件によってはイオン化傾向が小さくない陽イオンが反応することもまれにあるんだ。ただ，出題されることは少ないし，出題されても問題文から気づけるようになっているので安心してね。

H⁺ も考えるの？

　そうなんだ。水溶液が酸性だったら酸の H^+ を，酸性以外の条件のときは水のわずかな電離で生じている H^+ を考えるんだ。

　水溶液が酸性で H^+ が反応するときは，

$$2H^+ + 2e^- \longrightarrow H_2 \quad （酸性の水溶液のとき）$$

が起こる。

　水 H_2O からわずかに電離して生じている H^+ が反応しているときは，つまり**酸性以外の条件（中性や塩基性）のとき**は，下のやり方で H^+ を H_2O に書きかえる。

まとめる

$$2H^+ + 2e^- \longrightarrow H_2$$
$$+) \quad 2OH^- \qquad\qquad 2OH^- \quad \Leftarrow H^+ を H_2O に直すために OH^- を加える$$
$$\overline{2H_2O + 2e^- \longrightarrow H_2 + 2OH^-} \quad （酸性以外（中性や塩基性）の水溶液のとき）$$

ポイント　　**水溶液中の陰極の反応について**

● イオン化傾向の小さな陽イオンが電子 e^- を受けとる。

---

3 水溶液中の陽極における反応について

　陽極の反応は，複雑なので【手順①】，【手順②】の順に考えてね。

　【手順①】：陽極が炭素 C，白金 Pt，金 Au 以外の場合，陽極板自身が溶けるんだ。

　　　　例　$Cu \longrightarrow Cu^{2+} + 2e^-$

　【手順②】：陽極が炭素 C，白金 Pt，金 Au のいずれかの場合，

　　　　(1) Cl^- や I^- を見つけたら，

　　　　　$2Cl^- \longrightarrow Cl_2 + 2e^-$ や $2I^- \longrightarrow I_2 + 2e^-$ と書く。

　　　　(2) Cl^- や I^- が見つからないときは，

　　　　　$4OH^- \longrightarrow O_2 + 2H_2O + 4e^-$ と書く（塩基性水溶液のとき）。

　陰極での反応と同じように，水 H_2O からわずかに電離して生じている OH^- が反応するとき，つまり**塩基性以外の条件（酸性や中性）のとき**には次のように OH^- を H_2O に書きかえる。

[$4OH^- \longrightarrow O_2 + 2H_2O + 4e^-$（塩基性水溶液のとき）の，塩基性以外（酸性や中性）の水溶液のときの H_2O の式への直し方]

$$4OH^- \longrightarrow O_2 + 2H_2O + 4e^-$$
$$+) \quad 4H^+ \qquad\qquad 4H^+ \quad \Leftarrow OH^- を H_2O に直すために H^+ を加える$$

H_2O を整理する

$$4H_2O \longrightarrow O_2 + 2H_2O + 4H^+ + 4e^- \quad から，$$
$$2H_2O \longrightarrow O_2 + 4H^+ + 4e^- \quad になる。$$

> **ポイント** ▸ **水溶液中の陽極の反応について**

- 陽極板が C, Pt, Au 以外のときには，極板が溶ける。
- 陽極板が C, Pt, Au のとき，反応のしやすさは，Cl⁻, I⁻ > OH⁻ になる。

チェック問題 1

標準 ⏰ **3分**

電気分解の記述として下線の部分に誤りを含むものを，次の①～④のうちから1つ選べ。

① 2本の白金電極を用いて，希硫酸を電気分解すると，<u>陽極に酸素が発生</u>する。

② 2本の白金電極を用いて，塩化カリウム水溶液を電気分解すると，<u>陽極に塩素が発生</u>する。

③ 陽極に炭素，陰極に白金を用いて，塩化ナトリウム水溶液を電気分解すると，<u>陰極に水素が発生</u>する。

④ 2本の銅電極を用いて，硫酸銅(Ⅱ)水溶液を電気分解すると，<u>陽極に酸素が発生</u>する。

解答・解説

④

各極の反応は次の通り。陽極の種類のチェック（下の ～～ 部分）を忘れない！
塩の水溶液が何性を示すかは，p.232の塩の加水分解を確認しておこう！

① $\begin{array}{l} H^+ \; HSO_4^- \\ (H^+ \quad OH^-) \\ \text{強酸性} \end{array}$ $\left\{\begin{array}{l} \ominus(Pt) \quad 2H^+ + 2e^- \longrightarrow H_2 \quad \Leftarrow H^+ だけが存在し，酸性なので \\ \oplus(Pt) \quad 2H_2O \longrightarrow O_2 + 4H^+ + 4e^- \quad \Leftarrow Cl^- や I^- は存在せず，\\ \qquad\qquad\qquad\qquad\qquad\qquad\qquad\qquad 酸性なので H_2O に直す \end{array}\right.$

② $\begin{array}{l} K^+ \; Cl^- \\ (H^+ \quad OH^-) \\ \text{中性} \end{array}$ $\left\{\begin{array}{l} \ominus(Pt) \quad 2H_2O + 2e^- \longrightarrow H_2 + 2OH^- \quad \Leftarrow \begin{array}{l} H^+ > K^+ で，中性なので \\ H_2O に直す \end{array} \\ \oplus(Pt) \quad 2Cl^- \longrightarrow Cl_2 + 2e^- \quad \Leftarrow Cl^- が存在しているので \end{array}\right.$

③ $\begin{array}{l} Na^+ \; Cl^- \\ (H^+ \quad OH^-) \\ \text{中性} \end{array}$ $\left\{\begin{array}{l} \ominus(Pt) \quad 2H_2O + 2e^- \longrightarrow H_2 + 2OH^- \quad \Leftarrow \begin{array}{l} H^+ > Na^+ で，中性なので \\ H_2O に直す \end{array} \\ \oplus(C) \quad 2Cl^- \longrightarrow Cl_2 + 2e^- \quad \Leftarrow \begin{array}{l} Cl^- が存在しているので，\\ Cl^- が反応する \end{array} \end{array}\right.$

④ $\begin{array}{l} Cu^{2+} \; SO_4^{2-} \\ (H^+ \quad OH^-) \\ \text{弱酸性} \end{array}$ $\left\{\begin{array}{l} \ominus(Cu) \quad Cu^{2+} + 2e^- \longrightarrow Cu \quad \Leftarrow \begin{array}{l} Cu^{2+} > H^+ なので，\\ Cu^{2+} が反応する \end{array} \\ \oplus(Cu) \quad Cu \longrightarrow Cu^{2+} + 2e^- \quad \Leftarrow \begin{array}{l} 陽極は C, Pt, Au 以外 \\ なので溶解する \end{array} \end{array}\right.$

よって，陽極に酸素は発生せず，陽極の銅電極が溶けるので，④が〈誤り〉となる。

　図のように，銅板とステンレス鋼板を硫酸銅(II)水溶液に浸して銅めっきを行った。直流電源をつないで 0.320 A の電流をある時間通じたところ，ステンレス鋼板の質量が 0.128 g 増加していた。電流を通じた時間は何分間か。最も適当な数値を，下の①～⑥のうちから 1 つ選べ。ただし，ファラデー定数は 9.65×10^4 C/mol，Cu ＝64とする。

① 10　　② 20　　③ 40　　④ 100　　⑤ 600　　⑥ 1200

解答・解説

②

　図の電気分解では，次の反応が起こる。

電源の－とつながっているのでステンレス鋼板が陰極になる

Cu^{2+} SO_4^{2-}
$(H^+ OH^-)$

$\ominus$（ステンレス）$Cu^{2+} + 2e^- \longrightarrow Cu$ ⬅ $Cu^{2+} > H^+$なので銅めっきされる

$\oplus$（Cu）　　　　$Cu \longrightarrow Cu^{2+} + 2e^-$ ⬅ 陽極は C，Pt，Au 以外なので溶解する

電源の＋とつながっているので銅板が陽極になる

　0.320 A ＝ 0.320 C/s で t 分間電気分解したとする。

　ステンレス鋼板で起こる反応 $Cu^{2+} + 2e^- \longrightarrow 1Cu$ から，析出する Cu が 1 mol のときは e^- 2 mol が流れたことがわかる。

　9.65×10^4 C/mol，Cu ＝64 つまり，モル質量64 g/mol から次の式が成り立つ。

流れた e^- mol　　　　　　t 分は，60 t 秒

$$0.128\,\text{g} \times \frac{1\,\text{mol}}{64\,\text{g}} \times \frac{2\,\text{mol}}{1\,\text{mol}} = \frac{0.320\,\text{C}}{1\,\text{s}} \times 60t\,\text{s} \times \frac{1\,\text{mol}}{9.65 \times 10^4\,\text{C}}$$

析出した Cu(mol)　流れた e^- (mol)　　　(A)　　(C)　　　　　e^- (mol)

析出した Cu mol

より，$t \fallingdotseq 20$ 分

　　硝酸銀 AgNO₃水溶液の入った電解槽 V に浸した 2 本の白金電極(電極 A, B)と，塩化ナトリウム NaCl 水溶液の入った電解槽 W に浸した 2 本の炭素電極(電極 C, D)を，図に示すように電源に接続した装置を組み立てた。この装置で電気分解を行った結果に関する記述として誤りを含むものを，次の①～⑤のうちから 2 つ選べ。ただし，解答の順序は問わない。

① 　電解槽 V の水素イオン濃度が増加した。
② 　電極 A に銀 Ag が析出した。
③ 　電極 B で水素 H_2 が発生した。
④ 　電極 C にナトリウム Na が析出した。
⑤ 　電極 D で塩素 Cl_2 が発生した。

図　電気分解の装置

解答・解説

③, ④

　　電源の－につないだ電極が陰極●，電源の＋につないだ電極が陽極になるが，電解槽の数が多くなるとミスしやすいので，
　　　「電子 e⁻ が流れこむ電極が陰極●，電子 e⁻ が出ていく電極が陽極」
となることもあわせて覚えよう。

よって，電極 A →陰極⊖，電極 B →陽極⊕，電極 C →陰極⊖，電極 D →陽極⊕になる。

各極の反応は次のようになる。

電解槽 V

$\underset{(H^+ \ OH^-)}{Ag^+ \ NO_3^-}$ $\begin{cases} A \ ⊖ \ (Pt) \quad Ag^+ + e^- \longrightarrow Ag \quad \leftarrow Ag^+ > H^+ \text{なので，} Ag^+ \text{が反応する} \\ B \ ⊕ \ (Pt) \quad 2H_2O \longrightarrow O_2 + 4H^+ + 4e^- \quad \leftarrow \underset{\text{性ではないので} H_2O \text{にする}}{Cl^- \text{や} I^- \text{は存在せず，塩基}} \end{cases}$

電解槽 W

$\underset{(H^+ \ OH^-)}{Na^+ \ Cl^-}$ $\begin{cases} C \ ⊖ \ (C) \quad 2H_2O + 2e^- \longrightarrow H_2 + 2OH^- \quad \leftarrow \underset{H_2O \text{に直す}}{H^+ > Na^+ \text{で，中性なので}} \\ D \ ⊕ \ (C) \quad 2Cl^- \longrightarrow Cl_2 + 2e^- \quad \leftarrow \underset{Cl^- \text{が反応する}}{Cl^- \text{が存在しているので，}} \end{cases}$

① 電解槽 V では電極 B で H^+ が生じるので，水素イオン濃度 $[H^+]$ は増加する。〈正しい〉

② 電極 A には銀 Ag が析出する。〈正しい〉

③ 電極 B では酸素 O_2 が発生する。水素 H_2 は発生しない。〈誤り〉

④ 電極 C では水素 H_2 が発生する。ナトリウム Na は析出しない。〈誤り〉

⑤ 電極 D では塩素 Cl_2 が発生する。〈正しい〉

思考力のトレーニング 1 　やや難 3分

　図に示すように，硫酸銅(II)CuSO₄ 水溶液の入った電解槽に浸した 2 枚の白金電極に鉛蓄電池を接続して電気分解を行った。このとき，電極 B と白金電極 C の質量が増加した。電極 B の質量増加量(g)と白金電極 C の質量増加量(g)の関係を示す直線として最も適当なものを，下の①〜⑤のうちから 1 つ選べ。ただし，電極の質量には表面に付着している固体の質量を含め，O = 16，S = 32，Cu = 64 とする。

解答・解説

④

　鉛蓄電池を使い，電気分解を行う問題である。鉛蓄電池の

電極 B が ➖（負極）なので白金電極 C が ➖（陰極），
┗→ Pb は負極活物質　　┗→ ➖につないだ電極は➖

電極 A が ➕（正極）なので白金電極 D が ➕（陽極）
┗→ PbO₂は正極活物質　　┗→ ➕につないだ電極は➕

である。各極の反応は，次のようになる。

鉛蓄電池（➡ p.168）
B［負極］$Pb + SO_4^{2-} \longrightarrow PbSO_4 + 2e^-$ ……①
　　　　e⁻2 mol あたり SO₄（96g）分の質量が増加する
A［正極］$PbO_2 + 4H^+ + SO_4^{2-} + 2e^- \longrightarrow PbSO_4 + 2H_2O$

電気分解
CuSO₄²⁻ （H⁺ OH⁻）弱酸性
C ➖ (Pt)$Cu^{2+} + 2e^- \longrightarrow 1Cu$ ……② ⬅ Cu²⁺＞H⁺なので
　　　　e⁻2 mol あたり Cu1 mol = 64g 析出する
D ➕ (Pt)$2H_2O \longrightarrow O_2 + 4H^+ + 4e^-$ ⬅ Cl⁻や I⁻は存在せず，酸性なので OH⁻の反応を H₂O に直す
　　┗→ 極板は溶けない

以上より，e^- 2 mol あたり電極 B では①式より SO_4(96 g) の質量が増加し，白金電極 C では②式より Cu 1 mol ＝64 g の質量が増加することがわかる。その質量増加の比は，<u>96</u> ： <u>64</u> ＝3：2 となる。たとえば電極 B が15 g 増加すれば，白金電
電極 B 電極 C
極 C は10 g 増加する。よって，直線④が答えになる。

4 物質量（mol）計算のコツ

　物質量（mol）を求めることや反応式の係数を使って物質量（mol）計算をすることに慣れてきたかな？　今までは確実に解くことを最優先にした計算方法を紹介してきたので，ここからは確実に解くという原則を守りながらもスピードを意識した解き方を紹介していくことにするね。

　反応式の係数関係も瞬時に読みとれるようにしたいんだ。

計算のコツ② 反応式の係数の読みとり方

計算になれてきたら，次のように考えられるようにしよう。

この反応式からわかることは，

(1) C は，A の $\times \dfrac{c}{a}$ 倍 (mol) 生成する。

(2) B は，A の $\times \dfrac{b}{a}$ 倍 (mol) 反応する。

(3) C は，B の $\times \dfrac{c}{b}$ 倍 (mol) 生成する。

思 考力のトレーニング 2　やや難 4分

白金電極を用いて $CuSO_4$ 水溶液 200 mL を 0.100 A の電流で電気分解した。このとき，陽極では O_2 が発生し，陰極では表面に Cu が析出したが気体は発生しなかった。一方，水溶液中の水素イオン濃度 $[H^+]$ は 1.00×10^{-5} mol/L から 1.00×10^{-3} mol/L に変化した。電流を流した時間は何秒か。最も適当な数値を，次の①〜④のうちから1つ選べ。ただし，ファラデー定数を 9.65×10^4 C/mol とし，$[H^+]$ の変化はすべて電極での反応によるものとする。

①　48　　②　1.9×10^2　　③　3.8×10^2　　④　7.6×10^2

解答・解説

②

次の反応が起こる。

Cu^{2+} SO_4^{2-}　$\begin{cases} \ominus \text{(Pt)} & Cu^{2+} + 2e^- \longrightarrow Cu \quad \leftarrow Cu^{2+} > H^+ \text{なので表面に Cu が析出する} \\ \oplus \text{(Pt)} & 2H_2O \longrightarrow O_2 + 4H^+ + 4e^- \quad \leftarrow Cl^- や I^- は存在せず，弱酸 \\ & \qquad\qquad\qquad\qquad\qquad\qquad 性なので H_2O に直す \end{cases}$

$(H^+ \ OH^-)$

この電気分解により，水溶液中の $[H^+]$ は，

$1.00 \times 10^{-3} - 1.00 \times 10^{-5} = 9.9 \times 10^{-4}$ mol/L 増加し，

水溶液の体積が200 mL であることから，H^+は，

$$9.9 \times 10^{-4} \times \frac{200}{1000} \bigg|_{H^+\,(\text{mol})} = 1.98 \times 10^{-4} \,\text{mol 増加した。}$$

電流を流した時間を t 秒とすると，

⊕(Pt)　$2H_2O \longrightarrow O_2 + 4H^+ + 4e^-$，　$0.100\,\text{A} = 0.100\,\text{C/s}$，　$9.65 \times 10^4\,\text{C/mol}$

から次の式が成り立つ。

$$\underset{\text{増加した}H^+\,(\text{mol})}{1.98 \times 10^{-4}} \bigg| \times \underset{\text{流れた}e^-\,(\text{mol})}{1} \bigg| = \underset{\text{電流(C/s)}}{0.100} \bigg| \times \underset{\text{電気量(C)}}{t} \bigg| \times \underset{\text{流れた}e^-\,(\text{mol})}{\frac{1}{9.65 \times 10^4}} \bigg|$$

よって，$t \fallingdotseq 1.9 \times 10^2$ 秒

★今後のチェック問題では『計算のコツ』を利用し，**共通テスト本番を意識（スピード重視・ミスをしない）した解法をとっていく**ことにするね。

反応の速さ

1 反応速度を決める要素について

❶ 濃度と反応速度

　空気中でスチールウールを熱しても表面が酸化されるだけだけど，純粋な酸素 O_2 中に熱したスチールウールを入れると火花を散らして激しく燃焼する。**これは，酸素の濃度が，純粋な酸素中では空気中の約 5 倍も大きくなっているから**なんだ。

　このように，「**反応物の濃度が大きいほど反応速度は大きく**」なる。これは，反応物の濃度が大きいほど反応に関与する粒子どうしの衝突回数が増えるからなんだ。

衝突回数 ⓘ少

衝突回数 ⓘ多

低濃度　　　　　　　　　高濃度

　反応物が気体どうしのときは，気体の濃度と気体の分圧は比例するので，**反応する気体の分圧が大きいほど**衝突する回数が増加し**反応速度は大きく**なるんだ。

　気体の状態方程式を変形すると　$P = \dfrac{n}{V} RT$　（圧力）（モル濃度）

となるから，圧力と濃度が比例することがわかるね。

　反応物に固体を使うときは，**固体を粉末状にすると固体の表面積が大きくなる**ので，衝突する回数が増加して**反応速度は大きく**なるんだ。

細かくする
表面積 ⓘ大

❷ 温度と反応速度

　「**温度が高くなるほど反応速度は大きく**」なる。これは，温度が高くなると反応物の熱運動が激しくなり，**反応が起こるために必要な最小のエネルギー**（活性化エネルギー，記号 E_a）を超える運動エネルギーをもつ分子の数が急激に増加するからなんだ。

　温度が高くなると元気な分子が増えるからだね。

　そうなんだ。反応温度が10K 上がるごとに，反応速度は 2 〜 4 倍になる化学反応が多い。次の分子の分布のようすもチェックしておいてね。

E_a は活性化エネルギーを表している

❸ 触媒と反応速度

　反応の前後で自身は変化せず，反応速度を大きくする物質を**触媒**という。**触媒を使うと，活性化エネルギーが小さくなるので，反応速度は大きくなる**んだ。

 触媒を使うと，反応を起こすために必要な活性化エネルギーが小さくてすむんだね。

　そうなんだ。あと，触媒には，反応物と均一に混じり合う**均一触媒**と反応物と均一に混じり合わない**不均一触媒**がある。たとえば，オキシドール（過酸化水素 H_2O_2 水）に加える Fe^{3+} は均一触媒（オキシドールと混じり合う），オキシドールに加える酸化マンガン（Ⅳ）MnO_2 は不均一触媒（オキシドールと混じり合わない）になるんだ。

ポイント ▶ 反応速度を大きくするおもな条件

① 反応物の濃度を大きくする　　② 温度を高くする　　③ 触媒を加える

水素 H_2 の爆発や塩酸 HCl と水酸化ナトリウム NaOH 水溶液の中和などは，反応させた瞬間に反応がほとんど終わってしまう。これに対し，鉄くぎを空気中に放置しておくと，鉄くぎが空気中の酸素 O_2 や水 H_2O と長い時間をかけて徐々に反応してさびていく。このように，化学反応にはその種類によって，瞬間的に終わる**速い反応**から長い時間をかけて進む**遅い反応**までいろいろあるんだ。

 速い・遅いのちがいはどうして出てくるの？

　化学反応が起こるためには，「一定以上のエネルギーをもつ粒子どうし」が「反応するのに都合のよい方向から衝突する」などの条件が必要になるからなんだ。そして，衝突した**粒子が反応するためには，エネルギーの高い状態**（遷移状態または，活性化状態）**を経由していく必要がある**んだ。

 なかなか難しいね。

　そうだね。反応物を遷移状態にするのに必要な最小のエネルギーが活性化エネルギーで，衝突する**粒子が活性化エネルギーをこえるだけのエネルギーをもっていないと反応は起こらない**んだ。
　あと，反応速度を大きくするための次の❶，❷の条件を確認してね。
❶　**温度を高く**すると，反応物の**熱運動がはげしくなり，活性化エネルギーを超える運動エネルギーをもつ分子の数が急激に増加する**。その結果，**反応速度が大きく**なる。
❷　**触媒を使う**と，**活性化エネルギーが小さくなり，反応速度が大きく**なる。ただし，触媒を使っても反応エンタルピーの大きさは変化せず，一定のまま。

反応速度に関する記述として下線部に誤りを含むものはどれか。最も適当なものを，次の①〜⑨のうちから2つ選べ。

① 反応物の濃度が大きくなると，反応に関与する粒子どうしの単位時間当たりの衝突回数が増える。

② 亜鉛 Zn が希塩酸 HCl に溶けて水素を発生する反応では，希塩酸 HCl の濃度が高いほうが，反応速度が大きくなる。

③ 反応に関与する粒子どうしが衝突しても，活性化エネルギーを超えるエネルギーをもたないと反応が起こらない。

④ 水素 H_2 とヨウ素 I_2 からヨウ化水素 HI が生成する反応では，温度が高いほうが，反応速度が大きくなる。

⑤ 温度を上げると反応速度が大きくなるのは，活性化エネルギーが小さくなるためである。

⑥ 石灰石 $CaCO_3$ に希塩酸 HCl を加えて二酸化炭素 CO_2 を発生させる反応では，石灰石 $CaCO_3$ の粒を砕いて小さくし，表面積を大きくすると反応速度が大きくなる。

⑦ 反応エンタルピーの大きさは，触媒の有無にかかわらず，変わらない。

⑧ 過酸化水素 H_2O_2 の分解反応で，触媒として酸化マンガン(Ⅳ)を少量加えた場合，反応の前後でマンガン原子の酸化数が変化する。

⑨ 過酸化水素 H_2O_2 の分解反応で，少量の塩化鉄(Ⅲ)$FeCl_3$ 水溶液を加えると，反応速度が大きくなる。

解答・解説

⑤，⑧

① 反応物の濃度（気体では分圧）が大きくなると，反応物の粒子どうしの衝突回数が増える。このため，反応に関与する粒子どうしの単位時間あたりの衝突回数も増え，反応速度が大きくなる。〈正しい〉

② $Zn + 2H^+$（希塩酸 HCl の H^+）$\longrightarrow$ $Zn^{2+} + H_2$ の反応が起こる。希塩酸 HCl の濃度が高いほうが H^+ の濃度が高いので，Zn と H^+ の衝突回数が増えることで反応速度が大きくなる。〈正しい〉

③ 活性化エネルギーを超えるエネルギーをもつ分子が衝突することで反応が起こる。〈正しい〉

④ 温度が高くなると，活性化エネルギーを超える運動エネルギーをもつ分子が急激に増加するので，反応速度が大きくなる。〈正しい〉

⑤ 温度を上げても活性化エネルギーは変化しない。触媒を用いると，活性化エネルギーが小さくなる。〈誤り〉温度を上げると反応速度が大きくなる理由は，④

の解説を参照。

⑥ $CaCO_3(固体) + 2HCl \longrightarrow CaCl_2 + H_2O + CO_2$ の反応が起こる。固体が関わる反応では，固体の表面積を大きくすると反応速度が大きくなる。〈正しい〉

⑦ 触媒を用いると，活性化エネルギーは小さくなるが，反応エンタルピーの大きさは変わらない。〈正しい〉

⑧, ⑨ 過酸化水素 H_2O_2 の水溶液中での分解反応は，次式になる。

$$2H_2O_2 \longrightarrow 2H_2O + O_2$$

この反応の触媒として，酸化マンガン(IV)MnO_2(不均一触媒)，塩化鉄(III) $FeCl_3$ の Fe^{3+} や肝臓などに含まれる酵素カタラーゼ(いずれも均一触媒)が用いられる。触媒は反応の前後で変化しないので，反応の前後でマンガン原子 Mn の酸化数は変化しない。⑧が〈誤り〉で，⑨は〈正しい〉。

2 反応の速さの表し方について

化学反応の速さは，ふつう**単位時間に減少する反応物または増加する生成物のモル濃度の変化量**で表し，これを<u>平均の反応速度</u>または<u>反応速度</u>というんだ。平均の反応速度を $\bar{v}$ とすると，$\bar{v}$ は次のように表すことができる。

$$\bar{v} = \frac{反応物のモル濃度の減少量}{反応時間} \quad または \quad \bar{v} = \frac{生成物のモル濃度の増加量}{反応時間}$$

平均を表している

たとえば，反応物(過酸化水素 H_2O_2)が 25 ℃で，

$$2H_2O_2 \longrightarrow 2H_2O + O_2$$

のように分解する反応について，2 分間で H_2O_2 が 0.060 mol/L 減少したとき，H_2O_2 の平均の分解速度 $\bar{v}$ は，

$$\bar{v} = \frac{0.060 \text{ mol/L 減少}}{2 \text{ 分間}} = \frac{0.060 \text{ mol/L}}{2 \text{ min}} = 0.030 \text{ mol/(L·min)}$$

「分」の記号は「min」

と求められるんだ。

 なるほどね。

反応物 A が生成物 B になる反応

$$A \longrightarrow B$$

について考えてみるね。

反応物 A の時刻 t_1 におけるモル濃度を $[A]_1$ として，時刻 t_2 ではモル濃度が $[A]_2$ まで減少したとすると，平均の反応速度 $\bar{v}$ は，次のように表すんだ。

変化量を表す記号(デルタ)

$$\bar{v} = -\frac{[A]_2 - [A]_1}{t_2 - t_1} = -\frac{\Delta[A]}{\Delta t}$$

v の値は正とするために −(マイナス)の符号をつける

$\varDelta$は変化量を表す記号なので，$\varDelta[\mathrm{A}] = [\mathrm{A}]_2 - [\mathrm{A}]_1$，$\varDelta t = t_2 - t_1$ になる。
反応物は時間とともに減少し $\varDelta[\mathrm{A}]$ は負となるので，$\bar{v}$ の値を正とするために右辺に－（マイナス）の符号をつける。

チェック問題 2

標準 2分

　図は，体積一定の容器に入っている5.0×10^{-7} mol/L の気体のアルケン A と 5.0×10^{-7} mol/L の O_3 を，温度一定で反応させたときのアルケン A のモル濃度の時間変化である。反応開始後1.0秒から6.0秒の間に，アルケン A が減少する平均の反応速度は何 mol/(L・s)か。その数値を有効数字2桁の次の形式で表すとき，　1　～　3　にあてはまる数字を，後の①～⓪のうちから1つずつ選べ。ただし，同じものをくり返し選んでもよい。

　アルケン A が減少する平均の反応速度
　　1 . 2 × 10⁻ 3 mol/(L・s)

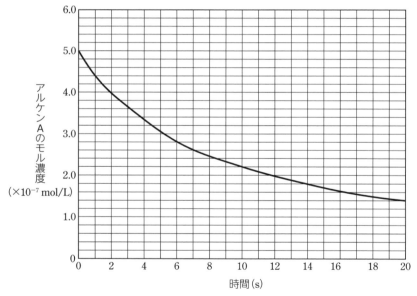

図　アルケン A のモル濃度の時間変化

① 1　　② 2　　③ 3　　④ 4　　⑤ 5
⑥ 6　　⑦ 7　　⑧ 8　　⑨ 9　　⓪ 0

解答・解説

| 1 | 3 | 2 | 2 | 3 | 8 |

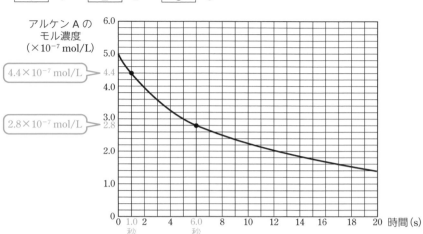

アルケン A のモル濃度（×10^{-7} mol/L）

$4.4×10^{-7}$ mol/L

$2.8×10^{-7}$ mol/L

アルケン A が減少する平均の反応速度 $\bar{v}$ は，

$$\bar{v} = -\frac{2.8 \times 10^{-7} - 4.4 \times 10^{-7}}{6.0 - 1.0}\frac{\text{mol/L}}{\text{s}} = 3.2 \times 10^{-8}\ \text{mol/(L·s)}$$

「秒」の記号は「s」

↑
v の値は正とするために－（マイナス）の符号をつける

思 考力のトレーニング 1　やや難 4分

　ある濃度の過酸化水素水 100 mL に，触媒としてある濃度の塩化鉄(III)水溶液を加え200 mL とした。発生した酸素の物質量を，時間を追って測定したところ，反応初期と反応全体では，それぞれ，図1と図2のようになり，過酸化水素は完全に分解した。この結果に関する次の問い(a・b)に答えよ。ただし，混合水溶液の温度と体積は一定に保たれており，発生した酸素は水に溶けないものとする。

図1

図2

a 混合する前の過酸化水素水の濃度は何 mol/L か。最も適当な数値を，次の①〜⑥のうちから 1 つ選べ。

① 0.050　　② 0.10　　③ 0.20
④ 0.50　　⑤ 1.0　　⑥ 2.0

b 最初の20秒間において，混合水溶液中の過酸化水素の平均の分解速度は何 mol/(L・s)か。最も適当な数値を，次の①〜⑥のうちから 1 つ選べ。

① 4.0×10^{-4}　　② 1.0×10^{-3}　　③ 2.0×10^{-3}
④ 4.0×10^{-3}　　⑤ 1.0×10^{-2}　　⑥ 2.0×10^{-2}

解答・解説

a ⑤　　b ③

図2の反応初期(時間 0〜100 s のところ)を拡大したものが図1であることに注意する。つまり，0〜100 s で発生した O_2 の物質量(mol)を正確に知るには，図1を読みとる必要がある。

a 混合する前の H_2O_2 水を x (mol/L)とする。

図2より H_2O_2 がすべて分解すると，O_2 0.050 mol が発生したことがわかる。

ここで，触媒として塩化鉄(Ⅲ)$FeCl_3$(Fe^{3+})を加えると，H_2O_2 は次の反応を起こして分解する。

時間1000 s でH_2O_2がすべて分解したので，発生したO_2が 0.050 mol より増えなくなる。

$2H_2O_2 \longrightarrow 2H_2O + 1O_2$

よって，次の式が成り立つ。

混合する前の H_2O_2 水は100 mL なので

$$x \times \frac{100}{1000} \times \frac{1}{2} = 0.050$$ より，$x = 1.0$ mol/L

混合する前の H_2O_2水 (mol/L)　H_2O_2 (mol)　発生した O_2 (mol)　発生した O_2 (mol)

b 最初の20秒間において O_2 0.0040 mol が発生したことを図1から読みとることができる。また，H_2O_2 の分解反応

$2H_2O_2 \longrightarrow 2H_2O + 1O_2$

発生した O_2 の mol の 2 倍が反応する

から，最初の20秒間で H_2O_2 は物質量で 0.0040×2 mol 減少したことがわかる。

これは，モル濃度に直すと，$\dfrac{0.0040 \times 2\ \text{mol}}{\dfrac{200}{1000}\ \text{L}} = 0.040\ \text{mol/L}$ 減少したことになる。 混合水溶液は 200 mL
（ミスしやすいので注意しよう！）

よって，混合水溶液(200 mL)の中の H_2O_2 の平均の分解速度 $\bar{v}$ は，

減少したので−になる

$$\bar{v} = -\frac{\varDelta[H_2O_2]}{\varDelta t} = -\frac{-0.040\ \text{mol/L}}{20\ \text{s}} = 2.0 \times 10^{-3}\ \text{mol/(L·s)}$$

正とするために−をつける

3 反応速度式について

反応物の濃度と反応速度の関係を表す式を**反応速度式**または**速度式**というんだ。
反応物 A と B から生成物 C ができる反応

  A ＋ B ⟶ C

の反応速度式は，

  $v = k\ [A]^x[B]^y$

となり，k は**反応速度定数**または**速度定数**とよばれ，温度などの条件が一定であれば一定の値になる。**反応速度式は実験の結果から求めるものなので，化学反応式の係数から単純に決めることはできない**んだ。

チェック問題 3

 やや難 3分

 一定温度で分子 X と分子 Y から分子 Z が生成する反応 X ＋ Y ⟶ Z の反応速度(v)は，一般に $v = k[X]^x[Y]^y$ で表される。[X]，[Y] は X，Y のモル濃度である。指数の x，y は整数，分数，負の数，0 などいろいろな場合があり，これらの値は，化学反応式から単純に決めることはできず，実験的に決定される。
 いま，一定温度で，AB(気体)と C_2(気体)から ABC(気体)を生成し，やがて平衡に達する反応，2AB ＋ C_2 ⇄ 2ABC について AB や C_2 の濃度をいろいろ変えて実験を行い，右表のような結果を得た。

実験	初濃度(mol/L)		ABC の生成初速度 (mol/(L·s))
	AB	C_2	
1	0.10	0.10	6
2	0.10	0.20	12
3	0.10	0.30	18
4	0.20	0.10	24
5	0.30	0.10	54

(1) この反応の反応速度(v)を $v = k[AB]^x[C_2]^y$ と表すとき，x と y の値はいくつになるか。x と y の組み合わせとして正しいものを下の①〜④のうちから1つ選べ。

 ① $x=1$, $y=1$ ② $x=2$, $y=1$ ③ $x=1$, $y=2$ ④ $x=2$, $y=2$

(2) (1)で求めた x と y の値と実験データから, (1)の式の反応速度定数 k
（$L^2/(mol^2 \cdot s)$）はいくつになるか。正しいものを次の①～⑤のうちから1つ選
べ。

① 6×10^2 ② 6×10^3 ③ 6×10^4 ④ 6×10^5 ⑤ 6×10^6

解答・解説

(1) ②   (2) ②

(1) ［AB］＝0.10 mol/L で一定のもと

実験1と2より, ［C₂］が $\dfrac{0.20}{0.10}＝2$ 倍になると v も $\dfrac{12}{6}＝2$ 倍

実験1と3より, ［C₂］が $\dfrac{0.30}{0.10}＝3$ 倍になると v も $\dfrac{18}{6}＝3$ 倍

➡ v は ［C₂］に比例するので, $y＝1$ とわかる。

［C₂］＝0.10 mol/L で一定のもと

実験1と4より, ［AB］が $\dfrac{0.20}{0.10}＝2$ 倍になると v は $\dfrac{24}{6}＝4$ 倍

実験1と5より, ［AB］が $\dfrac{0.30}{0.10}＝3$ 倍になると v は $\dfrac{54}{6}＝9$ 倍

➡ v は ［AB］^{2} に比例するので $x＝2$ とわかる。

よって, 反応速度式は $v＝k［AB］^2［C_2］$ になり, $x＝2$, $y＝1$ とわかる。

(2) 一定温度なので, 実験1～5のどの値を代入して求めても k は同じ値になる。
たとえば,

$v＝k［AB］^2［C_2］$ に, 実験1のデータを代入してみる。

$6＝k \times (0.10)^2 \times 0.10$ $k＝6000＝6 \times 10^3$

k の単位は, $\dfrac{mol}{L \cdot s}＝k \times \left(\dfrac{mol}{L}\right)^2 \times \left(\dfrac{mol}{L}\right)$ より $k＝L^2/(mol^2 \cdot s)$

次の 思 **考力のトレーニング 2** を利用して, 問題文中に与えられている表（[ ]
以外の数値が与えられている部分も含めて）を完成させ, 反応速度式を求められる
ようにしよう。

分子 A が分子 B に変化する反応があり，その化学反応式は A ⟶ B で表される。1.00 mol/L の A の溶液に触媒を加えて，この反応を開始させ，1 分ごとの A の濃度を測定したところ，表に示す結果が得られた。ただし，測定中は温度が一定で，B 以外の生成物はなかったものとする。

表　A の濃度と反応速度の時間変化

時間(min)	0		1		2		3		4
A の濃度(mol/L)	1.00		0.60		0.36		0.22		0.14
A の平均濃度 $\bar{c}$ (mol/L)		0.80		[　]		[　]		[　]	
平均の反応速度 $\bar{v}$ (mol/(L·min))		[　]		[　]		0.14		[　]	

問1　B の濃度は時間の経過とともにどのように変わるか。B の濃度変化のグラフとして最も適当なものを，次の①〜⑥のうちから 1 つ選べ。

①

②

③

④

⑤

⑥

問2　表の空欄 [　] を補うと，平均濃度 $\bar{c}$ と平均の反応速度 $\bar{v}$ の間には，$\bar{v} = k\bar{c}$ で表される関係があることがわかった。ここで，k は反応速度定数である。この温度での k の値(1/min)として最も適当なものを，次の①〜⑥のうちから 1 つ選べ。

①　0.008　　②　0.03　　③　0.08　　④　0.3　　⑤　0.5　　⑥　2

解答・解説

問1　⑤　　問2　⑤

問1　$0 \sim 1 \min$ で，A は $1.00 - 0.60 = 0.40$ mol/L 減
少している。よって，$\boxed{1\,\text{A} \xrightarrow[\times 1]{} 1\,\text{B}}$ より，反応

開始から 1 min 後に B は 0.40×1 mol/L になる。

$0 \sim 2 \min$ で A は $1.00 - 0.36 = 0.64$ mol/L 減少
している。よって，$\boxed{1\,\text{A} \xrightarrow[\times 1]{} 1\,\text{B}}$ より，反応開

始から 2 min 後に B は 0.64×1 mol/L になる。
以上より，B の濃度変化のグラフは⑤とわかる。

問2　反応速度式の求め方の　手順　を知っておこう。
　　　手順1　反応物の平均濃度 $\bar{c}$ と平均の反応速度 $\bar{v}$ を求める。
　　　手順2　$\bar{v}$ と $\bar{c}$ の関係式である反応速度式を求める。

手順1　まず，A の平均濃度 $\bar{c}$ (mol/L) を求める。

時間(min)	0	1	2	3	4	⋯
A の濃度(mol/L)	1.00	0.60	0.36	0.22	0.14	⋯

平均濃度は，
「2点の mol/L を ➡
たして2で割る」

$$\dfrac{1.00 + 0.60}{2} \qquad \dfrac{0.60 + 0.36}{2} \qquad \dfrac{0.36 + 0.22}{2} \qquad \dfrac{0.22 + 0.14}{2}$$

$$\Big\downarrow \qquad\qquad \Big\downarrow \qquad\qquad \Big\downarrow \qquad\qquad \Big\downarrow$$

$$\begin{array}{cccc}
0.80 \text{ mol/L} & 0.48 \text{ mol/L} & 0.29 \text{ mol/L} & 0.18 \text{ mol/L} \\
\left(\begin{array}{c}0 \sim 1 \text{分の}\\ \text{平均濃度}\end{array}\right) & \left(\begin{array}{c}1 \sim 2 \text{分の}\\ \text{平均濃度}\end{array}\right) & \left(\begin{array}{c}2 \sim 3 \text{分の}\\ \text{平均濃度}\end{array}\right) & \left(\begin{array}{c}3 \sim 4 \text{分の}\\ \text{平均濃度}\end{array}\right)
\end{array}$$

次に，平均の反応速度 $\bar{v}$ (mol/(L·min)) を求める。

時間(min)	0	1	2	3	4	⋯
A の濃度(mol/L)	1.00	0.60	0.36	0.22	0.14	⋯

$0 \sim 1$ 分では，$\bar{v} = -\dfrac{0.60 - 1.00 \text{ mol/L}}{1 - 0 \text{ min}} = 0.40$ mol/(L·min)

$1 \sim 2$ 分では，$\bar{v} = -\dfrac{0.36 - 0.60 \text{ mol/L}}{2 - 1 \text{ min}} = 0.24$ mol/(L·min)

$2 \sim 3$ 分では，$\bar{v} = -\dfrac{0.22 - 0.36 \text{ mol/L}}{3 - 2 \text{ min}} = 0.14$ mol/(L·min)

$3 \sim 4$ 分では，$\bar{v} = -\dfrac{0.14 - 0.22 \text{ mol/L}}{4 - 3 \text{ min}} = 0.08$ mol/(L·min)

手順2 まず，**手順1** で求めた $\bar{c}$ や $\bar{v}$ の値から問題文の表を完成させる。

表　Aの濃度と反応速度の時間変化

時間 (min)	0		1		2		3		4
Aの濃度 (mol/L)	1.00		0.60		0.36		0.22		0.14
Aの平均濃度 $\bar{c}$ (mol/L)		0.80		[0.48]		[0.29]		[0.18]	
平均の反応速度 $\bar{v}$ (mol/(L·min))		[0.40]		[0.24]		0.14		[0.08]	

次に，$\bar{v}$ と $\bar{c}$ の関係をグラフにし，関係式を求める。

⇨正比例のグラフになる。
$\left(\begin{array}{c} \bar{v} = k\bar{c} \text{ で} \\ \text{表される} \\ \text{関係がある。} \end{array} \right)$

このグラフの傾き（反応速度定数 k）の値は，

$$k = \frac{\bar{v}}{\bar{c}}_{\text{（傾き）}} = \frac{\underset{\text{たて}}{(0.40)}}{\underset{\text{よこ}}{(0.80)}} = 0.5 \quad \longleftarrow \frac{0.08}{0.18},\ \frac{0.14}{0.29},\ \frac{0.24}{0.48} \text{ から求めることもできる。}$$

となる。よって，⑤が答えになり，この反応の反応速度式は $\bar{v} = 0.5\,\bar{c}$ とわかる。

$$\left(k \text{ の単位は } \frac{\dfrac{\text{mol}}{\text{L·min}}}{\dfrac{\text{mol}}{\text{L}}} = \frac{1}{\text{min}} = 1/\text{min}\ \text{となる} \right)$$

13 時間目 化学平衡

1 可逆反応と化学平衡について

　水素 H_2 とヨウ素 I_2 の混合気体を密閉容器に入れて加熱し，一定温度に保つと，ヨウ化水素 HI が生成する。その後，ある程度の時間がたつと，生成した HI の一部が分解して，H_2，I_2 が生成する逆向きの反応も起こるんだ。

$$H_2 + I_2 \rightleftarrows 2HI$$

⟶ が正反応，⟵ が逆反応だったね。

　そうだね。**左から右への反応を**正反応，**右から左への反応を**逆反応**という。正反応と逆反応の両方が起こるとき，このような反応を**可逆反応**というんだ。**

　可逆反応において，正反応の反応速度を v_1，逆反応の反応速度を v_2 とすると，反応が進んである程度の時間がたつと $v_1 = v_2$ になり，**見かけ上は反応が止まったような状態になる。このような状態を**化学平衡の状態**または，単に**平衡状態**という。平衡状態は，正反応や逆反応が止まったのではなく，H_2，I_2，および HI の各物質が一定の割合で混合した状態になっている**んだ。

平衡
状態

H_2　I_2　HI

平衡状態では，正反応と逆反応の
➡ 反応速度が等しくなっていて，
$$v_1 = v_2 \neq 0$$
になる

　反応はじめの段階では，H_2 と I_2 のモル濃度(mol/L)([H_2]，[I_2])が大きいので正反応の反応速度 v_1 は大きいけれど，反応が進むと [H_2]，[I_2] が減少し，v_1 は小さくなる。それに対して，反応が進むと HI のモル濃度(mol/L)は大きくなり，逆反応の反応速度 v_2 は大きくなる。左から右への反応の見かけの反応速度は $v_1 - v_2$ で，ある時間が経過すると，v_1 と v_2 の関係は $v_1 = v_2$ つまり $v_1 - v_2 = 0$ となり，見かけ上反応は停止した状態(＝平衡状態)になるんだ。

右向きの反応

濃度
(mol/L)

[HI]

[H_2] = [I_2]

時間　t_C
平衡状態

反応速度

正反応の反応速度v_1

逆反応の反応速度v_2

右向きの見かけの
反応速度$v_1 - v_2$

0　　時間　t_C
平衡状態

チェック問題 1

〔標準〕 2分

二酸化窒素を一定容積の容器に入れて密閉し，一定の温度に保っておいたところ，四酸化二窒素を生じ，次の平衡状態に達した。

$$2NO_2 \rightleftharpoons N_2O_4$$

この「平衡状態に達した」ということの意味を，最も適切に表現しているものを，次の①〜④のうちから1つ選べ。

① NO_2 と N_2O_4 の濃度が，等しくなった。

② NO_2 と N_2O_4 の圧力(分圧)が，等しくなった。

③ NO_2 分子から N_2O_4 分子が生ずる反応も，N_2O_4 分子から NO_2 分子が生ずる反応も，どちらもまったく起こらなくなった。

④ 単位時間内に N_2O_4 分子に変化する NO_2 分子の数と，N_2O_4 分子から生ずる NO_2 分子の数が，ちょうど等しくなった。

解答・解説

④

①，② 濃度や分圧がいつも等しくなるとは限らない。どちらも，〈誤り〉

例 $2NO_2 \rightleftharpoons 1N_2O_4$ ←一定容積の容器中
(平衡時) x (mol) y (mol)

$x \neq y$ ならば，濃度や分圧は異なる。

$x = y$ ならば，濃度や分圧は等しい。ただし，常に $x = y$ になるわけではない。

③ $2NO_2 \underset{v_2}{\overset{v_1}{\rightleftharpoons}} N_2O_4$

平衡状態では，$v_1 = v_2 \neq 0$ である。$v_1 = v_2 = 0$ ではない。〈誤り〉

④ 平衡状態では，見かけ上反応が停止している。〈正しい〉

2 平衡定数と化学平衡の法則について

物質 A と物質 B が反応して，物質 C と物質 D が生成する可逆反応は，次のように表すことができた。

$$a A + b B \rightleftharpoons c C + d D (a, b, c, d は係数)$$

この可逆反応が，ある温度で平衡状態にあるとき，各物質 A，B，C，D のモル濃度をそれぞれ [A]，[B]，[C]，[D] とすると，次の関係式が成り立つ。

$$K = \frac{[C]^c[D]^d}{[A]^a[B]^b}$$

この **K** を(濃度)平衡定数といい，**この式で表される関係を化学平衡の法則**または**質量作用の法則**という。(濃度)平衡定数は，**温度が一定であれば**，反応物や生成物の

モル濃度がさまざまな値をとっても，それらの濃度の間に一定の関係が成立することで**平衡定数 K の値は一定**に保たれるんだ。

また，**溶媒として多量に存在する水や固体物質の濃度は事実上一定（一定とみなせる）なので，平衡定数 K には含めない**んだ。

例 $N_2(気) + 3H_2(気) \rightleftharpoons 2NH_3(気)$ $\qquad K = \dfrac{[NH_3]^2}{[N_2][H_2]^3}$

例 $C(固) + CO_2(気) \rightleftharpoons 2CO(気)$ $\qquad K = \dfrac{[CO]^2}{[CO_2]}$ ⟵ C（固）は含めない

たとえば，窒素 N_2 と水素 H_2 からアンモニア NH_3 が生成する可逆反応

$\qquad N_2(気) + 3H_2(気) \rightleftharpoons 2NH_3(気)$

が平衡状態のとき，それぞれの気体のモル濃度を $[N_2]$，$[H_2]$，$[NH_3]$ とすると，この反応の（濃度）平衡定数 K はどう表せたか覚えてる？

> 😊 $K = \dfrac{[NH_3]^2}{[N_2][H_2]^3}$ だよね。

そうだね。混合気体のモル濃度のかわりに，**分圧で表した平衡定数である圧平衡定数 K_P を用いる**こともあるんだ。気体の反応が平衡状態の場合，濃度よりも圧力のほうが調べやすいから，圧平衡定数 K_P を使うことが多くなる。

$\qquad N_2(気) + 3H_2(気) \rightleftharpoons 2NH_3(気)$

の可逆反応では，それぞれの気体の分圧を P_{N_2}，P_{H_2}，P_{NH_3} とすると，

$$K_P = \frac{P_{NH_3}{}^2}{P_{N_2} \cdot P_{H_2}{}^3}$$

となり，**圧平衡定数も温度が一定であれば，一定の値をとる。**

ここで，N_2，H_2，NH_3 それぞれについて $PV = nRT$ が成り立つから，それぞれの分圧 P_{N_2}，P_{H_2}，P_{NH_3} を表してみよう。$PV = nRT$ は $P = \dfrac{n}{V}RT$ と変形できて，$\dfrac{n\,(mol)}{V\,(L)}$ は気体のモル濃度を表しているんだ。

> 😊 じゃあ，N_2，H_2，NH_3 のモル濃度は $[N_2]$，$[H_2]$，$[NH_3]$ だから
> $\qquad P_{N_2} = [N_2]RT, \quad P_{H_2} = [H_2]RT, \quad P_{NH_3} = [NH_3]RT$
> になるね。

そうだね。だから，K_P は，

$$K_P = \frac{P_{NH_3}{}^2}{P_{N_2} \cdot P_{H_2}{}^3} = \frac{([NH_3]RT)^2}{([N_2]RT)([H_2]RT)^3} = \frac{[NH_3]^2}{[N_2][H_2]^3} \times \frac{1}{(RT)^2}$$

となり，

$$K_P = K \times \frac{1}{(RT)^2}$$

と表すことができる。

ポイント ▶ K と K_P について

$$N_2(気) + 3H_2(気) \rightleftharpoons 2NH_3(気)$$

の可逆反応が平衡状態のとき，反応物と生成物の間には次の関係が成立する

$$K = \frac{[NH_3]^2}{[N_2][H_2]^3} \qquad K_P = \frac{P_{NH_3}^2}{P_{N_2} \cdot P_{H_2}^3}$$

温度が一定であれば K，K_P は一定の値をとる

チェック問題 2　　　　　標準 3分

酢酸とエタノールから酢酸エチルを生成する平衡反応は，次の通りである。

$$CH_3COOH + C_2H_5OH \rightleftharpoons CH_3COOC_2H_5 + H_2O$$

1 mol の酢酸と 1 mol のエタノールを混合し，触媒として濃硫酸を少量加えた。平衡に達した後，残存する酢酸の量は 0.3 mol であった。この反応に関して，次の問い(1)，(2)に答えよ。

(1) 酢酸エチル生成の平衡定数はいくつになるか。最も適当な数値を，次の①～⑤のうちから1つ選べ。

① 2.3　　② 4.9　　③ 5.4　　④ 7.8　　⑤ 16.3

(2) 温度一定でこの平衡にさらに酢酸を 0.5 mol 加えると酢酸エチル生成の平衡定数の値は(1)に比べてどうなるか。最も適当なものを，次の①～③のうちから1つ選べ。

① 小さくなる　　② 変化しない　　③ 大きくなる

解答・解説

(1) ③　　(2) ②

(1) 溶液全体の体積を V (L) とする。平衡状態で酢酸 CH_3COOH が 0.3 mol 残存しているので，反応した CH_3COOH は $1-0.3=0.7$ mol となり，その量関係は次のようになる。

	$1CH_3COOH$	$+\,1C_2H_5OH$	$\rightleftharpoons$	$1CH_3COOC_2H_5$	$+\,1H_2O$
（反応前）	1 mol	1 mol			
（変化量）	-0.7 mol	-0.7 mol		$+0.7$ mol	$+0.7$ mol
（平衡時）	0.3 mol	0.3 mol		0.7 mol	0.7 mol

よって，平衡定数 K は，

$$K = \frac{[CH_3COOC_2H_5][H_2O]}{[CH_3COOH][C_2H_5OH]} = \frac{\left\{\dfrac{0.7 \text{ mol}}{V \text{ (L)}}\right\}\left\{\dfrac{0.7 \text{ mol}}{V \text{ (L)}}\right\}}{\left\{\dfrac{0.3 \text{ mol}}{V \text{ (L)}}\right\}\left\{\dfrac{0.3 \text{ mol}}{V \text{ (L)}}\right\}} \fallingdotseq 5.4$$

(2) 平衡状態においては，温度が一定であれば，反応物や生成物のモル濃度(mol/L)がどのような値をとっても K の値は一定に保たれる。つまり，変化しない。

チェック問題 3

やや難 3分

容積一定の密閉容器 X に水素 H_2 とヨウ素 I_2 を入れて，一定温度 T に保ったところ，次の式(1)の反応が平衡状態に達した。

$$H_2(気) + I_2(気) \rightleftharpoons 2HI(気) \tag{1}$$

平衡状態の H_2，I_2，ヨウ素化水素 HI の物質量は，それぞれ0.40 mol，0.40 mol，3.2 mol であった。

次に，X の半分の一定容積をもつ密閉容器 Y に1.0 mol の HI のみを入れて，同じ一定温度 T に保つと，平衡状態に達した。このときの HI の物質量は何 mol か。最も適当な数値を，次の①〜⑥のうちから1つ選べ。ただし，H_2，I_2，HI はすべて気体として存在するものとする。

① 0.060　② 0.11　③ 0.20　④ 0.80　⑤ 0.89　⑥ 0.94

解答・解説

④

平衡状態の各物質の物質量(mol)は，次のようになる。

（平衡時）	H_2(気)	+	I_2(気)	$\rightleftharpoons$	2HI(気)
	0.40 mol		0.40 mol		3.2 mol

密閉容器 X の容積を V(L)とすると，この温度における平衡定数 K は次のように表される。

$$K = \frac{[HI]^2}{[H_2][I_2]} = \frac{\left\{\dfrac{3.2 \text{ mol}}{V \text{ (L)}}\right\}^2}{\left\{\dfrac{0.40 \text{ mol}}{V \text{ (L)}}\right\}\left\{\dfrac{0.40 \text{ mol}}{V \text{ (L)}}\right\}} = 64 \quad \cdots\cdots① \quad \Leftarrow$$ 分母と分子にある V は約分によりすべて消える。

次に，密閉容器 Y に入れた HI 1.0 mol のうち反応した HI を $2x$ (mol)とすると，各物質の物質量(mol)は次のように表される。

↳ 反応式の係数関係を追うときに，分数をさけるため $2x$ (mol)とする。

$$\begin{array}{cccc}
 & H_2(気) & + \quad I_2(気) & \rightleftharpoons \quad 2HI(気) \\
(反応前) & 0 & 0 & 1.0 \text{ mol} \\
(変化量) & +x \text{ (mol)} & +x \text{ (mol)} & -2x \text{ (mol)} \\
(平衡時) & x \text{ (mol)} & x \text{ (mol)} & 1.0-2x \text{ (mol)}
\end{array}$$

ここで，密閉容器 Y の容積は X の半分なので $\dfrac{1}{2}V = 0.50V$ (L) になり，この温度における平衡定数 K は次のように表される。

$$K = \frac{[HI]^2}{[H_2][I_2]} = \frac{\left\{\dfrac{1.0-2x \text{ (mol)}}{0.50V \text{ (L)}}\right\}^2}{\left\{\dfrac{x \text{ (mol)}}{0.50V \text{ (L)}}\right\}\left\{\dfrac{x \text{ (mol)}}{0.50V \text{ (L)}}\right\}} = \frac{(1.0-2x)^2}{x^2} \quad \cdots\cdots② \quad \leftarrow \begin{array}{l}\text{分母と分子に}\\\text{ある}0.50V \text{ は}\\\text{約分により}\\\text{すべて消える。}\end{array}$$

温度 T が変化していないので，① ＝ ② となる。
  ↳ 温度が一定であれば，K の値は一定に保たれる。

$64 = \dfrac{(1.0-2x)^2}{x^2}$ となり，$\dfrac{1-2x}{x} = \pm 8$

ここで，$x > 0$，$1-2x > 0$ より，$\dfrac{1-2x}{x} = 8(>0)$ から $x = 0.10$ mol
　　　　生じた H_2 　残っている
　　　　や I_2(mol) 　HI(mol)

よって，それぞれの物質量(mol)は，
　　　$H_2 : x = 0.10$ mol，$I_2 : x = 0.10$ mol，$HI : 1.0 - 2x = \underline{0.80 \text{ mol}}$
となる。

チェック問題 4　　やや難 4分

　四酸化二窒素 N_2O_4(無色の気体)が分解して二酸化窒素 NO_2(赤褐色の気体)を生じる反応は，次のような可逆反応である。

　　　$N_2O_4 \rightleftharpoons 2NO_2$

(1) N_2O_4 の分圧が 5.0×10^3 Pa，NO_2 の分圧が 4.0×10^4 Pa のとき，圧平衡定数 $K_P = \dfrac{P_{NO_2}{}^2}{P_{N_2O_4}}$ の値に最も近い値を，次の①～⑤のうちから１つ選べ。

　① 8　　② 3.2×10^4　　③ 3.2×10^5　　④ 3.1×10^{-6}　　⑤ 3.1×10^{-8}

(2) 圧平衡定数 $K_P = \dfrac{P_{NO_2}{}^2}{P_{N_2O_4}}$ と平衡定数 $K = \dfrac{[NO_2]^2}{[N_2O_4]}$ の関係式を次の①～④のうちから１つ選べ。

　① $K_P = KRT$　　② $K_P = K(RT)^2$　　③ $K_P = \dfrac{K}{RT}$　　④ $K_P = \dfrac{K}{(RT)^2}$

解答・解説

(1) ③　　(2) ①

(1) $P_{N_2O_4} = 5.0 \times 10^3$ Pa,　$P_{NO_2} = 4.0 \times 10^4$ Pa より,

$$K_P = \frac{P_{NO_2}{}^2}{P_{N_2O_4}} = \frac{(4.0 \times 10^4 \text{ Pa})^2}{(5.0 \times 10^3 \text{ Pa})} = 3.2 \times 10^5 \text{ Pa}$$

(2) $PV = nRT$ より,　$P = \dfrac{n}{V} RT$

$$K_P = \frac{P_{NO_2}{}^2}{P_{N_2O_4}} = \frac{([NO_2] RT)^2}{[N_2O_4] RT} = \underbrace{\frac{[NO_2]^2}{[N_2O_4]}}_{K} \times RT \text{ より,}\quad K_P = K RT$$

平衡定数と反応速度定数

H_2(気) $+ I_2$(気) $\underset{v_2}{\overset{v_1}{\rightleftarrows}}$ $2HI$(気)　の可逆反応では, 正反応の反応速度を v_1, 逆反応の反応速度を v_2 とすると, それぞれの反応速度式は,

$v_1 = k_1 [H_2] [I_2]$ (k_1 は, 正反応の反応速度定数)

$v_2 = k_2 [HI]^2$ (k_2 は, 逆反応の反応速度定数)

となるんだ。

 どちらの反応速度式も反応式の係数と一致しているね。

そうだね。本来, **反応速度式は実験によって求めるもので, 反応式の係数からは単純に決まるものではない**んだ。たまたま今回は, 反応式の係数と一致したと考えてね。

平衡状態では $v_1 = v_2$ となり, $K = \dfrac{[HI]^2}{[H_2][I_2]}$ が成り立ったよね。

つまり, $v_1 = v_2$ より　$\underbrace{k_1 [H_2][I_2]}_{v_1} = \underbrace{k_2 [HI]^2}_{v_2}$

となり, $K = \dfrac{[HI]^2}{[H_2][I_2]} = \left(\dfrac{k_1}{k_2}\right)$ となる。

↑ 反応速度定数の比

つまり, $H_2 + I_2 \rightleftarrows 2HI$ の平衡では, K の値は反応速度定数の比になるんだ。

 温度一定で反応速度定数は一定になるから, その比も一定になるね。

そうなんだ。$H_2 + I_2 \rightleftarrows 2HI$ の平衡では, 温度が一定であれば K の値は反応速度定数の比になるので, 温度一定であれば K の値は一定になるといえるね。

考力のトレーニング 1 難 4分

溶液中での，次の式(1)で表される可逆反応

$$A \rightleftarrows B + C \tag{1}$$

において，正反応の反応速度 v_1 と逆反応の反応速度 v_2 は，$v_1 = k_1$ [A]，$v_2 = k_2$ [B][C] であった。ここで，k_1，k_2 はそれぞれ正反応，逆反応の反応速度定数であり，[A]，[B]，[C] はそれぞれ A，B，C のモル濃度である。反応開始時において，[A] = 1 mol/L，[B] = [C] = 0 mol/L であり，反応中に温度が変わることはないとする。$k_1 = 1 \times 10^{-6}$/s，$k_2 = 6 \times 10^{-6}$ L/(mol・s) であるとき，平衡状態での [B] は何 mol/L か。最も適当な数値を，次の①〜④のうちから 1 つ選べ。

①　$\dfrac{1}{3}$　　②　$\dfrac{1}{\sqrt{6}}$　　③　$\dfrac{1}{2}$　　④　$\dfrac{2}{3}$

解答・解説

①

　A $\rightleftarrows$ B + C の式(1)で表される可逆反応では，$v_1 = k_1$ [A]，$v_2 = k_2$ [B][C] と表されるので，平衡状態（$v_1 = v_2$）では，$\underbrace{k_1 [A]}_{v_1} = \underbrace{k_2 [B][C]}_{v_2}$ となり，

$K = \dfrac{[B][C]}{[A]} = \dfrac{k_1}{k_2} = \dfrac{1 \times 10^{-6}}{6 \times 10^{-6}} = \dfrac{1}{6}$ になる。

　1 mol/L のうち x (mol/L) の A が反応したとすると，各物質の濃度は次のように表される。

	A	$\rightleftarrows$	B	+	C
（反応前）	1 mol/L		0		0
（変化量）	$-x$ (mol/L)		$+x$ (mol/L)		$+x$ (mol/L)
（平衡時）	$1-x$ (mol/L)		x (mol/L)		x (mol/L)

$K = \dfrac{1}{6}$ なので

$K = \dfrac{[B][C]}{[A]} = \dfrac{x \times x}{1 - x} = \dfrac{1}{6}$

$6x^2 = 1 - x$ となり，$6x^2 + x - 1 = 0$ になる。
x について解くと，$(3x - 1)(2x + 1) = 0$　　$x = \dfrac{1}{3}$，$-\dfrac{1}{2}$　$x > 0$ なので

よって，平衡状態では [A] $= 1 - x = \dfrac{2}{3}$ mol/L，[B] $=$ [C] $= x = \dfrac{1}{3}$ mol/L

第 4 章　化学反応の速さと平衡

3 ルシャトリエの原理について

可逆反応が平衡状態にあるときに，温度・圧力・濃度などの条件を変化させると，平衡状態が一時的にくずれるけれど，すぐにその**変化を緩和する方向へと正反応または は逆反応が進んで**（平衡の移動），新しい平衡状態になるんだ。

> バランスがくずれてもバランスのとれた新しい状態になるんだね。

そうなんだ。1884年にルシャトリエは，条件変化と平衡移動の方向について，次のような原理を発表したんだ。

> **可逆反応が平衡状態にあるとき，外部条件（温度・圧力・濃度など）を変化させ ると，その影響を緩和する方向に平衡が移動し，新しい平衡状態になる。**

これをルシャトリエの原理または平衡移動の原理というんだ。

> うまく使えるか，ちょっと不安だよ。

たしかにね。たとえば，次の(*)の反応が平衡状態に達しているとする。

$$N_2(気) + 3H_2(気) \rightleftarrows 2NH_3(気) \quad \Delta H = -92\,\mathrm{kJ} \quad \cdots\cdots (*)$$

ここで，(1)〜(4)のように条件を変えると平衡がどの方向に移動するかルシャトリエの原理で考えてみるね。

(1) 「窒素 N_2 を加えてその濃度を上げる」と「窒素 N_2 の濃度が減少する方向」つまり「(*)の平衡は**右に移動**」するんだ。

> 濃度変化と平衡移動
> 　ある物質 A の濃度を上げる
> 　　➡ 物質 A の濃度が**減少する**方向に平衡が移動する
> 　ある物質 A の濃度を下げる
> 　　➡ 物質 A の濃度が**増加する**方向に平衡が移動する

(2) 「混合気体の圧力を上げる」と「気体粒子数が減少する方向（(*)の反応式の係数を読みとって，$\underbrace{1 + 3}_{\substack{左辺 \\ N_2\,1\,mol \quad H_2\,3\,mol}} \longrightarrow \underbrace{2}_{\substack{右辺 \\ NH_3\,2\,mol}}$）」，つまり「(*)の平衡は**右**（1 + 3 から 2 の方向）に**

移動」するんだ。ここで注意してほしいことがあるんだ。C（固）＋ CO_2 $\rightleftharpoons$ 2CO のように固体を含む平衡で，圧力変化による平衡移動を考える場合には固体を除いて考える必要があるんだ。知っておいてね。

> **圧力変化と平衡移動**
> 　{ 圧力を上げる ➡ 気体の粒子数が**減少する**方向に平衡が移動する
> 　{ 圧力を下げる ➡ 気体の粒子数が**増加する**方向に平衡が移動する
> 　　● 固体を含む場合は，固体を除いて考える

⑶ 「温度を上げる」と「$\Delta H > 0$ の吸熱反応の方向（（＊）の式に右向きの矢印（——➡）
　　　　　　　　ΔH が正
と右向きが「発熱反応の方向」か「吸熱反応の方向」かを書いた
N_2（気）＋3H_2（気）$\rightleftharpoons$ 2NH_3（気）　$\Delta H = -92$ kJ を考えるとよい）」，
　　　　　　　発熱反応の方向
つまり「（＊）の平衡は**左に**移動」するんだ。

> **温度変化と平衡移動**
> 　{ 温度を上げる ➡ $\Delta H > 0$ の**吸熱**反応の方向に平衡が移動する
> 　{ 温度を下げる ➡ $\Delta H < 0$ の**発熱**反応の方向に平衡が移動する

⑷ 「触媒を加える」と活性化エネルギーが小さくなり，「正反応と逆反応の反応速度はどちらも大きくなるけれど，平衡はどちらにも**移動しない**」んだ。

> **触媒と平衡移動**
> 　触媒を加える ➡ 反応速度は大きくなるが，平衡は**移動しない**

チェック問題 **5**　　標準　**3分**

次のア～ウで示される化学反応が，ある温度，圧力のもとで平衡状態にある。

ア　CO（気）＋2H_2（気）$\rightleftharpoons$ CH_3OH（気）　$\Delta H = -88$ kJ

イ　CO_2（気）＋ H_2（気）$\rightleftharpoons$ CO（気）＋ H_2O（気）　$\Delta H = 40$ kJ

ウ　2HI（気）$\rightleftharpoons$ H_2（気）＋ I_2（気）　$\Delta H = 9$ kJ

それぞれの平衡に次の **a** ～ **c** の操作を行った。すべての平衡が右に移動した操作の組み合わせを右の①～⑥のうちから1つ選べ。

a　全圧を高くする。
b　水素ガスを加える。
c　温度を上げる。

	ア	イ	ウ
①	**a**	**b**	**c**
②	**a**	**c**	**b**
③	**b**	**c**	**a**
④	**b**	**a**	**c**
⑤	**c**	**a**	**b**
⑥	**c**	**b**	**a**

解答・解説

①

はじめに，ア～ウの平衡に固体が含まれていないことを確認しよう！

a 「全圧を高くする」と「気体の粒子数が減少する方向」に平衡が移動する。
ア～ウの反応式の係数を読みとると，

ア　$\underbrace{1+2}_{左辺} \longrightarrow \underbrace{1}_{右辺}$　　イ　$\underbrace{1+1}_{左辺}$　$\underbrace{1+1}_{右辺}$　　ウ　$\underbrace{2}_{左辺}$　$\underbrace{1+1}_{右辺}$

　　　右に移動する　　　　　移動しない　　　　　移動しない

b 「H_2 を加える」と「H_2 が減少する方向」に平衡が移動する。よって，
ア　右に移動する　　イ　右に移動する　　　　ウ　左に移動する

c 「温度を上げる」と「$\Delta H > 0$ の吸熱方向」に平衡が移動する。よって，
ア　左に移動する　　イ　右に移動する　　　　ウ　右に移動する
この結果，平衡が右に移動した操作は，
アは a，b　　　　　イは b，c　　　　　　ウは c　　となり，
①が〈正しい〉。

チェック問題 6　　　　標準 2分

触媒を入れた密閉容器内で $N_2 + 3H_2 \rightleftharpoons 2NH_3$ の平衡が成立している。
この状態から，温度一定のまま他の条件を変化させたときの平衡の移動に関する記述として誤りを含むものを，次の①～④のうちから1つ選べ。ただし，触媒の体積は無視できるものとする。

① 体積を小さくして容器内の圧力を高くすると，平衡は NH_3 が減少する方向へ移動する。
② 体積一定で，H_2 を加えると，平衡は NH_3 が増加する方向へ移動する。
③ 体積一定で，NH_3 のみを除去すると，平衡は N_2 が減少する方向へ移動する。
④ 体積一定で触媒をさらに加えても，平衡は移動しない。

解答・解説

①

① 「圧力を高くする」と，「気体の粒子数が減少する方向」つまり，
$\underbrace{1+3}_{左辺} \longrightarrow \underbrace{2}_{右辺}$ の「右方向」に平衡が移動する。
右方向は NH_3 が**増加**する方向であり，減少する方向ではない。〈誤り〉
② 「H_2 を加える」と「H_2 が減少する右方向」に平衡が移動する。H_2 が減少する

方向は，NH₃ が増加する方向でもある。〈正しい〉

③　「NH₃ のみを除去する」と「NH₃ が増加する右方向」に平衡が移動する。NH₃ が増加する方向は，N₂ が減少する方向でもある。〈正しい〉

④　「触媒を加え」ても，平衡は移動しない。〈正しい〉

チェック問題 7　　　　　やや難 3分

　　無色の気体である四酸化二窒素 N₂O₄ は常温・常圧で熱を吸収し，一部が解離して，赤褐色の二酸化窒素 NO₂ を生じる。この N₂O₄ と NO₂ の混合気体が，先を閉じた注射器の中で平衡状態になっている。この混合気体の温度を変えたり，注射器のピストンを動かして圧力を変えたりして，気体の色の変化を観察した。次の記述①〜⑤のうちから，正しいものを 1 つ選べ。

　①　体積一定のもとで温度を高くすると，赤褐色がうすくなる。
　②　体積一定のもとでは，温度を変えても色の変化はない。
　③　常温で圧力を急に減らすと，はじめ赤褐色がうすくなるが，やがて赤褐色が濃くなる。
　④　常温で圧力を急に加えると，はじめ赤褐色が濃くなり，やがて赤褐色がさらに濃くなる。
　⑤　常温で圧力を変えても，色の変化はない。

解答・解説

③

$$N_2O_4(無色) + \underline{熱(kJ)} \longrightarrow 2NO_2(赤褐色)$$ から，
　　　　　　　熱を吸収する

$$N_2O_4(無色) \rightleftarrows 2NO_2(赤褐色) \quad \Delta H = Q \ \mathrm{kJ}(Q > 0) \quad \cdots\cdots (*)$$ と表せる。
　　　　　　吸熱反応の方向

①　「温度を高くする」と，「$\Delta H > 0$ の吸熱反応の方向」つまり「(*)の平衡は右」に移動する。よって，赤褐色は**濃く**なる。〈誤り〉

②　たとえば，「温度を高くする」と，①で考えたように**赤褐色は濃くなる**。〈誤り〉

③　「圧力を急に減らした」，つまり「体積を急に大きくした」瞬間は NO₂ の濃度が小さくなるので，赤褐色がうすくなる。その後，「圧力を減らす」と「気体粒子数が増加する方向（1 → 2）」，つまり「(*)の平衡は右（赤褐色の NO₂ が生成する
　　　　　　　　　　左辺　　右辺
方向）に移動」し，赤褐色が濃くなる。〈正しい〉

④　③と同じ要領で考える。
　　圧力を急に加える（体積を急に小さくする）と，はじめ赤褐色が濃くなり，次に(*)の平衡が左に移動し赤褐色の NO₂ が減少するため，赤褐色が**うすく**なる。〈誤り〉

⑤　圧力を変えると平衡が移動し，色が変化する。〈誤り〉

| 反応に無関係な気体を加えたときの平衡移動 |

　ルシャトリエの問題には，**平衡の移動が判断しにくい有名問題が2つある**んだ。

 ぜひ　やってみたいよ。

　たとえば，C_2H_4（気）＋ H_2（気）⇄ C_2H_6（気）……(＊) の反応が平衡状態に達しているとするね。ここで，

❶　温度と全圧を一定に保ち，窒素 N_2 を加える
❷　温度と容器の体積を一定に保ち，窒素 N_2 を加える

という2つの条件のとき平衡がどのように変化するかを判断する問題なんだ。

❶　温度と全圧を一定にして(＊)の平衡に無関係な窒素 N_2 を加えると，「全圧が一定に保たれているので，エチレン C_2H_4，水素 H_2，エタン C_2H_6 の分圧の和（平衡混合気体の分圧の和）が減少」する。そのため，「気体の分子数が増加する方向（(＊)の反応式の係数を読みとって，$\underbrace{1+1}_{左辺}\longleftarrow\underbrace{1}_{右辺}$）」，つまり「(＊)の平衡は**左に移動**」するんだ。
C_2H_4 1 mol　H_2 1 mol　　　C_2H_6 1 mol

　❶の条件でのようすを図で示すと次のようになる。

❷　温度と体積一定で(＊)の平衡に無関係な窒素 N_2 を加えても，「エチレン C_2H_4，水素 H_2，エタン C_2H_6 の物質量 (mol) や体積に変化がないので，それぞれの濃度に変化がない。それぞれの濃度に変化がなければ，「(＊)の平衡も**移動しない**」んだ。
　❷の条件のようすを図で示すと次のようになる。

C₂H₄, H₂, C₂H₆ の濃度は変化がない

答　❶「左に移動」　❷「移動しない」

チェック問題 8　　やや難 3分

次の式で表される気体反応が，図のピストンつきの容器の中で平衡状態にある。

$$N_2O_4 \rightleftarrows 2NO_2 \quad \Delta H = 57.2 \text{ kJ} \quad \cdots\cdots(*)$$

化学平衡の移動に関する記述として，正しいものを次の①〜⑤のうちから1つ選べ。

① 温度一定で，ピストンを押して体積を小さくすると，N_2O_4 の物質量は減少する。

② 全圧一定で，温度を上げると，N_2O_4 の物質量は増加する。

③ 温度一定，全圧一定で，NO_2 を加えても，N_2O_4 の物質量は変化しない。

④ 温度一定，体積一定で，アルゴンを加えると，N_2O_4 の物質量は減少する。

⑤ 温度一定，全圧一定で，アルゴンを加えると，N_2O_4 の物質量は減少する。

解答・解説

⑤

$$N_2O_4(気) \underset{吸熱反応の方向}{\rightleftarrows} 2NO_2(気) \quad \Delta H = 57.2 \text{ kJ}$$

① 「体積を小さくする」を，「圧力を上げる」におきかえて考えるとよい。「圧力を上げる」と「気体の粒子数が減少する方向（ 1 ⟵ 2 ）」つまり「(*)の平衡は左（N_2O_4 の物質量が**増加する**方向）に移動」する。〈誤り〉
（左辺⟶　　⟶右辺）

② 「温度を上げる」と「$\Delta H > 0$ の吸熱反応の方向」つまり「(*)の平衡は右（NO_2 の物質量が増加する方向）に移動」する。〈誤り〉

③ 「NO_2 を加える」と「NO_2 が減少する方向」つまり「(*)の平衡は左（N_2O_4 の**物質量が増加する**方向）に移動」する。〈誤り〉

④ 体積一定で(*)の平衡に無関係な Ar を加えても，「N_2O_4，NO_2 の濃度に変化がない」ので，「(*)の平衡は移動しない」。つまり，N_2O_4 や NO_2 **の物質量（mol）は変化しない**。〈誤り〉

⑤　全圧を一定にして(*)の平衡に無関係な Ar を加えると，「全圧が一定に保たれているので，N_2O_4，NO_2 の分圧の和(平衡混合気体の分圧の和)が減少」する。そのため，「気体の分子数が増加する方向（1 ⟶ 2）」つまり，「(*)の平衡は右（N_2O_4 の物質量が減少する方向）に移動」する。〈正しい〉
左辺→　　　　　←右辺

思 考力のトレーニング 2　やや難 2分

　気体 X，Y，Z の平衡反応は次の式で表される。　$aX \rightleftarrows bY + bZ$　$\Delta H = Q$ (kJ)

　密封容器に X のみを 1.0 mol 入れて温度を一定に保ったときの物質量の変化を調べた。気体の温度を T_1 と T_2 に保った場合の X と Y(または Z)の物質量の変化を，図の結果Ⅰと結果Ⅱにそれぞれ示す。ここで $T_1 < T_2$ である。反応式中の係数 a と b の比($a:b$)および Q の正負の組み合わせとして最も適当なものを，右の①〜⑧のうちから1つ選べ。

	$a:b$	Q の正負
①	$1:1$	負
②	$1:1$	正
③	$2:1$	負
④	$2:1$	正
⑤	$1:2$	負
⑥	$1:2$	正
⑦	$3:1$	負
⑧	$3:1$	正

結果Ⅰ (T_1 の場合)

結果Ⅱ (T_2 の場合)

解答・解説

④

　図の結果Ⅰより，温度 T_1 では**平衡状態になるまでに**，X は $1.0 - 0.80 = 0.20$ mol
　　　　　　　　　　　　　→ グラフが水平になるまで

減少し，Y や Z がそれぞれ 0.10 mol 生成していることがわかる。Y や Z は X の $\frac{1}{2}$

倍生成しているので，$a = 2$，$b = 1$ とわかり，$a:b = 2:1$ になる。

図の結果Ⅰ(T_1の場合)に比べると，結果Ⅱ(T_2の場合)のほうが生じるYが増えていることがわかる。つまり，$T_1 < T_2$とあるので，温度を上げると，Yが増えた，つまり平衡が右に移動したとわかる。また，温度を上げると$\Delta H > 0$の吸熱反応の方向に平衡が移動するので，$\Delta H > 0$の吸熱反応の方向が右方向になる。

Yが増えるときは，平衡が右に移動している

よって，$X \rightleftharpoons Y + Z$　$\Delta H > 0$ となり，Q は正になる。

右方向が $\Delta H > 0$ の吸熱反応
の方向なら，温度を上げる
と平衡は右に移動する

結果Ⅰ(T_1)

1.0
0.80 ‥‥‥‥‥‥‥‥‥ X
0.10 ‥‥‥‥‥‥‥‥‥ Y または Z
0

平衡状態

思 考力のトレーニング 3　　難　4分

430℃付近のある温度で，ヨウ素と水素の混合気体が反応してヨウ化水素が生成する反応は，下記のような $\Delta H < 0$ の発熱反応である。

H_2(気体) $+ I_2$(気体) $\rightleftharpoons 2HI$(気体)　$\Delta H = -12kJ$

この温度で，同じ物質量のヨウ素および水素を，容積一定の密閉した容器に入れて，平衡状態に達するまで放置した。

図に示す曲線(a)は，最初に述べた条件におけるヨウ化水素の生成量と反応時間の関係を表している。(1)，(2)のように条件を変えると，ヨウ化水素の生成量と反応時間の関係を表す曲線は図中の①～⑥のいずれに変化するか，それぞれ答えよ。

(1)　反応温度を少し上げる。
(2)　触媒として白金を共存させる。

解答・解説

(1)　⑤　　(2)　②

反応速度と平衡移動は，分けて考えると解きやすい。
反応速度が大きくなる条件は，
①　反応物の濃度を大きくする　②　温度を高くする　③　触媒を加える
だった。

$$H_2(気) + I_2(気) \underset{発熱反応の方向}{\rightleftarrows} 2HI(気) \quad \Delta H = -12 \text{ kJ}$$

(1) 反応温度を上げると，反応速度が大きくなるので**平衡状態に達するまで**の時間
が短くなる。
　　　　　　　　　　　　　　　　　　　　↪HIのグラフが水平になるまで

　　反応温度を上げると，$\Delta H > 0$ の吸熱反応の方向に平衡が移動する。つまり，
平衡は左に移動し，最終的な HI の生成量が減少する。

　　よって，この条件に合う曲線は⑤になる。

(2) 触媒を加えると，活性化エネルギーが小さくなり反応速度が大きくなるので，
平衡状態に達するまでの時間が短くなる。
　　↪HI のグラフが水平になるまで

　　触媒を加えても平衡は移動しないので，最終的な HI の生成量は変化しない。

　　よって，この条件に合う曲線は②になる。

14 時間目 水溶液中の化学平衡

1 水のイオン積と pH について

純粋な水（純水）H_2O はごくわずかに電離し，H^+ と OH^- を生じ，電離による平衡状態（➡ 電離平衡）になっている。

$$H_2O \rightleftharpoons H^+ + OH^-$$

このとき，それぞれのイオンのモル濃度(mol/L)を $[H^+]$，$[OH^-]$ と書くと，**温度が一定のとき，これらイオンのモル濃度の積は一定の値になることが知られている**んだ。この値を水のイオン積といい，K_w という記号で表す（w は，水 water を表す）。

$$K_w = [H^+] \times [OH^-] = 一定値$$

となり，**25℃で K_w の値は1.0×10^{-14} mol²/L²になる**んだ。純粋な水は，$[H^+]$ と $[OH^-]$ が等しく，K_w の値から25℃で　$[H^+] = [OH^-] = 10^{-7}$ mol/L になる。

 水のイオン積 K_w は純粋な水でしか成り立たないの？

そうではないんだ。**純粋な水だけでなく，酸の水溶液や塩基の水溶液でも水のイオン積 K_w は成り立つ**んだ。これで，「水溶液の状態を表す道具（➡水のイオン積 K_w）」を手に入れることができたね。

つまり，水溶液中では，$[H^+] \times [OH^-]$ が常に一定の値になるのだから，$[H^+]$ と $[OH^-]$ の関係は，❶ $[H^+] > [OH^-]$　❷ $[H^+] = [OH^-]$　❸ $[H^+] < [OH^-]$ のいずれかになる。

❶〜❸のそれぞれを，❶酸性，❷中性，❸塩基性とよび，**25℃のときは，K_w は 1.0×10^{-14} mol²/L²** だから，❶〜❸の関係を数値で示すと，

$[H^+] > [OH^-]$

酸性

$[H^+] > 10^{-7}$ mol/L
であり
$[OH^-] < 10^{-7}$ mol/L

$[H^+] = [OH^-]$

中性

$[H^+] = 10^{-7}$ mol/L
であり
$[OH^-] = 10^{-7}$ mol/L

$[H^+] < [OH^-]$

塩基性

$[H^+] < 10^{-7}$ mol/L
であり
$[OH^-] > 10^{-7}$ mol/L

になるんだ。

数値が小さすぎてわかりにくいね。

そうなんだ。水溶液の状態を，水素イオンのモル濃度 $[H^+]$ や水酸化物イオンのモル濃度 $[OH^-]$ の値で表しても，非常に小さくそのままではわかりにくい。そこで，$[H^+] = 10^{-n}$ の指数の部分 n を使って，水溶液の状態を表すことにしたんだ。**この n を水素イオン指数といって，記号 pH と書く。**

$$\mathbf{pH} = -\,\mathbf{log_{10}}[H^+]$$

つまり，$[H^+] = 10^{-n}\,(mol/L)$ のとき，pH $= n$ となるんだ。

25℃のときには，**中性だったら $[H^+] = 10^{-7}\,mol/L$ なので pH $= -\log_{10}10^{-7} = 7$，酸性だったら $[H^+] > 10^{-7}\,mol/L$ なので pH < 7，塩基性なら $[H^+] < 10^{-7}\,mol/L$ なので pH > 7 になる**ね。

あと，pH の計算でよく出てくる「$[H^+] = a \times 10^{-n}\,(mol/L)$ のときは，pH $= -\log_{10}(a \times 10^{-n}) = n - \log_{10}a$ になる」ことを知っておいてね。

酸性が強くなると $[H^+]$ が大きく，pH が小さくなっているね。

そうなんだ。**$[H^+]$ が大きくなるほど，pH が小さくなるほど，酸性が強くなる**ね。

ポイント 水溶液について

- 純粋な水，酸や塩基の水溶液中 ➡ 水のイオン積 K_w が成立する
- 25℃の水溶液 ➡ K_w の値：$1.0 \times 10^{-14}\,mol^2/L^2$
- pH $= -\log_{10}[H^+]$ で

  酸性：pH < 7　　　中性：pH $= 7$　　　塩基性：pH > 7

2 強酸・強塩基の pH について

　強酸や強塩基の pH を求めてみよう。まず，**1価の強酸である C (mol/L) の塩酸の pH を求めてみる**ね。

　強酸は，ふつう水溶液中で完全に電離しているので，電離度 $\alpha \fallingdotseq 1$ の酸ということができる。電離度 (α) は「溶けている酸に対する電離した酸の割合」のことなので，**電離度 (α) が1ということは，パーセントでいうと 100% 電離しているともいえる**んだ。じゃあ，C (mol/L) の塩酸，つまり 1 L の水溶液 (塩酸) 中の塩化水素 HCl C (mol) は，どれくらい電離しているかな？

> 100% 電離しているから，1 L の水溶液中で C (mol) の HCl すべてが電離しているね。

塩酸のようす

Cl⁻ H⁺

100%電離している

　そうだね。1 L の水溶液中では，C (mol) の HCl が 100% 電離しているので，H^+ と Cl^- が C (mol) ずつ存在しているんだ。

	HCl	$\longrightarrow$	H^+	$+$	Cl^-
(電離前)	C (mol/L)		0 mol/L		0 mol/L
(電離後)	0 mol/L		C (mol/L)		C (mol/L)

　よって，$[H^+] = C$ (mol/L) であり，$pH = -\log_{10}[H^+] = -\log_{10} C$ になる。ただ，ここで気をつけてほしいことがあるんだ。

> どんなこと？

　酸の水溶液をうすめていったときの pH についてなんだ。同じように計算すると，10^{-6} mol/L の HCl の pH は 6 (酸性)，10^{-7} mol/L の HCl の pH は 7 (中性)，10^{-8} mol/L なら pH は 8 (塩基性)，……となり，酸をうすめていくと液性が酸性から塩基性に変化していくことになるよね。

　でも，実際は**酸の水溶液を水でうすめていっても中性や塩基性になることはなく，中性に近づいてはいくけれど酸の水溶液であるかぎり酸性に変わりはない**んだ。

　たとえば，10^{-8} mol/L HCl の pH を厳密に求めると pH = 6.98 (ほんのわずかな酸性) になる。

　強酸のときと同じように，1価の強塩基である C (mol/L) の水酸化ナトリウム NaOH 水溶液の pH を求めてみるね。

	NaOH	$\longrightarrow$	Na^+	$+$	OH^-
(電離前)	C (mol/L)		0 mol/L		0 mol/L
(電離後)	0 mol/L		C (mol/L)		C (mol/L)

$[OH^-] = C$ (mol/L) であり，水のイオン積 $K_w = [H^+][OH^-]$ に代入し，

第**4**章 化学反応の速さと平衡

$[\mathrm{H^+}] = \dfrac{K_\mathrm{w}}{[\mathrm{OH^-}]} = \dfrac{K_\mathrm{w}}{C}$ (mol/L) になる。よって，$\mathrm{pH} = -\log_{10}[\mathrm{H^+}] = -\log_{10}\dfrac{K_\mathrm{w}}{C}$ と求められる。

また，水でうすめるときは，酸をうすめるときと同じように考えればいいんだ。

ポイント　酸・塩基をうすめたときの pH について

- C (mol/L)，HCl の $[\mathrm{H^+}] = C$ (mol/L)
  - 酸の水溶液を水でうすめていっても，中性には近づくけれど酸性であることに注意する
- C (mol/L)，NaOH の $[\mathrm{OH^-}] = C$ (mol/L)
  - 塩基の水溶液を水でうすめていっても，中性には近づくけれど塩基性であることに注意する

チェック問題 1　　標準　3分

　濃度不明の塩酸 1.0 L を 0.030 mol/L の水酸化ナトリウム水溶液 1.0 L と混合したところ，0.56 kJ の発熱があった。この混合溶液の pH として最も適当な数値を，次の①～⑧のうちから 1 つ選べ。ただし，中和エンタルピーは -56 kJ/mol で水のイオン積は $K_\mathrm{w} = 1.0 \times 10^{-14}$ mol²/L² とし，中和反応以外による発熱または吸熱は無視できるものとする。

① 1	② 2	③ 3	④ 5
⑤ 9	⑥ 11	⑦ 12	⑧ 13

解答・解説

⑦

　$\mathrm{HCl} + 1\,\mathrm{NaOH} \longrightarrow \mathrm{NaCl} + 1\,\mathrm{H_2O}$ より，NaOH 0.030 $\underset{\text{mol/L}}{|} \times 1.0 \underset{\text{mol}}{|} = 0.030$ mol が

すべて反応したと仮定すると，$\mathrm{H_2O}$ (0.030 mol) が生じるので，

　　　　　　　　　　　　　H₂O の物質量(mol)を代入

このとき，$-56 \underset{\substack{\text{中和エンタルピー} \\ \text{(kJ/mol)}}}{|} \times \underset{\text{kJ}}{(0.030 |)} = -1.68$ kJ となり，1.68 kJ 発熱すると予想できる。

ところが，

実際は 0.56 kJ の発熱なので，仮定は誤りで，**NaOH はすべて反応せず，HCl のす**

　NaOH がすべて反応していないということは，NaOH は余るしかない！

べてが反応し，NaOH が余ることがわかる。

　塩酸の濃度を x (mol/L) とおくと，その量関係は次のようになる。

$$\underbrace{\frac{\text{mol}}{\cancel{L}} \times \cancel{L}}_{} \quad \text{HCl} \quad + \quad \text{NaOH} \quad \longrightarrow \quad \text{NaCl} \quad + \quad H_2O$$

(反応前)	$x \times 1.0$ (mol)	0.030×1.0 mol	
(反応後)	0	$0.030 - x$ (mol)	x (mol)	x (mol)

発生した熱が1.68 kJ ではないため余ることがわかる

$\underbrace{\frac{\text{mol}}{\cancel{L}} \times \cancel{L}}$　H₂O の物質量(mol)を代入する

発生した熱量が0.56 kJ なので，$\underset{\substack{\text{中和エンタルピー} \\ (\text{kJ/mol})}}{-56} \times \underset{(\text{kJ})}{x} = -0.56$ kJ となり $x = 0.010$ mol/L になる。

反応後に余っている NaOH は $0.030 - x = 0.030 - 0.010 = 0.020$ mol となり，混合水溶液は $\underbrace{1.0}_{\text{HClaq (L)}} + \underbrace{1.0}_{\text{NaOHaq (L)}} = 2.0$ L になる。

この NaOH 水溶液のモル濃度は，$[\text{NaOH}] = \dfrac{0.020 \text{ mol}}{2.0 \text{ L}} = 0.010$ mol/L となり，

$[\text{OH}^-] = 0.010 = 10^{-2}$ mol/L なので，$[\text{H}^+] = \dfrac{K_w}{[\text{OH}^-]} = \dfrac{10^{-14}}{10^{-2}} = 10^{-12}$ mol/L，

$\text{pH} = -\log_{10}[\text{H}^+] = -\log_{10} 10^{-12} = 12$ になる。

3 弱酸・弱塩基の pH について

❶ 弱酸の pH

C (mol/L) の酢酸 CH_3COOH 水溶液（電離度 α）の pH を求めてみよう。
C (mol/L) の CH_3COOH 水溶液は，どれくらい電離しているかな？

 電離した CH_3COOH は，電離度が α だから $C\alpha$ (mol/L)だね。

酢酸のようす
CH_3COO^- H^+
一部電離している

そうだね。そして，電離せずに残っている酢酸は，電離した酢酸を引くことで $C - C\alpha$ (mol/L)になるんだ。反応式の係数から，CH_3COOH 1 mol が電離すると，CH_3COO^- と H^+ が 1 mol ずつ生成するので，その量関係は次のようになる。

	CH_3COOH	$\rightleftharpoons$	CH_3COO^-	$+$	H^+
(電離前)	C (mol/L)		0 mol/L		0 mol/L
(電離平衡時)	$C - C\alpha$ (mol/L)		$C\alpha$ (mol/L)		$C\alpha$ (mol/L)

電離した $C\alpha$ (mol/L)を引く　　$C\alpha$ (mol/L)の CH_3COOH が電離したので $C\alpha$ (mol/L)ずつ生成する

よって，$[\text{H}^+] = C\alpha$ (mol/L)となり，pH を求めることができる。
ここで，電離度 α が与えられず，電離定数 K_a が与えられているときは，次のように pH を求めることができる。

電離定数 K_a って？

電離平衡における平衡定数を電離定数というんだ。

酢酸水溶液では，次の電離平衡が成立していたよね。

$$CH_3COOH \rightleftharpoons CH_3COO^- + H^+$$

これに，化学平衡の法則（質量作用の法則）を適用した平衡定数 K_a を電離定数とよび，次の式で表される。

$$K_a = \frac{[CH_3COO^-][H^+]}{[CH_3COOH]}$$

acid：酸を表す

ここで，C (mol/L) の CH_3COOH（電離度 α）の $[H^+]$ を求めてみるね。

各成分の濃度は次のようになる。

	CH_3COOH	$\rightleftharpoons$	CH_3COO^-	$+$	H^+
（電離前）	C (mol/L)				
（電離平衡時）	$C - C\alpha$ (mol/L)		$C\alpha$ (mol/L)		$C\alpha$ (mol/L)

 ここで，各成分のモル濃度
$[CH_3COOH] = C - C\alpha = C(1 - \alpha)$ (mol/L)
$[CH_3COO^-] = C\alpha$ (mol/L)，$[H^+] = C\alpha$ (mol/L) を K_a に代入するんでしょ？

さすがだね。**電離定数 K_a は，温度一定で一定の値になった**よね。この K_a に各成分のモル濃度を代入すると，

$$K_a = \frac{[CH_3COO^-][H^+]}{[CH_3COOH]} = \frac{C\alpha \cdot C\alpha}{C(1-\alpha)} = \frac{C^2\alpha^2}{C(1-\alpha)} = \frac{C\alpha^2}{1-\alpha}$$

となる。ここで，CH_3COOH は弱酸であり，電離度 α の値が 1 よりも非常に小さいときは，$1 - \alpha \fallingdotseq 1$ とみなすことができる。よって，

$$K_a = \frac{C\alpha^2}{1-\alpha} \fallingdotseq \frac{C\alpha^2}{1} = C\alpha^2 \quad \text{と近似でき，}$$

α は 1 よりも非常に小さいとき，$1 - \alpha \fallingdotseq 1$ とできる

$$\alpha^2 = \frac{K_a}{C} \quad \text{となり，} \alpha > 0 \text{ から，} \alpha = \sqrt{\frac{K_a}{C}} \quad \cdots\cdots ①$$

①式を $[H^+] = C\alpha$ に代入すると，

$$[H^+] = C\alpha = C\sqrt{\frac{K_a}{C}} = \sqrt{C^2 \cdot \frac{K_a}{C}} = \sqrt{CK_a} \text{ (mol/L)}$$

「かけ算した値のルートになる」と覚えよう！

となり，pH を求めることができるんだ。

チェック問題 2

酢酸の25℃での電離定数は 2.7×10^{-5} mol/L である。25℃における酢酸水溶液の濃度と電離度の関係を表すグラフを，次の①～⑥のうちから1つ選べ。

①

②

③

④

⑤

⑥

解答・解説

①

$\alpha = \sqrt{\dfrac{K_a}{C}}$ より，K_a は一定（温度が25℃で一定だから）なので，

<u>濃度 C が大きくなるほど α は小さくなり</u>，逆に C が小さくなるほど α は大きくな

$\alpha = \sqrt{\dfrac{K_a}{C}}$ 一定
小となる 大になると…

る。これで，グラフは C 大で α 小，C 小で α 大になっている①，②，⑥の3つにしぼることができる。また，電離定数は $K_a = 2.7 \times 10^{-5}$ より，

$C = \underline{3.0 \times 10^{-2}} = 0.030$ mol/L のときの α は，
→計算が楽になりそうな数値で考える。

$$\alpha = \sqrt{\frac{K_a}{C}} = \sqrt{\frac{2.7 \times 10^{-5}}{3.0 \times 10^{-2}}} = \sqrt{\frac{27 \times 10^{-6}}{3 \times 10^{-2}}} = 3 \times 10^{-2} = 0.030$$

になる。よって，①，②，⑥のグラフのうち，$C = 0.030$ mol/L で $\alpha = 0.030$ を通るのは①のグラフのみ。

$\boxed{\text{参考}}$ $\alpha = \sqrt{\dfrac{K_a}{C}}$ の式は，C がきわめて小さいと成り立たなくなるが，グラフの

おおまかな傾向を知るのには使える。

これを機に，酢酸の濃度と電離度の関係を表すグラフの形を知っておこう。

C ⑪ほど α は 大

濃度が小さくなると，α は 1 に近づいていく

電離度

濃度 (mol/L) ⟶ C 大ほど α は ⑪

チェック問題 3　標準 5分

電離平衡に関する問 $\boxed{1}$ ～ $\boxed{8}$ に答えよ。必要があれば $\log_{10}2 = 0.30$，$\log_{10}3 = 0.48$ を用いて計算せよ。

酢酸は，水溶液中で次のような電離平衡にある。

$$CH_3COOH \rightleftarrows CH_3COO^- + H^+$$

平衡時における各成分のモル濃度を $[CH_3COOH]$，$[CH_3COO^-]$，$[H^+]$ とすると電離定数は $K_a = \boxed{1}$ となる。0.02 mol/L の酢酸水溶液で，電離度を α とすると電離定数は $K_a = \boxed{2}$ mol/L と表せる。酢酸は弱酸であり，電離度が 1 よりいちじるしく小さいので，$K_a = \boxed{3}$ mol/L と近似できる。したがって，$K_a = 1.8 \times 10^{-5}$ mol/L とすると，$\alpha = \boxed{4}$ となる。また，この溶液の水素イオン濃度は $[H^+] = \boxed{5}$ mol/L となり，pH $= \boxed{6}$ となる。

この酢酸水溶液を水でうすめると α は $\boxed{7}$。また，K_a は $\boxed{8}$。

$\boxed{1}$ にあてはまる式は次のうちどれか。

① $\dfrac{[CH_3COOH]}{[CH_3COO^-][H^+]}$ 　② $\dfrac{[CH_3COO^-]}{[CH_3COOH][H^+]}$ 　③ $\dfrac{[CH_3COOH][H^+]}{[CH_3COO^-]}$

④ $\dfrac{[CH_3COO^-][H^+]}{[CH_3COOH]}$ 　⑤ $\dfrac{[CH_3COO^-]}{[CH_3COOH]}$ 　⑥ $\dfrac{[H^+]}{[CH_3COO^-]}$

$\boxed{2}$ にあてはまる式は次のうちどれか。

① $\dfrac{0.02\alpha^2}{1-\alpha}$ 　② $\dfrac{1-\alpha}{(0.02)^2\alpha^2}$ 　③ $\dfrac{(0.02)^2\alpha^2}{1-\alpha}$

④ $\dfrac{0.02\alpha^2}{1+\alpha}$ 　⑤ $\dfrac{1-\alpha}{0.02\alpha^2}$ 　⑥ $\dfrac{\alpha^2}{1-\alpha}$

| 3 | にあてはまる式は次のうちどれか。

① $\dfrac{1}{0.02\alpha^2}$ ② $0.02\alpha^2$ ③ 0.02α ④ $\dfrac{1}{(0.02)^2\alpha^2}$ ⑤ $\dfrac{1}{0.02\alpha}$ ⑥ α^2

| 4 | に最も適した値は次のうちどれか。

① 3.0×10^{-2} ② 4.2×10^{-3} ③ 5.2×10^{-3}
④ 1.3×10^{-4} ⑤ 9.0×10^{-4} ⑥ 1.8×10^{-5}

| 5 | に最も適した値は次のうちどれか。

① 2.0×10^{-2} ② 3.0×10^{-4} ③ 6.0×10^{-4}
④ 1.8×10^{-5} ⑤ 8.6×10^{-5} ⑥ 2.6×10^{-6}

| 6 | に最も適した値は次のうちどれか。

① 2.5 ② 3.2 ③ 3.5 ④ 3.7 ⑤ 4.2 ⑥ 4.7

| 7 |, | 8 | に適当な語句を次から選べ。

① 変わらない ② 大きくなる ③ 小さくなる

第 **4** 章 化学反応の速さと平衡

解答・解説

| 1 | ④ | 2 | ① | 3 | ② | 4 | ①
| 5 | ③ | 6 | ② | 7 | ② | 8 | ①

| 1 | $K_a = \dfrac{[\mathrm{CH_3COO^-}][\mathrm{H^+}]}{[\mathrm{CH_3COOH}]}$

| 2 | $K_a = \dfrac{C\alpha^2}{1-\alpha} = \dfrac{0.02\alpha^2}{1-\alpha}$
$C=0.02\ \mathrm{mol/L}$ を代入する

| 3 | $K_a ≒ C\alpha^2 = 0.02\alpha^2\ (\mathrm{mol/L})$
$C=0.02\ \mathrm{mol/L}$ を代入する

| 4 | $\alpha = \sqrt{\dfrac{K_a}{C}} = \sqrt{\dfrac{1.8\times10^{-5}}{0.02}} = \sqrt{9\times10^{-4}} = 3.0\times10^{-2}$
$C=0.02\ \mathrm{mol/L},\ K_a=1.8\times10^{-5}\ \mathrm{mol/L}$ を代入する

| 5 | $[\mathrm{H^+}] = C\alpha = 0.02\times3.0\times10^{-2} = 6.0\times10^{-4}\ \mathrm{mol/L}$
$C=0.02\ \mathrm{mol/L},\ \alpha=3.0\times10^{-2}$ を代入する

| 6 | $\mathrm{pH} = -\log_{10}[\mathrm{H^+}] = -\log_{10}(6.0\times10^{-4}) = 4 -\log_{10}6$
$= 4 -\log_{10}(2\times3) = 4 -\log_{10}2-\log_{10}3 = 4 -0.30-0.48 ≒ 3.2$

| 7 | $\alpha = \sqrt{\dfrac{K_a}{C}} \longrightarrow$ α は大きくなる。
水でうすめると、C の値は小さくなるが K_a の値は
変化しないので、$\sqrt{\dfrac{K_a}{C}}$ は大きくなる

| 8 | K_a は温度が変わらなければ一定の値をとる。

❷ 弱塩基の pH

C (mol/L) のアンモニア NH_3 水溶液 (電離度 α) の pH は,

$$NH_3 \quad + \quad H_2O \; \rightleftharpoons \quad NH_4^+ \quad + \quad OH^-$$

（電離前）　　C (mol/L)　　　　　　　　　　　0 mol/L　　　　0 mol/L
（電離平衡時）　$C - C\alpha$ (mol/L)　　　　　　　　$C\alpha$ (mol/L)　　$C\alpha$ (mol/L)

$[OH^-] = C\alpha$ (mol/L) となり，$[H^+]$ は K_w を使って求めることができるんだ。

😊 ← $[H^+] = \dfrac{K_w}{[OH^-]} = \dfrac{K_w}{C\alpha}$ となるね。

そうだね。また，水溶液のほとんどは H_2O なので**水のモル濃度 $[H_2O]$ は一定とみなしていい**んだ。だから，アンモニア水溶液の電離平衡

$$NH_3 \quad + \quad H_2O \; \rightleftharpoons \quad NH_4^+ \quad + \quad OH^-$$

（電離平衡時）　$C - C\alpha$ (mol/L)　　　一定　　　　$C\alpha$ (mol/L)　　$C\alpha$ (mol/L)

の場合，その平衡定数 K は

一定部分をまとめる　　　一定

$$K = \frac{[NH_4^+][OH^-]}{[NH_3][H_2O]} \text{ となり，} K[H_2O] = K_b \text{ と表すことができ，}$$

base：塩基を表す

$$K_b = K[H_2O] = \frac{[NH_4^+][OH^-]}{[NH_3]}$$

となる。K_b も K_a と同じように**電離定数**とよぶんだ。

😊 ← ここで，各成分のモル濃度を代入するんだね。

そうなんだ。$K_b = \dfrac{[NH_4^+][OH^-]}{[NH_3]} = \dfrac{C\alpha \cdot C\alpha}{C - C\alpha} = \dfrac{C^2\alpha^2}{C(1-\alpha)} = \dfrac{C\alpha^2}{1-\alpha}$

電離度 α の値が 1 よりも非常に小さいときは，$1 - \alpha \fallingdotseq 1$ とみなすことができる。

よって，$K_b = \dfrac{C\alpha^2}{1-\alpha} \fallingdotseq \dfrac{C\alpha^2}{1} = C\alpha^2$

↖ $1 - \alpha \fallingdotseq 1$ とできる

と近似でき，$\alpha^2 = \dfrac{K_b}{C}$ 　　　$\alpha > 0$ より，$\alpha = \sqrt{\dfrac{K_b}{C}}$ ……①

になるね。ここで，①式を $[OH^-] = C\alpha$ に代入して，

$$[OH^-] = C\alpha = C\sqrt{\frac{K_b}{C}} = \sqrt{C^2 \cdot \frac{K_b}{C}} = \sqrt{CK_b} \text{ (mol/L)}$$

← 「かけ算した値の
ルートになる」と覚えよう！

となり，水のイオン積 $K_w = [H^+][OH^-]$ に代入すると，

$$[H^+] = \frac{K_w}{[OH^-]} = \frac{K_w}{\sqrt{CK_b}} \text{ になる。}$$

じゃあ，pH は，$pH = -\log_{10}[H^+] = -\log_{10}\dfrac{K_w}{\sqrt{CK_b}}$ だね。

チェック問題 4

やや易　3分

0.1 mol/L のアンモニア水溶液の電離度を0.01とすると，この水溶液の pH は　1　となり，電離定数は　2　mol/L となる。それぞれにあてはまる数値を，次の①〜⑤から1つ選べ。ただし，水のイオン積 $K_w = 10^{-14}$ mol²/L²とする。

1 ：① 1　　② 3　　③ 9　　④ 11　　⑤ 13
2 ：① 1×10^{-1}　② 1×10^{-2}　③ 1×10^{-3}　④ 1×10^{-4}　⑤ 1×10^{-5}

解答・解説

1 ④　　2 ⑤

1 $C = 0.1$ mol/L の $NH_3(\alpha = 0.01)$ なので，
$[OH^-] = C\alpha = 0.1 \times 0.01 = 10^{-3}$ mol/L となる。

よって，$[H^+] = \dfrac{K_w}{[OH^-]} = \dfrac{10^{-14}}{10^{-3}} = 10^{-11}$ mol/L から，

$pH = -\log_{10}[H^+] = -\log_{10}10^{-11} = 11$ となる。

2 電離定数：$K_b \fallingdotseq C\alpha^2 = 0.1 \times (0.01)^2 = 1 \times 10^{-5}$

このとき，
K_b の単位は $K_b = \dfrac{[NH_4^+][OH^-]}{[NH_3]}$ より，$\dfrac{(\cancel{mol/L})\,(mol/L)}{(\cancel{mol/L})} = mol/L$ となる。

4 同体積ずつ混合について

共通テストでは，2種類の水溶液（どちらも密度がほぼ 1.0 g/cm³，水とほぼ同じ密度）を同体積ずつ混合した後のモル濃度を求めることがある。たとえば，x (mol/L) のグルコース水溶液 100 mL と y (mol/L) のスクロース水溶液 100 mL とを混合したとき，混合後のグルコースやスクロースはそれぞれ何 mol/L になるか考えてみよう。

うすい水溶液どうしを混合しているので，
混合後の体積は 200 mL と見なすことができる

混合する前（うすまる前）　　　　混合した後（うすまった後）

 溶質（グルコースやスクロース）の物質量（mol）を混合後の水溶液の
体積（L）で割れば，混合後のモル濃度（mol/L）が求められるね。

そうだね。ただ，次のような直感的な解き方を知っていると，楽に解くことができるんだ。

【 2 種類の水溶液を同体積ずつ混合した後のモル濃度の求め方 】

「同体積ずつ混合したら体積が 2 倍になるので濃度は $\frac{1}{2}$ 倍になる！」

つまり，混合した後のモル濃度は，グルコースが $\underbrace{x \times \frac{1}{2}}$ (mol/L)，
　　　　　　　　　　　　　　　　　　　　　mol/L は半分になる！

スクロースが $\underbrace{y \times \frac{1}{2}}$ (mol/L) になるんだ。
　　　　　mol/L は半分になる！

思 **考力のトレーニング** 1　　やや難 4分

　0.016 mol/L の酢酸水溶液50 mL と0.020 mol/L の塩酸50 mL を混合した溶液中の，酢酸イオンのモル濃度は何 mol/L か。最も適当な数値を，次の①〜⑥のうちから 1 つ選べ。ただし，酢酸の電離度は 1 より十分小さく，電離定数は2.5×10^{-5} mol/L とする。

① 1.0×10^{-5}　　　② 2.0×10^{-5}　　　③ 5.0×10^{-5}
④ 1.0×10^{-4}　　　⑤ 2.0×10^{-4}　　　⑥ 5.0×10^{-4}

解答・解説

水のイオン積 $K_w = [H^+][OH^-]$ や酢酸の電離定数 $K_a = \dfrac{[CH_3COO^-][H^+]}{[CH_3COOH]}$ など

の $[\quad]$ は，水溶液中にあるそれぞれのイオンや分子の合計の mol/L を表している。

つまり，同じ水溶液中について考えているのであれば，K_w の $[H^+]$ と K_a の $[H^+]$

は同じ値(mol/L)になる。

（$[\quad]$ に合計(total)の t をつけて，$[\quad]_t$ と表すこともある）

2 種類の水溶液を同体積ずつ(50 mL)混合しているので，混合後の濃度は $\dfrac{1}{2}$ 倍に

なる。よって，この混合水溶液中の CH₃COOH 水溶液は $\underset{\text{mol/L は半分になる！}}{0.016 \times \dfrac{1}{2} = 0.0080\ \text{mol/L}}$,

HCl 水溶液は $0.020 \times \dfrac{1}{2} = 0.010\ \text{mol/L}$ になる。
　　　　　　　mol/L は半分になる！

ここで，1 HCl $\longrightarrow$ 1 H⁺ + Cl⁻ より，0.010 mol/L の塩酸から電離して生じる H⁺ は，$[H^+] = 0.010\ \text{mol/L}$ になる。また，水溶液中に CH₃COOH と CH₃COO⁻ が少しでも存在すれば，酢酸の電離定数 K_a が成り立つ。

$$K_a = \frac{[CH_3COO^-]_t [H^+]_t}{[CH_3COOH]_t} \quad \text{t…total を表す}$$

ここには HCl から生じる H⁺ と CH₃COOH から生じる H⁺ の合計を代入する

この混合水溶液中では，次のように HCl の H⁺ と CH₃OOH の H⁺ が存在する。

HCl $\longrightarrow$ H⁺ + Cl⁻ 　　　　CH₃COOH $\rightleftharpoons$ CH₃COO⁻ + H⁺

HCl の H⁺ が大きいときには CH₃COOH の電離平衡が左に移動するので，HCl の H⁺ に比べて CH₃COOH の H⁺ は無視できる。

$$[H^+]_t = [H^+]_{HCl} + [H^+]_{CH_3COOH} \fallingdotseq [H^+]_{HCl} = 0.010\ \text{mol/L}$$

HCl から生じる H⁺ だけに近似できる

また，CH₃COOH の電離平衡は左に移動しているので，CH₃COOH のモル濃度は $[CH_3COOH]_t \fallingdotseq 0.0080\ \text{mol/L}$ に近似できる。

CH₃COOH の電離は HCl により抑制されている

これらを，$K_a = 2.5 \times 10^{-5}$ に代入する。

$$K_a = \frac{[CH_3COO^-]_t [H^+]_t}{[CH_3COOH]_t} \text{ は，} 2.5 \times 10^{-5} = \frac{[CH_3COO^-]_t \times 0.010}{0.0080}$$

となり，$[CH_3COO^-]_t = 2.0 \times 10^{-5}\ \text{mol/L}$ になる。

5 塩の加水分解における pH について

❶ 塩の分類

酸と塩基を混合したら？

 中和反応が起こって，塩と水が生成するよね。

そうだったね。このときに生成した塩は，その形から次の 3 種類に分類することができる。

$$\left\{\begin{array}{ll}\textbf{酸 性 塩} \Rightarrow \text{酸の\underline{H}が残っている塩} & \text{例} \quad NaH\underline{S}O_4, \ NaH\underline{C}O_3 \\ \textbf{塩基性塩} \Rightarrow \text{塩基の\underline{OH}が残っている塩} & \text{例} \quad MgCl(\underline{OH}) \\ \textbf{正 \quad 塩} \Rightarrow \text{酸のH, 塩基のOHが残っていない塩} & \text{例} \quad NaCl, \ NH_4Cl\end{array}\right.$$

ここで気をつけなくてはいけないのが，酸性塩だからといってその塩の水溶液がいつも酸性を示すというわけではなく，あくまで**その形から，つまり見た目だけで分類する**んだ。

② 塩の水溶液の性質（塩の加水分解）

塩を水に溶かすと，その水溶液は塩により酸性，中性，塩基性のいずれかを示す。

 どう考えたらいいの？

ここはかなり複雑なところなので，準備が必要なんだ。まず，「酸」側から考えると，塩酸 HCl，硫酸 H_2SO_4，硝酸 HNO_3 は**強酸**とよばれ，ほぼ完全に電離しそのほとんどは，H^+ と Cl^-，SO_4^{2-}，NO_3^- になっていたね。ここで，電離し生成した「**イオン**」側から考えると，**強酸から電離し生成した Cl^-，SO_4^{2-}，NO_3^- は H^+ と結びつきにくい**ということができる。

同じように，強塩基である水酸化ナトリウム NaOH，水酸化カリウム KOH，水酸化カルシウム $Ca(OH)_2$，水酸化バリウム $Ba(OH)_2$ からほぼ完全に電離し**生成した Na^+，K^+，Ca^{2+}，Ba^{2+} は OH^- と結びつきにくい**ということができる。

$$HCl \quad\longrightarrow\quad H^+ \quad + \quad Cl^-$$

この反応は一方通行（不可逆）なので，Cl^-はH^+と結びつきにくい！

$$NaOH \quad\longrightarrow\quad Na^+ \quad + \quad OH^-$$

同様に考えると，Na^+はOH^-と結びつきにくい！

ポイント ▶ **強酸・強塩基のイオンについて**

● **強酸**から電離し生成した**陰イオン**は，H^+と結びつきにくい
● **強塩基**から電離し生成した**陽イオン**は，OH^-と結びつきにくい

次に，弱酸である酢酸 CH_3COOH や炭酸 H_2CO_3 は，一部だけ電離し H^+ と CH_3COO^-，HCO_3^-，CO_3^{2-} になっていたので，CH_3COO^-，HCO_3^-，CO_3^{2-} は H^+ と結びつきやすいと考えることができる。同じように，弱塩基であるアンモニア NH_3 が一部電離し生成した NH_4^+ は，OH^- と結びつきやすいと考えることができる。

$$CH_3COOH \quad \rightleftharpoons \quad CH_3COO^- \quad + \quad H^+$$

反応が行ったりきたり（可逆）なので，CH_3COO^- は H^+ と結びつきやすい！

$$NH_3 \quad + \quad H_2O \quad \rightleftharpoons \quad NH_4^+ \quad + \quad OH^-$$

同様に考えると，NH_4^+ は OH^- と結びつきやすい！

ポイント　弱酸・弱塩基のイオンについて

● 弱酸から電離し生成した陰イオンは，H^+ と結びつきやすい
● 弱塩基から電離し生成した陽イオンは，OH^- と結びつきやすい

……これで，考える準備ができたんだ。
塩をつくるには，どうやってつくればいいかな？

 酸と塩基の中和反応でつくることができるね。

そうだね。このとき，(1) 強酸と強塩基から，(2) 弱酸と強塩基から，(3) 強酸と弱塩基から，(4) 弱酸と弱塩基から，の 4 つが考えられる。
このうちの(1)〜(3)が出題されるんだ。

(1)　強酸と強塩基を中和することによってできると考えられる塩
　　例　NaCl，KCl，NaNO₃，KNO₃，Na₂SO₄　など
　　たとえば，塩化ナトリウム NaCl は，水溶液中で完全に電離しナトリウムイオン Na^+ と塩化物イオン Cl^- になる。
$$NaCl \quad \longrightarrow \quad Na^+ \quad + \quad Cl^-$$
　　このとき，左ページの **ポイント** でやったように Na^+ や Cl^- は水 H_2O がわずかに電離し生じている H^+ や OH^- と結びつきにくいので，NaCl の水溶液は加水分解せず**中性のまま**なんだ。

(2)　弱酸と強塩基を中和することによってできると考えられる塩
　　例　CH₃COONa，NaHCO₃，Na₂CO₃　など
　　たとえば，酢酸ナトリウム CH₃COONa は，水溶液中で完全に電離し酢酸イオン CH_3COO^- とナトリウムイオン Na^+ になる。
$$CH_3COONa \quad \longrightarrow \quad CH_3COO^- \quad + \quad Na^+$$
　　このとき，CH_3COO^- は**水 H_2O がわずかに電離して生じている H^+ と結びつき OH^- を生じるため，弱塩基性を示す**んだ。

まとめる
$$H_2O \rightleftharpoons H^+ + OH^-$$ ← H_2O のわずかな電離
$$+)\ CH_3COO^- + H^+ \longrightarrow CH_3COOH$$ ← CH_3COO^- が H^+ と結びつく
$$\overline{CH_3COO^- + H_2O \rightleftharpoons CH_3COOH + OH^-}$$
弱塩基性を示す

(3) 強酸と弱塩基を中和することによってできると考えられる塩

例　NH_4Cl, $(NH_4)_2SO_4$, $CuSO_4$, $ZnSO_4$, $AlCl_3$　など

たとえば，塩化アンモニウム NH_4Cl は，水溶液中で完全に電離しアンモニウムイオン NH_4^+ と塩化物イオン Cl^- になる。

$$NH_4Cl \longrightarrow NH_4^+ + Cl^-$$

このとき，NH_4^+ は水 H_2O がわずかに電離し生じている OH^- と結びつき H_3O^+ を生じるため，弱酸性を示すんだ。

まとめる　　　　$H_2O \rightleftarrows H^+ + OH^-$　　⬅ H_2O のわずかな電離

$+)\ NH_4^+ + OH^- \longrightarrow NH_3 + H_2O$　　⬅ NH_4^+ が OH^- と結びつく

$$NH_4^+ + H_2O \rightleftarrows NH_3 + H_3O^+$$
弱酸性を示す

(2)や(3)のように，「弱酸＋強塩基の塩」や「強酸＋弱塩基の塩」は，塩から生じた弱酸の陰イオンや弱塩基の陽イオンが水と反応（＝加水分解）し，弱塩基性や弱酸性を示すんだ。

ただし，HSO_4^- は例外的に，次のように電離し酸性を示すから覚えておいてね。

$$HSO_4^- + H_2O \rightleftarrows SO_4^{2-} + H_3O^+$$
酸性を示す

ポイント　塩の水溶液の性質（塩の加水分解）について

● （強酸＋強塩基）からなる塩 ➡ 加水分解せず，その水溶液は中性のまま
● （弱酸＋強塩基）からなる塩 ➡ 加水分解により，その水溶液は弱塩基性を示す
● （強酸＋弱塩基）からなる塩 ➡ 加水分解により，その水溶液は弱酸性を示す
　● $NaHSO_4$, $KHSO_4$ などは，HSO_4^- が電離して酸性を示す

チェック問題 5　　　　　　　標準　1分

酸性塩で，水溶液が塩基性を示すものを，次の①〜⑤のうちから１つ選べ。

① CH_3COONa　② $NaHSO_4$　③ KNO_3　④ $NaHCO_3$　⑤ Na_2CO_3

解答・解説

④

酸性塩 ➡ ② $Na\underline{H}SO_4$,　④ $Na\underline{H}CO_3$　　　　　　　　　どちらの条件も満たす
水溶液が塩基性を示すもの ➡ ① CH_3COONa,　④ $NaHCO_3$,　⑤ Na_2CO_3 の３つ。

チェック問題 6　　標準 2分

　次の塩 **a ~ e** を，その水溶液が酸性，塩基性，中性を示すものに分類した。その分類として正しいものを，右の①~⑥のうちから 1 つ選べ。

	酸性	塩基性	中性
①	**a**	**b・d**	**c・e**
②	**b**	**a・d**	**c・e**
③	**a・c**	**d**	**b・e**
④	**b・c**	**e**	**a・d**
⑤	**a・b**	**d**	**c・e**
⑥	**a・b**	**e**	**c・d**

a $CuSO_4$　　**b** $(NH_4)_2SO_4$
c $NaCl$　　**d** CH_3COOK
e KNO_3

解答・解説

⑤

a $CuSO_4$：(強酸＋弱塩基)からなる塩 ➡ 加水分解により弱酸性を示す
　　　　　H_2SO_4　$Cu(OH)_2$

b $(NH_4)_2SO_4$：(強酸＋弱塩基)からなる塩 ➡ 加水分解により弱酸性を示す
　　　　　　　H_2SO_4　NH_3

c $NaCl$：(強酸＋強塩基)からなる塩 ➡ 加水分解せず中性のまま
　　　　HCl　$NaOH$

d CH_3COOK：(弱酸＋強塩基)からなる塩 ➡ 加水分解により弱塩基性を示す
　　　　　　CH_3COOH　KOH

e KNO_3：(強酸＋強塩基)からなる塩 ➡ 加水分解せず中性のまま
　　　　HNO_3　KOH

チェック問題 7　　やや難 4分

　酸，塩基，および中和反応に関する次の記述 **a ~ d** のうち正しいものの組み合わせを，次の①~⑥のうちから 1 つ選べ。

a 酸と塩基の中和点における pH は，酸や塩基の種類によらず，温度 25℃において，7.0 になる。

b 濃度 0.010 mol/L の水酸化ナトリウム水溶液 100 L に含まれる水素イオンの数は，濃度 1.0 mol/L の水酸化ナトリウム水溶液 1.0 L に含まれる水素イオンの数よりも少ない。

c 濃度 0.010 mol/L の酢酸水溶液 100 L に含まれる水素イオンの数は，濃度 1.0 mol/L の酢酸水溶液 1.0 L に含まれる水素イオンの数よりも多い。

d 希薄な水溶液中の $[H^+]$ と $[OH^-]$ の積は，溶液の pH にかかわらず，温度 25℃において，1.0×10^{-14} mol^2/L^2 である。

第**4**章　化学反応の速さと平衡

① **a・b**　② **a・c**　③ **a・d**　④ **b・c**　⑤ **b・d**　⑥ **c・d**

解答・解説

⑥

a　たとえば，CH₃COOH を NaOH で滴定するとき，中和点では CH₃COONa が生じており，加水分解により弱塩基性(pH >7.0)を示す。よって，中和点におけるpH はいつも7.0になるわけではない。〈誤り〉

$$CH_3COOH + NaOH \longrightarrow \underset{\text{中和点では，加水分解により弱塩基性を示す}}{\underline{CH_3COONa}} + H_2O$$

b　$0.010 = 10^{-2}\,mol/L$　NaOH 水溶液中の $[OH^-]$ は，

$$[OH^-] = 10^{-2}\,mol/L, \quad [H^+] = \frac{K_w}{[OH^-]} = \frac{10^{-14}}{10^{-2}} = 10^{-12}\,mol/L$$

この水溶液100 L に含まれる H^+ の物質量(mol)は，$\underset{(mol/L)}{10^{-12}} \times \underset{(L)}{100} = 10^{-10}\,mol$ ……①

$1.0\,mol/L$　NaOH 水溶液中の $[OH^-]$ は $[OH^-] = 1.0\,mol/L$，

$$[H^+] = \frac{K_w}{[OH^-]} = \frac{10^{-14}}{1.0} = 10^{-14}\,mol/L$$

この水溶液1.0 L に含まれる H^+ の物質量(mol)は，$\underset{(mol/L)}{10^{-14}} \times \underset{(L)}{1.0} = 10^{-14}\,mol$ ……②

物質量(mol)と数は比例するので，① ＞ ②となり〈誤り〉。

c　$C_1 = 0.010\,mol/L$ の CH₃COOH 水溶液(電離度 α_1 とする)100 L に含まれる H^+ は，

$$\underset{H^+(mol/L)}{C_1\alpha_1} \times \underset{H^+(mol)}{100} = 0.010\,\alpha_1 \times 100 = \alpha_1\,(mol) ……①$$

$C_2 = 1.0\,mol/L$ の CH₃COOH 水溶液(電離度 α_2 とする)1.0 L に含まれる H^+ は，

$$\underset{H^+(mol/L)}{C_2\alpha_2} \times \underset{H^+(mol)}{1.0} = 1.0\,\alpha_2 \times 1.0 = \alpha_2\,(mol) ……②$$

ここで，電離度 α は濃度が小さいほど大きくなるので，$\alpha_1 > \alpha_2$ となり，H^+ の数は① ＞ ②になる。〈正しい〉

濃度⑤の CH₃COOH　　濃度⑤の CH₃COOH
0.010(mol/L)　　1.0(mol/L)

d　温度が25℃で一定であれば，溶液の pH にかかわらず，

$$K_w = [H^+][OH^-] = 1.0 \times 10^{-14}\,mol^2/L^2 \text{で一定となる。}〈正しい〉$$

❸ 塩の加水分解における pH

ここで，酢酸ナトリウム CH₃COONa の水溶液についてもう少し考えてみるね。CH₃COONa が完全に電離し生じた CH₃COO⁻ は H⁺ と結びつきやすく，水がわずかに電離し生じた H⁺ と結びつき，弱塩基性を示したね。

$$CH_3COO^- + H_2O \underset{}{\overset{H^+}{\rightleftharpoons}} CH_3COOH + \underset{\text{弱塩基性を示す}}{\underline{OH^-}}$$

塩の加水分解だったね。

　そうだね。この CH_3COONa（➡ C (mol/L)とする）の $[H^+]$ は次のように求めることができるんだ。

$$CH_3COONa \longrightarrow CH_3COO^- + Na^+ \quad \Leftarrow 完全に電離する$$

（電離前）　　　　C (mol/L)

（電離後）　　　　　　0　　　　　　C (mol/L)　　　C (mol/L)

　CH_3COO^- が加水分解する割合を加水分解度 h（電離度 α と同じように扱うことができる）と表すと，電離平衡になったときの各成分の濃度は次のようになる。

$$CH_3COO^- + H_2O \rightleftharpoons CH_3COOH + OH^-$$

（加水分解前）　C (mol/L)　　　一定

（平衡時）　$C(1-h)$ (mol/L)　　一定　　　Ch (mol/L)　Ch (mol/L)

　この電離平衡は**化学平衡の法則**（**質量作用の法則**）から，

$$K = \frac{[CH_3COOH][OH^-]}{[CH_3COO^-][H_2O]}$$

となり，水 H_2O の濃度はほぼ一定とみなすことができ，整理すると次式が得られる。

$$K_h = K[H_2O] = \frac{[CH_3COOH][OH^-]}{[CH_3COO^-]} \quad \cdots\cdots①$$

　このときの平衡定数 K_h を**加水分解定数**といい，温度一定で一定の値をとる。

ここで，K_h と酢酸の電離定数 $K_a = \dfrac{[CH_3COOH^-][H^+]}{[CH_3COOH]}$ の積は，

$$K_h \times K_a = \frac{[CH_3COOH][OH^-]}{[CH_3COO^-]} \times \frac{[CH_3COO^-][H^+]}{[CH_3COOH]} = [OH^-][H^+] = \underset{水のイオン積}{K_w}$$

となるので，K_h は，

$$K_h = \frac{K_w}{K_a} \quad \cdots\cdots②と表すこともできる。$$

　ここで，①式に各成分の濃度を代入すると，

$$K_h = \frac{[CH_3COOH][OH^-]}{[CH_3COO^-]} = \frac{Ch \times Ch}{C(1-h)} = \frac{Ch^2}{1-h}$$

h の値は 1 に比べて非常に小さく，**$1-h \fallingdotseq 1$ とみなせるので**，

$$K_h = \frac{Ch^2}{1-h} \fallingdotseq Ch^2 \quad h^2 = \frac{K_h}{C} \quad h > 0 より，\quad h = \sqrt{\frac{K_h}{C}} \quad \cdots\cdots③$$

　また，$[OH^-] = Ch$ に③式を代入すると，

$$[OH^-] = Ch = C\sqrt{\frac{K_h}{C}} = \sqrt{CK_h} \text{ (mol/L)} \Leftarrow 「かけ算した値のルート」になる$$

となり，水のイオン積 $K_w = [H^+][OH^-]$ と②式から $[H^+]$ は次のように表すことができるんだ。

第4章 化学反応の速さと平衡

$$[H^+] = \frac{K_w}{[OH^-]} = \frac{K_w}{\sqrt{CK_h}} = \frac{K_w}{\sqrt{C \cdot \dfrac{K_w}{K_a}}} = \sqrt{\frac{K_a K_w}{C}} \ (mol/L)$$

チェック問題 8 やや難 3分

0.1 mol/L の酢酸ナトリウム水溶液の pH を次の①～⑤から 1 つ選べ。ただし，$K_a = 2 \times 10^{-5}$ mol/L，$K_w = 1 \times 10^{-14}$ mol²/L²，$\log_{10} 2 = 0.3$ を用いよ。

① 7.9　　② 8.9　　③ 9.9　　④ 10.1　　⑤ 11.1

解答・解説

②

$C = 0.1$ mol/L　CH₃COONa の $[H^+]$ は，

$$[H^+] = \sqrt{\frac{K_a K_w}{C}} = \sqrt{\frac{2 \times 10^{-5} \times 10^{-14}}{0.1}}$$

$$= \sqrt{2 \times 10^{-18}} = 2^{\frac{1}{2}} \times 10^{-9} \ mol/L \quad \Leftarrow \sqrt{a} = a^{\frac{1}{2}} \text{より}$$

よって，

$$pH = -\log_{10}[H^+] = -\log_{10}(2^{\frac{1}{2}} \times 10^{-9})$$

$$= -\frac{1}{2}\log_{10} 2 + 9 = -\frac{1}{2} \times 0.3 + 9 \fallingdotseq 8.9$$

思 考力のトレーニング 2 やや難 3分

水溶液中では，アンモニア NH₃ は塩基としてはたらき，その一部が式(1)のように電離して平衡状態になる。一方，アンモニウムイオン NH₄⁺ は酸としてはたらき，式(2)のように反応してオキソニウムイオン H₃O⁺ を生じる。

$$NH_3 + H_2O \rightleftharpoons NH_4^+ + OH^- \quad (1)$$
$$NH_4^+ + H_2O \rightleftharpoons H_3O^+ + NH_3 \quad (2)$$

式(2)の平衡定数 K は

$$K = \frac{[H_3O^+][NH_3]}{[NH_4^+][H_2O]}$$

で表され，$K[H_2O]$ を K_a (mol/L)とし，H₃O⁺ を H⁺ と略記すると，

$$K_a = \frac{[H^+][NH_3]}{[NH_4^+]}$$

となる。NH_3 の電離定数 K_b (mol/L)を求める式として正しいものを，次の①〜⑥のうちから 1 つ選べ。ただし，水のイオン積を K_w (mol^2/L^2)とする。

① $\sqrt{K_a K_w}$ ② $\sqrt{\dfrac{K_w}{K_a}}$ ③ $\sqrt{\dfrac{K_a}{K_w}}$ ④ $K_a K_w$ ⑤ $\dfrac{K_w}{K_a}$ ⑥ $\dfrac{K_a}{K_w}$

解答・解説

⑤

p.237の導き方を練習することがひらめきを与えてくれる。

NH_3 の電離定数 K_b は，$[H_2O]$ を一定とみなして，

$K_b = \dfrac{[NH_4{}^+][OH^-]}{[NH_3]}$ となる。K_a と K_b の積は，

$$K_a \times K_b = \frac{[H^+][NH_3]}{[NH_4{}^+]} \times \frac{[NH_4{}^+][OH^-]}{[NH_3]} = [H^+][OH^-] = K_w$$

となり，$K_b = \dfrac{K_w}{K_a}$ になる。

6 緩衝液の pH について

❶ 緩衝液

たとえば，pH $=7.0$ の水 1.0 L に 10 mol/L の HCl を 2.0 mL 加えると

$$[H^+] \fallingdotseq \frac{10 \times \dfrac{2.0}{1000}}{1.0 \, L} = 2.0 \times 10^{-2} \, mol/L \, となり$$

1HCl $\longrightarrow$ 1H$^+$ $+$ Cl$^-$ より
HCl と同じ物質量 (mol) の H$^+$ が生じる
水溶液の体積は，ほぼ 1.0 L

pH $= 2 - \log_{10} 2 \fallingdotseq 1.7$ になるんだ。 ← $\log_{10} 2 = 0.3$ を利用する

pH が，$7.0 - 1.7 = 5.3$ も減少したね。

そうだね。それに対して，1.0 L 中に 0.10 mol の CH_3COOH と 0.080 mol の CH_3COONa を含む水溶液 (pH $=4.6$) に，10 mol/L の HCl を 2.0 mL 加えると pH $=4.4$ になるんだ。

こんどは，pH が $4.6 - 4.4 = 0.2$ だけ減少したね。

そうなんだ。同じ 10 mol/L の HCl を 2.0 mL 加えたのに，pH 変化のしかたに大きなちがいがあるね。

この CH_3COOH と CH_3COONa の混合水溶液のように，強酸が少量混入しても pH の値がほとんど変化しない溶液を緩衝液というんだ。

少量の強塩基を加えても緩衝液の pH の値はほとんど変化しないよ。

② 緩衝作用

緩衝作用とは，

　　強酸や強塩基が少量加えられても **pH** の値をほぼ一定に保つはたらき

のことで，緩衝作用のある水溶液を緩衝液というんだ。

緩衝液の例としては，

❶弱酸とその弱酸の塩（例 CH_3COOH と CH_3COONa）の混合水溶液や
❷弱塩基とその弱塩基の塩（例 NH_3 と NH_4Cl）の混合水溶液

がある。これらの緩衝液に少量の強酸や強塩基を加えると，
加えた強酸の H^+ や加えた強塩基の OH^- は次のように反応するんだ。

❶の緩衝液の場合

$$CH_3COO^- + H^+ \longrightarrow CH_3COOH \quad \Leftarrow 加えた H^+ がなくなる！$$
$$CH_3COOH + OH^- \longrightarrow CH_3COO^- + H_2O \quad \Leftarrow 加えた OH^- がなくなる！$$

❷の緩衝液の場合

$$NH_3 + H^+ \longrightarrow NH_4^+ \quad \Leftarrow 加えた H^+ がなくなる！$$
$$NH_4^+ + OH^- \longrightarrow NH_3 + H_2O \quad \Leftarrow 加えた OH^- がなくなる！$$

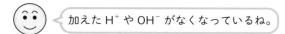

そうなんだ。つまり，❶や❷の緩衝液に少量の強酸や強塩基を加えても，$[H^+]$ や $[OH^-]$ はほとんど変化しないので，pH の値もほとんど変化しないんだ。

③ 緩衝液の $[H^+]$

ここで，緩衝液（CH_3COOH が A (mol/L)，CH_3COONa が B (mol/L)）の pH について考えてみるね。

この混合水溶液中では，CH_3COONa は完全に CH_3COO^- と Na^+ に電離している。CH_3COOH は弱酸でもともと電離度が小さいうえ，CH_3COONa から CH_3COO^- が多量に生じているので，そのほとんどが電離できずに（電離を抑制されて）CH_3COOH

として残っているんだ。

$$\text{CH}_3\text{COONa} \longrightarrow \text{CH}_3\text{COO}^- + \text{Na}^+ \quad \text{← 完全に電離している}$$

（電離前）　　　　B (mol/L)

（電離後）　　　　　0　　　　　　B (mol/L)　　B (mol/L)

$$\text{CH}_3\text{COOH} \rightleftharpoons \text{CH}_3\text{COO}^- + \text{H}^+ \quad \text{← 電離が抑制される}$$

（電離前）　　A (mol/L)

（電離平衡時）　$A(1-\alpha)$ (mol/L)　$A\alpha$ (mol/L)　$A\alpha$ (mol/L)

　よって，この混合水溶液中の CH_3COOH と CH_3COO^- のモル濃度は，次のように近似できる。

$$[\text{CH}_3\text{COOH}] = A(1-\alpha) \fallingdotseq A \ (\text{mol/L})$$
$$[\text{CH}_3\text{COO}^-] = B + A\alpha \fallingdotseq B \ (\text{mol/L})$$

← α は電離が抑制されているためにきわめて小さな値となり，$1-\alpha \fallingdotseq 1$ や $B + A\alpha \fallingdotseq B$ と近似できる。

水溶液中に，酢酸と酢酸イオンが少しでも存在すれば酢酸の電離定数 K_a が成り立つので，K_a は緩衝液中でも成立する。

$$K_a = \frac{[\text{CH}_3\text{COO}^-][\text{H}^+]}{[\text{CH}_3\text{COOH}]} \quad \xrightarrow{\text{変形すると}} \quad [\text{H}^+] = \frac{[\text{CH}_3\text{COOH}]}{[\text{CH}_3\text{COO}^-]} \times K_a$$

　ここで，$[\text{CH}_3\text{COOH}] \fallingdotseq A$ (mol/L)，$[\text{CH}_3\text{COO}^-] \fallingdotseq B$ (mol/L) を代入すると，

→ mol/L の比になっている

$$[\text{H}^+] = \boxed{\frac{A}{B}} \times K_a \quad \cdots\cdots①$$

となる。また，混合水溶液の体積を V (L) とすると，

→ mol の比になっている

$$[\text{H}^+] = \frac{A}{B} \times K_a = \boxed{\frac{A \times V}{B \times V}} \times K_a \quad \cdots\cdots①'$$

と表すこともできる。

緩衝液の $[\text{H}^+]$ を求めるには，CH_3COOH と CH_3COONa の mol/L 比や mol 比を K_a の式に代入するだけでいいんだね。

ポイント　緩衝液の $[\text{H}^+]$ について

● 緩衝液（CH_3COOH が A (mol/L)，CH_3COONa が B (mol/L)）の $[\text{H}^+]$ は，

$$K_a = \frac{[\text{CH}_3\text{COO}^-][\text{H}^+]}{[\text{CH}_3\text{COOH}]} = \frac{B[\text{H}^+]}{A} \quad \text{つまり，} \ [\text{H}^+] = \frac{A}{B} \times K_a$$

チェック問題 9

0.1 mol/L 酢酸水溶液 10 mL と 0.1 mol/L 酢酸ナトリウム水溶液 10 mL の混合水溶液の 25℃ における pH は ☐ となる。ただし，25℃ における酢酸の電離定数 K_a は $K_a = 2 \times 10^{-5}$ mol/L，$\log_{10} 2 = 0.3$ とする。

☐ にあてはまる数値を下の①〜⑤のうちから 1 つ選べ。

① 2.3　② 3.3　③ 3.7　④ 4.3　⑤ 4.7

解答・解説

⑤

CH_3COOH と CH_3COO^- の物質量(mol)比は，

$$CH_3COOH : CH_3COO^- = 0.1 \times \frac{10}{1000} \text{ mol} : 0.1 \times \frac{10}{1000} \text{ mol} = 1 : 1$$

その水素イオン濃度は，

$$K_a = \frac{[CH_3COO^-][H^+]}{[CH_3COOH]} \quad \text{より，} \quad [H^+] = K_a = 2 \times 10^{-5} \text{ mol/L}$$

物質量(mol)比が 1：1 なので約分できる！（前ページの①′式を参照）

よって，

$$\text{pH} = -\log_{10}[H^+] = -\log_{10}(2 \times 10^{-5})$$
$$= 5 - \log_{10} 2 = 5 - 0.3 = 4.7$$

7 溶解度積について

❶ 溶解平衡

塩化銀 $AgCl$ は水に溶けにくい塩(＝沈殿)だけど，ごくわずかには水に溶けて次のような溶解平衡が成り立つ。

$$AgCl(固) \rightleftarrows Ag^+ + Cl^-$$

この溶解平衡に化学平衡の法則(質量作用の法則)を適用すると，平衡定数 K はどうなると思う？

$K = \dfrac{[Ag^+][Cl^-]}{[AgCl(固)]}$ になるよ。

沈殿　ここを表す

Cl^-　Ag^+　溶解　$AgCl(固)$

Ag^+ や Cl^- は水に限界まで溶けている。つまり，うわずみ液は $AgCl$ の飽和水溶液といえる

そうだね。ここで，$[AgCl(固)]$ は $AgCl(固)$ つまり，固体の濃度を表していて，固体の濃度(決まった体積あたりの物質量(mol))は一定と見なしていいんだ。

つまり,

$$K = \frac{[Ag^+][Cl^-]}{[AgCl(固)]}$$ は $$K [AgCl(固)] = [Ag^+][Cl^-] = K_{sp}$$

温度一定で K は一定　一定と見なせる　一定　一定　新たな定数としておき直す

と変形できるんだ。

$$K_{sp} = [Ag^+][Cl^-]$$

の K_{sp} を溶解度積 (solubility product) といい，K_{sp} は温度が一定のときは常に一定になるんだ。

ポイント　溶解度積 K_{sp} について

$AgCl$ や Ag_2CrO_4 のような沈殿がそれぞれ次のような溶解平衡

$$AgCl \rightleftarrows Ag^+ + Cl^-$$
$$Ag_2CrO_4 \rightleftarrows 2Ag^+ + CrO_4{}^{2-}$$

にあるとき，溶解度積 K_{sp} はそれぞれ，

$$K_{sp} = [Ag^+][Cl^-]$$
$$K_{sp} = [Ag^+]^2[CrO_4{}^{2-}]$$ ──── 反応式の係数乗となるので注意しよう！

と表すことができる。温度が一定で K_{sp} の値は一定となる。

 溶解度積 K_{sp} でどんなことがわかるの？

溶解度積 K_{sp} を利用すると，

❶ **沈殿が生じる・生じていないの判定**
❷ **沈殿が生じているときの溶液中の各イオンのモル濃度** (mol/L)

などを知ることができる。

利用するときは，すべてイオンとして存在している (沈殿を生じていない) と仮定し，モル濃度の積を計算して溶解度積と比べ，沈殿が生じている・生じていないを判定するんだ。

溶解度積 K_{sp} の使い方	❶ (計算値) $> K_{sp}$ のとき， **沈殿が生じており，水溶液中では溶解平衡が成立している。** ❷ (計算値) $\leq K_{sp}$ のとき， **沈殿が生じていない。**

チェック問題 10 標準 2分

マグネシウムイオン Mg^{2+} のモル濃度が 1.0×10^{-3} mol/L の水溶液では，水酸化物イオン OH^- のモル濃度が x (mol/L) より高くなると，水酸化マグネシウム $Mg(OH)_2$ の沈殿が生成しはじめる。x として最も適当な数値を，次の①～⑤のうちから1つ選べ。ただし，$Mg(OH)_2$ の溶解度積は 1.0×10^{-11} mol^3/L^3 とする。

① 1.0×10^{-14} ② 1.0×10^{-11} ③ 1.0×10^{-8} ④ 1.0×10^{-4}
⑤ 1.0×10^{-3}

解答・解説

④

$Mg(OH)_2 \rightleftarrows Mg^{2+} + 2OH^-$ より，$K_{sp} = [Mg^{2+}][OH^-]^2$ と表せる。（反応式の係数乗になる）
$[Mg^{2+}] = 10^{-3}$ mol/L，$[OH^-] = x$ (mol/L) より，$Mg(OH)_2$ の沈殿が生成しはじめるのは，
$[Mg^{2+}][OH^-]^2 = (10^{-3}) \times x^2 > K_{sp} = 10^{-11}$ となったときで，
（計算値）$> K_{sp}$ のとき

$$x^2 > \frac{10^{-11}}{10^{-3}} = 1.0 \times 10^{-8} \text{ より，} [OH^-] = x > 1.0 \times 10^{-4} \text{ mol/L となればよい。}$$

チェック問題 11 やや難 4分

塩化銀の溶解度積は，8.0×10^{-11} mol^2/L^2 である。したがって，塩化銀の飽和水溶液 1.0 L に溶けている塩化銀の量は，x (mol) である。x として最も適当な数値を，次の①～④のうちから1つ選べ。ただし，$\sqrt{80} = 8.9$ とせよ。

① 8.0×10^{-11} ② 4.0×10^{-11} ③ 4.0×10^{-6} ④ 8.9×10^{-6}

解答・解説

④

$AgCl$ が水に溶解すると Ag^+ と Cl^- に電離する。
$$AgCl \rightleftarrows Ag^+ + Cl^-$$
$AgCl$ の溶解度は x (mol/L) と表せるので，飽和溶液中の Ag^+ や Cl^- の濃度はそれぞれ $[Ag^+] = x$ (mol/L)，$[Cl^-] = x$ (mol/L) になる。

$[Ag^+][Cl^-] = K_{sp, AgCl} = 8.0 \times 10^{-11}\,mol^2/L^2$　より，

$\quad x \times x = 8.0 \times 10^{-11} = 80 \times 10^{-12}$

$\quad x > 0$　と　$\sqrt{80} = 8.9$　より，$x = \sqrt{80 \times 10^{-12}} \fallingdotseq 8.9 \times 10^{-6}\,mol/L$

よって，飽和水溶液 1.0 L に溶けている AgCl は，

$\quad \dfrac{8.9 \times 10^{-6}\,mol}{1\,\cancel{L}} \times 1.0\,\cancel{L} = 8.9 \times 10^{-6}\,mol$

（思）考力のトレーニング3　（やや難）4分

ある温度の AgCl 飽和水溶液において，Ag^+ および Cl^- のモル濃度は，$[Ag^+] = 1.4 \times 10^{-5}\,mol/L$，$[Cl^-] = 1.4 \times 10^{-5}\,mol/L$ であった。この温度において，$1.0 \times 10^{-5}\,mol/L$ の $AgNO_3$ 水溶液25 mL に，ある濃度の NaCl 水溶液を加えていくと，10 mL を超えた時点で AgCl の白色沈殿が生じはじめた。NaCl 水溶液のモル濃度は何 mol/L か。最も適当な数値を，次の①～④のうちから1つ選べ。

① 8.1×10^{-5}　　② 9.6×10^{-5}　　③ 2.0×10^{-4}　　④ 5.1×10^{-4}

解答・解説

②

$AgCl \rightleftarrows Ag^+ + Cl^-$ より，$K_{sp} = [Ag^+][Cl^-]$ と表せる。

AgCl 飽和水溶液の濃度 $[Ag^+] = 1.4 \times 10^{-5}\,mol/L$，$[Cl^-] = 1.4 \times 10^{-5}\,mol/L$ から，

$\quad K_{sp} = [Ag^+][Cl^-] = (1.4 \times 10^{-5}\,mol/L) \times (1.4 \times 10^{-5}\,mol/L)$

$\qquad\qquad = 1.96 \times 10^{-10}\,mol^2/L^2$

と求められる。

ここで，$AgNO_3$ 水溶液25 mL に NaCl 水溶液10 mL を加えると，得られる混合水溶液の体積がほぼ $25 + 10 = 35$ mL になる点に注意する。

加えた NaCl 水溶液を $x\,(mol/L)$ とすると，AgCl の白色沈殿が生じはじめる瞬間の $[Ag^+]$ と $[Cl^-]$ は，

$$[Ag^+] = \frac{1.0 \times 10^{-5} \times \dfrac{25}{1000}\,mol}{\dfrac{35}{1000}\,L} = 10^{-5} \times \frac{25}{35}\,mol/L,$$

$$[Cl^-] = \frac{x \times \dfrac{10}{1000}\,mol}{\dfrac{35}{1000}\,L} = x \times \frac{10}{35}\,(mol/L)$$

となり，AgCl の白色沈殿が生じはじめるのは，

$$[\mathrm{Ag^+}][\mathrm{Cl^-}] = \left(10^{-5} \times \frac{25}{35}\right)\left(x \times \frac{10}{35}\right) \underset{\underset{\text{(計算値)} > K_{sp} \text{のとき}}{\uparrow}}{>} K_{sp} = 1.96 \times 10^{-10} \text{ となるときで,}$$

$x \fallingdotseq 9.6 \times 10^{-5} \text{ mol/L になる。}$

思考力のトレーニング 4 難 5分

　水溶液中での塩化銀の溶解度積(25℃)を K_{sp} とするとき，$[\mathrm{Ag^+}]$ と $\dfrac{K_{sp}}{[\mathrm{Ag^+}]}$ との関係は図の曲線で表される。硝酸銀水溶液と塩化ナトリウム水溶液を，表に示すア〜オのモル濃度の組み合わせで同体積ずつ混合した。25℃で十分な時間をおいたとき，塩化銀の沈殿が生成するのはどれか。すべてを正しく選択しているものを，①〜⑤のうちから1つ選べ。

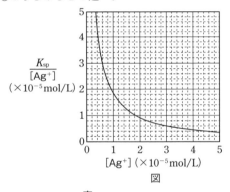

図

表

	硝酸銀水溶液のモル濃度 (×10⁻⁵ mol/L)	塩化ナトリウム水溶液の モル濃度(×10⁻⁵ mol/L)
ア	1.0	1.0
イ	2.0	2.0
ウ	3.0	3.0
エ	4.0	2.0
オ	5.0	1.0

① ア

② ウ，エ

③ ア，イ，オ

④ イ，ウ，エ，オ

⑤ ア，イ，ウ，エ，オ

解答・解説

 ②

図から沈殿が生成する領域をつかめるかが最初のハードルになる！

$[Ag^+] = x \, (mol/L)$，$[Cl^-] = y \, (mol/L)$ とおくと，$\underset{\text{一定値}}{K_{sp}} = [Ag^+][Cl^-] = x \times y$ より，K_{sp} のグラフは反比例のグラフになる。また，AgCl の沈殿が生じる条件は，$x \times y > K_{sp}$ なので，その領域を斜線で表すと，次のようになる。

硝酸銀 $AgNO_3(Ag^+)$ 水溶液と塩化ナトリウム $NaCl(Cl^-)$ 水溶液を同体積ずつ混合しているので，p.229より混合後の濃度は $\dfrac{1}{2}$ 倍になる。混合後の濃度は次の表のようになる。

	混合後の $[Ag^+]$ ($\times 10^{-5}$ mol/L)	混合後の $[Cl^-]$ ($\times 10^{-5}$ mol/L)
ア	$1.0 \times \dfrac{1}{2} = 0.50$	$1.0 \times \dfrac{1}{2} = 0.50$
イ	$2.0 \times \dfrac{1}{2} = 1.0$	$2.0 \times \dfrac{1}{2} = 1.0$
ウ	$3.0 \times \dfrac{1}{2} = 1.5$	$3.0 \times \dfrac{1}{2} = 1.5$
エ	$4.0 \times \dfrac{1}{2} = 2.0$	$2.0 \times \dfrac{1}{2} = 1.0$
オ	$5.0 \times \dfrac{1}{2} = 2.5$	$1.0 \times \dfrac{1}{2} = 0.50$

➡ 点ア〜オを図に書き入れる。

よって，AgCl の沈殿が生成するのは，ウとエになる。

❷ 共通イオン効果

AgCl を水に入れると，ごくわずかが水に溶けて次の溶解平衡が成り立つ。

$$AgCl(固) \rightleftarrows Ag^+ + Cl^- \quad \cdots\cdots①$$

この AgCl の沈殿を含む飽和水溶液に NaCl を加えると，飽和水溶液中の $[Cl^-]$ が大きくなる。$[Cl^-]$ が大きくなると，ルシャトリエの原理から $[Cl^-]$ の減少方向つまり，①式の平衡は左に移動して AgCl(固)の量が増加するんだ。

 AgCl(固)の溶けている量が減少するんだね。

そうなんだ。このように，**平衡に関係するイオンを含んだ電解質を加えたとき，共通イオンが減少する方向に平衡の移動が起こって電離度や溶解度が小さくなる現象を共通イオン効果**というんだ。

ポイント ▶ 共通イオン効果について

例

塩化水素HClを吹きこむ
$\left(\begin{array}{c}[Cl^-] が大きくなり，\\(*)の平衡は左へ移動する\end{array}\right)$

NaCl飽和水溶液

$NaCl \rightleftarrows Na^+ + Cl^-$ …(*)の平衡状態

NaCl

NaCl

NaClの結晶が析出する

チェック問題 12　　標準 1分

水に塩化銀を加え十分長い時間放置したところ，次式の溶解平衡が成立し，塩化銀の飽和水溶液ができた。

$$AgCl(固体) \rightleftarrows Ag^+(aq) + Cl^-(aq)$$

この飽和水溶液に，塩化カリウムを少量加えたときの現象の記述として最も適当なものを，次の①～④のうちから 1 つ選べ。

① 平衡は右にずれて塩化銀の溶解度は増加する。
② 平衡は左にずれて塩化銀の沈殿は増加する。
③ $Ag^+(aq)$ の濃度が増加する。
④ 塩化カリウムは水に溶けにくいので何の変化も起こらない。

解答・解説

②

$$AgCl(固体) \; \rightleftarrows \; Ag^+ \; + \; Cl^-$$

KCl を加えると，$[Cl^-]$ が大きくなり，平衡が左にずれるから，AgCl の沈殿が増加する。

15 時間目 金属イオンの反応

1 沈殿について

水溶液に試薬を加えると，水に溶けにくい固体物質ができて水溶液がにごることがある。このにごりは，やがて容器の底に沈むので沈殿というんだ。

例 食塩 $NaCl$ 水に硝酸銀 $AgNO_3$ 水溶液を加える。

水溶液どうしを混ぜ合わせたときに出会った陽イオンと陰イオンの組み合わせが，水に溶けにくい固体物質になると沈殿する。沈殿には，さまざまな色があり，沈殿になる陽イオンと陰イオンの組み合わせも複雑なんだ。ただ，そのおかげで水溶液に含まれていた金属イオンが何か，知ることができる。

そうなんだ。これは絶対に覚えなければいけないんだ。まず，**陰イオンから陽イオンをみて，沈殿するもの・しないもの**を覚えていこう。

2 沈殿（陰イオンからのアプローチ）

❶ 硝酸イオン NO_3^-

NO_3^- は，どの金属イオンとも沈殿をつくらない。

❷ 塩化物イオン Cl^-，ヨウ化物イオン I^-

Ag^+，Pb^{2+} は Cl^- や I^- と沈殿をつくる。このとき生成する $AgCl$ や AgI は，**光があたると分解しやすい性質（＝感光性）があり，$PbCl_2$ は熱水に溶ける**んだ。

$$\begin{cases} Ag^+ + Cl^- \longrightarrow AgCl \downarrow （白） \\ Pb^{2+} + 2Cl^- \longrightarrow PbCl_2 \downarrow （白） \end{cases}$$

$$2AgCl \xrightarrow{光} 2Ag + Cl_2 \quad \Leftarrow 光で分解し黒くなる$$
$$PbCl_2 \xrightarrow{加熱} Pb^{2+} + 2Cl^- \quad \Leftarrow 熱水に溶ける$$

$$\begin{cases} Ag^+ + I^- \longrightarrow AgI \downarrow （黄） \\ Pb^{2+} + 2I^- \longrightarrow PbI_2 \downarrow （黄） \end{cases}$$

現（Ag^+）ナマ（Pb^{2+}）で苦労（Cl^-）する私（I^-）　← ゴロ合わせで沈殿を覚えよう！

❸ 硫酸イオン SO_4^{2-} と炭酸イオン CO_3^{2-}

Ba^{2+}, Ca^{2+}, Pb^{2+} は SO_4^{2-} と沈殿をつくり，Ba^{2+}, Ca^{2+} は CO_3^{2-} と沈殿をつくる。

$$\begin{cases} Ba^{2+} + SO_4^{2-} \longrightarrow BaSO_4 \downarrow (白) \\ Ca^{2+} + SO_4^{2-} \longrightarrow CaSO_4 \downarrow (白) \\ Pb^{2+} + SO_4^{2-} \longrightarrow PbSO_4 \downarrow (白) \end{cases} \quad \begin{cases} Ba^{2+} + CO_3^{2-} \longrightarrow BaCO_3 \downarrow (白) \\ Ca^{2+} + CO_3^{2-} \longrightarrow CaCO_3 \downarrow (白) \end{cases}$$

バ(Ba^{2+})カ(Ca^{2+})炭酸(CO_3^{2-})

バ(Ba^{2+})カ(Ca^{2+})な(Pb^{2+})硫酸(SO_4^{2-}) ← ゴロ合わせで沈殿を覚えよう！

また，SO_4^{2-} との沈殿 ($BaSO_4$, $CaSO_4$, $PbSO_4$) は**強酸に溶けない**が，CO_3^{2-} との沈殿($BaCO_3$, $CaCO_3$)は CO_2 を発生して**強酸に溶ける**(弱酸の遊離)。

たとえば，$CaCO_3$ の白色沈殿に塩酸 HCl を加えると，次の反応が起こって沈殿が溶ける。($CaCO_3$ に希硫酸 H_2SO_4 を加えた場合は，p.265 参照)

$$CaCO_3 + 2HCl \longrightarrow CaCl_2 + H_2O + CO_2$$

❹ クロム酸イオン CrO_4^{2-}

Ba^{2+}, Pb^{2+}, Ag^+ は CrO_4^{2-} と沈殿をつくる。

$$\begin{cases} Ba^{2+} + CrO_4^{2-} \longrightarrow BaCrO_4 \downarrow (黄) \\ Pb^{2+} + CrO_4^{2-} \longrightarrow PbCrO_4 \downarrow (黄) \\ 2Ag^+ + CrO_4^{2-} \longrightarrow Ag_2CrO_4 \downarrow (赤褐) \end{cases}$$

ゴロ合わせで沈殿を覚えよう！

バ(Ba^{2+})ナナ(Pb^{2+})を銀貨(Ag^+)で買ったら，苦労(CrO_4^{2-})した

❺ 水酸化物イオン OH^-

水酸化ナトリウム $NaOH$ 水溶液やアンモニア NH_3 水は，ともに塩基性を示した。

$NaOH \longrightarrow Na^+ + OH^-$ ← $NaOH$ や NH_3 は電離して
$NH_3 + H_2O \rightleftharpoons NH_4^+ + OH^-$ 水酸化物イオン OH^- を生じる

これらの水溶液を「少量」加えて塩基性にすると沈殿する金属イオンがある。この沈殿は，**金属のイオン化傾向**に対応させて覚えるといいよ。(イオン化傾向が Na より小さい金属のイオンが沈殿する)

	リ カ バ カ ナ Li^+ K^+ Ba^{2+} Ca^{2+} Na^+	マ ア ア テ ニ ス ナド Mg^{2+} Al^{3+} Zn^{2+} Fe^{3+} Fe^{2+} Ni^{2+} Sn^{2+} Pb^{2+} Cu^{2+}	ス ギる Hg^{2+} Ag^+
OH^-	沈殿しない	水酸化物(OH^-がくっついた形)が沈殿する	酸化物(O^{2-}がくっついた形)が沈殿する

$Mg(OH)_2$(白)，$\quad$ $Al(OH)_3$(白)，$\quad$ $Zn(OH)_2$(白)，$\quad$ ⎰ OH^- の濃度が大きいと
*水酸化鉄(Ⅲ)(赤褐)，$Fe(OH)_2$(緑白)，$Ni(OH)_2$(緑)，$\quad$ ⎱ Ca^{2+} は $Ca(OH)_2$(白)
$Sn(OH)_2$(白)，$\quad$ $Pb(OH)_2$(白)，$\quad$ $Cu(OH)_2$(青白)，$\quad$ が沈殿する
HgO(黄)，Ag_2O(褐) ← 酸化物になるので注意！
$\quad$ *水酸化鉄(Ⅲ)は，$FeO(OH)$ や $Fe_2O_3 \cdot nH_2O$ などからなる混合物なので，1つの化学式で表すことが難しい。

ただし，$NaOH$ 水溶液や NH_3 水を「少量」ではなく，「過剰」に加えると，一度できた沈殿が溶けるものがある。

❶ NaOH 水溶液を「過剰」に加えたとき，一度できた沈殿が溶解するもの

Al^{3+} $\xrightarrow{NaOH}$ $Al(OH)_3 \downarrow$（白）$\xrightarrow{NaOH}$ $[Al(OH)_4]^-$（無色透明）

Zn^{2+} $\xrightarrow{NaOH}$ $Zn(OH)_2 \downarrow$（白）$\xrightarrow{NaOH}$ $[Zn(OH)_4]^{2-}$（無色透明）

Sn^{2+} $\xrightarrow{NaOH}$ $Sn(OH)_2 \downarrow$（白）$\xrightarrow{NaOH}$ $[Sn(OH)_4]^{2-}$（無色透明）

Pb^{2+} $\xrightarrow{NaOH}$ $Pb(OH)_2 \downarrow$（白）$\xrightarrow{NaOH}$ $[Pb(OH)_4]^{2-}$（無色透明）

あ（Al^{3+}）あ（Zn^{2+}）すん（Sn^{2+}）なり（Pb^{2+}）と溶ける ← ゴロ合わせで覚えよう！

❷ NH_3水を「過剰」に加えたとき，一度できた沈殿が溶解するもの

Cu^{2+}（青）$\xrightarrow{NH_3}$ $Cu(OH)_2 \downarrow$（青白）$\xrightarrow{NH_3}$ $[Cu(NH_3)_4]^{2+}$（深青）

Zn^{2+} $\xrightarrow{NH_3}$ $Zn(OH)_2 \downarrow$（白）$\xrightarrow{NH_3}$ $[Zn(NH_3)_4]^{2+}$（無色透明）

Ni^{2+}（緑）$\xrightarrow{NH_3}$ $Ni(OH)_2 \downarrow$（緑）$\xrightarrow{NH_3}$ $[Ni(NH_3)_6]^{2+}$（青紫）

Ag^+ $\xrightarrow{NH_3}$ $Ag_2O \downarrow$（褐）$\xrightarrow{NH_3}$ $[Ag(NH_3)_2]^+$（無色透明）

安（NH_3）藤（Cu^{2+}）さんのあ（Zn^{2+}）に（Ni^{2+}）は銀（Ag^+）行員 ← ゴロ合わせで覚えよう！

❻ 硫化物イオン S^{2-}

　硫化水素 H_2S を金属イオンの水溶液に通じるとき，水溶液の「**液性（酸性・中性・塩基性）**」によって，沈殿する金属イオンが異なる。これも，**金属のイオン化傾向に**対応させて覚えよう。

	リ カ バ カ ナ マ ア Li^+ K^+ Ba^{2+} Ca^{2+} Na^+ Mg^{2+} Al^{3+}	ア テ ニ Zn^{2+} Fe^{3+} Fe^{2+} Ni^{2+}	ス ナ ド ス ギ ル Sn^{2+} Pb^{2+} Cu^{2+} Hg^{2+} Ag^+
S^{2-}	硫化物は沈殿しない	酸性では沈殿しない（中性・塩基性のみ硫化物が沈殿する）	液性に関係なく硫化物が沈殿する

ZnS（白），$^*FeS$（黒），NiS（黒），SnS（褐），　PbS（黒），CuS（黒），HgS（黒），Ag_2S（黒）
　* Fe^{3+}，Fe^{2+} ともに FeS（黒）が沈殿する（Fe^{3+} は S^{2-} によって，Fe^{2+} に変化するため）

　あと，Mn^{2+} **が中性・塩基性でのみ** MnS（淡桃），Cd^{2+} **が液性に関係なく** CdS（黄）**の沈殿を生じる**ことも知っておくといいよ。

😐❓ 液性に関係なくっていうのは？

　pH に関係なく，中性や塩基性はもちろん，**酸性でも**沈殿するということなんだ。
ここで沈殿の色の 覚え方のコツ を紹介していくね。

【コツ①】 Cl^-，SO_4^{2-}，CO_3^{2-} との沈殿はすべて白色

【コツ②】 I^- との沈殿はすべて黄色

【コツ③】 CrO_4^{2-} との沈殿は，ゴロの「バ（Ba^{2+}）ナナ（Pb^{2+}）」と「黄色」，「買っ」と「赤褐色」をくっつけて覚えるとよい

【コツ④】 OH^- との沈殿は，白以外を覚えるとよい

【コツ⑤】 S^{2-} との沈殿は，黒以外を覚えるとよい

ポイント イオンや酸化物の沈殿，色について

水溶液中のイオン ➡ 右以外のイオンはほとんど が無色	Fe^{2+}：淡緑　Fe^{3+}：黄褐　Cu^{2+}：青　Ni^{2+}：緑 CrO_4^{2-}：黄　$Cr_2O_7^{2-}$：赤橙　MnO_4^-：赤紫 $[Cu(NH_3)_4]^{2+}$：深青　$[Ni(NH_3)_6]^{2+}$：青紫
塩化物（Cl^-との沈殿）	$AgCl$：白　$PbCl_2$：白
ヨウ化物（I^-との沈殿）	AgI：黄　PbI_2：黄
硫酸塩（SO_4^{2-}との沈殿）	$BaSO_4$：白　　$CaSO_4$：白　　$PbSO_4$：白
炭酸塩（CO_3^{2-}との沈殿）	$BaCO_3$：白　　$CaCO_3$：白
クロム酸塩（CrO_4^{2-}との沈殿）	$BaCrO_4$：黄　$PbCrO_4$：黄　Ag_2CrO_4：赤褐
水酸化物（OH^-との沈殿）	典型元素の水酸化物は白が多い $Fe(OH)_2$：緑白　水酸化鉄（Ⅲ）：赤褐 $Cu(OH)_2$：青白　$Zn(OH)_2$：白　$Ni(OH)_2$：緑
酸化物 ➡ 遷移元素の酸化物は 有色のものが多い	CuO：黒　　Cu_2O：赤　Ag_2O：褐　MnO_2：黒 Fe_3O_4：黒　Fe_2O_3：赤褐　ZnO：白　HgO：黄
硫化物（S^{2-}との沈殿）	黒が多い ZnS：白　　SnS：褐　　MnS：淡桃　　CdS：黄

第5章

無機物質

チェック問題 1

標準 2分

水溶液中でイオン A とイオン B，およびイオ ン A とイオン C をそれぞれ反応させる。いずれ か一方のみに沈殿が生じる A ～ C の組み合わせ を，右の①～⑤のうちから 1 つ選べ。

	A	B	C
①	Ca^{2+}	Cl^-	CO_3^{2-}
②	Fe^{3+}	NO_3^-	SO_4^{2-}
③	Zn^{2+}	Cl^-	SO_4^{2-}
④	Ag^+	OH^-	CrO_4^{2-}
⑤	Mg^{2+}	Cl^-	SO_4^{2-}

解答・解説

①

① Cl^- は Ca^{2+} と沈殿しない。CO_3^{2-} は Ca^{2+} と $CaCO_3\downarrow$（白）を生じる。

② NO_3^- や SO_4^{2-} は，Fe^{3+} と沈殿しない。

③ Cl^- や SO_4^{2-} は，Zn^{2+} と沈殿しない。

④ OH^- は Ag^+ と $Ag_2O\downarrow$（褐），CrO_4^{2-} は Ag^+ と $Ag_2CrO_4\downarrow$（赤褐）を生じる。

⑤ Cl^- や SO_4^{2-} は，Mg^{2+} と沈殿しない。

チェック問題 2 標準 2分

金属イオン A を含む水溶液に，水溶液
B を少量加えると沈殿が生じた。これに
さらに B を過剰に加えても沈殿は溶け
なかった。A と B の組み合わせとして最
も適当なものを，右の①～⑤のうちから
1 つ選べ。

	A	B
①	Zn^{2+}	水酸化ナトリウム水溶液
②	Pb^{2+}	水酸化ナトリウム水溶液
③	Al^{3+}	アンモニア水
④	Cu^{2+}	アンモニア水
⑤	Ag^+	アンモニア水

解答・解説

③

「ああすんなりと溶ける」➡①と②，「安藤さんのあには銀行員」➡④と⑤

① Zn^{2+} $\xrightarrow{NaOH}$ $Zn(OH)_2\downarrow$ $\xrightarrow{NaOH}$ $[Zn(OH)_4]^{2-}$ （沈殿が溶ける）
② Pb^{2+} $\xrightarrow{NaOH}$ $Pb(OH)_2\downarrow$ $\xrightarrow{NaOH}$ $[Pb(OH)_4]^{2-}$ （沈殿が溶ける）
③ Al^{3+} $\xrightarrow{NH_3}$ $Al(OH)_3\downarrow$ $\xrightarrow{NH_3}$ $Al(OH)_3\downarrow$ （沈殿のまま）

   Al^{3+} に，NH_3 水を過剰に加えても沈殿は溶けない。

④ Cu^{2+} $\xrightarrow{NH_3}$ $Cu(OH)_2\downarrow$ $\xrightarrow{NH_3}$ $[Cu(NH_3)_4]^{2+}$ （沈殿が溶ける）
⑤ Ag^+ $\xrightarrow{NH_3}$ $Ag_2O\downarrow$ $\xrightarrow{NH_3}$ $[Ag(NH_3)_2]^+$ （沈殿が溶ける）

思 考力のトレーニング 1 やや難 3分

不純物を含む鉄ミョウバン（$FeK(SO_4)_2\cdot12H_2O$）の固体 5.40 g をすべて水に
溶かし，水溶液を調製した。その水溶液に十分な量の塩化バリウム水溶液を加
えて，完全に反応させると，硫酸バリウムの白色沈殿が 4.66 g 生成した。鉄ミ
ョウバンの純度（質量パーセント）として最も適当な数値を，次の①～⑤のうちか
ら 1 つ選べ。ただし，不純物は沈殿を生成しないものとし，すべての硫酸イオ
ンは硫酸バリウムとして沈殿したものとする。また，$FeK(SO_4)_2$ の式量は 287，
H_2O の分子量は 18，$BaSO_4$ の式量は 233 とする。

① 47　　② 53　　③ 73　　④ 86　　⑤ 93

解答・解説

⑤

$FeK(SO_4)_2\cdot12H_2O$ 1 個のもつ SO_4^{2-} は 2 個であり，これに十分な量の塩化バリ
ウム $BaCl_2$ 水溶液（Ba^{2+}）を加えると，$BaSO_4$ の白色沈殿は 2 個が生じることに気

づくとよい。また、「個数の関係 = 物質量(mol)の関係」なので，

$$\text{FeK(SO}_4)_2\cdot 12H_2O \xrightarrow[\times 2]{\text{十分な量の Ba}^{2+}} BaSO_4$$

1個 (mol) ⟶ 2個 (mol)

となり，$\underset{287}{\underline{FeK(SO_4)_2}}\cdot\underset{18}{\underline{12H_2O}}$ のモル質量は $287+12\times 18=503$ g/mol で $BaSO_4$ の

モル質量は 233 g/mol。よって，固体 5.40 g 中の鉄ミョウバン($FeK(SO_4)_2\cdot$
$12H_2O$)を x (g)とおくと次の式が成り立つ。

$$\underset{FeK(SO_4)_2\cdot 12H_2O(mol)}{\frac{x}{503}} \quad \underset{\text{生じる } BaSO_4(mol)}{\times \quad 2} \quad = \quad \underset{\text{生成した } BaSO_4(mol)}{\frac{4.66}{233}}$$

より，$x = 5.03$ g

鉄ミョウバンの純度は質量パーセントで $\dfrac{5.03}{5.40} \times 100 \fallingdotseq 93$ %

3 錯イオンについて

ヘキサシアニド鉄(Ⅲ)酸イオン $[Fe(CN)_6]^{3-}$ やテトラアンミン銅(Ⅱ)イオン $[Cu(NH_3)_4]^{2+}$ のようなイオンを錯イオンという。

錯イオンは，[   ] を使って表すことを確認しておいてね。錯イオンは，Fe^{3+}，Ag^+，Zn^{2+}，Cu^{2+} などの金属イオンに CN^- のような陰イオンや NH_3 のような分子が配位結合してできているんだ。

どんな陰イオンや分子でもいいの？

そうではないんだ。配位結合をつくるには非共有電子対が必要だったよね。だから，**錯イオンをつくっている陰イオンや分子にも非共有電子対が必要**なんだ。シアン化物

イオン $[:\!C\!:\!:\!N\!:]^-$ やアンモニア $\overset{H}{\underset{H}{:\!N\!:\!H}}$ には非共有電子対があり，これらの陰イオン

非共有電子対

や分子を配位子という。錯イオンのもつ**配位子の数**(＝配位数)や錯イオンの形は金属イオンによって変わる。共通テストで出題される錯イオンの名前や形は限られているので，次に紹介する錯イオンをおさえていってね。

❶ 錯イオンの名前について

❶ 配位数(＝錯イオンのもつ配位子の数)

配位数を表すのにギリシャ語の数詞でよぶ。

1→モノ　　**2→ジ**　　**3→トリ**　　**4→テトラ**　　**5→ペンタ**　　**6→ヘキサ**

❷ 配位子名

配位子名(＝配位子の名前)は，次の4つを覚えておいてね。

H_2O →**アクア**　　NH_3→**アンミン**　　CN^-→**シアニド**　　OH^-→**ヒドロキシド**

は，

「配位数→配位子名→中心金属（価数）*→イオン」の順につけていくんだ。

価数は，（　）をつけてローマ数字で表す

 ＊がついているね。

よく気づいたね。錯イオンが陰イオンのときは，＊の後に「**酸**」をつけるんだ。忘れやすいので気をつけてね。たとえば，

$[Fe(CN)_6]^{3-}$ は，ヘキサシアニド鉄（Ⅲ）酸イオンになるんだ。

陰イオン　　　配位数6　　配位子名　Fe^{3+}を表す　陰イオンを表す
なので…　　　を表す　　　CN^-を表す

原子くん，$[Cu(NH_3)_4]^{2+}$ の名前を答えてみて‼

 この錯イオンは陽イオンだから「酸」はつけないよね。えっと，配位数は 4 で「**テトラ**」，配位子は NH_3 で「**アンミン**」，中心金属イオンは Cu^{2+} で「**銅（Ⅱ）**」，陽イオンだから「**イオン**」……まとめると，$[Cu(NH_3)_4]^{2+}$ は，**テトラアンミン銅（Ⅱ）イオン**だね。

正解！　すごいね。じゃあ，「$Zn(OH)_4$」$^{2-}$ の名前は？

配位数は 4 で「**テトラ**」，配位子は OH^- で「**ヒドロキシド**」，中心金属イオンは Zn^{2+} で「**亜鉛（Ⅱ）**」，陰イオンだから「**酸イオン**」となって，$[Zn(OH)_4]^{2-}$ は，**テトラヒドロキシド亜鉛（Ⅱ）酸イオン**だよ。

さすがだね。

❷ 錯イオンの形について

錯イオンの形は，配位数で分類して覚えると覚えやすいと思うよ。

❶　配位数「2」のもの ➡ **直線形**

$[Ag(NH_3)_2]^+$：　　　　　$H_3N \longrightarrow Ag^+ \longleftarrow NH_3$
ジアンミン銀（Ⅰ）イオン　　　　　直線形　　　　（←は配位結合を表す）

❷　配位数「4」のもの ➡ **正四面体形**か**正方形**

$[Zn(NH_3)_4]^{2+}$　　　　　　　　　　　$[Cu(NH_3)_4]^{2+}$
テトラアンミン亜鉛（Ⅱ）イオン　　　テトラアンミン銅（Ⅱ）イオン

正四面体形　　　　　　　　　　　　　正方形
　　　　　　　　　　　　　　　　　　（←は配位結合を表す）

 配位数「4」のものは 2 種類あるね。

そうなんだ。$[Zn(NH_3)_4]^{2+}$ のような Zn^{2+} **の錯イオンが正四面体形**であることと，

$[Cu(NH_3)_4]^{2+}$ のような Cu^{2+} **の錯イオンが正方形である**ことを覚えておいてね。

❸ 配位数「6」のもの ➡ **正八面体形**

$[Fe(CN)_6]^{4-}$
ヘキサシアニド鉄(Ⅱ)酸イオン

正八面体形

(←は配位結合を表す)

ポイント ▶ **錯イオンの名前と形について**

配位数2	配位数4		配位数6
配位結合			
直線形	正四面体形	正方形	正八面体形
$[Ag(NH_3)_2]^+$	$[Zn(NH_3)_4]^{2+}$	$[Cu(NH_3)_4]^{2+}$	$[Fe(CN)_6]^{4-}$
ジアンミン銀(Ⅰ)イオン	テトラアンミン亜鉛(Ⅱ)イオン	テトラアンミン銅(Ⅱ)イオン	ヘキサシアニド鉄(Ⅱ)酸イオン

チェック問題 3

標準 **2分**

下線部に誤りを含むものを，次の①～⑥のうちから2つ選べ。

① 水酸化銅(Ⅱ)$Cu(OH)_2$に過剰のアンモニア水を加えると，$[Cu(NH_3)_4]^{2+}$が生成して<u>深青色の水溶液</u>になる。

② 酸化銀 Ag_2O に過剰のアンモニア水を加えると，$[Ag(NH_3)_2]^+$が生成して<u>無色の水溶液</u>になる。

③ $[Fe(CN)_6]^{3-}$ の6つの配位子は，<u>正八面体形</u>の配置をとる。

④ $[Zn(NH_3)_4]^{2+}$ の4つの配位子は，<u>正方形</u>の配置をとる。

⑤ Zn^{2+} を含む水溶液に水酸化ナトリウム水溶液を加えると白色沈殿 $Zn(OH)_2$が生じた。さらに，濃い水酸化ナトリウム水溶液を加えると沈殿は溶解した。これは，<u>$Zn(OH)_2$が $[Zn(OH)_4]^{2-}$ に変化した</u>ためである。

⑥ テトラアンミン亜鉛(Ⅱ)イオン中の配位結合は，<u>亜鉛イオンの非共有電子対がアンモニアに与えられて生じる</u>。

④, ⑥

① [Cu(NH₃)₄]²⁺ は深青色で正方形〈正しい〉

② [Ag(NH₃)]⁺ は無色で直線形〈正しい〉

「安藤さんのあには銀行員」を思い出そう！

③ [Fe(CN)₆]⁴⁻ はもちろん [Fe(CN)₆]³⁻ も正八面体形になる。〈正しい〉

④ 正方形でなく<u>正四面体形</u>が正しい。〈誤り〉

⑤ 「ああすんなりと溶ける」を思い出そう！〈正しい〉

⑥ アンモニア NH₃ の非共有電子対が亜鉛イオン Zn²⁺ に与えられて生じる。〈誤り〉

4 沈殿（陽イオンからのアプローチ）

最後に，陽イオンから陰イオンをみて沈殿するもの・しないものを紹介するね。

❶ 鉄(Ⅱ)イオン Fe²⁺，鉄(Ⅲ)イオン Fe³⁺

Fe²⁺ を含む水溶液はヘキサシアニド鉄(Ⅲ)酸カリウム K₃[Fe(CN)₆] と<u>濃青色沈殿</u>をつくり，Fe³⁺ を含む水溶液はヘキサシアニド鉄(Ⅱ)酸カリウム K₄[Fe(CN)₆] と<u>濃青色沈殿</u>をつくるんだ。

$$Fe^{2+} \xrightarrow{K_3[Fe(CN)_6]} 濃青色沈殿 \qquad Fe^{3+} \xrightarrow{K_4[Fe(CN)_6]} 濃青色沈殿$$

 少し覚えにくいね。

そうだね。それぞれのカリウム塩に含まれている **Fe のイオンの価数**を調べてみると覚えやすくなるよ。

$K_3[Fe(CN)_6] \longrightarrow 3K^+ + [Fe(CN)_6]^{3-}$ とバラバラにして，Fe のイオンの価数を x として求めてみる。CN⁻ は −1 なので，

$$[Fe(CN)_6]^{3-}: \underset{Fe}{x} + \underset{CN^-}{(-1) \times 6} = -3 \quad x = +3 \quad \Leftarrow Fe^{3+} を含んでいる$$

同じように，$K_4[Fe(CN)_6] \longrightarrow 4K^+ + [Fe(CN)_6]^{4-}$ とバラバラにしてこの Fe のイオンの価数を y とすると，

$$[Fe(CN)_6]^{4-}: \underset{Fe}{y} + \underset{CN^-}{(-1) \times 6} = -4 \quad y = +2 \quad \Leftarrow Fe^{2+} を含んでいる$$

Fe²⁺ は，Fe³⁺ を含む K₃[Fe(CN)₆] と濃青色沈殿
ヘキサシアニド鉄(Ⅲ)酸カリウム

Fe³⁺ は，Fe²⁺ を含む K₄[Fe(CN)₆] と濃青色沈殿　をつくるんだね。
ヘキサシアニド鉄(Ⅱ)酸カリウム

「＋2は＋3」と，「＋3は＋2」と濃青色沈殿をつくると覚えるといいね。あと，**Fe³⁺ を含む水溶液はチオシアン酸カリウム KSCN で**<u>血赤色溶液</u>**になる**んだ。

ポイント Fe^{2+}，Fe^{3+}の検出について

ここは溶液だよ

- Fe^{2+} $\xrightarrow{\text{K}_3[\text{Fe(CN)}_6]}$ 濃青色沈殿
- Fe^{3+} $\xrightarrow{\text{K}_4[\text{Fe(CN)}_6]}$ 濃青色沈殿
  $\xrightarrow{\text{KSCN}}$ 血赤色溶液

❷ 銀イオン Ag$^+$

Ag$^+$ は，ハロゲン化物イオン Cl$^-$，Br$^-$，I$^-$ とハロゲン化銀の沈殿をつくる。

また，ハロゲン化銀の中で AgCl は NH$_3$ 水に錯イオン [Ag(NH$_3$)$_2$]$^+$ をつくって溶けるが，AgBr はわずかしか溶けなくて，AgI はほとんど溶けない。
→配位数 2

F$^-$ $\xrightarrow{\text{Ag}^+}$ 沈殿しない（水に溶ける）

Cl$^-$ $\xrightarrow{\text{Ag}^+}$ AgCl↓（白） $\xrightarrow{\text{NH}_3}$ 溶ける [Ag(NH$_3$)$_2$]$^+$

Br$^-$ $\xrightarrow{\text{Ag}^+}$ AgBr↓（淡黄） $\xrightarrow{\text{NH}_3}$ 少し溶ける [Ag(NH$_3$)$_2$]$^+$

I$^-$ $\xrightarrow{\text{Ag}^+}$ AgI↓（黄） $\xrightarrow{\text{NH}_3}$ 溶けない（沈殿のまま）

溶けたり，溶けなかったりややこしいね。

そうだね。ただ，チオ硫酸ナトリウム Na$_2$S$_2$O$_3$ 水溶液を加えると，ハロゲン化銀の沈殿（AgCl，AgBr，AgI）はすべて錯イオン [Ag(S$_2$O$_3$)$_2$]$^{3-}$ をつくって溶ける。
→配位数 2

また，ハロゲン化銀の沈殿は，光をあてると分解し，Ag を遊離して黒くなる性質（＝感光性）があったね（➡ p.250）。

例 2AgBr $\xrightarrow{\text{光}}$ 2Ag ＋ Br$_2$

ポイント ハロゲン化銀の沈殿について

	AgCl（白）	AgBr（淡黄）	AgI（黄）
NH$_3$ 水	溶ける	少し溶ける	溶けない
Na$_2$S$_2$O$_3$ 水溶液	溶ける	溶ける	溶ける

チェック問題 4

やや難 2分

次のアおよびイの３種類のイオンを含む各水溶液から，下線を引いたイオンのみを沈殿として分離したい。最も適当な方法を，次の①〜④のうちから１つずつ選べ。ただし，同じものを選んでもよい。

第5章 無機物質

ア　Pb^{2+}, Fe^{2+}, Ca^{2+}　| 1 |

イ　Cu^{2+}, Pb^{2+}, Al^{3+}　| 2 |

① 水酸化ナトリウム水溶液を過剰に加える。
② アンモニア水を過剰に加える。
③ 室温で希塩酸を加える。
④ アンモニア水を加えて塩基性にしたのち，硫化水素を通じる。

解答・解説

| 1 |　③　| 2 |　①

ア　希塩酸 $HCl(Cl^-)$ で Pb^{2+} のみを $PbCl_2\downarrow$（白）として分離できる。

イ　Cu^{2+}, Pb^{2+}, Al^{3+} に NaOH 水溶液を過剰に加える（①）と，$Cu(OH)_2\downarrow$（青白），

イオン化傾向 Na より小

$[Pb(OH)_4]^{2-}$，$[Al(OH)_4]^-$ となり，Cu^{2+} のみを沈殿として分離できる。
「ああすんなりととける」

また，②の NH_3 水過剰では，$[Cu(NH_3)_4]^{2+}$，$Pb(OH)_2\downarrow$（白），$Al(OH)_3\downarrow$（白）
となり，④の塩基性にしたのち H_2S を通じると $CuS\downarrow$（黒），$PbS\downarrow$（黒），硫化
物は沈殿しない（Al^{3+}）となり，いずれも Cu^{2+} のみを沈殿とすることはできない。

チェック問題 5

やや難 3分

次の記述①〜⑤のうちから，誤りを含むものを1つ選べ。

① 塩化鉄(Ⅲ)水溶液に，水酸化ナトリウム水溶液を加えると，沈殿が生じる。
② 塩化鉄(Ⅱ)水溶液に，KSCN 水溶液を加えると，血赤色の沈殿が生じる。
③ 塩化鉄(Ⅲ)水溶液に，$K_4[Fe(CN)_6]$ 水溶液を加えると，濃青色の沈殿が生じる。
④ 硫酸鉄(Ⅱ)水溶液に，$K_3[Fe(CN)_6]$ 水溶液を加えると，濃青色の沈殿が生じる。
⑤ 硫酸鉄(Ⅱ)水溶液に，アンモニア水を加えると沈殿が生じる。

解答・解説

②
① Fe^{3+} は，NaOH 水溶液で水酸化鉄(Ⅲ)の赤褐色沈殿が生じる。〈正しい〉
② Fe^{3+} の水溶液に KSCN を加えると血赤色**溶液**になる。〈誤り〉
⑤ $Fe^{2+} + 2OH^- \longrightarrow Fe(OH)_2\downarrow$（緑白色）〈正しい〉

5 炎色反応について

アルカリ金属のイオン，Be^{2+} と Mg^{2+} を除くアルカリ土類金属のイオン，Cu^{2+} などの水溶液を白金線につけ，ガスバーナーの**外炎**に入れると，元素に特有な色が炎につく。これを炎色反応という。

実験前に白金線を濃塩酸で洗浄し，白金線に炎色反応を示す物質がついていないことをガスバーナーの外炎に入れて確かめておく。

白金線

試料 M^{n+}

白金線

炎色

内炎

外炎

炎色反応で，沈殿をろ過後のろ液中に残った金属イオンを確認することができる。炎色反応で，Li は赤色，Na は黄色，K は赤紫色，Cu は青緑色，Ca は橙赤色，Sr は紅色，Ba は黄緑色にそれぞれ発色する。

炎色反応のゴロ合わせを紹介しておくね。

Li	赤	Na	黄	K	紫	Cu	緑	Ba	緑	Ca	橙	Sr	紅
リ	アカー	な	き	K	村，	動	力に	馬	力	借りる	とう	するも	くれない

チェック問題6　標準 2分

2つの元素に共通する性質として誤りを含むものを，次の①～⑤のうちから1つ選べ。

	2つの元素	共通する性質
①	K，Sr	炎色反応を示す
②	Sn，Ba	+2の酸化数をとりうる
③	Fe，Ag	硫化物は黒色である
④	Na，Ca	炭酸塩は水によく溶ける
⑤	Al，Zn	酸化物の粉末は白色である

解答・解説

④

① K は赤紫色，Sr は紅色の炎色反応を示す。〈正しい〉
② SnS(➡ p.252) や BaSO₄(➡ p.251)からわかる。〈正しい〉
③ S²⁻ との沈殿は黒色が多く，FeS や Ag₂S も黒色〈正しい〉
④ CaCO₃ は白色沈殿で水に溶けないが，Na₂CO₃ は水によく溶ける。〈誤り〉
⑤ Al₂O₃ や ZnO は白色になる。〈正しい〉

思 考力のトレーニング 2 難

6種類の金属イオン Ag^+，Al^{3+}，Cu^{2+}，Fe^{3+}，K^+，Zn^{2+} のうち，いずれか4種類の金属イオンを含む水溶液アがある。どの金属イオンが含まれているか調べるため，下の実験を行った。その結果，4種類の金属イオンを1種類ずつ，沈殿 A，沈殿 B，沈殿 C，沈殿 D，およびろ液 E として分離できた。問い(a・b)に答えよ。

a　6種類の金属イオンのうち，水溶液アに含まれていない金属イオンを，次の①～⑥のうちから2つ選べ。

　　① Ag^+　　② Al^{3+}　　③ Cu^{2+}　　④ Fe^{3+}　　⑤ K^+　　⑥ Zn^{2+}

b　沈殿 D に含まれている金属イオンを，次の①～⑥のうちから1つ選べ。

　　① Ag^+　　② Al^{3+}　　③ Cu^{2+}　　④ Fe^{3+}　　⑤ K^+　　⑥ Zn^{2+}

解答・解説

a ⑤, ⑥　　b ④

　仮に6種類の金属イオンすべてが水溶液アに含まれていたとすると、図の操作を行うことで次のように分離できる。

Ag^+　Al^{3+}　Cu^{2+}　Fe^{3+}　K^+　Zn^{2+}　を含む水溶液

HClを加える（「現ナマで苦労する私」が沈殿する）

沈殿A　　　　　　　ろ過　　　　　　　　ろ液

$AgCl↓（白）$　　　　Al^{3+}　Cu^{2+}　Fe^{3+}　K^+　Zn^{2+}

HCl酸性でH_2Sを通じる（Fe^{3+}はFe^{2+}に変化する）

前の操作でHClを加えているので

（イオン化傾向Sn以下が液性に関係なく沈殿する）

沈殿B　　　　　　ろ過　　　　　　　　ろ液

$CuS↓（黒）$　　　　Al^{3+}　Fe^{2+}　K^+　Zn^{2+}

煮沸して、H_2Sを除く

HNO_3（希）を加える（Fe^{2+}をFe^{3+}に戻す）

└→酸化剤

NH_3水を過剰に加える

（イオン化傾向Naより小が沈殿するが、「安藤さんのあには銀行員」に注意する）

沈殿C　　　　　　　　　　　　　ろ過　　　　　　　　　　　ろ液

$Al(OH)_3↓（白）$　水酸化鉄(Ⅲ)↓（赤褐）　　　K^+　$[Zn(NH_3)_4]^{2+}$

NaOH水溶液を過剰に加える

（「ああすんなりと溶ける」に注意する）

沈殿D　　　　　　ろ過　　　　　　ろ液E

水酸化鉄(Ⅲ)↓（赤褐）　　　$[Al(OH)_4]^-$

a　本問では、沈殿A（$AgCl↓$）、沈殿B（$CuS↓$）、沈殿D（水酸化鉄(Ⅲ)↓）、ろ液E（$[Al(OH)_4]^-$）として分離できている。よって、6種の金属イオンのうち水溶液アには Ag^+、Cu^{2+}、Fe^{3+}、Al^{3+}（4種類）が含まれており、K^+ と Zn^{2+} が含まれていない。

b　沈殿Dは水酸化鉄(Ⅲ)↓なので、Fe^{3+}が含まれている。

第**5**章

無機物質

16 時間目

第5章 無機物質

気体の製法

1 酸・塩基反応の利用について

「塩の加水分解」で弱酸の陰イオン・弱塩基の陽イオンについて勉強したね。

> 「弱酸の陰イオンは H^+ と結びつきやすい」「弱塩基の陽イオンは OH^- と結びつきやすい」（➡ p.232）って勉強したよ。

そうだね。だから，**「弱酸の陰イオン」**に**「強酸」**を加えると，**「弱酸の陰イオン」**は H^+ と結びつきやすく**「強酸」のもつ H^+ と結びついて弱酸になる**んだ。

❶ 硫化水素 H_2S の製法

弱酸である H_2S の陰イオン S^{2-} に，強酸の希塩酸 HCl を加えると，S^{2-} と HCl の H^+ が結びついて H_2S になるので，$S^{2-} + 2H^+ \longrightarrow H_2S$

つまり，$S^{2-} + 2HCl \longrightarrow H_2S + 2Cl^-$（弱酸の遊離）が起こる。

S^{2-} の塩である硫化鉄（Ⅱ）FeS を使うときには，両辺に Fe^{2+} を加えると化学反応式が完成するんだ。

$$S^{2-} + 2HCl \longrightarrow H_2S + 2Cl^-$$
$$+)\ Fe^{2+} \qquad\qquad\qquad Fe^{2+} \quad \Leftarrow 両辺に Fe^{2+} を加える$$
$$\overline{FeS + 2HCl \longrightarrow H_2S + FeCl_2}$$

これが，**H_2S の実験室でのつくり方**になるんだ。強酸として希硫酸 H_2SO_4 を使うときには同じように化学反応式をつくることができる。

$$S^{2-} + H_2SO_4 \longrightarrow H_2S + SO_4^{2-}$$
$$+)\ Fe^{2+} \qquad\qquad\qquad Fe^{2+} \quad \Leftarrow 両辺に Fe^{2+} を加える$$
$$\overline{FeS + H_2SO_4 \longrightarrow H_2S + FeSO_4}$$

キップの装置

① コックを開くとAの希硫酸が流れ落ち，CからあふれBまで達する。
② Bで希硫酸と FeS が反応して H_2S が発生する。
③ コックを閉じると H_2S の圧力がB中の希硫酸を押し下げるので反応が停止する。

❷ 二酸化炭素 CO_2（炭酸 H_2CO_3）の製法

次に，炭酸 H_2CO_3 **の製法**を勉強しよう。H_2CO_3 は H_2O と CO_2 に分解するから，**炭酸の製法は** CO_2 **の製法**でもあるんだ。

弱酸である H_2CO_3 の陰イオン $CO_3{}^{2-}$ に強酸の希塩酸 HCl を加えると，次の反応が起こる。

$$CO_3{}^{2-} + 2HCl \longrightarrow H_2CO_3 + 2Cl^- \quad （弱酸の遊離）$$

H_2CO_3 は H_2O と CO_2 に分解するので，

$$CO_3{}^{2-} + 2HCl \longrightarrow H_2O + CO_2 + 2Cl^- \quad （弱酸の遊離）$$

と書きかえることができる。

ここで，$CO_3{}^{2-}$ の塩である炭酸カルシウム $CaCO_3$ を使うときには，両辺に Ca^{2+} を加えると化学反応式が完成する。

$$CaCO_3 + 2HCl \longrightarrow H_2O + CO_2 + CaCl_2$$

炭酸カルシウムは大理石や石灰石と問題文中に書かれることがあるから注意してね。

じゃあ，強酸として希硫酸 H_2SO_4 を利用したときには
$$CaCO_3 + H_2SO_4 \longrightarrow H_2O + CO_2 + CaSO_4$$
の反応が起こるの？

おしいね。$CaCO_3$ の表面が，水に不溶な（沈殿）$CaSO_4$ におおわれ，反応がほとんど起こらない。そのため**希硫酸は使えない**んだ。

❸ 二酸化硫黄 SO_2（亜硫酸 H_2SO_3）の製法

亜硫酸 H_2SO_3 の製法は SO_2 **の製法**でもあるんだ。

弱酸である H_2SO_3 の陰イオン $SO_3{}^{2-}$ に強酸の希硫酸 H_2SO_4 を加えると，

$$SO_3{}^{2-} + H_2SO_4 \longrightarrow H_2O + SO_2 + SO_4{}^{2-} \quad （弱酸の遊離）が起こる。$$

ここで，$SO_3{}^{2-}$ の塩として亜硫酸ナトリウム Na_2SO_3 を使うときには，両辺に $2Na^+$ を加えると化学反応式が完成する。

$$Na_2SO_3 + H_2SO_4 \longrightarrow H_2O + SO_2 + Na_2SO_4$$

$HSO_3{}^-$ の塩である亜硫酸水素ナトリウム $NaHSO_3$ に希硫酸 H_2SO_4 を加えても

SO₂ を発生させることができる。

$$HSO_3^- + H_2SO_4 \longrightarrow H_2O + SO_2 + HSO_4^- \text{(弱酸の遊離)}$$

この両辺に，Na⁺ を加えると化学反応式が完成する。

$$NaHSO_3 + H_2SO_4 \longrightarrow H_2O + SO_2 + NaHSO_4$$

ポイント ▶ **弱酸の遊離について**

● 弱酸の陰イオンを含む塩 ＋ 強酸 ⟶ 弱酸 ＋ 強酸の塩

チェック問題 1

標準 **2分**

　図の装置を用いて，硫化鉄(Ⅱ)に希硫酸を加えて気体を発生させた。正しい記述を，次の①〜⑤のうちから１つ選べ。

① 黄色の気体が発生する。
② 希硫酸のかわりに希塩酸を用いると，同じ気体は発生しない。
③ 希硫酸のかわりに水酸化ナトリウム水溶液を用いても，同じ気体が発生する。
④ 集気びんに水を入れておくと，発生した気体が溶解して，その水溶液は塩基性を示す。
⑤ 集気びんに硫酸銅(Ⅱ)水溶液を入れておくと，発生した気体と反応して沈殿を生じる。

希硫酸
硫化鉄(Ⅱ)
集気びん

解答・解説

⑤

　この実験では，次の反応が起こり，硫化水素 H₂S が発生する。

$$FeS + H_2SO_4 \longrightarrow H_2S + FeSO_4 \text{(弱酸の遊離)}$$

① H₂S は**無色**の気体。〈誤り〉
② 希硫酸 H₂SO₄ のかわりに希塩酸 HCl を用いても，同じ気体である硫化水素 H₂S が発生する。〈誤り〉 $FeS + 2HCl \longrightarrow H_2S + FeCl_2$（弱酸の遊離）
③ 弱酸の陰イオンの塩 FeS に，強塩基である NaOH 水溶液を加えても**気体は発生しない**。〈誤り〉
④ 発生した H₂S は水に溶けて，**弱酸性を示す**。〈誤り〉
⑤ 発生した H₂S を硫酸銅(Ⅱ)CuSO₄ の水溶液に通じると，Cu²⁺ と反応して CuS

<u>（黒）の沈殿を生じる。〈正しい〉</u>

「**弱塩基の陽イオン**」に「**強塩基**」を加えると，「**弱塩基の陽イオン**」は OH^- と結びつきやすく「**強塩基**」の OH^- と結びついて**弱塩基になる**。この方法で弱塩基性を示す気体がつくれる。

④ アンモニア NH_3 の製法

弱塩基性を示す気体は，NH_3 だけが出題される。

弱塩基である NH_3 の陽イオン NH_4^+ に強塩基の $NaOH$ を混ぜて加熱すると，NH_4^+ と $NaOH$ の OH^- が結びついて NH_3 になる。

$$NH_4^+ + OH^- \longrightarrow NH_3 + H_2O \quad \cdots\cdots (*)$$

つまり，

$$NH_4^+ + NaOH \longrightarrow NH_3 + H_2O + Na^+ \quad （弱塩基の遊離）$$

の反応が起こる。

ここで，塩化アンモニウム NH_4Cl を使うときは，両辺に Cl^- を加えると化学反応式が完成する。

$$NH_4^+ + NaOH \longrightarrow NH_3 + H_2O + Na^+$$
$$+)\ Cl^- Cl^- \quad \Leftarrow 両辺に Cl^- 加える$$
$$NH_4Cl + NaOH \longrightarrow NH_3 + H_2O + NaCl$$

また，強塩基として水酸化カルシウム $Ca(OH)_2$ を使うときは，$Ca(OH)_2$ は 2 価の強塩基なので $(*)$ のイオン反応式全体を 2 倍して，

$$2NH_4^+ + 2OH^- \longrightarrow 2NH_3 + 2H_2O$$

このイオン反応式の両辺に $2Cl^-$ と Ca^{2+} を加えると化学反応式が完成する。

$$2NH_4Cl + Ca(OH)_2 \longrightarrow 2NH_3 + 2H_2O + CaCl_2$$

ポイント **弱塩基の遊離について**

● 弱塩基の陽イオンを含む塩 ＋ 強塩基 ⟶ 弱塩基 ＋ 強塩基の塩

チェック問題 2 標準 2分

塩化アンモニウムと水酸化カルシウムの粉末を混合して加熱し，発生した気体を，亜鉛イオンを含む水溶液に通じた。このときの観察結果として正しいものを，次の①〜④のうちから 1 つ選べ。

① 透明な水溶液のままである。

② 白色の沈殿がいったん生じるが，気体を十分に通じると沈殿は溶ける。

③ 褐色の沈殿がいったん生じるが，気体を十分に通じると沈殿は溶ける。

④ 青色の沈殿が生じる。

解答・解説

②

次の反応が起こり，NH_3 が発生する。

$$2NH_4Cl + Ca(OH)_2 \longrightarrow 2NH_3 + 2H_2O + CaCl_2 （弱塩基の遊離）$$

発生した NH_3 を Zn^{2+} を含む水溶液に通じると，$\underline{Zn(OH)_2（白）}$ が沈殿する。NH_3 を十分に通じると，$[Zn(NH_3)_4]^{2+}$ をつくって一度できた沈殿が溶解する。

➡「安藤さんのあには銀行員！」

2 酸化還元反応の利用について

金属のイオン化傾向について勉強したね。

金属と酸との反応性

金 属	Li	K	Ba	Ca	Na	Mg	Al	Zn	Fe	Ni	Sn	Pb	(H₂)	Cu	Hg	Ag	Pt	Au

（大）（反応性大）　　　　イオン化傾向　　　　（反応性小）（小）

リ　カ　バ　カ　ナ　マ　ア　ア　テ　ニ　ス　ナ　ヒ　ド　ス　ギ　る　借　金

酸との反応

希硫酸・塩酸と反応してH_2を発生する

熱濃硫酸・濃硝酸・希硝酸と反応してSO_2・NO_2・NOを発生する

王水とのみ反応

王水って？

濃硝酸と濃塩酸を体積比 1：3 で混合したものをいうんだ。➡ ⦅硝⦆酸が⦅少⦆と覚えよう！

水素 H_2 よりもイオン化傾向の大きな金属は，塩酸 HCl や希硫酸 H_2SO_4 と反応するんだね。

そうなんだ。**水素 H_2 よりもイオン化傾向の大きな金属は，塩酸 HCl や希硫酸 H_2SO_4 から電離し生じた H^+ と反応し H_2 を発生しながら溶けていく**んだ。

水素 H_2 の製法だね。

❶ 水素 H_2 の製法

Zn に希塩酸 HCl を加えると，Zn は H_2 よりも陽イオンになりやすい，つまり，水素よりもイオン化傾向が大きいので，Zn が Zn^{2+} になって溶けていく。

$$Zn \longrightarrow Zn^{2+} + 2e^- \quad \cdots\cdots ①$$

このとき，H^+ は酸化剤として Zn の放出した e^- を受けとるんだ。

$$2H^+ + 2e^- \longrightarrow H_2 \quad \cdots\cdots ②$$

よって，①＋②より，

$$Zn + 2H^+ \longrightarrow Zn^{2+} + H_2 \text{（酸化還元）}$$

の反応が起こり，H_2 が発生する。

希塩酸 HCl を使うときは，両辺に $2Cl^-$ を加えると化学反応式が完成する。

$$Zn + 2HCl \longrightarrow ZnCl_2 + H_2$$

また，希硫酸 H_2SO_4 を使うときは，両辺に $SO_4{}^{2-}$ を加えて，

$$Zn + H_2SO_4 \longrightarrow ZnSO_4 + H_2$$

とすればいいんだ。

あと，次の ❶ ～ ❸ に注意してほしいんだ。

水素の製法

希硫酸　　　亜鉛

❶　Fe を塩酸 HCl や希硫酸 H_2SO_4 と反応させるときには，Fe は Fe^{2+} に変化する。Fe^{3+} **には変化しない**ので気をつけてね。

$$Fe \longrightarrow Fe^{2+} + 2e^- \quad \cdots\cdots ①$$
$$2H^+ + 2e^- \longrightarrow H_2 \quad \cdots\cdots ②$$

①＋②より，$Fe + 2H^+ \longrightarrow Fe^{2+} + H_2$（酸化還元）

$$Fe + 2HCl \longrightarrow FeCl_2 + H_2 \quad \Leftarrow 両辺に 2Cl^- を加えた$$
$$Fe + H_2SO_4 \longrightarrow FeSO_4 + H_2 \quad \Leftarrow 両辺に SO_4{}^{2-} を加えた$$

❷　Pb は**水素よりもイオン化傾向の大きな金属だけど，塩酸 HCl や希硫酸 H_2SO_4 とはほとんど反応しない**。それは，水に不溶な $PbCl_2$ や $PbSO_4$ が Pb の表面をおおってしまうために，反応がほとんど進まないからなんだ。

塩酸 HCl や希硫酸 H_2SO_4

Pb → Pb

$PbCl_2$ や $PbSO_4$ がおおう（反応が進みにくい）

❸　水素よりもイオン化傾向の小さな金属である Cu，Hg，Ag，Pt，Au は塩酸や希硫酸には溶けない。

ポイント　酸化還元反応の利用について①

● 水素よりもイオン化傾向の大きな金属＋塩酸 ➡ H_2 発生
● 水素よりもイオン化傾向の大きな金属＋希硫酸 ➡ H_2 発生

チェック問題 3

標準 3分

図は固体と液体の反応を利用して気体を発生する装置である。B に亜鉛粒を入れ，A に希硫酸を入れる。コック(活栓)D を開くと水素が発生する。コック D を閉じると，希硫酸が移動して亜鉛との接触が断たれ，水素の発生が止まる。次のア・イについて最も適当なものを，それぞれの①～⑤のうちから 1 つずつ選べ。

ア　亜鉛のかわりに用いることができる物質
① CaC_2　　② Fe　　③ Pb
④ Cu　　⑤ SiO_2

イ　水素発生中に，コック D を閉じるとき，希硫酸の移動する方向
① A → C　　② C → B　　③ B → D
④ B → C → A　　⑤ A → C → B

解答・解説

ア　②　イ　④

ア　水素 H_2 よりイオン化傾向の大きな Fe を使えばよい。
（注　Pb は $PbSO_4$ がその表面をおおってしまうために用いることができない。）

イ　コック D を閉じると希硫酸 H_2SO_4 が B → C → A と移動し，反応が停止する。
（キップの装置の使い方 p.264を参照。）

 p.268の「金属と酸との反応性」の図を見ると，水素よりもイオン化傾向の小さな金属である Cu，Hg，Ag は，濃硝酸 HNO_3 や希硝酸 HNO_3，熱濃硫酸 H_2SO_4(加熱した濃硫酸)には溶けるんだね。

そうなんだ。Cu，Hg，Ag は酸化力のある酸(濃硝酸 HNO_3，希硝酸 HNO_3，熱濃硫酸 H_2SO_4)に気体を発生しながら溶ける。酸化還元の反応式を書くときには，酸化剤・還元剤が何に変化するかを覚えたね。

 「濃硝酸 HNO_3 は二酸化窒素 NO_2 に」，「希硝酸 HNO_3 は一酸化窒素 NO に」，「熱濃硫酸 H_2SO_4 は二酸化硫黄 SO_2 に」って暗記したよ。

そうだね。「濃からは 2，希からは 1」（濃硝酸 → NO_2，希硝酸 → NO_1，濃硫酸 → SO_2）と覚えるといいね。この酸化力のある酸を利用すれば，NO_2，NO，SO_2 を発生させることができるんだ。

❷ 二酸化窒素 NO₂ の製法

Cu に濃硝酸 HNO₃ を加えると，Cu が Cu^{2+} となって溶けていく。

$$Cu \longrightarrow Cu^{2+} + 2e^- \qquad \cdots\cdots ①$$

このとき，HNO₃ は酸化剤として Cu の放出した e^- を受けとり NO₂ を発生する。

$$HNO_3 + H^+ + e^- \longrightarrow NO_2 + H_2O \qquad \cdots\cdots ②$$

よって，①＋②×2　より，

$$Cu + 2HNO_3 + 2H^+ \longrightarrow Cu^{2+} + 2NO_2 + 2H_2O \text{（酸化還元）}$$

となる。あとは，Cu と濃硝酸 HNO₃ を反応させているので，両辺に2NO₃⁻ を加え左辺の H^+ を HNO₃ に直す。

$$Cu + 2HNO_3 + 2H^+ \longrightarrow Cu^{2+} + 2NO_2 + 2H_2O$$
$$\underline{+) 2NO_3^- \phantom{\longrightarrow Cu^{2+} +} 2NO_3^-} \quad \text{←両辺に 2NO₃⁻ を加える！}$$
$$Cu + 4HNO_3 \longrightarrow Cu(NO_3)_2 + 2NO_2 + 2H_2O$$

❸ 一酸化窒素 NO の製法

Cu に希硝酸 HNO₃ を加えると NO が発生することに注意し，化学反応式をつくる。

$$Cu \longrightarrow Cu^{2+} + 2e^- \qquad \cdots\cdots ①$$
$$HNO_3 + 3H^+ + 3e^- \longrightarrow NO + 2H_2O \qquad \cdots\cdots ②$$

よって，①×3＋②×2　を行い，両辺に 6NO₃⁻ を加えると，

$$3Cu + 8HNO_3 \longrightarrow 3Cu(NO_3)_2 + 2NO + 4H_2O$$

濃硝酸　銅片　NO₂　希硝酸　銅片　NO

❹ 二酸化硫黄 SO₂ の製法

銅 Cu に濃硫酸 H₂SO₄ を加えて加熱すると，SO₂ が発生する。

$$Cu \longrightarrow Cu^{2+} + 2e^- \qquad \cdots\cdots ①$$
$$H_2SO_4 + 2H^+ + 2e^- \longrightarrow SO_2 + 2H_2O \qquad \cdots\cdots ②$$

よって，①＋②，両辺に SO₄²⁻ を加えて，

$$Cu + 2H_2SO_4 \longrightarrow CuSO_4 + SO_2 + 2H_2O$$

　ここで，注意してほしいことがあるんだ。Fe，Ni，Al などの金属（Fe（手）Ni（に）Al（ある）と覚えよう！）は，濃硝酸 HNO₃ にはその表面にち密な酸化物の被膜ができて（このような状態を**不動態**という）溶けない。

Al　濃硝酸 HNO₃　Al　酸化被膜がおおう

チェック問題 4   標準 2分

次の表の A 欄には 2 種類の金属が，B 欄にはそれらに共通する化学的性質が示されている。B 欄の記述に誤りを含むものを，表中の①〜④のうちから 1 つ選べ。

	A	B
①	Cu，Ag	希硫酸には溶けないが，熱濃硫酸に溶ける。
②	Al，Fe	希硝酸に溶けるが，濃硝酸には溶けない。
③	Zn，Pb	希硫酸にも希塩酸にも溶ける。
④	Pt，Au	濃塩酸にも濃硝酸にも溶けないが，王水に溶ける。

解答・解説

③

① 水素 H_2 よりもイオン化傾向の小さな金属である Cu，Ag は希硫酸には溶けないが，熱濃硫酸に溶ける。〈正しい〉

② Al，Fe は希硝酸に溶けるが，濃硝酸には不動態となり溶けない。〈正しい〉

③ 水に不溶な $PbSO_4$ や $PbCl_2$ が Pb の表面をおおうので，Pb は希硫酸や希塩酸にはほとんど溶けない。〈誤り〉ただし，Zn は溶ける。

④ Pt，Au は濃塩酸にも濃硝酸にも溶けないが，王水には溶ける。〈正しい〉

❺ 酸素 O_2 の製法

酸素 O_2 は，「過酸化水素 H_2O_2 の水溶液(オキシドール)に酸化マンガン(Ⅳ) MnO_2 (触媒)を加える」と発生させることができる。

触媒は，反応の前後で自らは変化しないけれど，反応の速さを大きくするものだったね。**触媒はふつう反応式に書き入れない。**

過酸化水素 H_2O_2 は酸化剤にも還元剤にもなれたね。それぞれ e^- を含んだイオン反応式を書いてみると，

$$H_2O_2 \longrightarrow O_2 + 2H^+ + 2e^- \quad \cdots\cdots① \quad \Leftarrow H_2O_2 \text{ は } O_2 \text{ に変化}$$

$$H_2O_2 + 2H^+ + 2e^- \longrightarrow 2H_2O \qquad \cdots\cdots② \quad \Leftarrow H_2O_2 \text{ は } H_2O \text{ に変化}$$

となる。①と②を加えると，O_2 を発生する化学反応式をつくることができる。

①＋②より，

$$2H_2O_2 \longrightarrow O_2 + 2H_2O \quad （酸化還元）$$

H_2O_2 の半分が還元剤，もう半分が酸化剤になると考えてね。

❻ 塩素 Cl_2 の製法

塩素 Cl_2 は，$2Cl^- \longrightarrow Cl_2 + 2e^-$ の反応を使って発生させるんだ。

 Cl^- は e^- を放出しているから還元剤だね。

そうだね。「Cl^- を含む濃塩酸 HCl を酸化剤である酸化マンガン(Ⅳ) MnO_2 に加えて加熱する」と塩素 Cl_2 を発生させることができる。

酸化マンガン(Ⅳ) MnO_2 は酸性条件の下で，酸化剤になれる。MnO_2 の e^- を含んだイオン反応式を書いてみると，

$$MnO_2 + 4H^+ + 2e^- \longrightarrow Mn^{2+} + 2H_2O \quad \cdots\cdots① \quad \Leftarrow MnO_2 \text{ は } Mn^{2+} \text{に変化}$$

となり，濃塩酸 HCl 中の Cl^- の e^- を含んだイオン反応式は

$$2Cl^- \longrightarrow Cl_2 + 2e^- \qquad\qquad\qquad \cdots\cdots②$$

となる。①と②を加えると，イオン反応式を書くことができ，最後に，MnO_2 と HCl を反応させたのだから，両辺に $2Cl^-$ を加え，左辺の H^+ を HCl に直すんだ。

①＋② $MnO_2 + 4H^+ + 2Cl^- \longrightarrow Mn^{2+} + Cl_2 + 2H_2O \quad （酸化還元）$
＋) $\qquad\qquad\qquad 2Cl^- \qquad\quad 2Cl^- \qquad\qquad \Leftarrow 両辺に 2Cl^- を加える$
$MnO_2 + \qquad 4HCl \longrightarrow MnCl_2 + Cl_2 + 2H_2O$

ポイント 酸化還元反応の利用について③

● H_2O_2 に MnO_2（触媒） ⇒ O_2 発生
● 濃塩酸 HCl に MnO_2（酸化剤） ⇒ Cl_2 発生

---

❸ 熱分解反応の利用について

加熱したらバラバラになる反応を**熱分解反応**という。**熱分解反応は暗記が必要**なんだ。

❶ 酸素 O_2 の製法

「塩素酸カリウム $KClO_3$ に酸化マンガン(Ⅳ) MnO_2（触媒）を加えて加熱する」と，

$$KCl \vdots O_3 \longrightarrow KCl + O_2 \quad \Leftarrow \vdots で切れると覚える！$$

のように熱分解反応が起こり酸素 O_2 が発生する。MnO_2 は触媒なので反応式中に書

き入れないんだ。

係数がそろっていないね。

　そうだね。この反応式は係数がつけにくいから，KClO₃ の係数を 1 にして他の係数をそろえるといいよ。

$$1KClO_3 \longrightarrow 1KCl + \frac{3}{2}O_2 \quad \Leftarrow 左辺と右辺の O を 3 個ずつにする！$$

　最後に，全体を 2 倍すればいいんだ。

$$2KClO_3 \longrightarrow 2KCl + 3O_2$$

❷ 窒素 N₂ の製法
亜硝酸アンモニウム NH_4NO_2 水溶液を加熱すると

$$\underline{NH_4NO_2} \longrightarrow \underline{N_2} + 2H_2O \quad \begin{array}{l}下線部に注目し，反応式を覚えよう！\\ NH_4NO_2 \ 1 個から N_2 \ 1 個が抜ける！\end{array}$$

の熱分解反応が起こり N₂ が発生する。

❶，❷とも反応式中に，単体の O₂ や N₂ があるから酸化還元反応なの？

　そうなんだ。この 2 つの反応は同じ物質（KClO₃ や NH₄NO₂）どうしの間で電子のやりとりが行われている自己酸化還元反応といわれる酸化還元反応でもあるんだ。

4 濃硫酸の利用について

　濃硫酸特有の性質を利用し，気体を発生させることができるんだ。

❶ 塩化水素 HCl の製法
　濃硫酸が沸点の高い不揮発性の酸であることを利用する。NaCl を濃硫酸 H_2SO_4 に加えると，NaCl は Na^+ と Cl^- に，濃硫酸中の H_2SO_4 もわずかに H^+ と HSO_4^- に電離する。

　この溶液を加熱すると，濃硫酸（沸点約300℃）よりもはるかに沸点の低い HCl（沸点約－80℃）が追い出され，HCl が発生するんだ。

図のようすを化学反応式で表すと，

$$NaCl + H_2SO_4 \longrightarrow HCl + NaHSO_4$$

あと，濃硫酸よりもはるかに沸点の低い酸（＝揮発性の酸）として**フッ化水素** HF も覚えておいてね。

❷ フッ化水素 HF の製法

ホタル石（主成分はフッ化カルシウム CaF_2）の粉末に濃硫酸を加えて加熱すると，濃硫酸よりもはるかに沸点の低い HF が発生する。

$$CaF_2 + H_2SO_4 \longrightarrow 2HF + CaSO_4$$

このとき，CaF_2 1 mol から HF が **2 mol 発生する**ことに注意しよう。

濃硫酸

NaCl
と沸騰石

HCl

塩化水素の製法

ポイント　濃硫酸の利用について①

● 揮発性の酸の塩＋不揮発性の酸（濃硫酸）

　　　　　　　$\longrightarrow$ 揮発性の酸＋不揮発性の酸の塩

● 揮発性の酸：HCl，HF など

第 **5** 章

無機物質

❸ 一酸化炭素 CO の製法

濃硫酸には，反応させる物質から H と OH を H_2O としてうばいとるはたらき（＝脱水作用）があるので，これを利用して気体を発生させることができる。

「ギ酸 HCOOH に濃硫酸を加えて加熱する」と，CO が発生するんだ。

$$HCOOH \longrightarrow CO + H_2O$$

この反応は，視覚的に覚えると覚えやすいんだ。

水 H_2O をうばいとる！

ポイント　濃硫酸の利用について②

● 濃硫酸の脱水作用

　　$HCOOH \longrightarrow CO + H_2O$

チェック問題 5

次の①～⑤に示した気体の発生反応のうちから，最も分子量の大きい気体が得られるものを1つ選べ。ただし，H =1，N =14，S =32，Cl =35.5とする。

① 塩化アンモニウムと水酸化カルシウムの混合物を加熱する。
② 硫化鉄(Ⅱ)に希硫酸を加える。
③ 亜鉛に希硫酸を加える。
④ 酸化マンガン(Ⅳ)に濃塩酸を加えて加熱する。
⑤ 塩化ナトリウムに濃硫酸を加えて加熱する。

解答・解説

④

それぞれの気体発生の化学反応式は，次のようになる。

① $2NH_4Cl + Ca(OH)_2 \longrightarrow 2NH_3 + 2H_2O + CaCl_2$ （弱塩基の遊離）
② $FeS + H_2SO_4 \longrightarrow H_2S + FeSO_4$ （弱酸の遊離）
③ $Zn + H_2SO_4 \longrightarrow ZnSO_4 + H_2$ （酸化還元）
④ $MnO_2 + 4HCl \longrightarrow MnCl_2 + Cl_2 + 2H_2O$ （酸化還元）
⑤ $NaCl + H_2SO_4 \longrightarrow NaHSO_4 + HCl$ （不揮発性）

それぞれの気体の分子量は $NH_3 = 17$，$H_2S = 34$，$H_2 = 2$，$Cl_2 = 71$，$HCl = 36.5$になる。この中で最も分子量の大きな気体は④の Cl_2 である。

チェック問題 6

酸化マンガン(Ⅳ)1.74 g がすべて濃塩酸と反応したときに生じる無極性分子の気体の体積は，0 ℃，1.013×10^5 Pa で何 L か。最も適当な数値を，次の①～⑧のうちから1つ選べ。ただし，O = 16，Mn = 55とする。

① 0.22 ② 0.45 ③ 0.67 ④ 0.90
⑤ 1.1 ⑥ 1.3 ⑦ 2.2 ⑧ 4.5

解答・解説

②

$1\ MnO_2 + 4HCl \longrightarrow MnCl_2 + 1\ Cl_2 + 2H_2O$ （酸化還元）

無極性分子の気体とは Cl_2 であり，0 ℃，1.013×10^5 Pa(標準状態)でそのモル体積は22.4L/mol なので，$MnO_2 = 87$ より，

$$\underset{\substack{\text{MnO}_2 \text{ (mol)}}}{\boxed{\dfrac{1.74}{87}}} \times 1 \underset{\substack{\text{発生する}\\ \text{Cl}_2 \text{ (mol)}}}{\boxed{}} \times 22.4 \underset{\substack{\text{Cl}_2 \text{ (L)}}}{\boxed{}} \fallingdotseq 0.45 \text{ L}$$

反応式の係数をみると，MnO₂ 1 mol から Cl₂ 1 mol が発生することがわかる

5 加熱を必要とする反応について

実験装置を**加熱する・しない**が問われることがあるんだ。加熱が必要な反応は，次の4つを覚えてね。

① アンモニア NH₃ を発生させる反応
② 濃塩酸 HCl を酸化マンガン（Ⅳ）MnO₂ と反応させ，Cl₂ を発生させる反応
③ **熱分解反応**
④ 濃硫酸を使う反応

❸の熱分解反応を加熱するのはわかるけど，他はなぜ加熱するの？

【❶の反応について】NH₃ を発生させるには，反応物質はふつう固体どうしを反応させるんだ。**固体どうしの反応の場合，加熱すると反応物どうしがはげしく衝突するので反応が起こりやすくなる**からなんだ。

【❷の反応について】発生させる Cl₂ は，反応させる MnO₂ より強い酸化剤なので，この反応のしくみは次のようになる。

$$\underset{\boxed{\text{弱い酸化剤}}}{\text{MnO}_2} + 4\text{HCl} \longrightarrow \text{MnCl}_2 + \underset{\boxed{\text{強い酸化剤}}}{\text{Cl}_2} + 2\text{H}_2\text{O}$$

弱い酸化剤を使い，強い酸化剤は追い出しにくい。そこで，**加熱して Cl₂ を強引に追い出し**，反応を起こしている。

【❹について】加熱した濃硫酸つまり熱濃硫酸は，強い酸化力を示す。また，加熱することで濃硫酸より沸点の低い気体が発生し，濃硫酸に脱水作用が強く現れるからなんだ。

ポイント **加熱の必要な反応について**

❶NH₃ の発生　❷濃塩酸 HCl + MnO₂　❸**熱分解反応**　❹**濃硫酸**を使う反応

チェック問題 7

標準 2分

濃硫酸と銅から二酸化硫黄を発生させて，試験管に捕集したい。最も適当な方法を，次の①～⑥のうちから1つ選べ。

①　②　③　水←

④　⑤　⑥　水←

解答・解説

⑤

この実験では，次の反応が起こり，二酸化硫黄 SO_2 が発生する。

$$Cu + 2H_2SO_4 \longrightarrow CuSO_4 + SO_2 + 2H_2O \text{（酸化還元）}$$

この反応は，濃硫酸を使う反応なので加熱が必要になる。よって，加熱している④～⑥の方法のいずれかとわかる。発生する SO_2 は水に溶け，空気よりも重い気体なので，下方置換（→ p.281）で集める。

最後に，今まで勉強してきた気体の製法を一覧表にしておくね。

〈気体の発生実験のまとめ〉

気体・色・におい	製　法	反　応
硫化水素　H₂S 腐卵臭	硫化鉄(Ⅱ)に希塩酸または希硫酸を加える	$FeS + 2HCl \longrightarrow FeCl_2 + H_2S\uparrow$ $FeS + H_2SO_4 \longrightarrow FeSO_4 + H_2S\uparrow$
二酸化炭素　CO₂	石灰石や大理石(CaCO₃)に塩酸を加える	$CaCO_3 + 2HCl$ 　　$\longrightarrow CaCl_2 + H_2O + CO_2\uparrow$
二酸化硫黄　SO₂ 刺激臭	①銅に濃硫酸を加えて加熱する	$Cu + 2H_2SO_4$ 　　$\longrightarrow CuSO_4 + 2H_2O + SO_2\uparrow$
	②亜硫酸ナトリウムや亜硫酸水素ナトリウムに希硫酸を加える	$Na_2SO_3 + H_2SO_4$ 　　$\longrightarrow Na_2SO_4 + H_2O + SO_2\uparrow$ $NaHSO_3 + H_2SO_4$ 　　$\longrightarrow NaHSO_4 + H_2O + SO_2\uparrow$
アンモニア　NH₃ 刺激臭	塩化アンモニウムに水酸化カルシウムを混合し加熱する	$2NH_4Cl + Ca(OH)_2$ 　　$\longrightarrow CaCl_2 + 2H_2O + 2NH_3\uparrow$
水素　H₂	亜鉛に希硫酸または塩酸を加える	$Zn + H_2SO_4 \longrightarrow ZnSO_4 + H_2\uparrow$ $Zn + 2HCl \longrightarrow ZnCl_2 + H_2\uparrow$
二酸化窒素　NO₂ 赤褐色　刺激臭	銅に濃硝酸を加える	$Cu + 4HNO_3$ 　　$\longrightarrow Cu(NO_3)_2 + 2H_2O + 2NO_2\uparrow$
一酸化窒素　NO	銅に希硝酸を加える	$3Cu + 8HNO_3$ 　　$\longrightarrow 3Cu(NO_3)_2 + 4H_2O + 2NO\uparrow$
酸素　O₂	酸化マンガン(Ⅳ)に過酸化水素水を加える　**触媒**	$2H_2O_2 \longrightarrow 2H_2O + O_2\uparrow$
	塩素酸カリウムに酸化マンガン(Ⅳ)を加えて加熱する	$2KClO_3 \longrightarrow 2KCl + 3O_2\uparrow$ －熱分解反応－
塩素　Cl₂ 黄緑色　刺激臭	さらし粉(CaCl(ClO)・H₂O)や高度さらし粉(Ca(ClO)₂・2H₂O)に塩酸を加える(➡p.358)	$CaCl(ClO)\cdot H_2O + 2HCl$ 　　$\longrightarrow CaCl_2 + 2H_2O + Cl_2\uparrow$ $Ca(ClO)_2\cdot 2H_2O + 4HCl$ 　　$\longrightarrow CaCl_2 + 4H_2O + 2Cl_2\uparrow$
	酸化マンガン(Ⅳ)に濃塩酸を加えて加熱する　**酸化剤**	$MnO_2 + 4HCl$ 　　$\longrightarrow MnCl_2 + 2H_2O + Cl_2\uparrow$
窒素　N₂	亜硝酸アンモニウム水溶液を加熱する	$NH_4NO_2 \longrightarrow 2H_2O + N_2\uparrow$ －熱分解反応－
塩化水素　HCl 刺激臭	塩化ナトリウム(NaCl)を濃硫酸とともに加熱する	$NaCl + H_2SO_4$ 　　$\longrightarrow NaHSO_4 + HCl\uparrow$
フッ化水素　HF 刺激臭	ホタル石(CaF₂)を濃硫酸とともに加熱する	$CaF_2 + H_2SO_4$ 　　$\longrightarrow CaSO_4 + 2HF\uparrow$
一酸化炭素　CO	ギ酸を濃硫酸とともに加熱する(濃硫酸による脱水)	$HCOOH \longrightarrow H_2O + CO\uparrow$

注意 色, においが書いていないものは, 無色, 無臭

この表は,
切りとってノートに貼り活用しよう！

17 時間目 第5章 無機物質

気体の性質

1 気体の性質について

ほとんどの気体は無色だけど，有色のものもわずかにあるんだ。有色の気体は，次の4つを覚える必要がある。

- 有色の気体（この4つ以外は無色の気体）
  ➡ O_3（淡青色），F_2（淡黄色），Cl_2（黄緑色），NO_2（赤褐色）

においがある気体は，次のものを覚えてね。

- においのある気体
  ➡ Cl_2，NH_3，HF，HCl，NO_2，SO_2（刺激臭），H_2S（腐卵臭），O_3（特異臭）

また，気体が水に溶けやすいか，溶けたときには何性を示すかも覚えてね。

- 水に溶けにくい気体
  ➡ NO，CO，H_2，O_2，N_2，CH_4，C_2H_4，C_2H_2
  メタン　エチレン　アセチレン
- 水に溶け，塩基性を示す気体
  ➡ NH_3
- 水に溶け，酸性を示す気体
  ➡ Cl_2，HF，HCl，H_2S，CO_2，NO_2，SO_2

水に溶けにくい気体は，農 NO，工 CO，水 H_2，産 O_2，地 N_2，油（CH_4，C_2H_4，C_2H_2）と覚えるといいよ。油，つまり石油は，有機化合物を表している。これらの気体は水に溶けにくいので，水に溶けて酸性を示すことも，塩基性を示すこともない。だから，**これらの気体は中性の気体**になる。

よって，"農工水産地油"以外の気体は水に溶ける気体になり，このうち**塩基性を示す気体は NH_3 だけ**なんだ。

 じゃあ，"農工水産地油"と NH_3 以外の気体は酸性を示す気体になるね。

そうだね。あと，においのある気体には，酸性・塩基性の気体や還元剤・酸化剤の気体のほとんどが含まれていることに注目しておこう。

ポイント　気体の性質について

- 有色の気体・においのある気体を覚えよう
  ➡ 酸性・塩基性・還元剤・酸化剤の気体に多い
- 水溶液の液性については，
  - 農 NO，工 CO，水 H_2，産 O_2，地 N_2，油（CH_4，C_2H_4，C_2H_2）➡ 中性
  - NH_3 ➡ 塩基性　　●残りの気体 ➡ 酸性

チェック問題 1 標準 2分

気体に関する記述として誤りを含むものはどれか。最も適当なものを，次の①～⑤のうちから1つ選べ。

① 塩素を水に溶かした溶液は，中性を示す。
② 硫化水素は，有毒な無色・腐卵臭の気体である。
③ 一酸化炭素は，有毒な無色・無臭の気体である。
④ 二酸化炭素を水に溶かした溶液は，弱酸性を示す。
⑤ メタンは，空気より軽い無色・無臭の気体である。

解答・解説

①
① 「農工水産地油と NH_3 以外」の Cl_2 は酸性の気体なので，**酸性を示す**。〈誤り〉
②～⑤ 〈正しい〉
H_2S ➡ 有毒・無色・腐卵臭， CO ➡ 有毒（CO 中毒）・無色・無臭
CO_2 ➡ 無色・酸性， CH_4 ➡ 無色・無臭

有毒の気体
H_2S, SO_2, NH_3, NO_2, NO, Cl_2, HCl, HF, O_3, CO 猛毒
CO は O_2 よりも血液中のヘモグロビンと結合しやすく， CO はヘモグロビンによる体内への O_2 の運搬を阻害する。

---

2 気体の捕集法について

発生させた気体を集める方法には，どんなものがあったかな？

 水上置換，上方置換，下方置換を習ったよ。

水上置換　　　　　上方置換　　　　　下方置換

そうだね。できれば，水蒸気以外の気体が混ざりにくいので，すべての気体を水上

第5章 無機物質

置換で集めたい。ただ，気体には水に溶けやすい気体もあるので，すべて水上置換でというわけにもいかないんだ。

　まず，**水に溶けにくい気体は，水上置換で集める**。次に，水に溶けやすい気体で，**空気の平均分子量（見かけの分子量）29**（➡「**空気フ（2）ク（9）**」と覚えよう！（➡ p.61参照））**より分子量が小さい気体は，空気よりも密度が小さく空気より軽いので上方置換で集める**。そして，**水に溶けやすく分子量が29より大きい気体は，下方置換で集める**んだ。

 水に溶けにくい気体は，"農工水産地油"だったよね。
残りの気体について，いちいち分子量を求めるのはめんどうだね。

　そうだね。ただ，**上方置換で集める気体はNH₃しかない**。だから，次の ポイント のように ❶ で勉強した「**水への溶解性とその液性**」の結果とまとめて覚えるといいよ。

ポイント ▶ 気体の捕集法について

- **水上置換 ➡** 農 工 水 産 地　　　　油
  NO，CO，H₂，O₂，N₂，CH₄，C₂H₄，C₂H₂（中性の気体）
- **上方置換 ➡** NH₃（塩基性の気体）
- **下方置換 ➡** 残りの気体（酸性の気体）

チェック問題 2　　　　　標準 2分

　表に示す2種類の薬品の反応によって発生する気体ア～オのうち，水上置換で捕集できないものの組み合わせを，下の①～⑤のうちから1つ選べ。

2種類の薬品	発生する気体
Cu，希硝酸	ア
CaF₂，濃硫酸	イ
FeS，希硫酸	ウ
KClO₃，MnO₂	エ
Zn，希塩酸	オ

① アとイ　　② イとウ　　③ ウとエ　　④ エとオ　　⑤ アとオ

解答・解説

 ②

表で起こる反応の化学反応式は次の通り。

$$3Cu + 8HNO_3(希) \longrightarrow 3Cu(NO_3)_2 + 4H_2O + 2NO\uparrow \quad (酸化還元)$$

気体ア

$$CaF_2 + H_2SO_4(濃) \longrightarrow CaSO_4 + 2HF\uparrow \quad (不揮発性)$$

気体イ

$$FeS + H_2SO_4(希) \longrightarrow FeSO_4 + H_2S\uparrow \quad (弱酸の遊離)$$

気体ウ

$$2KClO_3 \longrightarrow 2KCl + 3O_2\uparrow \quad (熱分解・酸化還元，MnO_2 は触媒)$$

気体エ

$$Zn + 2HCl(希) \longrightarrow ZnCl_2 + H_2\uparrow \quad (酸化還元)$$

気体オ

水上置換で捕集する気体は，ア，エ，オ。イの HF とウの H_2S は，いずれも下方置換で捕集する。

NO 農　O_2 産　H_2 水

3 気体の乾燥法について

発生させた気体が水蒸気を含んでいるときに，水蒸気をとり除くために乾燥剤を使う。**酸性の乾燥剤**として濃硫酸 H_2SO_4 や十酸化四リン P_4O_{10}，**中性の乾燥剤**として塩化カルシウム $CaCl_2$，**塩基性の乾燥剤**として生石灰 CaO やソーダ石灰（CaO + NaOH）などを使うんだ。

このとき，**乾燥させる気体と乾燥剤が反応しないように乾燥剤を選ぶ必要がある。**

酸性の気体を乾燥させるときには塩基性の乾燥剤が，塩基性の気体を乾燥させるときには酸性の乾燥剤が使えないということなの？

そうなんだ。酸性の気体は，"**農** NO，**エ** CO，**水** H_2，**産** O_2，**地** N_2，**油**（CH_4，C_2H_4，C_2H_2）"と NH_3 以外だったよね。これら酸性の気体を乾燥させるときには，**塩基性の乾燥剤である生石灰 CaO やソーダ石灰（CaO + NaOH）を使うことができない。**

また，塩基性の気体は NH_3 だけだったよね。だから，NH_3 **を乾燥させるときには，酸性の乾燥剤である濃硫酸 H_2SO_4 や十酸化四リン P_4O_{10} を使うことができない**んだ。

じゃあ，中性の乾燥剤は酸とも塩基とも反応しないから，すべての気体の乾燥に使えるの？

おしいね。たしかに，中性の乾燥剤である $CaCl_2$ はほとんどの気体を乾燥することができるけど，NH_3 とは $CaCl_2 \cdot 8NH_3$ という化合物をつくるので NH_3 **の乾燥には適さない**んだ。

あと，酸性の乾燥剤の濃硫酸 H_2SO_4 は，H_2S の乾燥には適さないんだ。

H_2S は，酸性の気体だよね。なぜ，酸性の乾燥剤の濃硫酸 H_2SO_4 が使えないの？

H_2S **は酸性の気体であると同時に，強い還元剤でもある。**また，**濃硫酸 H_2SO_4 は酸性の乾燥剤であると同時に，酸化剤でもある。**だから，水蒸気を含んでいる H_2S

を濃硫酸 H_2SO_4 に通すと**酸化還元反応が起こり**，H_2S が濃硫酸に吸収されてしまうから使えないんだ。

ポイント　気体の乾燥について

	乾　燥　剤	乾燥可能な気体	乾燥に不適当な気体
酸性	十酸化四リン P_4O_{10} 濃硫酸 H_2SO_4	中性または酸性の気体	NH_3 NH_3 および H_2S
中性	塩化カルシウム $CaCl_2$	ほとんどの気体	NH_3 は不可 （$CaCl_2 \cdot 8NH_3$ となるため）
塩基性	酸化カルシウム CaO ソーダ石灰 $CaO+NaOH$	中性または塩基性の気体	酸性の気体

4 気体の検出法について

❶ 硫化水素 H_2S や二酸化硫黄 SO_2 の検出

H_2S の水溶液に SO_2 を通じると次の反応が起こり，硫黄 S が析出して溶液が白濁する。

$$H_2S \longrightarrow S + 2H^+ + 2e^- \qquad \cdots\cdots①$$
$$SO_2 + 4H^+ + 4e^- \longrightarrow S + 2H_2O \quad \cdots\cdots②$$

①×2＋②より，$2H_2S + SO_2 \longrightarrow \underset{白濁}{3S\downarrow} + 2H_2O$

また，H_2S を酢酸鉛(Ⅱ)$(CH_3COO)_2Pb$ をしみこませたろ紙に吹きつけると，PbS の黒色沈殿が生じて黒色に変色する。

$$H_2S + Pb^{2+} \longrightarrow PbS\downarrow(黒) + 2H^+$$

❷ 二酸化炭素 CO_2 の検出

水酸化カルシウム $Ca(OH)_2$ のことを消石灰ともいい，その水溶液を石灰水という。 この石灰水に CO_2 を通じると，まず CO_2 が水に溶け，炭酸 H_2CO_3 が生成する。

$$CO_2 + H_2O \longrightarrow H_2CO_3 \qquad \cdots\cdots①$$

次に，H_2CO_3 が $Ca(OH)_2$ と中和反応を起こし，$CaCO_3$ の白色沈殿を生成する。

$$H_2CO_3 + Ca(OH)_2 \longrightarrow CaCO_3 + 2H_2O \quad \cdots\cdots②$$

①＋②で，化学反応式が完成する。

$$CO_2 + \underset{石灰水}{Ca(OH)_2} \longrightarrow \underset{白濁}{CaCO_3\downarrow} + H_2O$$

石灰水に二酸化炭素を通じると白くにごるんだね。

そうなんだ。白くにごった水溶液に，CO_2 を通じ続けると炭酸水素カルシウム

Ca(HCO₃)₂ が生成する。炭酸水素カルシウム Ca(HCO₃)₂ は水によく溶けるので，この反応で $CaCO_3$ の白色沈殿が消えるんだ。

$$CaCO_3 + H_2O + CO_2 \rightleftharpoons Ca(HCO_3)_2$$

> 水溶液中では Ca^{2+} と $2HCO_3^-$ に電離して溶ける

この反応は覚えにくいから，次のように視覚的に覚えるといいんだ。

$$CO_3^{2-} + H_2CO_3 \longrightarrow HCO_3^- + HCO_3^-$$

（H⁺を与える / $(H_2O + CO_2)$）

$$+)\ Ca^{2+} \qquad\qquad\qquad Ca^{2+}$$

⬅ 両辺に Ca^{2+} を加えまとめる

$$CaCO_3 + H_2O + CO_2 \rightleftharpoons Ca(HCO_3)_2$$

また，炭酸水素カルシウムの水溶液を加熱すると，CO_2 が追い出され再び $CaCO_3$ の白色沈殿が生成する。上で考えた反応の逆反応が起こるんだ。

$$Ca(HCO_3)_2 \longrightarrow CaCO_3\downarrow + H_2O + CO_2\uparrow$$

CO₂が発生する

石灰水 Ca(OH)₂ 透明 → CO₂を通じる → 白濁 白色沈殿が生じる CaCO₃↓ → さらに CO₂を通じる → 透明 溶解する Ca(HCO₃)₂ → 加熱する → 白濁 白色沈殿が生じる CaCO₃↓

❸ アンモニア NH₃ と塩化水素 HCl の検出

NH₃ と HCl を接触させると，**塩化アンモニウム** NH₄Cl の**白煙**を生じる。

$$NH_3 + HCl \longrightarrow NH_4Cl$$

また，NH₃ は水で湿らせた**赤色リトマス紙**を**青色**に変色する。塩基性を示す気体は NH₃ だけなので，この赤色リトマス紙の変色は問題を解くときにとても有効な情報になるんだ。

NH₄Cl の白煙（細かい結晶）
NH₃ をつけたガラス棒
HCl

❹ 一酸化窒素 NO の検出

無色の NO は，**空気**中の O_2 に触れるとすぐに**赤褐色**の NO₂ になるんだ。

$$2NO + O_2 \longrightarrow 2NO_2$$
無色　　　　　　　赤褐色

❺ 塩素 Cl₂ やオゾン O₃ の検出

ヨウ化カリウム KI **デンプン紙**に Cl₂ を吹きつけると，

$$Cl_2 + 2e^- \longrightarrow 2Cl^- \quad \cdots\cdots①$$
$$2I^- \longrightarrow I_2 + 2e^- \quad \cdots\cdots②$$

①+②，両辺に 2K$^+$ を加えると，

$$Cl_2 + 2KI \longrightarrow 2KCl + I_2$$

同様に，ヨウ化カリウム KI デンプン紙に O$_3$ を吹きつけると，

$$O_3 + H_2O + 2e^- \longrightarrow O_2 + 2OH^- \quad \cdots\cdots ③$$

$$2I^- \longrightarrow I_2 + 2e^- \quad \cdots\cdots ④$$

> ③式は，
> $O_3 + 2H^+ + 2e^-$
> $\longrightarrow O_2 + H_2O$
> の両辺に 2OH$^-$ を加えて
> つくってもよい。

③+④，両辺に 2K$^+$ を加えると，

$$2KI + O_3 + H_2O \longrightarrow I_2 + O_2 + 2KOH$$

の反応がそれぞれ起こるんだ。

このとき生じる I$_2$ とデンプンの**ヨウ素デンプン反応**で，ヨウ化カリウム KI デンプン紙が青色に変色する。

❻ 塩素 Cl₂，オゾン O₃，二酸化硫黄 SO₂ の検出

Cl$_2$，O$_3$，SO$_2$ は漂白作用があるので，最後にはリトマス紙を脱色するんだ。

ポイント	気体の検出について

- H$_2$S   ➡ SO$_2$ で白濁。(CH$_3$COO)$_2$Pb で黒変
- CO$_2$ ➡ 石灰水で白濁
- NH$_3$ ➡ HCl で白煙，赤色リトマス紙を青変
- NO   ➡ 空気に触れると赤褐色の NO$_2$ に
- Cl$_2$，O$_3$ ➡ KI デンプン紙を青変
- Cl$_2$，O$_3$，SO$_2$ ➡ リトマス紙を脱色

考力のトレーニング

思 **考力のトレーニング** やや難 2分

　気体 A に，わずかな量の気体 B が不純物として含まれている。液体 C にこの混合気体を通じて気体 B をとり除き，気体 A を得たい。気体 A，B および液体 C の組み合わせとして適当でないものを，次の①～⑤のうちから 1 つ選べ。

	気体 A	気体 B	液体 C
①	一酸化炭素	塩化水素	水
②	酸　素	二酸化炭素	石灰水
③	窒　素	二酸化硫黄	水酸化ナトリウム水溶液
④	塩　素	水蒸気	濃硫酸
⑤	二酸化窒素	一酸化窒素	水

解答・解説

⑤

① ⼯ CO（気体 A）は水に不溶だが，HCl（気体 B）は水に溶ける。よって，水で HCl（気体 B）をとり除き，CO（気体 A）を得ることができる。〈正しい〉

② CO_2（気体 B）は石灰水で白い沈殿 $CaCO_3$ を生じる。よって，石灰水で CO_2（気体 B）をとり除き，O_2（気体 A）を得ることができる。〈正しい〉
　　└→「産」なので石灰水に溶けない。

③ N_2（気体 A）は中性，SO_2（気体 B）は酸性。よって，塩基性の NaOH 水溶液で SO_2（気体 B）をとり除き，N_2（気体 A）を得ることができる。〈正しい〉

④ Cl_2（気体 A）は酸性，濃硫酸は酸性の乾燥剤。よって，濃硫酸で水蒸気をとり除き（乾燥する），Cl_2（気体 A）を得ることができる。〈正しい〉

⑤ NO_2（気体 A）は水に溶け，農 NO（気体 B）は水に不溶。よって，水では NO（気体 B）をとり除くことはできない。〈誤り〉

第 5 章 無機物質

18 時間目 工業的製法（アンモニアソーダ法・金属の製錬）

1 アンモニアソーダ法（ソルベー法）について

炭酸ナトリウム Na_2CO_3 は**ソーダ灰**とも呼ばれ，**ガラス，セッケン**などの原料に用いられる。**炭酸ナトリウム Na_2CO_3 は工業的にはアンモニアソーダ法（ソルベー法）でつくられる**んだ。

 どうやって，Na_2CO_3 を工業的につくるの？

$NaCl$ の飽和水溶液に，NH_3 を十分に溶かし，これに CO_2 を通じる んだ（アンモニアソーダ法❶）。すると，CO_2 が水に溶けてできた炭酸 H_2CO_3 が NH_3 と中和反応を起こし，NH_4^+ と HCO_3^- が生成する。

$$\underset{\underset{(H_2CO_3)}{}}{NH_3 + \overbrace{(CO_2 + H_2O)}^{\text{H_2CO_3 が NH_3 に H^+ を与える}}} \longrightarrow NH_4^+ + HCO_3^-$$

このとき，塩化ナトリウム $NaCl$ は水溶液中ですでに電離している。

$$NaCl \longrightarrow Na^+ + Cl^-$$

その結果，HCO_3^- と Na^+ が結びつき，水への溶解度が小さい $NaHCO_3$ が沈殿する。

$$NH_3 + CO_2 + H_2O + NaCl \longrightarrow NaHCO_3\downarrow + NH_4Cl \quad \cdots\cdots①$$

 2つの反応式をたすんだね。

そうなんだ。この化学反応式が，アンモニアソーダ法の中で**一番難しい化学反応式**になるから，しっかり確認しておいてね。

次に，沈殿した $NaHCO_3$ をろ過によって分け，これを焼くと熱分解反応が起こり Na_2CO_3 をつくることができる（アンモニアソーダ法❷）。

$$2NaHCO_3 \longrightarrow Na_2CO_3 + CO_2 + H_2O \quad \cdots\cdots②$$

②の反応で生成した CO_2 は①の反応を起こすのに再利用され，それだけではたりない CO_2 をおぎなうため，石灰石 $CaCO_3$ を焼いて熱分解反応を起こす（アンモニアソーダ法❸）。

$$CaCO_3 \longrightarrow CaO + CO_2 \quad \cdots\cdots③$$

反応式②と③は熱分解反応だから暗記するの？

そうなんだけど，次のようにとらえると覚えやすいよ。

【反応式②のとらえ方】

H^+を与える

$$HCO_3^- + HCO_3^- \longrightarrow \underline{H_2CO_3} + CO_3^{2-}$$

H_2CO_3は，H_2O と CO_2 に分かれる

$$\begin{array}{l} 2HCO_3^- \longrightarrow H_2O + CO_2 + CO_3^{2-} \quad \Leftarrow 上の式をまとめる \\ +)\ 2Na^+ \qquad\qquad\qquad\qquad\quad 2Na^+ \quad \Leftarrow 両辺に2Na^+を加える！ \\ \hline 2NaHCO_3 \longrightarrow H_2O + CO_2 + Na_2CO_3 \end{array}$$

【反応式③のとらえ方】

$CaCO_3$の構造式

$$O=C \begin{cases} O^- \quad Ca^{2+} \longrightarrow O^{2-} \quad Ca^{2+} \longrightarrow CaO \\ \qquad\qquad\quad Ca^{2+}がO^{2-}を引き抜く！ \\ O^- \qquad\qquad \longrightarrow O=C^+\!\!-O^{\ominus} \longrightarrow CO_2 \end{cases}$$

反応式③で 生成した酸化カルシウム CaO を水に溶かすと，水酸化カルシウム $Ca(OH)_2$ が生成する (アンモニアソーダ法❹)。

$$CaO + H_2O \longrightarrow Ca(OH)_2 \qquad \cdots\cdots④$$

この反応も次のようにとらえておこう。

H_2O が O^{2-} に H^+ を与える

$$\begin{array}{l} O^{2-} + \underset{}{(H)} \overset{O}{} H \longrightarrow OH^- + OH^- \\ +)\ Ca^{2+} \qquad\qquad\qquad\qquad Ca^{2+} \quad \Leftarrow 両辺に Ca^{2+} を加える！ \\ \hline CaO + H_2O \longrightarrow Ca(OH)_2 \end{array}$$

反応式①で生成した NH_4Cl と反応式④で生成した $Ca(OH)_2$ を反応させて NH_3 を 回収する (アンモニアソーダ法❺)。

$$2NH_4Cl + Ca(OH)_2 \longrightarrow 2NH_3 + 2H_2O + CaCl_2 \quad \cdots\cdots⑤$$

この反応は気体の製法(➡ p.267)のところで勉強したね。

そうだね。強塩基である $Ca(OH)_2$ を使って，弱塩基の NH_3 を追い出す反応だね。最後に，①×2＋②＋③＋④＋⑤でアンモニアソーダ法全体の反応式が完成する。

$$2NaCl + CaCO_3 \longrightarrow Na_2CO_3 + CaCl_2$$

全体の反応式は，**原料が $NaCl$ と $CaCO_3$，生成物が Na_2CO_3 と $CaCl_2$ と覚えて係数をつける方がはやく書ける**んじゃない？

そうだね。試験時間は限られているから，工夫して覚えることも大切だね。

第5章

無機物質

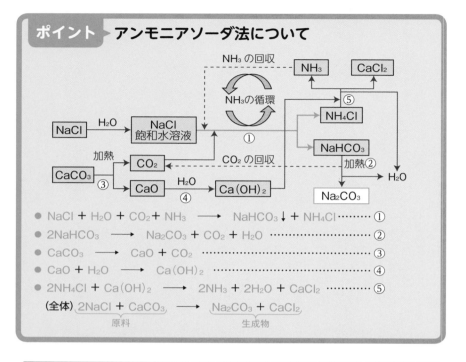

- $NaCl + H_2O + CO_2 + NH_3 \longrightarrow NaHCO_3\downarrow + NH_4Cl$ ……… ①
- $2NaHCO_3 \longrightarrow Na_2CO_3 + CO_2 + H_2O$ …………………… ②
- $CaCO_3 \longrightarrow CaO + CO_2$ ………………………………… ③
- $CaO + H_2O \longrightarrow Ca(OH)_2$ …………………………… ④
- $2NH_4Cl + Ca(OH)_2 \longrightarrow 2NH_3 + 2H_2O + CaCl_2$ ……… ⑤

(全体) $\underline{2NaCl + CaCO_3} \longrightarrow \underline{Na_2CO_3 + CaCl_2}$

原料　　　　　　　　　　生成物

チェック問題 1　　　　　　易 2分

　アンモニアソーダ法に関する記述として誤りを含むものを，次の①～⑧のうちから2つ選べ。

① NaCl飽和水溶液にCO_2とNH_3を吹きこんで，NH_4Clを沈殿させる。

② NaCl飽和水溶液にNH_3を吸収させたあとにCO_2を通じるのは，CO_2を溶かしやすくするためである。

③ $NaHCO_3$の熱分解によりNa_2CO_3が生成する過程では，CO_2のほかにH_2も生成する。

④ $CaCO_3$を加熱すると，酸性酸化物(気体)と塩基性酸化物(固体)が生成する。

⑤ NH_4Clと$Ca(OH)_2$を反応させると，NH_3，$CaCl_2$およびH_2Oが生成する。

⑥ NH_3は回収してアンモニアソーダ法の中で再利用する。

⑦ 発生するCO_2をすべて利用すると，Na_2CO_3の製造に必要な$CaCO_3$の物質量は，NaClの$\dfrac{1}{2}$である。

⑧ アンモニアソーダ法のそれぞれの反応は，触媒を必要としない。

①，③

① NH$_4$Cl ではなく，炭酸水素ナトリウム NaHCO$_3$ を沈殿させる。NaHCO$_3$ の水への溶解度は，NH$_4$Cl より小さい。〈誤り〉

② NH$_3$ を吸収させて水溶液を弱塩基性にし，酸性酸化物の CO$_2$ を中和して溶かしやすくする。〈正しい〉

③ $2NaHCO_3 \longrightarrow Na_2CO_3 + CO_2 + H_2O$ が起こり，Na$_2$CO$_3$ と CO$_2$ のほかに H$_2$O も生成する。〈誤り〉

④ 酸性酸化物は CO$_2$，塩基性酸化物は CaO。〈正しい〉

⑤ $2NH_4Cl + Ca(OH)_2 \longrightarrow 2NH_3 + 2H_2O + CaCl_2$ （弱塩基の遊離）が起こる。〈正しい〉

⑥ 発生する NH$_3$ は回収して再利用する。〈正しい〉

⑦ アンモニアソーダ法全体の反応式

$$②NaCl + ①CaCO_3 \longrightarrow Na_2CO_3 + CaCl_2$$

の係数関係から，Na$_2$CO$_3$ の製造に必要な CaCO$_3$ の物質量（mol）は NaCl の半分になることがわかる。〈正しい〉

⑧ アンモニアソーダ法で触媒を必要とする反応はない。〈正しい〉

2 イオン交換膜法について

NaOH は工業的に，陽イオン交換膜を使った NaCl 水溶液の電気分解によりつくられる。このような NaOH の工業的製法を**イオン交換膜法**というんだ。

陽イオン交換膜は，陽イオンだけを通す膜のことで，イオン交換膜法では Na$^+$ だけが陽イオン交換膜を通過できるんだ。

| イオン交換膜法 |

陽極室と陰極室を陽イオン交換膜でしきり，NaCl 水溶液を電気分解する。

陽極室では，Cl$^-$ が減り Na$^+$ が余る　陽イオン交換膜（陽イオン Na$^+$ だけを通す）Cl$^-$ や OH$^-$ は通過できない

陰極室では，Na$^+$ よりイオン化傾向の小さな陽イオンである H$_2$O の H$^+$ が反応する。

陰極：$2H_2O + 2e^- \longrightarrow H_2 + 2OH^-$ $\left(\begin{array}{l}2H^+ + 2e^- \longrightarrow H_2 \text{の両辺に} \\ 2OH^- \text{を加えてつくることができる}\end{array}\right)$

陽極室では，Cl⁻が反応する。

$$陽極：2Cl^- \longrightarrow Cl_2 + 2e^-$$

陽イオン交換膜でしきっているので，陰極で生じる H_2 や OH^- は陽極で生じる Cl_2 と混ざることがないんだ。また，Na^+ だけが陽イオン交換膜を通り抜けるので，陰極室では Na^+ や OH^- の濃度つまり NaOH 水溶液の濃度が高くなる。この NaOH 水溶液を濃縮し，純度の高い NaOH を得ることができるんだ。

3 鉄 Fe, 銅 Cu, アルミニウム Al の工業的製法について

❶ 鉄 Fe の製錬について

金属は，硫化物や酸化物などとして鉱石に含まれている。そこで，金属の単体を得るには，鉱石から硫黄や酸素などをとり除く，つまり製錬する必要がある。

イオン化傾向の大きな金属は，単体になりにくいので，単体を得るためには複雑な操作や多くのエネルギーが必要になるんだ。

	Li	K	Ba	Ca	Na	Mg	Al	Zn	Fe	Ni	Sn	Pb	(H₂)	Cu	Hg	Ag	Pt	Au
天然の状態	酸化物，塩化物，炭酸塩などとして存在する						酸化物，硫化物などとして存在する										単体として存在する	
単体の製法	酸化物，塩化物を電気分解する						酸化物，硫化物を炭素で還元する										加熱のみで還元する	

Fe の単体は，工業的には溶鉱炉(高炉)の中にコークス C，石灰石 $CaCO_3$ を入れ，その酸化物(Fe_2O_3 や Fe_3O_4 など)を還元してつくる。

 どうやってつくるの？

溶鉱炉の上から鉄鉱石(**赤鉄鉱** Fe_2O_3 など)，**コークス** C，**石灰石** $CaCO_3$ を入れ，下から高温の空気を送りこむと，コークス C から生じた CO(還元剤)が鉄鉱石を次の反応式のように還元して Fe が得られるんだ。

$$Fe_2O_3 + 3CO \longrightarrow 2Fe + 3CO_2 \quad \Leftarrow CO \text{が} O \text{をうばう}$$

このとき**溶鉱炉で得られる鉄は銑鉄**といい，炭素の含有量が多く，硬くてもろい。銑鉄は**鋳物**などとしてマンホールのふたなどに使われる。

この銑鉄を転炉に移して，酸素 O_2 を吹きこみ**炭素の含有量を減らした鋼**を得る。鋼は硬く弾力に富み丈夫なので，おもに**建築**や**機械の材料**として利用される。

また，鉄はいろいろな金属と合金をつくる。たとえば，**鉄 Fe にクロム Cr やニッケル Ni を混ぜてつくられる合金はステンレス鋼といい，クロム Cr がち密な酸化被膜をつくるのでさびにくい特徴をもつ**んだ。

ポイント 鉄 Fe の製錬について

〈溶鉱炉〉
高炉ガス
石灰石 CaCO₃
鉄鉱石 Fe₂O₃
コークス C
熱風
銑鉄 Fe
スラグ
（鉄以外の残物）
転炉へ

〈転炉〉
O₂
融解銑鉄 Fe

スラグとは，石灰石 CaCO₃ の熱分解により生じる CaO と鉄鉱石に含まれる SiO₂ が反応して生じる CaSiO₃ などをいい，**セメントの原料に使う。**

- $Fe_2O_3 + 3CO \longrightarrow 2Fe + 3CO_2$
- **銑鉄（C が多い）➡ 鋳物**　　● **鋼（C が少ない）➡ 建築や機械の材料**
- $Fe - Cr - Ni \longrightarrow$ **ステンレス鋼**

チェック問題 2

標準 2分

鉄に関する記述として誤りを含むものを，次の①～④のうちから1つ選べ。

① イオン化傾向が中程度の鉄は，赤鉄鉱などを一酸化炭素で還元することによって銑鉄を得る。
② 鉄にクロムとニッケルを混ぜてつくられるステンレス鋼は，さびにくい性質をもつ合金である。
③ 鉄を濃硝酸に浸すと，激しく反応して溶解する。
④ 鉄は，イオン化傾向が銅より大きい。
⑤ 銑鉄は，鋳物に使われ，鋼に比べて含まれる炭素の割合が高い。

解答・解説

③

③ Fe，Ni，Al は，濃硝酸にほとんど溶解しない（不動態）。〈誤り〉

❷ 銅 Cu の電解精錬について

参考

粗銅を得るまでの工程 ：Cu と S を成分として含む黄銅鉱 $CuFeS_2$ を，ケイ砂 SiO_2 とともに溶鉱炉で加熱した後，得られた硫化銅（Ⅰ）Cu_2S を転炉に移して高温で空気を吹きこむと，粗銅が得られる。

〈溶鉱炉での反応〉

$$2CuFeS_2 + 4O_2 + 2SiO_2 \longrightarrow Cu_2S + 2FeSiO_3 + 3SO_2$$
黄銅鉱　　　　　ケイ砂

〈転炉での反応〉

$$2Cu_2S + 3O_2 \longrightarrow 2Cu_2O + 2SO_2$$

$$Cu_2S + 2Cu_2O \longrightarrow 6Cu + SO_2$$
粗銅

　粗銅は，Cu の純度が99％程度で，不純物として Zn，Fe，Ni，Ag，Au など を含んでいる。

　工業的には銅の鉱石（黄銅鉱 $CuFeS_2$）を還元して得られる粗銅（Cu が約99％）を電気分解することで，純銅 Cu（Cu が約99.99％以上）に精錬する。この電気分解のことを電解精錬というんだ。

どうやって電解精錬するの？

　硫酸で酸性にした硫酸銅（Ⅱ）$CuSO_4$ 水溶液中で，陽極に粗銅，陰極に純銅を使って電気分解するんだ。そうすると，陽極では粗銅 Cu が Cu^{2+} となって溶け出し，陰極上には純銅 Cu が析出する。そして，**粗銅の中に含まれる Ag や Au などの Cu よりもイオン化傾向の小さい金属（Cu よりも陽イオンになりにくい金属）は，陽イオンにならずに単体のまま陽極の下に陽極泥として沈殿する**。Zn，Fe，Ni などの Cu よりもイオン化傾向の大きい金属（Cu よりも陽イオンになりやすい金属）は，陽イオンになって水溶液中に溶け出し残る。

陽極・粗銅板
陰極・純銅板
陽極泥
（Ag, Au など）
硫酸酸性の硫酸銅（Ⅱ）水溶液

陽極
純銅板
陽極泥（Ag, Au など）
硫酸酸性の硫酸銅（Ⅱ）水溶液

$$
\text{陽極}
\begin{cases}
Zn \longrightarrow Zn^{2+} + 2e^- \\
Fe \longrightarrow Fe^{2+} + 2e^- \\
Ni \longrightarrow Ni^{2+} + 2e^- \\
Cu \longrightarrow Cu^{2+} + 2e^-
\end{cases}
$$

陰極　$Cu^{2+} + 2e^- \longrightarrow Cu$

このようにして，陰極に純粋な Cu を得ることができて，陽極泥の中から Ag, Au などの貴金属を回収するんだ。

ポイント **銅 Cu の電解精錬について**

● 陽極：粗銅，陰極：純銅，電解質溶液：硫酸銅（Ⅱ）CuSO₄ 水溶液

イオン化傾向（大 → 小）

粗銅板： Zn, Fe, Ni ＞ Cu ＞ Ag, Au

陽イオンとなって溶液中に溶出する　　　　　　　陽極泥として沈殿する

思 **考力のトレーニング**　難　5分

銅の電解精錬の過程を実験室で再現するために，希硫酸に硫酸銅（Ⅱ）を溶かした溶液 1000 mL を電解槽に入れ，不純物を含んだ銅（粗銅）を陽極に，純粋な銅（純銅）を陰極にして電気分解を行った。このことに関して，次の問いに答えよ。

(1) 粗銅の電極には，不純物として，おもに亜鉛，金，銀，鉄，ニッケルが含まれている。この不純物の金属には，電気分解後，陽極泥に含まれるものと，水溶液中にイオンとして存在するものとがある。陽極泥に含まれる金属はどれか。最も適当なものを，次の①～⑦のうちから１つ選べ。

① 亜鉛，鉄　　② 亜鉛，鉄，ニッケル　　③ 銀，ニッケル
④ 金，ニッケル　　⑤ 金，鉄　　⑥ 金，銀　　⑦ 金，銀，鉄

(2) 直流電流を通じて電気分解したところ，粗銅は 67.14 g 減少し，一方，純銅は 66.50 g 増加した。また，陽極泥の質量は 0.34 g で，溶液中の銅（Ⅱ）イオンの濃度は 0.0400 mol/L だけ減少した。この電気分解で水溶液中に溶け出した不純物の金属の質量は何 g か。最も適当な数値を，次の①～⑨のうちから１つ選べ。ただし，この電気分解により溶液の体積は変化しないものとし，また，不純物としては金属（亜鉛，金，銀，鉄，ニッケル）だけが含まれているものとする。Cu ＝63.5

① 0.30　　② 0.34　　③ 0.65　　④ 1.27　　⑤ 2.20
⑥ 2.54　　⑦ 2.84　　⑧ 3.18　　⑨ 3.52

解答・解説

(1) ⑥　　(2) ⑦

(1) 不純物として粗銅の中に含まれている，Cu よりもイオン化傾向の大きな Zn，Fe，Ni は水溶液中に溶け出しイオンとなって存在するが，Cu よりもイオン化傾向の小さな Ag，Au はイオンにならず単体のまま陽極泥に含まれる。

(2)

粗銅の減少量 67.14 g の内訳は，イオンとなって溶け出した Cu，Zn，Fe，Ni と陽極泥に含まれる Ag，Au になる。

ここで，溶け出した Cu を x (g)，Cu 以外の溶け出した Zn，Fe，Ni の合計を y (g)とすると，陽極泥の Ag，Au が 0.34 g なので，次の関係式が成立する。

$$67.14 \text{ g} = \underbrace{x \text{ (g)}}_{Cu} + \underbrace{y \text{ (g)}}_{Zn, Fe, Ni} + \underbrace{0.34 \text{ g}}_{Ag, Au} \quad \cdots\cdots①$$

次に，純銅の増加量 66.50 g の内訳について考える。ここで，**水溶液中の銅 (Ⅱ)イオン Cu^{2+} の濃度が減少していることに注意**しよう。つまり，粗銅から溶けて出てきた Cu に相当する x (g)だけが析出するのではなく，水溶液中に最初から存在していた Cu^{2+} も電気分解によって陰極に析出したので，その濃度が減少している。

ここで，個数に注目して考えると，水溶液中に最初から存在していた Cu^{2+} 1 個が電気分解されて析出する Cu は 1 個になる。個数の関係は物質量 (mol)の関係を表していることから，水溶液中に最初から存在していた Cu^{2+} 1 mol が電気分解されて析出する Cu は 1 mol になるといいかえることができる。

> 水溶液中の Cu^{2+} 1 個 から 陰極に Cu 1 個 が析出する
> mol mol

水溶液中で減少した Cu^{2+} に相当する物質量(mol)は，

$$\frac{0.0400 \text{ mol}}{1 \text{ L}} \times \frac{1000}{1000} \text{ L} = 0.0400 \text{ mol}$$

となり，水溶液中で減少した Cu^{2+} と同じ物質量(mol)に相当する Cu が析出している。その質量は，$0.0400 \text{ mol} \times \dfrac{63.5 \text{g}}{1 \text{ mol}} = 2.54 \text{ g}$

この 2.54 g と粗銅から溶け出した Cu に相当する x (g)が陰極に析出するので，次の関係式が成立する。

$$\underbrace{66.50 \text{ g}}_{析出した純銅} = 2.54 \text{ g} + x \text{ (g)} \quad \cdots\cdots②$$

②より，$x = 63.96$ g になり，①に代入すると，$y = 2.84$ g になる。

よって，溶け出した不純物 Zn，Fe，Ni の合計質量は，$y = 2.84$ g

❸ アルミニウム Al の溶融塩電解（融解塩電解）について

　Al の単体は，原料のボーキサイト（主成分 $Al_2O_3 \cdot nH_2O$）を濃い NaOH 水溶液で処理して得られる純粋な酸化アルミニウム Al_2O_3 を**溶融塩電解（融解塩電解）**して工業的に製造される。

 溶融塩電解って？

　金属の塩を加熱して融解させ，その溶液の中で電気分解することをいうんだ。

 水溶液ではなくて，融解させた溶液を電気分解するんだね。

　Al^{3+} の水溶液を電気分解しても，Al は水素よりイオン化傾向が大きいので，陰極では H_2O（H^+）が反応し H_2 が発生するだけで Al を得ることはできないんだ。

　純粋な酸化アルミニウム Al_2O_3 は**アルミナ**ともいい，約2000 ℃の高い融点をもつ。融解した**氷晶石** Na_3AlF_6 にアルミナを少しずつ加えると，混合物の融点は約1000 ℃に下がってアルミナが融解するんだ。

$$Al_2O_3 \longrightarrow 2Al^{3+} + 3O^{2-} \text{（融解し，電離する）}$$

 融解する温度が約1000 ℃も下がったね。

　そうだね。**氷晶石 Na_3AlF_6 を使うことで，アルミナだけを融解するよりは消費するエネルギーが少なくてすむ**んだ。この融解液を陽極，陰極のどちらにも炭素 C を使って電気分解するとアルミナが電気分解される。すると，陰極では，融解液中の Al^{3+} が還元されて Al となって電解槽の底に沈むんだ。

導電棒

炭素（陰極）

炭素（陽極）

融解した氷晶石と酸化アルミニウム（アルミナ）

析出した融解アルミニウム

> Al の製錬には，大量の電力が使われる。ところが，リサイクルすると製錬するときの約3％のエネルギーでリサイクルできる。

【陰極での反応】

$$Al^{3+} + 3e^- \longrightarrow Al$$

　陽極では，融解液中の O^{2-} が反応して $2O^{2-} \longrightarrow O_2 + 4e^-$ の反応が起こりそうだね。ただ，非常に高い温度で溶融塩電解しているので，発生した O_2 が陽極の炭素 C とただちに反応して，**CO や CO_2 になる**んだ。

【陽極での反応】

- 融解液中の O^{2-} が反応して，O_2 が発生する
$$2O^{2-} \longrightarrow O_2 + 4e^- \quad \cdots\cdots①$$
- 発生した O_2 が C と反応して，ただちに CO が生成する
$$2C + O_2 \longrightarrow 2CO \quad \cdots\cdots②$$
- 発生した O_2 が C と反応して，ただちに CO_2 も生成する
$$C + O_2 \longrightarrow CO_2 \quad \cdots\cdots③$$

（①＋②）を 2 でわると，
$$C + O^{2-} \longrightarrow CO + 2e^-$$

①＋③より，
$$C + 2O^{2-} \longrightarrow CO_2 + 4e^-$$

陽極の C は O_2 と反応して消費されるので，陽極の C は**補給する必要がある**んだ。

ポイント ▶ アルミニウム Al の溶融塩電解について

- アルミナ Al_2O_3 を融解した氷晶石に加えて溶融塩電解する

〈陰極〉：$Al^{3+} + 3e^- \longrightarrow Al$

〈陽極〉：$C + O^{2-} \longrightarrow CO + 2e^-$

$C + 2O^{2-} \longrightarrow CO_2 + 4e^-$

チェック問題 3 標準 2分

アルミニウムと酸化アルミニウムの性質に関する次の記述 a ～ d について，その正誤の組み合わせとして正しいものを，右の①～⑤のうちから 1 つ選べ。

a 融点は，酸化アルミニウムのほうがアルミニウムより高い。

b 結晶はいずれもよく電気を導く。

c アルミニウムは，アルミニウムイオンを含む水溶液から電気分解で得られる。

d 空気中ではアルミニウムの表面に，酸化アルミニウムの被膜ができる。

	a	b	c	d
①	正	誤	誤	正
②	正	正	誤	誤
③	正	誤	正	正
④	誤	正	誤	正
⑤	誤	正	正	誤

解答・解説

①

a Al$_2$O$_3$ の融点は，約2000℃と非常に高い。ちなみに，Al の融点は約700℃である（数値を覚える必要はない）。〈正しい〉

b 金属結晶である Al は，自由電子が電気を導く。Al^{3+}，O^{2-} のイオンからなる Al$_2$O$_3$ は，結晶のときには<u>電気を導かない</u>。加熱により融解しイオンが動けるようになると，電気を導く。〈誤り〉

c Al^{3+} を含む水溶液を電気分解しても，Al はイオン化傾向が大きいので，陰極では H$_2$O（H$^+$）が反応して H$_2$ が発生するだけで Al は得られない。〈誤り〉

　［陰極］で 2H$_2$O + 2e$^-$ $\longrightarrow$ H$_2$ + 2OH$^-$ の反応が起こる。

d Al を空気中に放置すると，表面が酸化されてち密な酸化物の膜 Al$_2$O$_3$ を生じる（不動態になる）。この酸化物の膜は，内部の Al がさびの原因となる物質と接触するのを防ぐはたらきをする。〈正しい〉

19 時間目 1族（アルカリ金属元素）

1 アルカリ金属の単体について

アルカリ金属の単体の性質や炎色反応について下の表に示すね。

元素名と原子		電子殻						融点 (℃)	密度 (g/cm³)		炎色反応
		K	L	M	N	O	P				
リチウム	₃Li	2	1					181	0.53		赤
ナトリウム	₁₁Na	2	8	1				98	0.97	水に浮く	黄
カリウム	₁₉K	2	8	8	1			64	0.86		赤紫
ルビジウム	₃₇Rb	2	8	18	8	1		39	1.53		赤
セシウム	₅₅Cs	2	8	18	18	8	1	28	1.87		淡青

融点の列には「高」から「低」への矢印がある。

＊赤字は価電子の数

スマートフォンの電池って，リチウムイオン電池だよね。

そうだね。**リチウム**が電池の材料に，**ナトリウム**が道路照明用のナトリウムランプに使われていることや，**カリウム**が植物の成長に欠かせないことを知っておいてね。

ルビジウム Rb やセシウム Cs も炎色反応を示すんだね。

そうなんだ。ただし，炎色反応については，p.261 で勉強した Li が赤色，Na が黄色，K が赤紫色を覚えておけばいいんだ。あと，アルカリ金属は，

❶　価電子が1個で，**1価の陽イオンになりやすい**
❷　空気中で酸化され，水ともはげしく反応するので，**石油（灯油）中に保存**するんだ。

ポイント ▶ アルカリ金属について

● 単体の融点 ➡ 原子番号が小さいほど高い：Li ＞ Na ＞ K ＞ Rb ＞ Cs
● 炎色反応を示す ➡ Li は赤色，Na は黄色，K は赤紫色
● 石油（灯油）中に保存する

2 ナトリウム Na について

　石油中に保存していた Na を空気中にとり出すと，**すみやかに酸化されて金属光沢を失う。**

$$4Na + O_2 \longrightarrow 2Na_2O$$

　また，**アルカリ金属は，どれも常温の水と激しく反応して** H_2 **を発生する**んだ（➡ p.158）。とくに Na や K の水との反応は，その反応式も書けるようにしておこうね。

 反応式中に**単体**（➡ Na, K, ……）があると，その反応は酸化還元反応になるんだよね。

　そうだね。だから，Na や K が，Na^+ や K^+ となって H_2O と酸化還元反応する。

$$Na \longrightarrow Na^+ + e^- \quad \cdots\cdots ①$$
$$2H_2O + 2e^- \longrightarrow H_2 + 2OH^- \quad \cdots\cdots ②$$

　　　⬆ ②式は（➡ p.180）でつくったことがあるね
$$\left(\begin{array}{l} 2H^+ + 2e^- \longrightarrow H_2 \text{ の両辺に} \\ 2OH^- \text{ を加えてつくることができる} \end{array}\right)$$

①×2＋②より，$2Na + 2H_2O \longrightarrow 2NaOH + H_2$
K のときも Na と同じようにつくる。

$$2K + 2H_2O \longrightarrow 2KOH + H_2$$

強塩基である NaOH や KOH ができるので，**反応後の水溶液は強い塩基性を示す。**
また，Na は，Al と同じように溶融塩電解（融解塩電解）によって得られる。

 融解させた溶液を電気分解するんだよね。

　そうなんだ。Na^+ を含んだ水溶液を電気分解しても，**Na は水素よりイオン化傾向が大きいので，陰極では** $H_2O(H^+)$ **が反応して** H_2 **が発生するだけで Na を得ることはできない。**だから，Na は，塩化ナトリウム NaCl の溶融塩電解，つまり融解した NaCl を電気分解して得るんだ。

NaCl の溶融塩電解

　　陰極(Fe)　$Na^+ + e^- \longrightarrow Na$ 　　⬅ Na^+Cl^- の Na^+ が反応する
　　陽極(C)　$2Cl^- \longrightarrow Cl_2 + 2e^-$ 　　⬅ Na^+Cl^- の Cl^- が反応する

チェック問題 1 　　　　　　　　　　標準 2分

　ナトリウムに関する記述として誤りを含むものを，次の①～⑥のうちから1つ選べ。

　① ナトリウムは，融解した塩化ナトリウムを電気分解すると得られる。
　② ナトリウムは，常温で水と激しく反応して，酸素を発生する。

③ ナトリウムは，空気中では表面がすみやかに酸化され，金属光沢を失う。

④ ナトリウムは，水と反応しやすいため，石油(灯油)中で保存する。

⑤ ナトリウムは，炎色反応で黄色を呈する元素であるので，その化合物は花火に利用されている。

⑥ 塩化ナトリウム水溶液を電気分解しても，ナトリウムの単体は得られない。

解答・解説

②

① 塩化ナトリウムの溶融塩電解により得られる。〈正しい〉

② 酸素でなく水素を発生する。$2Na + 2H_2O \longrightarrow 2NaOH + H_2$〈誤り〉

③ ナトリウムは還元性が強く酸化を受けやすい。〈正しい〉

⑤ Na の炎色反応は黄色。〈正しい〉

⑥ 陰極では H_2 が発生するだけで，Na は得られない。〈正しい〉

3 ナトリウムの化合物について

アルカリ金属の酸化物である Na_2O は<u>塩基性酸化物</u>で，水と反応し NaOH になる。

$$Na_2O + H_2O \longrightarrow 2NaOH$$

この反応は，反応のようすから覚えていくと簡単だね！

まとめる

$$O^{2-} + \underset{H^+を与える}{(H)}O\!-\!H \longrightarrow OH^- + OH^-$$
$$+)\quad 2Na^+ \qquad\qquad\qquad 2Na^+ \quad \leftarrow 両辺に2Na^+を加える！$$
$$\overline{\quad Na_2O + H_2O \longrightarrow 2NaOH}$$

また，塩酸 HCl などの酸と反応して塩をつくる。

まとめる

$$O^{2-} + 2H^+ \longrightarrow H_2O \quad \leftarrow Na_2O 中の O^{2-} が塩酸から2H^+ を受けとる！$$
$$+)\quad 2Na^+ \quad 2Cl^- \qquad 2Na^+ \; 2Cl^- \quad \leftarrow 両辺に2Na^+と2Cl^-を加える！$$
$$\overline{\quad Na_2O + 2HCl \longrightarrow 2NaCl + H_2O}$$

NaOH や KOH の固体は，空気中の水分を吸収して，この水に溶けこむ(➡ この現象を<u>潮解</u>という)。

また，Na_2CO_3 は，**ガラスやセッケンなどの原料**に用いられた。

アンモニアソーダ法(➡ p.288)で工業的につくったよね。

そうだね。炭酸ナトリウムの濃い水溶液を濃縮すると，無色の**炭酸ナトリウム十水和物** $Na_2CO_3 \cdot 10H_2O$ の結晶が析出する。この結晶を**空気中に放置すると水和水の**

一部を失って白色の一水和物 $Na_2CO_3 \cdot H_2O$ になる（➡ この現象を**風解**という）んだ。

 以前，Na_2CO_3 や $NaHCO_3$ は，塩の加水分解で勉強したね。

そうだね。「弱酸と強塩基を中和することによってできると考えられる塩」だから，**加水分解して**弱塩基性を示したね。

また，$NaHCO_3$ は，加熱すると分解して CO_2 を発生した（➡ p.288）。

$$2NaHCO_3 \longrightarrow Na_2CO_3 + CO_2 + H_2O$$

あと，$NaHCO_3$ は重曹ともいい，**ベーキングパウダー**や**胃腸薬**などに用いられるんだ。

チェック問題 2

炭酸ナトリウム Na_2CO_3 と炭酸水素ナトリウム $NaHCO_3$ に関する記述として誤っているものを，次の①〜⑤のうちから 1 つ選べ。

① $NaHCO_3$ は，$NaCl$ 飽和水溶液に NH_3 を十分に溶かし，さらに CO_2 を通じると得られる。
② $NaHCO_3$ を加熱すると，Na_2CO_3 が得られる。
③ Na_2CO_3 水溶液に $CaCl_2$ 水溶液を加えると，白色沈殿が生じる。
④ Na_2CO_3 水溶液はアルカリ性を示すが，$NaHCO_3$ 水溶液は弱酸性を示す。
⑤ いずれも塩酸と反応して気体を発生する。

解答・解説

④

① アンモニアソーダ法（➡ p.288）での反応。〈正しい〉
　 $NaCl + NH_3 + H_2O + CO_2 \longrightarrow NaHCO_3 + NH_4Cl$
② $2NaHCO_3 \longrightarrow Na_2CO_3 + CO_2 + H_2O$ （熱分解反応）〈正しい〉
③ CO_3^{2-} は Ba^{2+}，Ca^{2+} と白色沈殿を生じる。〈正しい〉
④ Na_2CO_3 や $NaHCO_3$ の水溶液はともにアルカリ性を示す。（加水分解）〈誤り〉
⑤ いずれも弱酸遊離反応を起こして CO_2 を発生する。〈正しい〉
　 $Na_2CO_3 + 2HCl \longrightarrow H_2O + CO_2 + 2NaCl$
　 $NaHCO_3 + HCl \longrightarrow H_2O + CO_2 + NaCl$

図に示す NaCl から Na_2CO_3 を合成する方法について，問い(a・b)に答えよ。

a　図の $\boxed{1}$・$\boxed{2}$ にあてはまる操作として最も適当なものを，次の①～⑤のうちから1つずつ選べ。ただし，同じものを選んでもよい。

① 水溶液にして電気分解する。
② 高温で融解して電気分解する。
③ 加熱する。
④ 水を加える。
⑤ 二酸化炭素を通じる。

$$NaCl \xrightarrow{H_2O,\ NH_3,\ CO_2} \text{化合物 A}$$

$$\boxed{1}$$

$$\boxed{2}$$

$$Na \xrightarrow{H_2O} NaOH \xrightarrow{CO_2} Na_2CO_3$$

b　10 kg の化合物 A から最大何 kg の Na_2CO_3 が得られるか。最も適当な数値を，次の①～⑤のうちから1つ選べ。ただし，H = 1.0，C = 12，O = 16，Na = 23とする。

① 3.2　　② 6.3　　③ 9.1　　④ 13　　⑤ 25

解答・解説

a　$\boxed{1}$ ②　　$\boxed{2}$ ③　　b　②

a　$\boxed{1}$　NaCl を**高温で融解して電気分解（溶融塩電解）する**と Na が得られる。

$\ominus$(C)　$Na^+ + e^- \longrightarrow Na$

Na は H_2O と，$2Na + 2H_2O \longrightarrow 2NaOH + H_2$ の反応を起こす。

また，NaOH は CO_2 と次のように反応する。

$CO_2 + H_2O \longrightarrow H_2CO_3$ ……①　← 炭酸 H_2CO_3 が生じると考える

$H_2CO_3 + 2NaOH \longrightarrow Na_2CO_3 + 2H_2O$……②　← H_2CO_3 と NaOH の中和反応

①+②から，$CO_2 + 2NaOH \longrightarrow Na_2CO_3 + H_2O$

化合物 A は $NaHCO_3$ になる。アンモニアソーダ法を思い出そう。

$NaCl + H_2O + NH_3 + CO_2 \longrightarrow NaHCO_3\downarrow + NH_4Cl$

$\boxed{2}$　化合物 A($NaHCO_3$)を**加熱する**と Na_2CO_3 が生じる。

$2NaHCO_3 \longrightarrow Na_2CO_3 + CO_2 + H_2O$ （熱分解反応）

b　$NaHCO_3 = 84$，$Na_2CO_3 = 106$ であり，10 kg の $NaHCO_3$（化合物 A）からは，

$$\underset{\times\frac{1}{2}}{\textcircled{2}NaHCO_3} \longrightarrow \textcircled{1}Na_2CO_3 + CO_2 + H_2O \quad より，最大$$

$$\underset{NaHCO_3\,(kg)}{10} \left|\, \underset{NaHCO_3\,(g)}{\times 10^3} \,\right|\, \underset{NaHCO_3\,(mol)}{\times \frac{1}{84}} \,\left|\, \underset{Na_2CO_3\,(mol)}{\times \frac{1}{2}} \,\right|\, \underset{Na_2CO_3\,(g)}{\times 106} \,\left|\, \underset{Na_2CO_3\,(kg)}{\times \frac{1}{10^3}} \right.$$

$$\fallingdotseq 6.3\ kg$$

の Na_2CO_3 が得られる。

思 考力のトレーニング 2　　標準 3分

　アンモニアソーダ法による Na_2CO_3 の製造過程において，$NaCl$ 58.5 kg がすべて反応して Na_2CO_3 と $CaCl_2$ を生成するときに，最小限必要とされる $CaCO_3$ は何 kg か。最も適当な数値を，次の①〜④のうちから 1 つ選べ。ただし，この製造過程で生じる NH_3 および CO_2 は，すべて再利用されるものとする。

　ただし，C $=12$，O $=16$，Na $=23$，Cl $=35.5$，Ca $=40$ とする。

① 25.0　　② 50.0　　③ 100　　④ 200

解答・解説

②

アンモニアソーダ法全体の反応式（➡ p.289）

$$\underset{\times\frac{1}{2}}{2NaCl + 1CaCO_3} \longrightarrow Na_2CO_3 + CaCl_2$$

から，$NaCl$（式量58.5）2 mol に対し $CaCO_3$（式量100）1 mol が最小限必要とされることがわかる。よって，最小限必要とされる $CaCO_3$ は，

$$\underset{NaCl\,(mol)}{\frac{58.5 \times 10^3}{58.5}} \left|\, \underset{必要な CaCO_3\,(mol)}{\times \frac{1}{2}} \,\right|\, \underset{CaCO_3\,(g)}{\times 100} \,\left|\, \underset{CaCO_3\,(kg)}{\times \frac{1}{10^3}} \,\right| = 50.0\ kg$$

となる。

第5章 無機物質

20 時間目　2 族（アルカリ土類金属元素）

1 2 族元素について

アルカリ土類金属の原子は，**いずれも価電子を 2 個もち 2 価の陽イオンになりやすく**，その単体は，Al や Na のように溶融塩電解（融解塩電解）によって得られる。

元素名と原子		電子殻 K L M N O P						融点（℃）	炎色反応	水との反応
ベリリウム	$_4$Be	2	2					1282	—	反応しない
マグネシウム	$_{12}$Mg	2	8	2				649	—	熱水と反応
カルシウム	$_{20}$Ca	2	8	8	2			839	橙赤	冷水と反応
ストロンチウム	$_{38}$Sr	2	8	18	8	2		769	紅	冷水と反応
バリウム	$_{56}$Ba	2	8	18	18	8	2	729	黄緑	冷水と反応

＊赤字は価電子の数

ベリリウム Be やマグネシウム Mg は，炎色反応を示さないし，冷水とも反応しないんだね。

そうなんだ。Be と Mg は，アルカリ土類金属の他の元素とは性質がやや異なるんだ。

2 マグネシウム Mg について

Mg は，空気中で強熱すると白煙と明るい光を出して燃える。

$2Mg + O_2 \longrightarrow 2MgO$（明るい光を放つ）

また，マグネシウム Mg は，熱水と反応し H_2 を発生した。

$Mg \longrightarrow Mg^{2+} + 2e^-$ ……①

$2H_2O + 2e^- \longrightarrow H_2 + 2OH^-$ ……②　← ②式は p.180 や p.301でつくったことがあるね

①＋②より，$Mg + 2H_2O \longrightarrow Mg(OH)_2 + H_2$

共通テストは，「反応式を書け」という出題にはならないけれど，反応式がつくれることが前提の問題は出題されるから，反応式はつくれるようにしておこう。

3 カルシウム Ca やバリウム Ba について

❶ 単体と酸化物について

Ca は，アルカリ金属と同じように常温で水と反応し H_2 を発生した。

$Ca \longrightarrow Ca^{2+} + 2e^-$ ……①

$2H_2O + 2e^- \longrightarrow H_2 + 2OH^-$ ……②　← ②式は p.180 や p.301でもつくったことがあるよ

①＋②より，$Ca + 2H_2O \longrightarrow Ca(OH)_2 + H_2$

酸化カルシウム CaO は，Na₂O などの多くの金属の酸化物と同じように<u>塩基性酸化物</u>で，水と反応し水酸化物である Ca(OH)₂ になるんだ。

$$CaO + H_2O \longrightarrow Ca(OH)_2 \quad (はげしく発熱する)$$

 この反応式は，「アンモニアソーダ法」（➡ p.288）で勉強したね。

CaO は<u>生石灰</u>ともいい，生石灰 CaO に水をかけると，発熱しながら<u>消石灰</u> Ca(OH)₂ になる。**CaO に濃い水酸化ナトリウム水溶液をしみこませて焼いたものは<u>ソーダ石灰</u>といい，塩基性の乾燥剤として気体の乾燥に利用した**（➡ p.284）ね。

また，CaO は塩基性酸化物なので，塩酸 HCl などの酸と反応して塩をつくる。

まとめる

O^{2-}	+	$2H^+$	$\longrightarrow$	H_2O	⬅ CaO 中の O^{2-} が塩酸から $2H^+$ を受けとる！
+) Ca^{2+}		$2Cl^-$		$Ca^{2+} \quad 2Cl^-$	⬅ 両辺に Ca^{2+} と $2Cl^-$ を加える！
CaO	+	$2HCl$	$\longrightarrow$	$CaCl_2$ + H_2O	

CaO は，石灰石 CaCO₃ を熱分解してつくった（➡ p.288）ね。

$$CaCO_3 \longrightarrow CaO + CO_2 \quad (熱分解反応)$$

❷ 水酸化カルシウム Ca(OH)₂ について

水酸化カルシウム Ca(OH)₂ は<u>消石灰</u>ともいい，この水溶液は<u>石灰水</u>だったね。

 CO₂ の検出に利用した（➡ p.284）よね。

そうだね。石灰水に CO₂ を通じると，水に不溶な CaCO₃ が生成し白くにごった。

$$Ca(OH)_2 + CO_2 \longrightarrow CaCO_3\downarrow (白) + H_2O$$

この白くにごった水溶液にさらに CO₂ を通じ続けると…

 水に可溶な Ca(HCO₃)₂ が生成して白濁が消えたよね。

さすがだね。白濁が消えた水溶液を加熱すると CO₂ が追い出され，再び CaCO₃ の白色沈殿が生成した。

$$CaCO_3\downarrow (白) + CO_2 + H_2O \underset{加熱}{\rightleftharpoons} Ca(HCO_3)_2$$

CO₂ が発生する

石灰水 Ca(OH)₂ — CO₂を通じる → 白色沈殿が生じる CaCO₃↓ — さらにCO₂を通じる → 溶解する Ca(HCO₃)₂ — 加熱 → 白色沈殿が生じる CaCO₃↓

透明 → 白濁 → 透明 → 白濁

❸ 炭酸カルシウム CaCO₃ について

炭酸カルシウム $CaCO_3$ は，石灰石や大理石などとして天然に存在している。石灰石を多く含む土地では，CO_2 を含んだ地下水により $CaCO_3$ が溶けて地下に鍾乳洞ができることがある。

長い時間をかけて $CaCO_3 + CO_2 + H_2O \rightleftarrows Ca(HCO_3)_2$ の正反応と逆反応がくり返され，鍾乳洞ができるんだ。

❹ カルシウム Ca やバリウム Ba の硫酸塩について

硫酸カルシウム $CaSO_4$ は，天然に $CaSO_4 \cdot 2H_2O$（セッコウ）として産出する。セッコウ $CaSO_4 \cdot 2H_2O$ を焼くと焼きセッコウ $CaSO_4 \cdot \frac{1}{2} H_2O$ になり，焼きセッコウを水で練って放置すると，ふたたびセッコウになって固まる。

$$CaSO_4 \cdot 2H_2O \xrightarrow{\text{加熱}} CaSO_4 \cdot \frac{1}{2} H_2O + \frac{3}{2} H_2O$$

あと，硫酸バリウム $BaSO_4$ は，水に溶けにくく（白色沈殿），胃や腸の X 線撮影の造影剤として利用されているんだ。

思 考力のトレーニング　難 4分

銅と鉄と硫黄のみからなる鉱石6.72 kg に高温で空気を吹きこむと，反応が完全に進行し，銅，二酸化硫黄および酸化鉄のみが生成した。このとき，銅は1.28 kg 得られ，二酸化硫黄はセッコウ（$CaSO_4 \cdot 2H_2O$，式量172）17.2 kg としてすべて回収された。鉱石中の銅と鉄の原子数の比（銅：鉄）として最も適当なものを，次の①〜⑥のうちから１つ選べ。ただし，S = 32，Cu = 64，Fe = 56とする。

① 1：1　　② 1：2　　③ 1：3　　④ 2：1　　⑤ 2：3　　⑥ 3：1

②

鉱石(Cu，Fe，S のみからなる) 6.72 kg から Cu が 1.28 kg 得られたので，この鉱石には 1.28 kg の Cu が含まれていることがわかる。また，鉱石中の<u>Fe と S を合わせた質量</u>は 6.72 − 1.28 = 5.44 kg となる。

└→Cu 以外

鉱石 6.72 kg	Cu 1.28 kg	Fe	S

5.44 kg

から Cu が得られた。 1.28 kg

次に，この鉱石中の S 原子に注目する。

鉱石中の S から SO_2 が生成し，すべてセッコウ $CaSO_4 \cdot 2H_2O$ として回収される。
1個（mol）　1個（mol）　　　　　　　　　　　1個（mol）

つまり，$CaSO_4 \cdot 2H_2O$（式量172）と同じ物質量 (mol) の S がこの鉱石中に含まれており，その質量 (kg) は S = 32より，

$$17.2 \times 10^3 \times \frac{1}{172} \times 1 \times 32 \times \frac{1}{10^3} = 3.2 \text{ kg}$$

セッコウ(kg)　セッコウ(g)　セッコウ(mol)　S(mol)　S(g)　S(kg)
$CaSO_4 \cdot 2H_2O$　$CaSO_4 \cdot 2H_2O$　$CaSO_4 \cdot 2H_2O$

になる。よって，この鉱石中に含まれている Fe は，5.44 − 3.2 = 2.24 kg になり，

鉱石中の　鉱石中
Fe と S　　　の S

鉱石中の Cu と Fe の原子数の比は，Cu = 64, Fe = 56, 原子数の比 = 物質量(mol)の比より，

$$1.28 \text{ kg} \times \frac{10^3 \text{g}}{1\text{kg}} \times \frac{1\text{mol}}{64\text{g}} : 2.24 \text{ kg} \times \frac{10^3\text{g}}{1\text{kg}} \times \frac{1\text{mol}}{56\text{g}} = 20 \text{ mol} : 40 \text{ mol} = 1 : 2$$

Cu(mol)　　　　　　　　　　　Fe(mol)

物質量(mol)の比と
原子数の比は同じ

第 **5** 章

無機物質

21 時間目　両性金属（Al, Zn, Sn, Pb）

1 両性金属について

両性金属（Al, Zn, Sn, Pb）を勉強していくね。次の周期表を見て元素の位置関係をおさえよう。

	1	2	3	4	5	6	7	8	9	10	11	12	13	14	15	16	17	18
1																		
2						遷移元素												
3													Al					
4												Zn						
5														Sn				
6														Pb				
7													Nh					

参考　Nh はニホニウム（原子番号113番）で，日本で発見された元素

 亜鉛 Zn は遷移元素なんだね。

そうなんだ。 Sn と Pb が同じ14族元素であることをチェックしておいてね。Al, Zn, Sn, Pb は，単体が酸の水溶液とも強塩基の水溶液とも反応する両性金属（両性金属は，「Al, Zn, Sn, Pb」と覚えよう！）なんだ。また，Al, Zn, Sn, Pb の酸化物や水酸化物は，酸の水溶液とも強塩基の水溶液とも反応する両性酸化物，両性水酸化物になる。（酸素との化合物を酸化物，水酸化物イオン OH^- との化合物を水酸化物という。）両性酸化物は Al_2O_3 と ZnO，両性水酸化物は $Al(OH)_3$ と $Zn(OH)_2$ を覚えてね。また，Pb は放射線の遮へい材として利用されているんだ。

2 アルミニウム Al について

❶ 単体について

単体の Al は，ボーキサイト（主成分 $Al_2O_3 \cdot nH_2O$）を処理して得た酸化アルミニウム Al_2O_3 を溶融塩電解して製造した（➡ p.297）よね。ここでは，Al の単体と化合物の性質について勉強していくね。

❶　Al は，銀白色の展性・延性に富む軽金属で電気伝導性が大きい

❷　Al と Cu や Mg などとの合金をジュラルミンという

❸　Al を酸素中で熱すると白い光を放ちながら激しく燃える

$$4Al + 3O_2 \longrightarrow 2Al_2O_3 \quad （熱と光を放つ）$$

 軽金属って？

密度が 4.0 g/cm³ 以下の金属をいう。Al は密度が 2.7 g/cm³ しかないんだ。

 ジュラルミンって，航空機の機体に使われているよね。

そうだね。ジュラルミンは，軽くて強いからね。

 アルミニウムって両性金属だったよね。

そうなんだ。水素よりイオン化傾向の大きな Al は，塩酸 HCl や希硫酸 H_2SO_4 の H^+ と反応（➡ p.268）して H_2 を発生したよね。

$$Al \longrightarrow Al^{3+} + 3e^- \quad \cdots\cdots ①$$
$$2H^+ + 2e^- \longrightarrow H_2 \quad \cdots\cdots ②$$

①×2＋②×3 より，

$$2Al + 6H^+ \longrightarrow 2Al^{3+} + 3H_2 \text{（酸化還元）}$$

塩酸 HCl を使うときには，両辺に $6Cl^-$ を加えて，

$$2Al + 6HCl \longrightarrow 2AlCl_3 + 3H_2$$

希硫酸 H_2SO_4 を使うときには，両辺に $3SO_4{}^{2-}$ を加えて，

$$2Al + 3H_2SO_4 \longrightarrow Al_2(SO_4)_3 + 3H_2$$

となる。ただし，Al は，濃硝酸 HNO_3 には**不動態**となり溶けなかった（➡ p.271）ことを忘れないでね。

不動態は，**Fe**（手）**Ni**（に）**Al**（ある）だったね。また，**アルミニウム製品の表面に Al_2O_3 のじょうぶな被膜を人工的につくったものをアルマイト**という。アルマイトは，表面が不動態となるように加工しているんだ。

 アルミニウムは，両性金属だから酸だけでなく強塩基とも反応するんでしょ。

そうなんだ。塩酸 HCl や希硫酸 H_2SO_4 などの酸だけでなく，強塩基である NaOH の水溶液とも反応して H_2 を発生する。化学反応式は，Al と H_2O が酸化還元反応したあと，生成した $Al(OH)_3$ が NaOH と反応すると考えるとつくりやすいよ。

$$Al \longrightarrow Al^{3+} + 3e^- \quad \cdots\cdots ①$$
$$2H_2O + 2e^- \longrightarrow H_2 + 2OH^- \quad \cdots\cdots ②$$

←②式は p.180 や p.301 でもつくったよね

①×2＋②×3 より，③式になる。次に，③式で生じた $Al(OH)_3$ が NaOH と反応（④式）する。

$$2Al + 6H_2O \longrightarrow 2Al(OH)_3 + 3H_2 \quad \cdots\cdots ③$$
$$Al(OH)_3 + NaOH \longrightarrow Na[Al(OH)_4] \quad \cdots\cdots ④$$

←④式は p.252 で勉強した

③＋④×2 より，

$$2Al + 2NaOH + 6H_2O \longrightarrow 2Na[Al(OH)_4] + 3H_2$$

 うーん。難しいよ……

そうだね。Al が NaOH 水溶液と反応して H_2 を発生することは必ずおさえてね。

酸化鉄(Ⅲ)Fe_2O_3 粉末と Al の粉末の混合物はテルミットとよばれ，このテルミットに点火すると多量の熱を発しながら激しく反応し，溶けた Fe の単体を得ることができる(**テルミット反応**)。

$$Fe_2O_3 + 2Al \longrightarrow 2Fe + Al_2O_3 \quad \Leftarrow \text{Al が O をうばい，還元剤としてはたらく。}$$

チェック問題 1 　　　　　　　　　　標準 3分

Al と Fe の混合物2.04 g に，十分な量の NaOH 水溶液を加えたところ，3.00×10^{-2} mol の H_2 が生じた。混合物に含まれていた Fe の質量は何 g か。最も適当な数値を，次の①〜⑤のうちから 1 つ選べ。

$$Al = 27, \ Fe = 56$$

① 1.25 　② 1.50 　③ 1.64 　④ 1.77 　⑤ 1.91

解答・解説

②

混合物中の Fe を x (g)とすると，Al は $2.04 - x$ (g)となる。NaOH 水溶液と反応し H_2 を生じるのは，両性金属の Al だけであり，その反応式は，次のようになる。

$$2Al + 2NaOH + 6H_2O \longrightarrow 2Na[Al(OH)_4] + 3H_2$$

十分な量 $\times \dfrac{3}{2}$

よって，

$$\underbrace{\frac{2.04 - x}{27}}_{\text{Al (mol)}} \times \underbrace{\frac{3}{2}}_{\text{H}_2\text{ (mol)}} = \underbrace{3.00 \times 10^{-2}}_{\text{H}_2\text{ (mol)}} \quad \text{が成り立ち，} x = 1.50\,\text{g になる。}$$

❷ 化合物について

アルミニウムの酸化物である**酸化アルミニウム Al_2O_3 は**アルミナともよばれる**両性酸化物で，宝石の**ルビーやサファイアの主成分なんだ。

 両性だから，酸とも強塩基とも反応するんだよね。

そうなんだ。Al_2O_3 は酸の水溶液にも強塩基の水溶液にも溶けるんだよ。

反応式は，次のようにつくることができるけれど，とりあえずは**酸や強塩基の水溶液に溶ける**ことは覚えておいてね。

$$O^{2-} + 2H^+ \longrightarrow H_2O \quad\quad\quad\quad \cdots\cdots①$$

①×3 　の両辺に $2Al^{3+}$ と $6Cl^-$ を加えると，

$$Al_2O_3 + 6HCl \longrightarrow 2AlCl_3 + 3H_2O$$

①×3 　の両辺に $2Al^{3+}$ と $3SO_4^{2-}$ を加えると,

$$Al_2O_3 + 3H_2SO_4 \longrightarrow Al_2(SO_4)_3 + 3H_2O$$

$$O^{2-} + (H)\overset{O}{\diagdown}H \longrightarrow OH^- + OH^- \quad \cdots\cdots ②$$

②×3 　の両辺に $2Al^{3+}$ を加えると③式になり，③式で生じた $Al(OH)_3$ が NaOH と反応（④式）する。

$$Al_2O_3 + 3H_2O \longrightarrow 2Al(OH)_3 \quad \cdots\cdots ③$$
$$Al(OH)_3 + NaOH \longrightarrow Na[Al(OH)_4] \quad \cdots\cdots ④$$

③+④×2 　より,

$$Al_2O_3 + 3H_2O + 2NaOH \longrightarrow 2Na[Al(OH)_4]$$

同じように，アルミニウムの水酸化物である $Al(OH)_3$ は両性水酸化物なので，酸や強塩基の水溶液に溶ける。

$$Al(OH)_3 + 3HCl \longrightarrow AlCl_3 + 3H_2O \quad \leftarrow 「中和」の考え方を利用するといいね$$
$$Al(OH)_3 + NaOH \longrightarrow Na[Al(OH)_4] \quad \leftarrow 上の④式と同じ$$

第

5

章

無

機

物

質

硫酸アルミニウム $Al_2(SO_4)_3$ と硫酸カリウム K_2SO_4 の混合水溶液を冷却すると，**ミョウバン $AlK(SO_4)_2 \cdot 12H_2O$ という無色透明の正八面体結晶**を得ることができるんだ。

　組成式がややこしいね……

そうだね。ミョウバン $AlK(SO_4)_2 \cdot 12H_2O$ のように **2 種類以上の塩**（$Al_2(SO_4)_3$ と K_2SO_4）**が一定の割合で結合したような塩**を複塩といい，水に溶かすと各成分がイオンに電離するんだ。

$$AlK(SO_4)_2 \cdot 12H_2O \longrightarrow Al^{3+} + K^+ + 2SO_4^{2-} + 12H_2O$$

ミョウバンの水溶液は何性を示すかわかるかな？

> K_2SO_4 は，「強酸と強塩基を中和することによってできると考えられる塩」だから加水分解せず中性だったし，$Al_2(SO_4)_3$ は「強酸と弱塩基を中和することによってできると考えられる塩」だから加水分解して弱酸性を示したよね。だったら，その複塩の水溶液は弱酸性になるのかな？

なかなかするどいね。**弱塩基である $Al(OH)_3$ の陽イオンである** Al^{3+} **が加水分解して弱酸性を示すので，ミョウバンの水溶液は弱酸性を示す**んだ。

3 亜鉛 Zn について

まず，❶ 遷移元素で，２価の陽イオン Zn^{2+} になりやすい
❷ Fe の表面に Zn をめっきしたものがトタン
(Fe の表面に Sn をめっきしたものはブリキ)
❸ Cu と Zn の合金が黄銅(真ちゅう)
を覚えてね。あと，Zn は両性金属なので，Al と同じように強酸である塩酸 HCl や希硫酸 H_2SO_4 と反応して H_2 を発生し(➡ p.269)，強塩基である NaOH の水溶液とも反応して H_2 を発生するんだ。

$$Zn + 2HCl \longrightarrow ZnCl_2 + H_2$$
$$Zn + H_2SO_4 \longrightarrow ZnSO_4 + H_2$$
$$Zn + 2NaOH + 2H_2O \longrightarrow Na_2[Zn(OH)_4] + H_2$$

また，亜鉛の酸化物である酸化亜鉛 ZnO や水酸化物である水酸化亜鉛 $Zn(OH)_2$ も両性なので，強酸の塩酸 HCl や希硫酸 H_2SO_4，強塩基の NaOH 水溶液と次のように反応する。これらの化学反応式は**確認する程度で大丈夫**なので安心してね。

$$ZnO + 2HCl \longrightarrow ZnCl_2 + H_2O$$
$$ZnO + 2NaOH + H_2O \longrightarrow Na_2[Zn(OH)_4]$$
$$Zn(OH)_2 + 2HCl \longrightarrow ZnCl_2 + 2H_2O$$
$$Zn(OH)_2 + 2NaOH \longrightarrow Na_2[Zn(OH)_4]$$

あと，$Zn(OH)_2$ は，過剰の NH_3 水に溶け，無色の溶液になった。(➡ p.252)

$$Zn(OH)_2 + 4NH_3 \longrightarrow [Zn(NH_3)_4]^{2+} + 2OH^-$$

ZnO は白色粉末で亜鉛華とよばれ，医薬品や白色の絵の具に使われるんだ。

チェック問題 2

Al に関する記述として誤りを含むものを，次の①〜⑧のうちから 2 つ選べ。

① Al は，濃硝酸 HNO_3 に浸すと，はげしく反応して溶解する。

② Al の密度は，Fe の密度より大きい。

③ Al は，塩酸 HCl に溶けて，3 価の陽イオンになる。

④ Al の粉末と酸化鉄（Ⅲ）Fe_2O_3 の粉末を混合して点火すると，はげしく反応して多量の熱を発生し，Fe の単体が得られる。

⑤ 酸化アルミニウム Al_2O_3 などの高純度の原料を，精密に制御した条件で焼き固めたものは，ニューセラミックス（ファインセラミックス）とよばれる。

⑥ ミョウバンは，硫酸アルミニウム $Al_2(SO_4)_3$ と硫酸カリウム K_2SO_4 から得られる複塩である。

⑦ Al_2O_3 は，ルビーやサファイアの主成分である。

⑧ 航空機の機体に利用されている軽くて強度が大きいジュラルミンは，Al を含む合金である。

解答・解説

①，②

① Al は，濃硝酸 HNO_3 には不動態になり，溶けない。〈誤り〉

② アルミニウムは，鉄よりも密度が小さい。〈誤り〉

    Al　$2.7\,\mathrm{g/cm^3}$（軽金属）$<$ Fe　$7.9\,\mathrm{g/cm^3}$

③ $2Al + 6HCl \longrightarrow 2AlCl_3 + 3H_2$ 〈正しい〉

             ↳ Al^{3+} と Cl^- からなる

④ $Fe_2O_3 + 2Al \longrightarrow 2Fe + Al_2O_3$ （テルミット反応）

    多量の熱を放ってはげしく反応する。〈正しい〉

⑤ ニューセラミックスは高い性質や精度をもち，先端産業などで使われる。Al_2O_3，SiC，Si_3N_4 など。〈正しい〉

⑥，⑦，⑧　すべて〈正しい〉覚えておこう。

第 5 章 無機物質

22時間目 遷移元素 (Fe, Cu, Cr)

1 遷移元素について

周期表「3〜12族」の元素を遷移元素っていったよね。

そうだね。遷移元素については，

❶ すべて金属元素である

❷ 最外殻電子の数が 2 個または 1 個

❸ 周期表で左右にとなり合う元素どうしの化学的性質も似ていることが多い

❹ 単体の密度が大きく，**融点が高い**

❺ 価数の異なるイオンや酸化数の異なる化合物になることが多い

❻ イオンや化合物は，**有色のものが多い**

などの特徴をおさえておいてね。**❻は，Fe^{2+}の水溶液が淡緑色，Fe^{3+}の水溶液が黄褐色，Cu^{2+}の水溶液が青色**になることを覚えておいてね。

チェック問題 1　　　標準 2分

　　第 4 周期の遷移元素に関する記述として誤りを含むものを，次の①〜⑥のうちから 1 つ選べ。

① ほかのイオンや分子と結合した錯イオンを形成するものが多い。

② イオンや化合物は，有色のものが多い。

③ 原子の最外殻電子の数は，族の番号に一致する。

④ 融点が高く，密度が大きい単体が多い。

⑤ 酸化数＋ 6 以上の原子を含む化合物が存在する。

⑥ 単体はいずれも金属である。

解答・解説

③

① $[Cu(NH_3)_4]^{2+}$，$[Fe(CN)_6]^{3-}$ などがある。〈正しい〉

② Fe^{2+}aq（淡緑色），Fe^{3+}aq（黄褐色），Fe_2O_3（赤褐色），CuO（黒）など。〈正しい〉

③ 遷移元素（3 〜12族）の最外殻電子の数は 2 個または 1 個なので，族の番号 3 〜12とは一致しない。〈誤り〉

④ 単体の密度は大きく，融点は高い。〈正しい〉

⑤ $\underset{+6}{K_2Cr_2O_7}$，$\underset{+7}{KMnO_4}$などがある。〈正しい〉

2 鉄 Fe について

❶ 単体について

鉄 Fe は，工業的には溶鉱炉で鉄鉱石を還元することでつくった（➡ 鉄の製錬 p.292）よね。イオン化傾向が水素よりも大きい Fe は，塩酸 HCl や希硫酸 H_2SO_4 から電離して出てきた H^+ と反応して H_2 を発生した。

$$Fe \longrightarrow Fe^{2+} + 2e^- \quad \cdots\cdots ①$$
$$2H^+ + 2e^- \longrightarrow H_2 \quad \cdots\cdots ②$$

よって，①＋②より，

$$Fe + 2H^+ \longrightarrow Fe^{2+} + H_2 \quad （酸化還元）$$

塩酸 HCl を使うときには，両辺に$2Cl^-$ を加えて，

$$Fe + 2HCl \longrightarrow FeCl_2 + H_2$$

希硫酸 H_2SO_4 を使うときは，両辺に SO_4^{2-} を加えて，

$$Fe + H_2SO_4 \longrightarrow FeSO_4 + H_2$$

😊 ＜ このとき，Fe は Fe^{2+} に変化することに注意するんだったよね。

そうだったね。Fe を希硫酸 H_2SO_4 と反応させた後の水溶液を濃縮すると，**青緑色**の $FeSO_4 \cdot 7H_2O$ の結晶を得ることができる。また，鉄 Fe は，濃硝酸 HNO_3には**不動態**となり，溶けなかったね。

❷ 化合物やイオンの検出について

まず，鉄の化合物については，次の2つの酸化物を覚えてね。

● Fe_2O_3：赤鉄鉱の主成分。鉄の赤さびでもある。
● Fe_3O_4：磁鉄鉱の主成分。鉄の黒さびでもある。

Fe^{2+} と Fe^{3+}について共通テストで問われる内容はすでに「沈殿」で勉強したんだ。

$$Fe^{2+} （淡緑色） \xrightarrow[\text{NaOHまたはNH}_3]{\text{塩基性}} Fe(OH)_2 \downarrow （緑白色）$$

※酸化 ↑↓ 還元　　　　　　　　　　　　　　　※酸化

$$Fe^{3+} （黄褐色） \xrightarrow[\text{NaOHまたはNH}_3]{\text{塩基性}} 水酸化鉄(Ⅲ) \downarrow （赤褐色）$$

※ Fe^{2+} や Fe^{2+} を含む $Fe(OH)_2$は酸化されやすい。空気中の O_2 に徐々に酸化される。

ポイント **鉄 Fe について**

● Fe_2O_3 ➡ 赤鉄鉱・赤さび　　● Fe_3O_4 ➡ 磁鉄鉱・黒さび

思考力のトレーニング

やや難　4分

　濃度不明の硫酸鉄(Ⅲ)$Fe_2(SO_4)_3$水溶液の濃度を求めるために，次の**実験Ⅰ**および**実験Ⅱ**を行った。ただし，この溶液には硫酸鉄(Ⅲ)のみが溶質として含まれているとし，$O = 16$，$Fe = 56$とする。

実験Ⅰ　この溶液20 mLをビーカーに採取し，濃アンモニア水を徐々に加えると沈殿が生成した。さらに濃アンモニア水を加え，新たに沈殿が生じないことを確認した。

実験Ⅱ　実験Ⅰで生成した沈殿をすべて回収し，十分洗浄した後，耐熱性の容器に入れて空気中で600 ℃までゆっくり加熱した。最終的に160 mgの純粋な酸化鉄(Ⅲ)が得られた。

　もとの溶液中の硫酸鉄(Ⅲ)の濃度は何 mol/L か。最も適当な数値を，次の①〜⑥のうちから1つ選べ。

① 0.0050　② 0.010　③ 0.020
④ 0.050　⑤ 0.10　⑥ 0.20

解答・解説

④

　硫酸鉄(Ⅲ)$Fe_2(SO_4)_3$の濃度をx (mol/L)とおき，**実験Ⅰ・Ⅱ**の操作を図に示すと次のようになる。

| Fe³⁺が含まれている | 実験Ⅰ | すべてのFe³⁺が沈殿となる | 実験Ⅱ | $Fe_2O_3 = 56 \times 2 + 16 \times 3 = 160$ |

$Fe_2(SO_4)_3$ $\xrightarrow[\text{濃 NH}_3\text{水}]{}$ 水酸化鉄(Ⅲ)↓(赤褐) $\xrightarrow[600\text{℃まで加熱する}]{}$ Fe_2O_3：酸化鉄(Ⅲ)

x (mol/L)　20 mL　　　　　　　　　　　　　　　　160 mg

　ここで鉄原子 Fe に注目し，個数の関係を調べてみよう。

　$Fe_2(SO_4)_3$ 1個に含まれている Fe^{3+} 2個は，濃 NH_3 水を加えることで水酸化鉄(Ⅲ)として沈殿する。この水酸化鉄(Ⅲ)を600 ℃に加熱すると Fe_2O_3 が得られる。よって，$Fe_2(SO_4)_3$ 1個からは Fe_2O_3 が1個得られる(Fe_2O_3 1個に含まれている Fe^{3+} は2個である)。

$$Fe_2(SO_4)_3 \text{ 1個} \longrightarrow Fe_2O_3 \text{ 1個}$$

　個数の関係は物質量(mol)関係であり，$Fe_2O_3 = 160$より，次の式が成り立つ。

$$\underbrace{\frac{x\,(mol)}{1\,L} \times \frac{20}{1000}\,L}_{Fe_2(SO_4)_3(mol)} = \underbrace{160\,mg \times \frac{1\,g}{10^3\,mg} \times \frac{1\,mol}{160\,g}}_{Fe_2O_3(mol)} \text{より，} x = 0.050\,mol/L$$

個数の関係から，$Fe_2(SO_4)_3(mol) = Fe_2O_3(mol)$ となる。

3 銅 Cu について

❶ 単体について

黄銅鉱(主成分 $CuFeS_2$)を還元して得た粗銅を電気分解する(➡「銅の電解精錬」 p.294)ことで,単体の銅 Cu をつくった。

単体の銅 Cu については,

❶ 単体の色が赤色

❷ **電気伝導性・熱伝導性が銀 Ag についで大きい**

　　➡ 電気伝導性の順:Ag > Cu > Au > Al >……

　　注 Ag は電気伝導性と熱伝導性がすべての金属単体の中で最大。

❸ 黄銅(真ちゅう)(Cu − Zn),青銅(ブロンズ)(Cu − Sn),白銅(Cu − Ni)な どの合金の材料になる

❹ 湿った空気中で緑色のさび(緑青)を生じることがある

 Cu はイオン化傾向が水素 H_2 よりも小さいから, 塩酸 HCl や希硫酸 H_2SO_4 に溶けなかったよね。

そうだったね。ただ,濃硝酸 HNO_3 や希硝酸 HNO_3,熱濃硫酸 H_2SO_4 とは次のよ うに反応し気体を発生して溶けた(➡ p.271)。

$$Cu + 4HNO_3 \longrightarrow Cu(NO_3)_2 + 2NO_2 + 2H_2O$$
$$3Cu + 8HNO_3 \longrightarrow 3Cu(NO_3)_2 + 2NO + 4H_2O$$
$$Cu + 2H_2SO_4 \longrightarrow CuSO_4 + SO_2 + 2H_2O$$

❷ 化合物について

銅の化合物の色について,次の❶〜❹を覚えてね。

❶ 酸化銅(Ⅱ)CuO ➡ 黒色

❷ 酸化銅(Ⅰ)Cu_2O ➡ 赤色(Cu を1000℃以上の温度に加熱し得られる)

❸ 硫酸銅(Ⅱ)五水和物 $CuSO_4 \cdot 5H_2O$ ➡ 青色

❹ 硫酸銅(Ⅱ)無水物 $CuSO_4$ ➡ 白色

また,$CuSO_4 \cdot 5H_2O$ の青色結晶を加熱すると,白色粉末状の $CuSO_4$ になる。

$$CuSO_4 \cdot 5H_2O \longrightarrow CuSO_4 + 5H_2O$$

この $CuSO_4$ の白色粉末は,**水分を吸収すると青色の $CuSO_4 \cdot 5H_2O$ になるので, 水分の検出に利用される**んだよ。

あと,「沈殿」のところで Cu^{2+} について勉強したので,次の図で確認してね。

水酸化銅(Ⅱ) Cu(OH)₂ を加熱すると黒色の CuO になるんだね。

そうなんだ。この反応は，次のように考えると理解しやすいよ。

OH⁻ が OH⁻ に H⁺ を与える
$$OH^- + OH^- \longrightarrow O^{2-} + H_2O$$

$+)\quad Cu^{2+} \qquad\qquad\qquad Cu^{2+}$ ← 両辺に Cu²⁺ を加える！

$$Cu(OH)_2 \longrightarrow CuO + H_2O$$

ポイント　銅 Cu について

- Cu ➡ 赤色，電気伝導性・熱伝導性の順：Ag > Cu > Au > Al >……
  緑青(銅のさび)を生じることがある
- 黄銅(真ちゅう) ➡ Cu − Zn，青銅(ブロンズ) ➡ Cu − Sn，白銅 ➡ Cu − Ni
- CuO ➡ 黒色，Cu₂O ➡ 赤色
- CuSO₄・5H₂O ➡ 青色，CuSO₄ ➡ 白色で水を検出

チェック問題 2　　　標準 2分

Cu に関する記述として誤りを含むものを，①～⑥のうちから１つ選べ。

① 酸化銅(Ⅱ)CuO は，希硫酸 H₂SO₄ に溶ける。
② Cu は，湿った空気中では緑色のさびを生じる。
③ 青銅は，Cu と Ag の合金であり，美術工芸品などに用いられる。
④ 黄銅は，Cu と Zn の合金であり，５円硬貨などに用いられる。
⑤ 水酸化銅(Ⅱ)Cu(OH)₂ を加熱すると，CuO に変化する。
⑥ 青色の硫酸銅(Ⅱ)五水和物 CuSO₄・5H₂O は，加熱により水和水を失い，
　白色の硫酸銅(Ⅱ)無水物 CuSO₄ (無水塩)になる。

解答・解説

③

① CuO は塩基性酸化物なので，希硫酸と反応し溶ける。〈正しい〉

$$CuO + H_2SO_4 \longrightarrow \underset{\text{水に可溶}}{CuSO_4} + H_2O$$

② 緑青のこと。〈正しい〉
③ 青銅は，銅 Cu と<u>スズ Sn</u> の合金〈誤り〉

⑤ $Cu(OH)_2 \xrightarrow{\text{加熱}} CuO + H_2O$ 〈正しい〉

⑥ $CuSO_4 \cdot 5H_2O \xrightarrow{\text{加熱}} CuSO_4 + 5H_2O$ 〈正しい〉
　　　青色　　　　　　　　　　　白色

4 クロム Cr について

❶ 　ニクロム酸カリウム $K_2Cr_2O_7$ は赤橙色の結晶であり，水溶液も赤橙色になる

❷ 　クロム酸カリウム K_2CrO_4 は黄色の結晶であり，その水溶液も黄色になる

ことを覚えよう。また，ニクロム酸イオン $Cr_2O_7{}^{2-}$ を含む赤橙色の水溶液を塩基性にするとクロム酸イオン $CrO_4{}^{2-}$ になるため黄色の水溶液になり，これを酸性にすると再び $Cr_2O_7{}^{2-}$ になることで赤橙色の水溶液に戻る。

$$Cr_2O_7{}^{2-}\ (赤橙色) \underset{酸性}{\overset{塩基性}{\rightleftarrows}} CrO_4{}^{2-}\ (黄色) \Leftarrow 水溶性の pH で色が変わる$$

チェック問題 3　　　　　　　　標準 3分

クロムに関する次の記述として誤りを含むものを，①～④のうちから１つ選べ。

① 　クロム酸イオン の水溶液に鉛(Ⅱ)イオンを加えると，沈殿を生成する。

② 　クロム酸イオン の水溶液中でのクロム原子の酸化数は，＋7である。

③ 　クロム酸イオン の水溶液を酸性にすると，二クロム酸イオンを生じる。

④ 　二クロム酸カリウムは酸化剤であるため，酸化されやすい物質との接触
　　をさけて保存する。

解答・解説

②

① 　$Pb^{2+} + CrO_4{}^{2-} \longrightarrow PbCrO_4\downarrow$ (黄)〈正しい〉

② 　Cr の酸化数を x とすると，$\underline{CrO_4{}^{2-}}$：$x + (-2) \times 4 = -2$ より，$x = +6$〈誤り〉

③ 　$CrO_4{}^{2-}$ の水溶液を酸性にすると $Cr_2O_7{}^{2-}$ を生じる。〈正しい〉

$$2CrO_4{}^{2-} + 2H^+ \rightleftarrows Cr_2O_7{}^{2-} + H_2O$$
　　　黄色　　　　　　　　　　　赤橙色

　　より，酸性にすると平衡が〔H^+〕減少の右方向に移動し，$Cr_2O_7{}^{2-}$ を生じる。

④ 　$K_2Cr_2O_7$ や $KMnO_4$ などは有機化合物などの酸化されやすい物質との接触をさ
　　ける。〈正しい〉

5 合金について

 今までにいろいろな合金が出てきたね。

そうだね。Fe の合金には，Fe に Cr や Ni を混ぜてつくられるさびにくい鉄合金の**ステンレス鋼**がある。**ステンレス鋼は，表面にクロムの酸化物が形成されて不動態となる**ので，合金の内部にまで化学反応が進みにくいんだ。

Cu の合金は，黄銅（Cu−Zn），青銅（Cu−Sn），白銅（Cu−Ni）を覚えてね。

● 黄銅（真ちゅう）Cu−Zn

　トランペットなどの楽器や 5 円硬貨などに用いられる。

Cu：60〜70%
Zn：40〜30%

● 青銅（ブロンズ）Cu−Sn

　ブロンズ像などの銅像などに使用される。

Cu：80〜90%
Sn：20〜10%

● 白銅 Cu−Ni

　50円硬貨や100円硬貨などに用いられる。

Cu：75%
Ni ： 25%

Cu：75%
Ni ：25%

 1 円硬貨には，アルミニウム Al が使われていたね。
10円硬貨や500円硬貨には何が使われているの？

10円硬貨は Cu−Zn−Sn，500円硬貨は Cu−Zn−Ni なんだ。
　　　　　　　95% 4〜3 % 1〜2 %　　　　　　75%　12.5% 12.5%

 1 円以外は，銅 Cu が使われているんだね。

そうだね。あと，Al の合金には，**Al に Cu や Mg などを加えた軽合金の**ジュラルミン**がある。**ジュラルミンは，軽くて強度の大きな合金で，**航空機の機体など**に用いられる。

チェック問題 4

合金に関する記述として誤りを含むものを，次の①～⑥のうちから2つ選べ。

① 青銅は，銅と亜鉛の合金であり，さびにくく，美術品などに用いられる。

② ニクロムは，Ni と Cr の合金であり，電気抵抗が小さく，電線の材料に用いられる。

③ ステンレス鋼は，Cr や Ni などを鉄に加えた合金で，さびにくい。

④ Ti と Ni からなる形状記憶合金は，変形したあとでも温度を変えると，元の形に戻すことができる。

⑤ 真ちゅう(黄銅)は，Cu に Zn を加えて得られる黄色の光沢をもつ合金で，楽器などに用いられる。

⑥ ジュラルミンは，Al を主成分とする合金で，軽くて丈夫なので飛行機の構造材として使われている。

解答・解説

①，②

① 青銅(ブロンズ)は銅 Cu とスズ Sn の合金であり，銅 Cu と亜鉛 Zn の合金は黄銅(真ちゅう)である。〈誤り〉

② ニクロムは，ニッケル Ni とクロム Cr の合金であり，電気抵抗が大きく，電熱線の材料に用いられる。〈誤り〉

④ 形状記憶合金は，チタン Ti とニッケル Ni が1:1の質量比からなるものが有名であり，眼鏡のフレームや温度センサーなどに用いられている。〈正しい〉

ポイント 合金について

合 金	成 分	特徴・用途など
ステンレス鋼	Fe－Cr－Ni	さびにくい。刃物など
黄銅(真ちゅう)	Cu－Zn	加工しやすい。楽器，5円硬貨など
青銅(ブロンズ)	Cu－Sn	さびにくく加工しやすい。銅像，鐘など
白銅	Cu－Ni	加工しやすい。50円硬貨，100円硬貨など
ジュラルミン	Al－Cu－Mg－Mn	軽く丈夫。航空機など
ニクロム	Ni－Cr	電気抵抗が大きい。電熱線など
形状記憶合金	Ti－Ni	加熱や冷却により元の形に戻る。眼鏡のフレームや温度センサーなど

第5章 無機物質

金属がさびることを腐食といい、単体の金属が電子を失い陽イオンになることで腐食が進んでいく。腐食を防ぐため、金属と O_2 や H_2O を遮断することが大切なんだ。

 どう、遮断するの？

たとえば、さびやすい金属の表面に他の金属をうすい膜としてくっつけるんだよ。この操作をめっきといい、トタンとブリキが有名なんだ。トタンは鉄 Fe に亜鉛 Zn を、ブリキは鉄 Fe にスズ Sn をめっきしてつくるんだ。トタンとブリキの違いは次の ポイント をおさえておいてね。

ポイント トタンとブリキについて

● トタン ➡ Fe の表面を Zn でめっきしたもので、屋根などに使う
● ブリキ ➡ Fe の表面を Sn でめっきしたもので、缶詰の内壁などに使う

　表面に傷がつき Fe が露出しても、トタンは、イオン化傾向が Zn > Fe なので Zn が Zn^{2+} となり、Fe の腐食を防止することができる（傷がついていないときは、Zn の表面に生じている ZnO が腐食を防止している）。

　ところが、ブリキは、イオン化傾向が Fe > Sn なので Fe が Fe^{2+} となり、Fe の腐食が促進される（傷がついていないときは、Fe より酸化されにくい Sn が腐食を防止している）。

チェック問題 5

標準 2分

金属の性質に関する次の文章中の空欄 ア ～ ウ にあてはまる語として最も適当なものを，次の①～⑥のうちから1つ選べ。

ただし，同じものをくり返し選んでもよい。

Fe よりイオン化傾向が大きい ア を Fe の表面にめっきすると，O_2 や H_2O は ア と優先的に化学反応を起こすため，Fe とは化学反応を起こしにくい。また，Cr，Ni などを含む Fe の合金である イ では，表面に ウ が形成されて不動態となるので，合金の内部にまで化学反応が進みにくい。

① スズ   ② 亜鉛   ③ アルマイト
④ ステンレス鋼   ⑤ 酸化物   ⑥ 硫化物

解答・解説

ア…② イ…④ ウ…⑤

トタンは鉄 Fe よりイオン化傾向が大きな ^{ア}**亜鉛** Zn を Fe の表面にめっきしたもので，O_2 や H_2O は ^{ア}**亜鉛** と優先的に化学反応を起こす。また，生じた ZnO は O_2 や H_2O との接触を防ぐ。

また，Cr，Ni などを含む鉄の合金である ^{イ}**ステンレス鋼** では，表面に Cr の ^{ウ}**酸化物** が形成されて不動態となるので，さびにくい。

チェック問題 6

金属に関する記述として誤りを含むものを，次の①〜⑧のうちから2つ選べ。

① Au は，濃塩酸や濃硝酸には溶けないが，これらを混合した王水には溶ける。

② Pt は，さまざまな化学反応で触媒作用を示すため，自動車の排ガスの浄化などに利用される。

③ Sn は，鉄よりも酸化されやすいため，鋼板にめっきしてブリキとして利用される。

④ Ti は，軽くて耐食性に優れているため，メガネのフレームなどに利用される。

⑤ タングステン W は，極めて融点が高いため，白熱電球のフィラメントなどに利用される。

⑥ 酸化チタン(Ⅳ)TiO_2 は，光触媒としての性質をもつため，有機物の汚れなどを分解するために利用される。

⑦ 水素吸蔵合金は安全に H_2 を貯蔵できるので，ニッケル-水素電池に用いられる。

⑧ 宝石のルビーやサファイアは，微量の不純物を含んだ酸化マグネシウム MgO の結晶である。

解答・解説

③，⑧

① 王水は濃塩酸と濃硝酸の体積比が3：1の混合物で酸化力が極めて強く，イオン化傾向の小さな Pt や Au を溶かす。〈正しい〉

③ イオン化傾向は Fe > Sn なので，スズは鉄よりも酸化されにくい。〈誤り〉

⑥ 酸化チタン(Ⅳ)TiO_2 は，建物の外壁や窓ガラスの表面に塗布されていると，光触媒としてはたらき，有機物の汚れが分解される。〈正しい〉

⑦ 水素吸蔵合金は，低温で水素を吸収し，高温で水素を放出する。〈正しい〉

⑧ 酸化マグネシウム MgO ではなく，酸化アルミニウム Al_2O_3 の結晶。〈誤り〉

14 族 (炭素とケイ素)

■1 炭素 C の単体・化合物について

炭素の同素体の構造や性質などは，次の表のようになる。

同 素 体	ダイヤモンド	黒鉛(グラファイト)	フラーレン (C_{60},C_{70}など)	カーボンナノチューブ
硬 さ	最も硬い	軟らかく， はがれやすい	–	–
電気伝導性	なし	あり	なし	あり
結晶構造	正四面体	1層だけのものは グラフェン		

ダイヤモンドは，**無色透明で電気を通さないが熱はよく通し，硬いので宝石や工具の刃**などに使われている。黒鉛は**黒色不透明で電気や熱をよく通し，やわらかく，電極や鉛筆のしん**などに使われている。フラーレンやカーボンナノチューブについては，現在その性質の研究が進められているんだ。

● 二酸化炭素 CO_2

CO_2 は，**無色・無臭**の気体で，水に少し溶けて**弱酸性**を示す(炭酸水)。

$$CO_2 + H_2O \rightleftharpoons H^+ + HCO_3^-$$

実験室で CO_2 は，炭酸カルシウム $CaCO_3$ に希塩酸 HCl を加えて発生させた(➡ p.265)。

$$CaCO_3 + 2HCl \longrightarrow H_2O + CO_2 + CaCl_2 \quad (弱酸の遊離)$$

石油・石炭に代表される化石燃料の消費などによって CO_2 生成量が増えており，メタン CH_4 などとともに**温室効果ガス**とよばれ，**地球温暖化の一因**と考えられている。**ドライアイスは，常温・常圧では昇華しやすい性質をもつ固体で，昇華するときにまわりから熱をうばうので冷却剤に使われる。**

水酸化カルシウムの水溶液である**石灰水**に CO_2 を通じると，CO_2 が水に溶けて炭酸 H_2CO_3 が生成する。

$$CO_2 + H_2O \longrightarrow H_2CO_3 \qquad \cdots\cdots ①$$

生成した H_2CO_3 が $Ca(OH)_2$ と中和反応を起こし，炭酸カルシウム $CaCO_3$ の白色沈殿を生じ，白くにごったよね。

$$H_2CO_3 + Ca(OH)_2 \longrightarrow CaCO_3 + 2H_2O \quad \cdots\cdots ②$$

①+②より,
$$CO_2 + Ca(OH)_2 \longrightarrow CaCO_3\downarrow + H_2O$$
白濁

 「気体の検出」(➡ p.284)で勉強したよ。

そうだね。この白くにごった水溶液に,さらに CO_2 を通じるとどうなったかな?

 水に溶けやすい $Ca(HCO_3)_2$ を生じて,$CaCO_3$ の白色沈殿が消えたよ。

そうだね。次の反応が起こって白濁が消えたよね。
$$CaCO_3 + H_2O + CO_2 \longrightarrow Ca(HCO_3)_2$$

 この白濁の消えた水溶液を加熱すると二酸化炭素 CO_2 が追い出されて,また $CaCO_3$ の白色沈殿が生成したね。

$$Ca(HCO_3)_2 \xrightarrow{\text{加熱}} CaCO_3\downarrow + H_2O + CO_2\uparrow$$
白濁

❷ 一酸化炭素 CO

CO は,無色・無臭のとても有毒な気体で水に溶けにくい。

また,血液中のヘモグロビンと結びつきやすく,体の各組織への酸素 O_2 の供給をじゃますので非常に有毒な気体だったね(➡ p.281)。

工業的には,赤熱したコークス C に水蒸気 H_2O を送ると,CO が H_2 とともに発生する。また,生成する CO と H_2 の混合ガスのことを水性ガスまたは合成ガスという。

$$C + H_2O \longrightarrow \underset{\text{水性ガス(または合成ガス)}}{CO + H_2} \quad \Longleftarrow \text{C が } H_2O \text{ から O をうばう!}$$

実験室では,ギ酸 HCOOH に濃硫酸を加えて加熱すると,次の反応が起こり CO が発生したね(➡ p.275)。

$$HCOOH \longrightarrow CO + H_2O$$

 濃硫酸の脱水作用だったね。

あと,CO は空気中で燃焼させると,青白い炎をあげて燃えて CO_2 になるんだ。

$$2CO + O_2 \longrightarrow 2CO_2$$

チェック問題 1

標準 3分

次の記述①〜⑥のうちから，誤りを含むものを2つ選べ。

① ダイヤモンドと黒鉛はともに炭素の同素体である。
② ガラスを切るときに使われるダイヤモンドは，共有結合の結晶である。
③ 黒鉛は電気をよく導くので，電極に用いられる。
④ 黒鉛では，炭素原子がまわりの4個の炭素原子と共有結合している。
⑤ 黒鉛の密度は，ダイヤモンドの密度より小さい。
⑥ 黒鉛の結晶では，ファンデルワールス力による結合は存在しない。

解答・解説

④，⑥

① 炭素の同素体にはダイヤモンド・黒鉛・フラーレンなどがある。〈正しい〉
③ アルミニウムを溶融塩電解でつくるときに陽極・陰極ともに黒鉛を使用する。〈正しい〉
④ 黒鉛では，炭素原子(右図のアに注目)がまわりの3個の炭素原子(イ，ウ，エ)と共有結合している。〈誤り〉
⑥ 平面と平面の間はファンデルワールス力で結びついている。〈誤り〉

C
共有結合
ファンデルワールス力で積み重なっている

黒 鉛

2 ケイ素 Si の単体・化合物について

Si の単体は，ダイヤモンドと同じ構造をもつ灰色の金属に似た光沢をもつ共有結合の結晶で，硬くて融点が高い。また，金属と非金属の中間の電気伝導性をもつ半導体で，純度の高いSi の単体は太陽電池や集積回路(IC)などの材料に使われる。

Si の単体は，自然界には存在しないので，二酸化ケイ素 SiO_2 をコークス C で還元して得る。

$$SiO_2 + 2C \longrightarrow Si + 2CO$$ ◀ C が SiO_2 から O をうばう！

← Si原子

ケイ素 Si の単体

❶ 二酸化ケイ素 SiO_2

SiO_2 は，石英(岩石中に存在)やケイ砂(石英が砂状になったもの)，水晶(石英の大きな結晶)などとして天然に存在している。SiO_2 の結晶は，立体的な網目構造をもつ共有結合の結晶で，硬くて融点が高い。

SiO₂ を，NaOH や Na₂CO₃ などの塩基ととも
に加熱すると，ケイ酸ナトリウム Na_2SiO_3 が得
られる。

○ ケイ素
● 酸　素

SiO₂ の構造の例

まとめる

$$SiO_2 \quad + \quad H_2O \quad \longrightarrow \quad H_2SiO_3 \quad \leftarrow \text{p.327の①式のCをSiに置きかえる}$$

$$+) \quad H_2SiO_3 \quad + \quad 2NaOH \quad \longrightarrow \quad Na_2SiO_3 \quad + \quad 2H_2O \quad \leftarrow \text{中和反応が起こると考える}$$

$$SiO_2 \quad + \quad 2NaOH \quad \xrightarrow{\text{加熱}} \quad Na_2SiO_3 \quad + \quad H_2O$$

まとめる

$$SiO_2 \quad + \quad H_2O \quad \longrightarrow \quad H_2SiO_3 \quad \leftarrow \text{p.327の①式のCをSiに置きかえる}$$

$$+) \quad H_2SiO_3 \quad + \quad Na_2CO_3 \quad \longrightarrow \quad H_2O + CO_2 + Na_2SiO_3 \quad \leftarrow \text{弱酸の遊離にあてはめる}$$

$$SiO_2 \quad + \quad Na_2CO_3 \quad \xrightarrow{\text{加熱}} \quad Na_2SiO_3 \quad + \quad CO_2$$

Na_2SiO_3 に水を加え長時間加熱すると，**粘性の大きな水あめ状の液体である水ガラ
ス**が得られる。この水ガラスの水溶液に塩酸 HCl を加えるとケイ酸 H_2SiO_3 が生じる。

$$SiO_3^{2-} \quad + \quad 2HCl \quad \longrightarrow \quad H_2SiO_3 + 2Cl^- \quad \leftarrow \text{Na}_2\text{SiO}_3\text{中の SiO}_3{}^{2-}\text{が塩酸から2H}^+\text{をもらう}$$

$$+) \quad 2Na^+ \qquad\qquad\qquad\qquad\qquad 2Na^+ \quad \leftarrow \text{両辺に2Na}^+\text{を加える}$$

$$Na_2SiO_3 \quad + \quad 2HCl \quad \longrightarrow \quad H_2SiO_3 \quad + \quad 2NaCl \quad \text{（弱酸の遊離）}$$

ケイ酸 H_2SiO_3 を加熱し脱水したものをシリカゲルといい，小さな空間がたくさん
あり（➡**多孔質**）表面積が大きく，水蒸気や他の気体を吸着しやすい。そのため，シリ
カゲルは**乾燥剤や吸着剤に使われる**んだ。

ポイント 二酸化ケイ素 SiO₂ について

- 石英，ケイ砂，水晶として天然に存在し，硬く，融点が高い
- SiO₂ を NaOH または Na₂CO₃ とともに加熱すると Na₂SiO₃ が生成する

$$Na_2SiO_3 \xrightarrow[\text{加熱}]{\text{水}} \text{水ガラス} \xrightarrow{\text{HCl}} H_2SiO_3 \xrightarrow{\text{加熱・乾燥}} \text{シリカゲル}$$

ケイ酸ナト
リウム
ケイ酸
（SiO₂·nH₂O でもよい）
（乾燥剤・吸着剤）

チェック問題 2 標準 3分

ケイ素に関する記述として誤りを含むものを次の①～⑧のうちから1つ選べ。

① ケイ素は酸素と結合して，天然には二酸化ケイ素の形で石英，水晶，ケイ砂として産出する。
② 高純度ケイ素は，光エネルギーを電気エネルギーに変換するための太陽電池に使われている。
③ ケイ素の結晶中では，1個のケイ素原子を中心に4個のケイ素原子が正四面体を形づくっている。
④ ケイ素の単体は酸化物を炭素で還元することにより得られる。
⑤ ケイ酸ナトリウムに水を加え加熱し溶かしたものをソーダガラスという。
⑥ ケイ素の結晶はダイヤモンドと同じ構造で，高純度のものは半導体の材料である。
⑦ 水晶を高温・高圧で処理するとダイヤモンドになる。
⑧ シリカゲルは，水と親和性のある微細な孔をたくさんもつので，乾燥剤に用いられる。

解答・解説

⑤，⑦

② 高純度ケイ素 Si やゲルマニウム Ge は，導体と絶縁体の中間的な性質をもち半導体という。半導体は，太陽電池や集積回路(IC)などに使用されている。〈正しい〉

④ $SiO_2 + 2C \longrightarrow Si + 2CO$ 〈正しい〉

⑤ ソーダガラスではなく水ガラスという。〈誤り〉

⑦ 黒鉛 C を高温・高圧で処理するとダイヤモンド C になる。水晶 SiO_2 ではない。〈誤り〉

3 セラミックスについて

粘土，ケイ砂などの天然の鉱物を原料として，ガラス，陶磁器，セメントなどのセラミックス(窯業製品)をつくる工業をケイ酸塩工業とか窯業というんだ。

粘土は，水を含むとねばり気をもつ土のことで，粘土に含まれている成分元素は Si や Al なんだ。また，ケイ砂は石英 SiO_2 を成分とする砂のことだった。

 窯業って，難しい言い方だね。

そうだね。セラミックスをつくるときに窯(＝かまどのこと)を使ったからこうよぶ

んだ。セラミックスは天然の鉱物(無機物)を高温処理することで得られ，硬く，耐熱性，耐食性にすぐれている。

❶ ガラス

非晶質(アモルファス)(➡ p.16)であるガラスは透明で薬品に強く，電気を通さず，割れやすい。金属酸化物を加えて着色したり，原料を使い分けることでさまざまな特徴をもったガラスをつくることができる。

❶　ソーダガラス(ソーダ石灰ガラス)

ふつうのガラスであるソーダガラスは，ケイ砂 SiO_2，炭酸ナトリウム Na_2CO_3，石灰石 $CaCO_3$ を高温で融解させた後，冷やしてつくられる。ソーダガラスは，**窓ガラス**や**ガラスびん**などに使われる。

$SiO_4{}^{4-}$

Na^+，Ca^{2+} など

ソーダガラスの構造

❷　石英ガラス

石英ガラスは，SiO_2 を高温で融解させた後，急激に冷やしてつくられる。石英ガラスは耐熱ガラスとして**実験器具**に使い，繊維状にしたものは**光ファイバー**(プラスチックの光ファイバーもある)であり，光通信に使う。

❸　ホウケイ酸ガラス

ホウケイ酸ガラスは，ケイ砂 SiO_2 とホウ砂 $Na_2B_4O_7$ からつくられ，薬品に侵されにくいので実験器具に使われているんだ。

チェック問題 3　　　　　標準　2分

ソーダガラス(ソーダ石灰ガラス)とホウケイ酸ガラスに関する記述として誤りを含むものを，次の①〜⑤のうちから 1 つ選べ。

① ソーダガラスは，原子の配列に規則性がないアモルファスであり，窓ガラスなどに利用されている。
② ソーダガラスのおもな原料は，ケイ砂，炭酸ナトリウム，石灰石である。
③ ホウケイ酸ガラスを構成するおもな元素は，ホウ素，酸素，ケイ素などである。
④ ソーダガラスは，ホウケイ酸ガラスよりも薬品に侵されにくい。
⑤ ホウケイ酸ガラスの軟化温度は，ソーダガラスの軟化温度より高い。

解答・解説

④
①，②，⑤　知っておこう。ケイ砂は SiO_2，炭酸ナトリウムは Na_2CO_3，石灰石は

$CaCO_3$ である。ホウケイ酸ガラスは急激な温度変化にも強く，軟化温度はソーダガラスより高い。①，②，⑤はすべて〈正しい〉。

③　ホウケイ酸ガラスは，ケイ砂 SiO_2 とホウ砂 $Na_2B_4O_7 \cdot 10H_2O$ からつくられるため，構成するおもな元素は，ホウ素 B，酸素 O，ケイ素 Si などである。〈正しい〉

④　ホウケイ酸ガラスは，ソーダガラスよりも薬品に侵されにくい。〈誤り〉

4 ニューセラミックス（ファインセラミックス）について

セラミックス（ガラス・陶磁器・セメントなど）より高い性能や機能をもった新しいセラミックスをニューセラミックス（ファインセラミックス）という。

ニューセラミックスには，ケイ酸塩を原料としていないものもあり，金属の酸化物や窒化物などが使われていたりもする。

金属の酸化物である酸化アルミニウム Al_2O_3（アルミナ）は人工骨や人工関節，包丁，集積回路（IC）の基盤などに，窒化ケイ素 Si_3N_4 などの窒化物は発電用のタービン，自動車のエンジンなどに使われている。

チェック問題 4　　標準　1分

現代社会を支える先端科学技術に関する記述として最も適当なものを，次の①～④のうちから１つ選べ。

①　結晶性シリコンは，燃料電池に利用されている。
②　形状記憶合金は，太陽電池に利用されている。
③　炭素繊維は，電気絶縁被覆材として利用されている。
④　ファインセラミックスは，人工骨や刃物などに利用されている。

解答・解説

④
①　結晶性シリコンやアモルファスシリコンは，太陽電池に利用されている。燃料電池ではない。〈誤り〉
②　ニッケル Ni とチタン Ti からなる形状記憶合金は，変形しても温度を変えるともとの形に戻る合金であり，眼鏡のフレームや温度センサーに利用されている。太陽電池ではない。〈誤り〉
③　炭素繊維（カーボンファイバー）は，引っ張る力に強く，軽量なので，航空機の構造材料やスポーツ用具に利用されている。〈誤り〉
④　ファインセラミックス（ニューセラミックス）は，人工骨や刃物である包丁やはさみなどに利用されている。〈正しい〉

炭素繊維(カーボンファイバー)は，ポリアクリロニトリル $\left[\begin{matrix} CH_2 - CH \\ \quad\quad | \\ \quad\quad CN \end{matrix} \right]_n$ を繊維

にしたものを熱分解してつくったり，石油からガソリンなどをつくった後の残油(ピッチ)などからつくったりもする。軽く強度があるので，ゴルフのクラブなどのスポーツ用具，航空機の翼の材料などに使われているんだ。

チェック問題 5 　　　　標準 2分

新素材・新技術に関する記述として誤りを含むものを，①～⑥のうち2つ選べ。

① 窒化ケイ素は，透明性が高く，耐熱性にすぐれているので，光ファイバーに使用されている。
② 水素と酸素を用いる燃料電池が実用化されている。
③ 光ファイバーには，非常に高い光透過性が要求される。
④ 炭素繊維は天然の黒鉛(グラファイト)からつくられる。
⑤ 超伝導体を用いて強力な磁石がつくられる。
⑥ ニューセラミックスには，人工関節として用いられるものがある。

解答・解説

①，④

① 二酸化ケイ素 SiO_2 からつくる石英ガラスは，光ファイバーとして通信に使用されている。窒化ケイ素 Si_3N_4 ではない。〈誤り〉
② p.173 で学んだ燃料電池を復習しておこう。〈正しい〉
③ 光ファイバーは，高い光透過性をもち通信などに使用されている。〈正しい〉
④ 黒鉛(グラファイト)ではなく，ポリアクリロニトリルや石油の残油(ピッチ)などからつくられる。〈誤り〉
⑤ 金属には極低温で電気抵抗が0になる(＝超伝導という)ものがあり，この超伝導体を用いて，強力な電磁石をつくることができ，リニアモーターカーなどに応用されている。〈正しい〉
⑥ 人工関節として用いられるものには，Al_2O_3 がある。〈正しい〉

第5章　無機物質

15族（窒素とリン）

24 時間目

1 窒素 N の単体について

N_2 は，空気中に体積で約80％含まれている**無色・無臭**の気体で，他の物質とは反応しにくい（**安定**）。工業的には，**液体空気の分留**により N_2 をつくる。実験室では，亜硝酸アンモニウム NH_4NO_2 水溶液を加熱し，熱分解反応である

$$NH_4NO_2 \longrightarrow N_2 + 2H_2O \quad \Leftarrow NH_4NO_2 1個から N_2 1個が抜ける！$$

を起こして N_2 を発生させたよね（➡ p.274）。

N_2 は水に溶けにくい気体なので，水上置換で集めた（➡ p.282）よね。また，**液体窒素は冷却剤**として使うんだ。

$$N_2（液体）＋熱（kJ）\longrightarrow N_2（気体）より，$$

N_2（液体）は N_2（気体）になるときに，熱を**吸収**する。

2 窒素の化合物について

❶ アンモニア NH_3

NH_3 は，**無色・刺激臭**の気体で，水によく溶けて**弱塩基性**を示す。

$$NH_3 + H_2O \rightleftharpoons NH_4^+ + OH^-$$

実験室では，NH_4Cl と $NaOH$ や $Ca(OH)_2$ を**加熱**し NH_3 を発生させることができた（➡ p.267）。

$$NH_4Cl + NaOH \longrightarrow NH_3 + H_2O + NaCl \quad （弱塩基の遊離）$$
$$2NH_4Cl + Ca(OH)_2 \longrightarrow 2NH_3 + 2H_2O + CaCl_2 \quad （弱塩基の遊離）$$

 上方置換で集めたよ。

❷ 一酸化窒素 NO

NO は，**無色・水に溶けにくい**気体で，火花放電などで空気を高温にすると発生する。

$$N_2 + O_2 \longrightarrow 2NO \quad （空気中の N_2 と O_2 が直接反応する）$$

実験室では，Cu を希硝酸 HNO_3 の中に入れると，発生させることができた。

$$Cu \longrightarrow Cu^{2+} + 2e^- \quad \cdots\cdots①$$
$$HNO_3 + 3H^+ + 3e^- \longrightarrow NO + 2H_2O \quad \cdots\cdots②$$

①×3 ＋ ②×2，両辺に $6NO_3^-$ を加えると，

$$3Cu + 8HNO_3（希） \longrightarrow 3Cu(NO_3)_2 + 2NO + 4H_2O \quad \Leftarrow p.271参照$$

また，NO は空気中の O_2 とすみやかに反応し，赤褐色の NO_2 になった（➡ p.285）。

$$\underset{無色}{2NO} + O_2 \longrightarrow \underset{赤褐色}{2NO_2}$$

❸ 二酸化窒素 NO_2

NO_2 は，赤褐色・刺激臭・有毒で，水に**溶けやすい**気体なんだ。実験室では，銅 Cu を濃硝酸 HNO_3 の中に入れると，発生させることができた（➡ p.271）。

$$Cu \longrightarrow Cu^{2+} + 2e^- \quad \cdots\cdots ①$$
$$HNO_3 + H^+ + e^- \longrightarrow NO_2 + H_2O \quad \cdots\cdots ②$$

① ＋ ②× 2，両辺に$2NO_3^-$を加えると，

$$Cu + 4HNO_3(濃) \longrightarrow Cu(NO_3)_2 + 2NO_2 + 2H_2O$$

常温で NO_2 の一部は，無色の四酸化二窒素 N_2O_4 に変化する。

$$\underset{\text{赤褐色}}{2NO_2} \rightleftarrows \underset{\text{無色}}{N_2O_4} \quad （平衡状態）$$

❹ 硝酸 HNO_3

濃硝酸，希硝酸ともに，次のように電離して強酸性を示す。

$$HNO_3 \longrightarrow H^+ + NO_3^-$$

濃硝酸，希硝酸ともに，**強い**酸化剤なので，水素よりもイオン化傾向の小さな Cu や Ag などと反応してそれぞれ NO_2，NO を発生した。

 濃硝酸は，Fe，Ni，Al などと，不動態になったよ。（➡ p.271）

そうだね。また，**硝酸は光や熱による分解が起こりやすく，褐色ビン**に入れ冷暗所に保存するんだ。

❸ ハーバー・ボッシュ法，オストワルト法について

❶ ハーバー・ボッシュ法（アンモニアの工業的製法）

窒素 N は植物の生育に大きな影響がある元素で，根・茎・葉などをつくるのに必要な元素なんだ。ほとんどの植物は安定な N_2 をそのままで利用することができないので，窒素が不足しそうな植物には，窒素肥料を使う。窒素肥料として利用できる NH_3 をはじめて工業的に製造したのが，ドイツのハーバーとボッシュなんだ。このアンモニアの工業的製法をハーバー・ボッシュ法（またはハーバー法）といい，Fe_3O_4 を主成分とした触媒（Fe_3O_4 が H_2 によって還元されて得られる Fe が触媒としてはたらく）を使い，N_2 と H_2 から直接 NH_3 をつくる。

$$N_2 + 3H_2 \rightleftarrows 2NH_3$$

❷ オストワルト法（硝酸の工業的製法）

次に，火薬の製造や医薬品の合成などに使われる硝酸 HNO_3 の工業的製法（＝**オストワルト法**）を勉強しよう。

まず，NH_3 を，白金 Pt を触媒として約800℃で空気中の O_2 と反応させて NO と H_2O をつくる。

NH_3 ＋ O_2 ⟶ NO ＋ H_2O ← 生成物は NO と H_2O なので

$1NH_3$ ＋ O_2 ⟶ NO ＋ H_2O ← NH_3 の係数を1とする

$1NH_3$ ＋ O_2 ⟶ $1NO$ ＋ $\dfrac{3}{2}H_2O$ ← N と H の数に注目

$1NH_3$ ＋ $\dfrac{5}{4}O_2$ ⟶ $1NO$ ＋ $\dfrac{3}{2}H_2O$ ← O の数に注目

$4NH_3 + 5O_2 \longrightarrow 4NO + 6H_2O$ ……① ← 全体を4倍し，完成！

次に，NO を空気中の O_2 とさらに反応させ NO_2 とする。

NO ＋ O_2 ⟶ NO_2 ← 生成物は NO_2 なので

$1NO$ ＋ O_2 ⟶ NO_2 ← NO の係数を1とする

$1NO$ ＋ O_2 ⟶ $1NO_2$ ← N の数に注目

$1NO$ ＋ $\dfrac{1}{2}O_2$ ⟶ $1NO_2$ ← O の数に注目

$2NO + O_2 \longrightarrow 2NO_2$ ……② ← 全体を2倍し，完成！

最後に，NO_2 を温水に吸収させ HNO_3 と NO を得る。係数がつけにくい化学反応式なので，気をつけて書く必要があるんだ。

作業⑴：HNO_3 と NO が生成するので，

NO_2 ＋ H_2O ⟶ HNO_3 ＋ NO ← HNO_3 と NO が生成

作業⑵：H の数に注目して係数をそろえると，

NO_2 ＋ $1H_2O$ ⟶ $2HNO_3$ ＋ NO ← H の数を調整

作業⑶：N の数をそろえるために NO_2 の係数を3とすると，

$3NO_2$ ＋ $1H_2O$ ⟶ $2HNO_3$ ＋ NO ← N の数を調整

O の数も同時にそろうことになる。

$3NO_2 + H_2O \longrightarrow 2HNO_3 + NO$ ……③ ← 完成！

③の反応で，HNO_3 とともに生成した NO は②の反応を起こすのに再利用される。

①〜③の反応式は，②式を3倍，③式を2倍して加えるとまとめることができる。

4H₂O

$4NH_3 + 5O_2 \longrightarrow 4NO + 6H_2O$ ← ①式より

$6NO + 3O_2 \longrightarrow 6NO_2$ ← ②式を3倍

＋) $6NO_2 + 2H_2O \longrightarrow 4HNO_3 + 2NO$ ← ③式を2倍

$4NH_3 + 8O_2 \longrightarrow 4HNO_3 + 4H_2O$

> 「まん中を3倍，下を2倍してまとめる」と覚えよう！

最後に全体を4でわるんだ。

$NH_3 + 2O_2 \longrightarrow HNO_3 + H_2O$

ポイント オストワルト法について

〈反応①〉 〈反応②〉 〈反応③〉

$$NH_3 \xrightarrow[\text{触媒(Pt)}]{O_2} NO \xrightarrow{O_2} NO_2 \xrightarrow{\text{温水}} \begin{cases} HNO_3 \\ NO \end{cases}$$

再利用

全体 $NH_3 + 2O_2 \longrightarrow HNO_3 + H_2O$

チェック問題 1

標準 3分

NH_3 と HNO_3 に関する記述として誤りを含むものを，次の①〜⑤のうちから1つ選べ。

① NH_3 の水溶液は弱塩基性で，赤リトマス紙を青変させる。

② NH_3 は刺激性のにおいのある気体で，濃塩酸をつけたガラス棒を近づけると，塩化アンモニウム NH_4Cl の白煙を生じる。

③ NO は水に容易に溶けて，HNO_3 をつくる。

④ 濃硝酸は，強い酸化作用をもつ。

⑤ HNO_3 は，水 H_2O と二酸化窒素 NO_2 を反応させると得られる。

解答・解説

③

① アンモニア NH_3 は水に溶けやすく，水溶液は弱い塩基性を示す。〈正しい〉

② アンモニアは，無色で刺激臭をもつ気体。また，NH_3 と HCl を接触させると，塩化アンモニウム NH_4Cl の白煙を生じる。〈正しい〉 $NH_3 + HCl \longrightarrow NH_4Cl$

③ 一酸化窒素 NO は水に溶けにくい気体で，水と反応することもない。〈誤り〉

④ 硝酸 HNO_3（濃／希）は，強い酸性を示すとともに，強い酸化作用をもつ。〈正しい〉

⑤ $3NO_2 + H_2O$（温水）$\longrightarrow 2HNO_3 + NO$
$2NO_2 + H_2O$（冷水）$\longrightarrow HNO_3 + HNO_2$

のように温水や冷水と反応し，硝酸 HNO_3 を生じる。〈正しい〉

(思)考力のチェック　〈やや難〉④分

図に示すアンモニア NH_3 から硝酸 HNO_3 を製造する方法（オストワルト法）について，下の問い(a・b)に答えよ。

a　図の反応に関する記述として正しいものを，①～⑤のうちから１つ選べ。

① 反応Ⅰ～Ⅲの中で触媒を利用するのは，反応Ⅱのみである。
② 反応Ⅲでは，NO_2 の酸化と還元が起こる。
③ NO は，水に溶けやすい気体である。
④ NO_2 は，無色の気体である。
⑤ HNO_3 は，光や熱による分解が起こりにくい。

b　オストワルト法の全反応と NO の再利用が完全に進み，それ以外の反応が起こらないとすると，6 mol の NH_3 から生成する HNO_3 の物質量は何 mol か。最も適当な数値を，次の①～⑤のうちから１つ選べ。

① 2　　② 3　　③ 4　　④ 6　　⑤ 12

解答・解説

a　②　　b　④

a ① 触媒を利用するのは，反応Ⅰのみ。白金 Pt を利用する。〈誤り〉
　② 反応Ⅲで起こる化学反応式は，$3\underset{\text{酸化数}+4}{NO_2} + H_2O \longrightarrow 2\underset{+5}{HNO_3} + \underset{+2}{NO}$

　　なので，NO_2 の酸化と還元が起こる。〈正しい〉
　③ NO は，水に溶けにくい気体である。〈誤り〉
　④ NO_2 は，赤褐色の気体である。〈誤り〉
　⑤ HNO_3 は，光や熱による分解が起こりやすいので，褐色ビンに入れて冷暗

所に保存する。〈誤り〉

b　アンモニア NH_3 中の N 原子は，直接硝酸 HNO_3 に変化するものと再利用されてから硝酸 HNO_3 に変化するものがある。そのため，オストワルト法により NH_3 から生成する HNO_3 の物質量を求めるときはオストワルト法全体の反応式から求めるとよい。→ 全体の反応式は，反応 Ⅰ～Ⅲ が完全に進み，NO の再利用も完全に進んだ結果の反応式なので

オストワルト法全体の反応は，

$$1\ NH_3 + 2O_2 \longrightarrow 1\ HNO_3 + H_2O$$
$$\underbrace{\quad}_{\times 1}$$

となり，6 mol の NH_3 から生成する HNO_3 は $6 \ \big| \ \times 1 \ \big| \ = 6\ mol$ になる。

NH_3 (mol)　　HNO_3 (mol)

④ 化学肥料について

　　毎年，同じ場所で農作物を育てていると，農作物の成長に必要な元素である窒素 N，リン P，カリウム K が不足しがちになる。不足しがちな元素を補給する物質を肥料といい，これら 3 つの元素を肥料の三要素というんだ。化学的につくられた肥料（＝化学肥料）には，窒素肥料・リン酸肥料・カリ肥料などがあるよ。

● 窒素肥料：硫酸アンモニウム (硫安) $(NH_4)_2SO_4$，硝酸アンモニウム (硝安) NH_4NO_3，
　　　　　　塩化アンモニウム (塩安) NH_4Cl，尿素 $(NH_2)_2CO$

　注　尿素 $(NH_2)_2CO$ は，NH_3 と CO_2 からつくられる。

$$2NH_3 + CO_2 \longrightarrow (NH_2)_2CO + H_2O$$

覚え方のコツ

「NH_3 と CO_2 の間から，H_2O をとる」と覚えよう。

● リン酸肥料：リン酸二水素カルシウム $Ca(H_2PO_4)_2$ と硫酸カルシウム $CaSO_4$ の混合物 (過リン酸石灰)
● カリ肥料：塩化カリウム KCl，硫酸カリウム K_2SO_4

チェック問題 2 　　　　　　標準 1分

　　肥料として，多くの化学物質が利用されている。化学肥料に用いる物質として適当でないものを，次の①～⑦のうちから，2 つ選べ。

　① 硫酸アンモニウム　　② 尿素　　　　　③ 炭酸カルシウム
　④ 塩化アンモニウム　　⑤ 過リン酸石灰　⑥ 塩化ナトリウム
　⑦ 硫酸カリウム

解答・解説

③，⑥

窒素肥料……①(NH₄)₂SO₄(硫安)　②(NH₂)₂CO　④NH₄Cl ➡ N を含む
リン酸肥料…⑤Ca(H₂PO₄)₂＋CaSO₄ ➡ P を含む
カリ肥料……⑦K₂SO₄ ➡ K を含む

③ 炭酸カルシウム CaCO₃，⑥ 塩化ナトリウム NaCl は，化学肥料としては利用
されない。

チェック問題 3

やや難 2分

肥料に関する記述として誤りを含むものはどれか。最も適当なものを，次の
①〜⑥のうちから１つ選べ。ただし，H＝1.0，N＝14，O＝16，S＝32とする。

① 化学的に合成された肥料は，土壌中から失われやすい窒素，リン，カリ
ウムを含む化合物であり，水に溶けて水とともに植物の根から吸収される。
② リン酸肥料(リン肥料)は，リン鉱石(リン灰石)を硫酸で処理して得られる。
③ 塩安(塩化アンモニウム)は，アンモニアソーダ法の工程で生成する。
④ 硫安(硫酸アンモニウム)と硝安(硝酸アンモニウム)を比較すると，硫安
のほうが単位質量あたりの窒素の含有量が大きい。
⑤ カリウムを含むおもな化学肥料には塩化カリウムと硫酸カリウムがあり，
どちらの水溶液も中性である。
⑥ 窒素肥料の１つである尿素は，無機物から初めて人工的に合成された有
機物である。

解答・解説

④

② リン鉱石(主成分 Ca₃(PO₄)₂)を硫酸 H₂SO₄ で処理すると，リン酸肥料である
過リン酸石灰が得られる。〈正しい〉

$$Ca_3(PO_4)_2 + 2H_2SO_4 \longrightarrow \underset{\text{過リン酸石灰(リン酸肥料)}}{\underline{Ca(H_2PO_4)_2 + 2CaSO_4}}$$

③ NH₄Cl は，アンモニアソーダ法の工程で生成する(p.288)。〈正しい〉
④ 硫酸アンモニウム (NH₄)₂SO₄ 中の窒素 N の質量パーセント(％)は，

$$\frac{2N}{(NH_4)_2SO_4} \times 100 = \frac{28}{132} \times 100 ≒ 21\%$$

硝酸アンモニウム NH₄NO₃ 中の窒素 N の質量パーセント(％)は，

$$\frac{2\,N}{NH_4NO_3} \times 100 = \frac{28}{80} \times 100 = 35\,\%$$

となる。ここで単位質量(決まった質量)あたりとあるので，たとえば 100 g あたりで考えると，

21 g	35 g
硫酸アンモニウム(硫安)	硝酸アンモニウム(硝安)

になり，硫安より硝安のほうが単位質量あたりの窒素の含有量が大きい。〈誤り〉

⑤　KCl や K_2SO_4 は「強酸と強塩基を中和することによってできると考えられる塩」であり，どちらの水溶液も中性になる(p.233)。〈正しい〉

⑥　ドイツのウェーラーが無機物から初めて有機物である尿素$(NH_2)_2CO$ を合成した。〈正しい〉

5 リン P の単体・化合物について

リンの同素体の化学式や色などは，下の表のようになる。

黄リン(白リン)P₄ —分子式
正四面体

赤リン P —組成式

マッチの摩擦面が赤リン P

同素体	黄リン(白リン)P_4	赤リン P
外　観	淡黄色，ろう状固体	赤褐色，粉末
融点(℃)	44	−
発火点(℃)	30	260
CS_2 への溶解	溶ける	溶けない

黄リンP_4は淡黄色・有毒な固体で，空気中で自然発火するので水中に保存する。赤リン P は赤褐色・毒性の少ない粉末で，マッチ箱の発火剤などに使われる。

空気を遮断して黄リン P_4 を長時間加熱すると赤リン P になり，黄リンや赤リンを空気中で燃焼させると十酸化四リン P_4O_{10} になる。

$$4P + 5O_2 \longrightarrow P_4O_{10}$$

十酸化四リン P_4O_{10} は吸湿性の強い白色の結晶で，強力な乾燥剤として使われるんだ。

○ リン
● 酸素

P_4O_{10} の構造

　たしか，酸性の乾燥剤だったよ。（➡ p.283）

そうだね。この十酸化四リン P_4O_{10} に水を加えて加熱するとリン酸 H_3PO_4 が生成する。

$$P_4O_{10} + 6H_2O \longrightarrow 4H_3PO_4$$

あと，リン酸肥料（化学肥料）をおさえてね。

植物は，水に溶けた $H_2PO_4^-$ や PO_4^{3-} の形でリンを根から吸収するんだけど，**リン酸カルシウム $Ca_3(PO_4)_2$ は水に溶けにくいので，水に溶けやすい $Ca(H_2PO_4)_2$ にすることが必要になる。** そこで，$Ca_3(PO_4)_2$ を硫酸 H_2SO_4 で処理して $Ca(H_2PO_4)_2$ にするんだ。このときの反応式は，PO_4^{3-} 1個が H_2SO_4 から H^+ 2個を受けとって $H_2PO_4^-$ になったイオン反応式，

$$PO_4^{3-} + H_2SO_4 \longrightarrow H_2PO_4^- + SO_4^{2-}$$

を2倍し，両辺に $3Ca^{2+}$ を加えてつくるといいよ。

$$Ca_3(PO_4)_2 + 2H_2SO_4 \longrightarrow \underline{Ca(H_2PO_4)_2 + 2CaSO_4}$$

過リン酸石灰とよばれる混合物になる

$CaSO_4$ は水に溶けないので無駄になる

ポイント ▶ **リンの単体・化合物について**

- **黄リン（白リン）P_4** ➡ 淡黄色・有毒の固体
  空気中で自然発火するので水中に保存
- **赤リン P** ➡ 赤褐色・毒性の少ない粉末
- **十酸化四リン P_4O_{10}** ➡ 吸湿性が強いので，乾燥剤として使用
- **過リン酸石灰 $Ca(H_2PO_4)_2 + 2CaSO_4$** ➡ リン酸肥料の原料として利用

チェック問題 4

標準 3分

リンに関する記述として誤りを含むものを，次の①〜⑧のうちから2つ選べ。

① 黄リンも赤リンも，空気中で燃やすと同じ化合物になる。

② リンは生命活動に必須の元素で，DNA に含まれている。

③ 黄リンは発火しやすいので，水中に保存する。

④ リンを乾燥空気中で燃やすと，十酸化四リンが生じる。

⑤ 十酸化四リンを密栓した容器に保存するのは，十酸化四リンが空気中の水分と反応するのを防ぐためである。

⑥ 十酸化四リンを水に溶かすと，弱い塩基性を示す。

⑦ 十酸化四リンは，強い吸湿性をもつので中性および塩基性の気体の乾燥に用いられる。

⑧ 過リン酸石灰は，肥料として用いられる。

⑥, ⑦

① 同じ化合物 P_4O_{10} になる。〈正しい〉

② 生命活動に必須の元素は，C・H・O・N・P・S など。P は核酸(DNA・RNA)に含まれている。〈正しい〉

③ 黄リンは，空気中で自然発火するので水中に保存する。〈正しい〉

④ $4P + 5O_2 \longrightarrow P_4O_{10}$ 〈正しい〉

⑤ 十酸化四リンは酸性の乾燥剤。〈正しい〉

⑥ 十酸化四リンを水に溶かすと，弱い酸性を示す。

$$P_4O_{10} + 6H_2O \longrightarrow 4H_3PO_4 〈誤り〉$$

⑦ P_4O_{10} は酸性の乾燥剤なので，塩基性の気体の乾燥に用いることができない。

〈誤り〉

⑧ 過リン酸石灰(リン酸二水素カルシウム $Ca(H_2PO_4)_2$ と硫酸カルシウム $CaSO_4$ の混合物)は，肥料として用いられる。〈正しい〉

第5章　無機物質

16 族（酸素と硫黄）

1 酸素 O の単体について

酸素 O は，地殻（地球表面の岩石の層）中に一番多く存在する元素なんだ。この地殻中に多く含まれる元素の順序は，

❶ O　　**❷** Si　　**❸** Al　　**❹** Fe　　←O＞Si＞Al＞Fe＞…と覚えよう

の順になる。

ケイ素 27.7%
アルミニウム 8.1%
鉄 5.0%
酸素 46.6%
その他 1.5%
カルシウム 3.6%
マグネシウム 2.1%
ナトリウム 2.8%
カリウム 2.6%

地殻中に存在する元素の割合（質量%）

ここでは，酸素の同素体を見ていくことにしよう。

❶ 酸　素 O_2

O_2 は，空気中に体積で約 **20%含まれている**気体で，工業的には液体にした空気を沸点の違いによって分ける（**液体空気の分留**）ことによりつくる。また，無色・無臭の気体で，**高温にするといろいろな元素と反応して酸化物をつくる**。

また，過酸化水素 H_2O_2 の水溶液に酸化マンガン（Ⅳ）MnO_2 を触媒として加えると，酸化還元反応が起こり，O_2 が発生した（➡ p.273）。

$$H_2O_2 \longrightarrow O_2 + 2H^+ + 2e^- \quad \cdots\cdots ①$$
$$H_2O_2 + 2H^+ + 2e^- \longrightarrow 2H_2O \qquad\qquad \cdots\cdots ②$$

① ＋ ②より，化学反応式をつくることができたね。

$$2H_2O_2 \longrightarrow O_2 + 2H_2O$$

塩素酸カリウム $KClO_3$ に酸化マンガン（Ⅳ）MnO_2 を触媒として加えて加熱しても，O_2 が発生した（➡ p.274）。

$$2KClO_3 \longrightarrow 2KCl + 3O_2$$

❷ オゾン O_3

O_3 は，酸素中で**無声放電**（音を出さない放電）をするか，酸素に強い**紫外線**をあてるとつくることができる。

$$3O_2 \longrightarrow 2O_3$$

第5章　無機物質

オゾン O_3 は，**淡青色・特異臭・有毒の気体**で，強い酸化力をもち，水で湿らせたヨウ化カリウムデンプン紙にふきつけると次の反応が起こる（⇒ p.286）。

$$O_3 + H_2O + 2e^- \longrightarrow O_2 + 2OH^- \quad \cdots\cdots①$$
$$2I^- \longrightarrow I_2 + 2e^- \quad \cdots\cdots②$$

① ＋ ②，両辺に $2K^+$ を加えると，

$$2KI + O_3 + H_2O \longrightarrow I_2 + O_2 + 2KOH$$

このとき生成する I_2 とデンプンのヨウ素デンプン反応により，**ヨウ化カリウムデンプン紙が青色に変色する。**

地上 20 km ぐらいのところでは，太陽からの強い紫外線によりオゾン O_3 がつくられている。このオゾン濃度の高い部分を**オゾン**層といい，**オゾン層は太陽からの有害な紫外線を吸収し，地上の生物を保護している**んだ。

同 素 体	酸素 O_2	オゾン O_3
分子の構造	◯━━◯	折れ線
色	無色	淡青色
に お い	無臭	特異臭

チェック問題 1   標準 2分

O_3 に関する記述について誤りを含むものを，次の①～⑥のうちから１つ選べ。

①　O_2 の同素体である。
②　湿ったヨウ化カリウム KI デンプン紙を青変させる。
③　無色・無臭の有毒な気体である。
④　O_2 に紫外線を照射すると生成する。
⑤　O_2 の中で放電すると生成する。
⑥　酸化作用を示し，飲料水などの殺菌に利用される。

解答・解説

③

①　酸素 O_2 とオゾン O_3 は同素体である。〈正しい〉
②　オゾン O_3 は，湿ったヨウ化カリウムデンプン紙を青変させる。〈正しい〉
③　オゾン O_3 は，淡青色・特異臭の有毒な気体。〈誤り〉
④　オゾン O_3 は，酸素 O_2 に紫外線を照射すると生成する。〈正しい〉
⑤　オゾン O_3 は，酸素 O_2 中で放電すると生成する。〈正しい〉
⑥　オゾン O_3 は，強い酸化力をもつ。〈正しい〉

2 硫黄 S の単体について

硫黄の同素体の化学式や分子の形は，次の表のようになるんだ。

同 素 体	斜方硫黄（常温で最も安定）	単斜硫黄	ゴム状硫黄
外　　観	黄色，塊状結晶	黄色，針状結晶	褐色〜黄色,ゴム状固体
分子の構成	環状分子 S_8　形が大切！	環状分子 S_8	鎖状分子 S_x

硫黄 S を空気中で燃やすと，**青い炎**をあげて燃え，SO_2 を発生する。

$$S + O_2 \longrightarrow SO_2$$

3 硫黄の化合物について

❶ 硫化水素 H_2S

H_2S は，**無色・腐卵臭・有毒**の気体で，水に溶け**弱酸性**を示す。

$$H_2S \rightleftharpoons H^+ + HS^-$$
$$HS^- \rightleftharpoons H^+ + S^{2-}$$

実験室では，硫化鉄（Ⅱ）FeS に希塩酸 HCl または希硫酸 H_2SO_4 を加え H_2S を発生させた（➡ p.264）。

$$FeS + 2HCl \longrightarrow H_2S + FeCl_2 \text{（弱酸の遊離）}$$
$$FeS + H_2SO_4 \longrightarrow H_2S + FeSO_4 \text{（弱酸の遊離）}$$

 弱酸遊離反応だね。

また，H_2S は強い**還元剤**で，I_2 と次のように反応する。

$$H_2S \longrightarrow S + 2H^+ + 2e^- \quad \cdots\cdots ①$$
$$I_2 + 2e^- \longrightarrow 2I^- \quad\quad\quad\quad \cdots\cdots ②$$

① ＋ ②より，$H_2S + I_2 \longrightarrow S + 2HI$

チェック問題 2　標準 3分

H_2S に関する記述として誤りを含むものを，①〜⑤のうちから1つ選べ。

① H_2S は，火山ガスや火山地帯の温泉水に含まれている。
② 硫化鉄(Ⅱ)FeS に希硫酸 H_2SO_4 を加えると，H_2S が発生する。
③ H_2S は，水に少し溶け，その水溶液は中性である。
④ H_2S は，無色の有毒な気体で，悪臭をもつ。
⑤ H_2S は，湿った空気中では，Ag と反応して銀の表面を黒くする。

解答・解説

③
① 硫化水素 H_2S は火山ガスや温泉水に含まれている。〈正しい〉
② 硫化鉄(Ⅱ)に希硫酸を加えると，硫化水素が発生する。〈正しい〉
$$FeS + H_2SO_4 \longrightarrow H_2S + FeSO_4 （弱酸の遊離）$$
③ 水に溶け，その水溶液は**弱酸性**である。〈誤り〉
④ 硫化水素 H_2S は，無色・腐卵臭(悪臭)・有毒の気体。〈正しい〉
⑤ 湿った空気中では，硫化水素 H_2S は銀 Ag と反応して Ag の表面を硫化銀 Ag_2S でおおって黒くする。〈正しい〉

❷ 二酸化硫黄 SO_2

SO_2 は，**無色・刺激臭・有毒**の気体で，水に溶け**弱酸性**を示す。
$$SO_2 + H_2O \rightleftarrows HSO_3^- + H^+$$
$$HSO_3^- \rightleftarrows SO_3^{2-} + H^+$$

実験室では，亜硫酸ナトリウム Na_2SO_3 や亜硫酸水素ナトリウム $NaHSO_3$ に希硫酸 H_2SO_4 を加えて発生させたね（➡ p.265）。
$$Na_2SO_3 + H_2SO_4 \longrightarrow H_2O + SO_2 + Na_2SO_4 \quad （弱酸の遊離）$$
$$NaHSO_3 + H_2SO_4 \longrightarrow H_2O + SO_2 + NaHSO_4 \quad （弱酸の遊離）$$

酸化還元反応を利用してもよかったね。Cu を熱濃硫酸 H_2SO_4 の中に入れることでも発生したね（➡ p.271）。
$$Cu \longrightarrow Cu^{2+} + 2e^- \quad \cdots\cdots ①$$
$$H_2SO_4 + 2H^+ + 2e^- \longrightarrow SO_2 + 2H_2O \quad \cdots\cdots ②$$

① + ②，両辺に SO_4^{2-} 加えて，
$$Cu + 2H_2SO_4 \longrightarrow CuSO_4 + SO_2 + 2H_2O$$

SO_2 は，ふつう**還元剤**としてはたらき，繊維などの漂白に利用される。
$$SO_2 + 2H_2O \longrightarrow SO_4^{2-} + 4H^+ + 2e^- \quad ➡ 花の色素なども還元漂白する$$

ただし，H_2S のような強い還元剤には，**酸化剤**として次のように反応する。

$$H_2S \longrightarrow S + 2H^+ + 2e^- \quad \cdots\cdots①$$
$$SO_2 + 4H^+ + 4e^- \longrightarrow S + 2H_2O \quad \cdots\cdots②$$

①×2 + ②より, $2H_2S + SO_2 \longrightarrow 3S + 2H_2O$

チェック問題3 〈標準〉 3分

H_2S と SO_2 の反応や性質に関する記述として正しいものはどれか。最も適当なものを，次の①～⑤のうちから1つ選べ。

① H_2S の水溶液に SO_2 を通じて反応させると，単体の S が生じる。
② SO_2 は無色・無臭の気体である。
③ SO_2 の水溶液は，中性である。
④ 硫酸ナトリウム Na_2SO_4 に希硫酸を加えると，SO_2 が発生する。
⑤ 水酸化ナトリウム NaOH の水溶液に SO_2 を通じて反応させると，硫酸ナトリウム Na_2SO_4 が生じる。

解答・解説

①

① $2H_2S + SO_2 \longrightarrow 3S + 2H_2O$ 〈正しい〉
② 二酸化硫黄 SO_2 は，無色・**刺激臭**・有毒の気体である。〈誤り〉
③ 二酸化硫黄 SO_2 の水溶液は，**弱酸性**を示す。〈誤り〉
④ 硫酸ナトリウム Na_2SO_4 でなく，亜硫酸ナトリウム Na_2SO_3 や亜硫酸水素ナトリウム $NaHSO_3$ が正しい。〈誤り〉
⑤ 硫酸ナトリウム Na_2SO_4 でなく，亜硫酸ナトリウム Na_2SO_3 が生じる。

$$SO_2 + H_2O \longrightarrow H_2SO_3 \quad \Longleftarrow \text{p.327の①式のCをSに置き換える}$$
$$\underline{+) \quad H_2SO_3 + 2NaOH \longrightarrow Na_2SO_3 + 2H_2O} \quad \Longleftarrow \text{中和反応が起こると考える}$$
$$SO_2 + 2NaOH \longrightarrow Na_2SO_3 + H_2O \qquad \qquad 〈誤り〉$$

❸ 硫　酸 H_2SO_4

最初に濃硫酸，次に希硫酸を見ていくことにするね。
濃硫酸は，無色で粘性をもった密度の大きな液体なんだ。濃硫酸には，次の❶～❹の特徴がある。

❶ 熱濃硫酸（加熱した濃硫酸）は**強い酸化剤**である。
　強い酸化剤なので，イオン化傾向が水素より小さな銅 Cu や銀 Ag と反応して二酸化硫黄 SO_2 を発生する（➡ p.271）んだ。

$$Cu + 2H_2SO_4 \longrightarrow CuSO_4 + SO_2 + 2H_2O$$

❷ 濃硫酸は，沸点が高い**不揮発性の酸**である。

　たとえば，揮発性の酸の塩である塩化ナトリウム NaCl に不揮発性の濃硫酸 H_2SO_4 を加えて加熱すると，揮発性の HCl が発生したね（➡ p.274）。

$$Na\underline{Cl} + H_2SO_4 \longrightarrow NaHSO_4 + H\underline{Cl}$$

あと，HF を発生させるときの化学反応式（➡ p.275）も確認しておいてね。

$$Ca\underline{F_2} + H_2SO_4 \longrightarrow CaSO_4 + 2H\underline{F}$$

❸ 濃硫酸は，反応させる物質から H と OH を H_2O としてうばいとるはたらき，つまり**脱水作用**がある。たとえば，スクロース $C_{12}H_{22}O_{11}$ は水をうばわれ炭化する。

$$C_{12}\underline{H_{22}O_{11}} \longrightarrow 12C + 11\underline{H_2O} \text{（炭化）}$$
スクロース

❹ 濃硫酸は強い**吸湿性**があり，気体の乾燥などに用いられるんだ（➡ p.283）。

 酸性の乾燥剤だったね。

そうだね。NH_3 や H_2S の乾燥には使えなかったね。

希硫酸をつくるときには，注意しなければならないことがあるんだ。

 どうやってつくるの？

　濃硫酸に水を加えてしまうと，発熱し水が沸騰するので濃硫酸が飛び散り危険なんだ。そのため，**水の中に濃硫酸を少しずつかきまぜながら加えて希硫酸をつくる**んだ。

濃硫酸のうすめ方
濃硫酸
水
濃硫酸を水の中に少しずつ加える

　希硫酸は，次のように電離して**強酸性**を示す。

$$H_2SO_4 \longrightarrow H^+ + HSO_4^-$$
$$HSO_4^- \rightleftarrows H^+ + SO_4^{2-}$$

そのため，次の❶〜❷の特徴がある。

❶ イオン化傾向が水素 H_2 よりも大きな Zn や Fe などの金属と反応して，H_2 を発生する（➡ p.269）。

$$Zn + H_2SO_4 \longrightarrow ZnSO_4 + H_2$$

$$Fe + H_2SO_4 \longrightarrow FeSO_4 + H_2$$

❷ Na_2SO_3 や $NaHSO_3$，FeS などの弱酸の塩と反応し，弱酸を遊離させる（➡ p.264 ～266）。

$$Na_2SO_3 \ + H_2SO_4 \longrightarrow H_2O \ \ \ \ \ + SO_2 + Na_2SO_4$$
$$NaHSO_3 + H_2SO_4 \longrightarrow NaHSO_4 + H_2O + SO_2$$
$$FeS \ \ \ \ \ + H_2SO_4 \longrightarrow H_2S \ \ \ \ \ + FeSO_4$$

チェック問題 4　　やや難 2分

　図に示すように，試験管に濃硫酸を入れて加熱しながら，そこに銅線を注意深く浸したところ，刺激臭のある気体 A が発生した。濃硫酸は徐々に着色し，しばらくすると試験管の底に白色の固体 B が沈殿した。固体 B をとり出し水に溶かすと，その溶液は青色となった。この実験で発生した気体 A と生成した固体 B に関する記述として誤りを含むものを，下の①～⑤のうちから 1 つ選べ。

① 気体 A は，下方置換で捕集できる。
② 硫化水素の水溶液に気体 A を通じると，硫黄が析出する。
③ ヨウ素を溶かしたヨウ化カリウム水溶液に気体 A を通じると，ヨウ素の色が消える。
④ 気体 A を水に溶かした水溶液は，中性を示す。
⑤ 固体 B は，硫酸銅(Ⅱ)の無水物(無水塩)である。

解答・解説

④

加熱した濃硫酸(熱濃硫酸)は Cu と酸化還元反応を起こし，SO_2 を発生する。

$$Cu + 2H_2SO_4(濃) \xrightarrow{\ 加熱\ } \underset{固体B}{CuSO_4} + \underset{気体A}{SO_2} + 2H_2O \ (酸化還元)$$

① SO_2(気体 A)は，下方置換で捕集する。〈正しい〉
② $\underset{気体A}{2H_2S} + SO_2 \longrightarrow \underset{析出}{3S} + 2H_2O$ (酸化還元)〈正しい〉
③ 褐色のヨウ素ヨウ化カリウム水溶液中のヨウ素 I_2 と次のように酸化還元反応を起こす。

$$I_2 + 2e^- \longrightarrow 2I^- \qquad \cdots\cdots ①$$

$$SO_2 + 2H_2O \longrightarrow SO_4{}^{2-} + 4H^+ + 2e^- \quad \cdots\cdots ②$$

①+②より，$\underset{\text{気体 A}}{SO_2} + I_2 + 2H_2O \longrightarrow 2HI + H_2SO_4$

この反応で生じる I^- の水溶液は無色なので褐色の水溶液は無色になる。〈正しい〉

④　SO_2（気体 A）の水溶液（亜硫酸）は，<u>弱酸性</u>を示す。〈誤り〉

⑤　固体 B は $CuSO_4$ である。〈正しい〉

４ 接触法について

【硫酸の工業的製法】

硫酸の工業的製法を接触法という。

まず，石油を精製するときに得られる S を燃焼させて SO_2 をつくる。

$$S + O_2 \longrightarrow SO_2 \qquad \cdots\cdots ①$$

次に，酸化バナジウム（V）V_2O_5 を触媒とし，SO_2 を空気中の O_2 によって酸化し，三酸化硫黄 SO_3 を得る。

$$2SO_2 + O_2 \longrightarrow 2SO_3 \qquad \cdots\cdots ②$$

最後に，SO_3 を濃硫酸に吸収させ，得られる発煙硫酸を希硫酸でうすめて濃硫酸にするんだ。

$$SO_3 + \underset{\text{濃硫酸中の水}}{H_2O} \longrightarrow H_2SO_4 \qquad \cdots\cdots ③$$

ポイント　接触法について

チェック問題 5

硫酸に関する記述として誤りを含むものを，次の①～⑤のうちから1つ選べ。

① 硫黄を燃焼させると有毒な気体となるが，この気体をさらに酸化して得られる物質は重要な工業原料である。
② 硫黄を空気中で燃やすと，三酸化硫黄ができる。
③ 三酸化硫黄は，触媒を用いて二酸化硫黄と酸素と反応させることにより得られる。
④ 濃硫酸に三酸化硫黄を吸収させると，発煙硫酸が得られる。
⑤ 濃硫酸に水を注ぐと，発熱して水が沸騰し，はねるので危険である。

解答・解説

②

① 有毒な気体は SO_2 で，この SO_2 をさらに酸化して得られる SO_3 は接触法の重要な原料。〈正しい〉
② 三酸化硫黄 SO_3 ではなく，二酸化硫黄 SO_2 ができる。〈誤り〉
③ 触媒は V_2O_5 を用いる。〈正しい〉
④ 接触法の説明。〈正しい〉
⑤ 濃硫酸に水をそそいでしまうと，水がすぐに沸騰し，はねる可能性があるので危険である。〈正しい〉

26 時間目 17 族(ハロゲン)・18 族(貴ガス)

1 ハロゲンの単体について

ハロゲン単体の性質を表に示すね。

	F_2	Cl_2	Br_2	I_2
状態・色	気体　淡黄色	気体　黄緑色	液体　赤褐色	固体　黒紫色
融点・沸点	低 ────────────────────→ 高			
酸化力	大 ←──────────────── 小			
水素との反応	$H_2+F_2 \longrightarrow 2HF$ 冷暗所でも爆発的に反応する	$H_2+Cl_2 \longrightarrow 2HCl$ 光により爆発的に反応する	高温・触媒により反応する	高温・触媒により一部が反応する
水との反応	はげしく反応する $2F_2+2H_2O \longrightarrow 4HF+O_2$	一部が反応する $Cl_2+H_2O \rightleftharpoons HCl+HClO$	少し溶ける	溶けにくい

 常温での状態や色は覚えるの？

そうなんだ。これは，がんばって覚えてね。
状態と色を覚え，**分子量が大きくなるほど，ファンデルワールス力が強くなるので，単体の融点や沸点が高くなる**ことを確認しておいてね。

 酸化力は原子番号が小さいほど大きくなっているね。

そうなんだ。**原子番号が小さくなるほど，他の物質から電子 e^- をうばう力，つまり酸化力が大きくなる**んだ。

酸化力：　$F_2 > Cl_2 > Br_2 > I_2$

酸化力の違いを利用して，ハロゲンの単体をつくることができる。
たとえば，臭化カリウム KBr の水溶液に Cl_2 を反応させると，**Cl_2 のほうが Br_2 よりも酸化力が大きい，つまり陰イオンになりやすい**ので，Cl_2 は陰イオンになろうとして Br^- から e^- をうばう。

$$Cl_2 + 2e^- \longrightarrow 2Cl^- \quad \cdots\cdots ①$$
$$2Br^- \longrightarrow Br_2 + 2e^- \quad \cdots\cdots ②$$

① ＋ ②，両辺に $2K^+$ を加えると，

$$Cl_2 + 2KBr \longrightarrow 2KCl + Br_2$$

 強い酸化力をもつ Cl_2 が自分よりも酸化力の弱い Br_2 を追い出しているね。

そうだね。同じように，ヨウ化カリウム KI の水溶液に Br_2 を反応させると，酸化力は $Br_2 > I_2$ なので，次の反応が起こる。

$$Br_2 + 2KI \longrightarrow 2KBr + I_2$$

 水素 H_2 や水 H_2O との反応も酸化力の違いが関係あるの？

そうなんだ。たとえば，H_2 と F_2 を混合すると，酸化力が強い F_2 は H_2 から e^- をうばって，**冷暗所でも爆発的に反応する**んだ。

$$F_2 + \boxed{2e^-} \longrightarrow 2F^- \quad \cdots\cdots ③$$
$$H_2 \longrightarrow 2H^+ + \boxed{2e^-} \quad \cdots\cdots ④$$

③ + ④より，$H_2 + F_2 \longrightarrow 2HF$

Cl_2 も酸化力が強く，H_2 と**光により爆発的に反応し**，HCl を生成する。

$$H_2 + Cl_2 \longrightarrow 2HCl$$

酸化力がとても強い F_2 は，水 H_2O から e^- をうばってはげしく反応する。

$$F_2 + \boxed{2e^-} \longrightarrow 2F^- \quad \cdots\cdots ⑤$$
$$2H_2O \longrightarrow O_2 + 4H^+ + \boxed{4e^-} \quad \cdots\cdots ⑥$$

⑤ × 2 + ⑥より，

$$2F_2 + 2H_2O \longrightarrow 4HF + O_2$$

⬆ ⑥の反応式は，「電気分解」（➡ p.180）で勉強したよね

F_2 よりも酸化力の弱い Cl_2 は，水に少し溶けてその一部が反応し，**塩化水素** HCl と**次亜塩素酸** HClO を生じる。Cl_2 の水溶液を**塩素水**という。

$$Cl_2 + H_2O \rightleftharpoons HCl + HClO$$

生成する HClO は酸化力が強く，塩素水は漂白剤や殺菌剤として利用される。

Br_2 は水に少し溶けて臭素水になるけれど，反応はほとんど起こらない。

I_2 は，水にはほとんど溶けないし反応も起こさない。ただ，I_2 は**ヨウ化カリウム KI 水溶液には三ヨウ化物イオン I_3^- を生じて溶け，褐色の水溶液であるヨウ素ヨウ化カリウム水溶液（ヨウ素溶液）になる**んだ。

$$\underset{黒紫色}{I_2} + \underset{無色}{I^-} \rightleftharpoons \underset{褐色}{I_3^-}$$

第 **5** 章

無機物質

チェック問題 1

　ハロゲンに関する記述のうち誤りを含むものを，次の①～⑨のうちから2つ選べ。

① ハロゲン原子は，7個の価電子をもつ。
② ハロゲン原子の最外殻電子は，フッ素ではL殻，塩素ではM殻，臭素ではN殻に存在する。
③ ハロゲンの単体は，二原子分子である。
④ ハロゲンの単体の酸化力は，フッ素＜塩素＜臭素の順に強くなる。
⑤ ハロゲンの単体の沸点は，フッ素＜塩素＜臭素の順に高くなる。
⑥ フッ素は，ハロゲンの単体の中で，水素との反応性が最も高い。
⑦ 塩素は，水と反応して，塩化水素と次亜塩素酸を生じる。
⑧ 次亜塩素酸は還元力が強いので，塩素水は殺菌剤として使われている。
⑨ ヨウ化カリウム水溶液にヨウ素を溶かすと，その溶液は褐色を呈する。

解答・解説

④，⑧

①，② $_9F$　$K(2)L(7)$，$_{17}Cl$　$K(2)L(8)M(7)$
　　　　$_{35}Br$　$K(2)L(8)M(18)N(7)$ ➡ 同じ17族で価電子はいずれも7個〈正しい〉
③ F_2，Cl_2，Br_2，I_2 ➡ いずれも二原子分子〈正しい〉
④ 酸化力は，$F_2 > Cl_2 > Br_2 > I_2$ の順〈誤り〉
⑥ H_2 との反応性は $F_2 > Cl_2 > Br_2 > I_2$ の順
　　$H_2 + F_2 \longrightarrow 2HF$ （冷暗所でも反応）〈正しい〉
⑦ $Cl_2 + H_2O \rightleftharpoons HCl + HClO$〈正しい〉
⑧ 次亜塩素酸 HClO は<u>酸化力</u>が強い。〈誤り〉
⑨ I_2 が I^- と次のように反応し，溶液は褐色になる。〈正しい〉
　　I_2(黒紫色) $+ I^-$(無色) $\rightleftharpoons I_3^-$(褐色)

2 塩素の製法について

Cl_2 を実験室でつくるには，次の方法があるんだ。

❶ 酸化マンガン（Ⅳ）MnO_2 に濃塩酸 HCl を加えて加熱する（➡ p.273）
❷ さらし粉 $CaCl(ClO)\cdot H_2O$ や高度さらし粉 $Ca(ClO)_2\cdot 2H_2O$ に塩酸 HCl を加える

❶の化学反応式は，次のようにつくった。

$$MnO_2 + 4H^+ + 2e^- \longrightarrow Mn^{2+} + 2H_2O \quad \cdots\cdots ①$$

$$2Cl^- \longrightarrow Cl_2 + 2e^- \quad \cdots\cdots ②$$

① ＋ ②，両辺に $2Cl^-$ を加えて，

$$MnO_2 + 4HCl \longrightarrow MnCl_2 + Cl_2 + 2H_2O$$

この反応は，次の実験装置が問われることがあるから気をつけてね。

この装置では，まず Cl_2 に混ざって出てくる**揮発した HCl を水の中に吸収させて除く**。次に，水の中を通って出てきた酸性気体の Cl_2 は水蒸気を含んでいるので，**酸性の乾燥剤である濃硫酸 H_2SO_4 に吸収させて水蒸気を除き**乾燥した Cl_2 を得る。

 「水 ⟶ 濃硫酸」の順にするんだね。

そうだね。この「水 ➡ 濃硫酸」の順序がよく問われるので気をつけてね。
最後に，ここで得られる乾燥した Cl_2 は，「農 NO，工 CO，水 H_2，産 O_2，………」（➡ p.280），NH_3 以外の気体なので，下方置換で捕集するんだ。

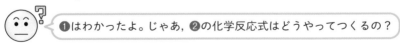 ❶はわかったよ。じゃあ，❷の化学反応式はどうやってつくるの？

さらし粉 $CaCl(ClO)\cdot H_2O$ に塩酸 HCl を加えると，さらし粉が塩酸の中で電離する。

$$CaCl(ClO)\cdot H_2O \longrightarrow Ca^{2+} + Cl^- + ClO^- + H_2O \quad \cdots\cdots ③$$

次に，**塩素水（➡ p.355）の逆反応**，$HCl + HClO \rightleftarrows Cl_2 + H_2O$ が起こる。
実際には水の中で，HCl や HClO は電離している。

$$H^+ + Cl^- + H^+ + ClO^- \rightleftarrows Cl_2 + H_2O \quad \cdots\cdots ④$$

④の式を見るとわかるように，Cl^- や ClO^- に H^+ を加えると，Cl_2が発生する。つまり，さらし粉に塩酸を加えると，**さらし粉から電離して生じた Cl^- や ClO^- が塩酸の H^+ と結びつき Cl_2 が発生する**んだ。

③ + ④より，$CaCl(ClO)\cdot H_2O + 2H^+ \longrightarrow Ca^{2+} + Cl_2 + 2H_2O$
となり，両辺に $2Cl^-$ を加えると化学反応式が完成する。

$$CaCl(ClO)\cdot H_2O + 2HCl \longrightarrow CaCl_2 + Cl_2 + 2H_2O$$
　　さらし粉

高度さらし粉 $Ca(ClO)_2\cdot 2H_2O$ のときは，ClO^- が2個含まれているので，ClO^- を2個にするのに④式を2倍する。

$$2H^+ + 2Cl^- + 2H^+ + 2ClO^- \rightleftharpoons 2Cl_2 + 2H_2O \quad \Longleftarrow ④×2より$$
そして，Ca^{2+} と $2H_2O$ を両辺に加えると，

$$
\begin{array}{l}
\ 2ClO^- + 4H^+ + 2Cl^- \rightleftharpoons 2Cl_2 + 2H_2O \\
+)\ \ Ca^{2+} \quad 2H_2O Ca^{2+} \quad 2H_2O \\
\hline
Ca(ClO)_2\cdot 2H_2O + 4H^+ + 2Cl^- \longrightarrow Ca^{2+} + 2Cl_2 + 4H_2O
\end{array}
$$

となる。この式の両辺に $2Cl^-$ を加えると完成するよ。

$$Ca(ClO)_2\cdot 2H_2O + 4HCl \longrightarrow CaCl_2 + 2Cl_2 + 4H_2O$$
　　高度さらし粉

ポイント ▶ **塩素の製法について**

● MnO_2に HCl を加えて加熱

　　$MnO_2 + 4HCl \longrightarrow MnCl_2 + Cl_2 + 2H_2O$

● $CaCl(ClO)\cdot H_2O$ や $Ca(ClO)_2\cdot 2H_2O$ に HCl を加える

　　$CaCl(ClO)\cdot H_2O + 2HCl \longrightarrow CaCl_2 + Cl_2 + 2H_2O$

　　$Ca(ClO)_2\cdot 2H_2O + 4HCl \longrightarrow CaCl_2 + 2Cl_2 + 4H_2O$

チェック問題 2

標準 3分

　乾燥した塩素を得るために，図に示した a（発生部），b（精製部），c（捕集部）の中から必要な装置を 1 つずつ選び，連結した。その装置の組み合わせとして正しいものを，下の①〜⑧のうちから 1 つ選べ。

a（発生部）

b（精製部）

	a	b	c
①	ア	オ	ケ
②	ア	キ	コ
③	イ	オ	ク
④	イ	カ	コ
⑤	ウ	カ	ク
⑥	ウ	キ	ケ
⑦	エ	オ	ケ
⑧	エ	カ	コ

c（捕集部）

解答・解説

⑧

　実験装置の図をもう一度確認しておくこと。

第5章 無機物質

❸ オキソ酸について

分子中に酸素原子 O を含む酸を**オキソ酸**といい，これらの酸は $(O)_m X(OH)_n$ と表すことができる。

> **例** 硫酸 H_2SO_4 ➡ $(O)_2S(OH)_2$
>
> 硝酸 HNO_3 ➡ $(O)_2N(OH)$

オキソ酸は，中心原子 X にヒドロキシ基（−OH）と酸素原子（O）が直接結合した構造をもち，水溶液中では，−OH が −O⁻ と H⁺ に電離して酸性を示す。

オキソ酸には次の❶と❷の特徴がある。

❶ **中心原子 X の陰性が強いほど酸性が強くなる**

陽イオンになりやすいことを陽性，陰イオンになりやすいことを陰性といい，典型元素の陽性・陰性の特徴は次のようになる。

族\周期	1	2	13	14	15	16	17		18	族\周期
1	1 H				陰性		→		2 He	1
2	3 Li	4 Be	5 B	6 C	7 N	8 O	9 F		10 Ne	2
3	11 Na	12 Mg	13 Al	14 Si	15 P	16 S	17 Cl		18 Ar	3
4	19 K	20 Ca	31	32	33	34	35 Br		36 Kr	4

陽性が強くなる ← / 陰性が強くなる ↑

典型元素の特徴 ／ 貴ガス

たとえば，陰性の大きさは S ＞ P の順になる。だから，オキソ酸の酸性の強さは，硫酸 H_2SO_4 ＞リン酸 H_3PO_4 になるんだ。

❷ **中心原子 X が同じ場合は，X に結合している O 原子の数が多いほど酸性が強い。**

たとえば，中心原子が Cl であるオキソ酸の酸性の強さは次のようになるんだ。

酸の強さ： $HClO_4$ ＞ $HClO_3$ ＞ $HClO_2$ ＞ $HClO$

酸化数→ +7 　 +5 　 +3 　 +1

過塩素酸 　 塩素酸 　 亜塩素酸 　 次亜塩素酸

> 「Cl の酸化数が大きいものほど酸性が強い」ともいえる。

チェック問題 3 　　　　　　　標準 2分

硫酸 H_2SO_4 のように分子中に酸素原子を含む無機の酸をオキソ酸という。オキソ酸に関する記述として誤りを含むものを，次の①〜⑤のうちから 1 つ選べ。

① 酸化数＋ 1 の塩素原子 1 個を含むオキソ酸は，強い酸化作用を示す。

② 酸化数＋ 4 の炭素原子 1 個を含むオキソ酸は，弱酸である。

③ 酸化数＋ 5 の窒素原子 1 個を含むオキソ酸は，強い酸化作用を示す。

④ 酸化数＋5のリン原子1個を含むオキソ酸は，2価の酸である。

⑤ 酸化数＋6の硫黄原子1個を含むオキソ酸は，強酸である。

解答・解説

④

① $\underset{+1}{HClO}$ 次亜塩素酸は，酸化力が強い。〈正しい〉

② $H_2\underset{+4}{C}O_3$ 炭酸は，弱酸。〈正しい〉

③ $H\underset{+5}{N}O_3$ 硝酸は，酸化剤。〈正しい〉

④ $H_3\underset{+5}{P}O_4$ リン酸は，3価の酸。〈誤り〉

⑤ $H_2\underset{+6}{S}O_4$ 希硫酸は，強酸。〈正しい〉

4 ハロゲン化水素について

ハロゲン化水素は，**無色・刺激臭の気体**で，水によく溶け，水溶液は**酸性**を示す。

酸の強さは， HF ≪ HCl ＜ HBr ＜ HI

の順になり，フッ化水素 HF の水溶液である**フッ化水素酸**だけが，他のハロゲン化水素の水溶液とは異なり**弱酸**になるんだ。HF は他にも変わった性質をもつ。

HF は，ハロゲン化水素の中では最も分子量が小さいけれど，分子間で水素結合をつくるために**沸点が極めて高い**んだ。

化合物名	化 学 式	沸点(℃)	水溶液の性質
フッ化水素	HF	20	弱酸
塩 化 水 素	HCl	−85	強酸
臭 化 水 素	HBr	−67	強酸
ヨウ化水素	HI	−35	強酸

また，**フッ化水素酸は，ガラスや石英の主成分である** SiO_2 **と次のように反応し** SiO_2 **を溶かす。**

「ぶつかる」と「切れる」をくり返し，最後には SiF_6^{2-} になる。つまり，SiO_2 1個分は，F^- 6個と反応することになる。

まとめると，SiO_2 ＋ 6HF ⟶ H_2SiF_6 ＋ $2H_2O$

フッ化水素酸　　ヘキサフル
オロケイ酸

H₂SiF₆（ヘキサフルオロケイ酸）は，H₂SiO₃（ケイ酸）のもつすべての
O が 6 個（ヘキサ）の F（フルオロ）に置き換わっているね。

そうだね。このように，フッ化水素酸 HF はガラスの主成分である SiO_2 を溶かす
ので，**くもりガラスの製造やガラスの目盛りつけに利用される**。また，フッ化水素酸
はガラスを溶かすので，保存するときには**ポリエチレン製のびん**を使うんだ。

揮発性の HF は，ホタル石 CaF_2 の粉末に不揮発性の濃硫酸 H_2SO_4 を加え，加熱
してつくったよね（➡ p.275）。

$$CaF_2 + H_2SO_4 \longrightarrow 2HF + CaSO_4$$

また，揮発性の HCl も，NaCl に不揮発性の濃硫酸 H_2SO_4 を加えて加熱してつく
った（➡ p.275）。

$$NaCl + H_2SO_4 \longrightarrow NaHSO_4 + HCl$$

チェック問題 4　やや易 3分

次の記述①〜⑤のうちから，正しいものを 2 つ選べ。

① ハロゲン化水素のうち沸点が最も低いものはフッ化水素 HF である。
② 塩化水素 HCl はガラスを侵すので，その水溶液はポリエチレン製の容器
に保存する。
③ 食塩 NaCl に濃硫酸 H_2SO_4 を加えて加熱すると，塩素 Cl_2 が発生する。
④ フッ化水素酸（フッ化水素 HF の水溶液）は，弱い酸性を示す。
⑤ フッ化水素 HF の水溶液に銀イオン Ag^+ が加わっても沈殿は生じない。

解答・解説

④, ⑤
① 沸点が最も<u>高い</u>ものがフッ化水素 HF である。〈誤り〉
② <u>塩化水素 HCl</u> ではなく<u>フッ化水素 HF</u> がガラスを侵す。〈誤り〉
③ <u>塩素 Cl_2</u> ではなく，<u>塩化水素 HCl</u> が発生する。〈誤り〉
$$NaCl + H_2SO_4 \longrightarrow NaHSO_4 + HCl$$
④ 酸の強さ：HF ≪ HCl ＜ HBr ＜ HI
　　　　　　　弱酸　　　　　強酸
　　　　　　　　　　　　　　　　　　　〈正しい〉
⑤ AgF は水によく溶ける。〈正しい〉

5 貴ガスについて

18族元素の**貴ガス**(ヘリウム He，ネオン Ne，アルゴン Ar，……)は，無色・無臭の気体で，空気中にわずかに存在しているんだ。**貴ガスは他の原子と結合しにくく，原子の状態で存在していた**よね。

 単原子分子だよね。

そうだね。**貴ガスの価電子の数は 0** だったね。貴ガスの原子量の順は，He < Ne < Ar < ……の順なので，ファンデルワールス力が原子量の増加とともに強くなり，単体の融点や沸点も He < Ne < Ar < ……の順に高くなるんだ。

チェック問題5 　　　標準 3分

貴ガスに関する記述として誤りを含むものを，次の①～⑤のうちから 1 つ選べ。

① 貴ガスの単体は，すべて単原子分子である。
② 大気中に最も多く存在する貴ガスは，He である。
③ He は，常温で水素についで密度が小さく，飛行船の浮揚ガスに用いられる。
④ Ne のイオン化エネルギーは，Ar のイオン化エネルギーより大きい。
⑤ Ar は，反応性に乏しく，電球や放電管に封入されている。

解答・解説

②

② 大気中に最も多く存在する貴ガスは，Ar である。〈誤り〉
③ He は大気中にわずかしかなく，そのほとんどは北アメリカで生産されている。不燃性で H_2 の次に軽いため，気球や飛行船の浮揚ガスに用いられる。〈正しい〉
④ イオン化エネルギーの大きさは，He > Ne > Ar の順になる。〈正しい〉
⑤ Ar は貴ガスの中では大気中に最も多く含まれ，電球に封入されたり，溶接時の保護ガスなどに使われている。〈正しい〉

有機化学の基礎

1 有機化合物の特徴について

　かつては動植物などの生物体に関係する化合物が有機化合物，生物体に関係しない化合物が無機化合物と考えられていた。ところが，「**無機化合物であるシアン酸の塩から有機化合物の尿素 $CO(NH_2)_2$ を合成できる**」（ドイツ・ウェーラー）ことがわかり，有機化合物は生命力によってのみつくられるという考え方を変えることになったんだ。現在では，「**炭素原子 C を含む化合物**」を有機化合物としている。

　有機化合物を構成する元素は，おもに C と H で，O，N，S，ハロゲン（F，Cl，Br，I）を含んでいることもある。そして，**炭素 C と水素 H が骨格をつくり，これに官能基（➡ 有機化合物の性質を決める）が結合している**構造をもつ。

```
┌──────────────┐      ┌───┐
│ CとHの骨格      │──────│ X │─ 官能基：有機化合物の性質を示す
└──────────────┘      └───┘
```

同じ官能基をもつ有機化合物はよく似た性質を示すんだ。

官能基の種類		一　般　名
ヒドロキシ基	（アルコール性）－OH	アルコール
	（フェノール性）－OH	フェノール類
ホルミル基（アルデヒド基）	$-C\overset{\displaystyle O}{\underset{\displaystyle H}{\diagdown}}$	アルデヒド
カルボニル基（ケトン基）	$>\!C=O$	ケトン
カルボキシ基	$-\underset{\displaystyle O}{\overset{\displaystyle \parallel}{C}}-O-H$	カルボン酸
エーテル結合	$-C-O-C-$	エーテル
アミノ基	$-NH_2$	アミン
エステル結合	$-\overset{\displaystyle O}{\overset{\displaystyle \parallel}{C}}-O-$	エステル
ニトロ基	$-NO_2$	ニトロ化合物
スルホ基	$-SO_3H$	スルホン酸

●ホルミル基，カルボキシ基，エステル結合の $>\!C=O$ もカルボニル基とよぶことがある。

官能基はたくさんあるね。覚えきれるか心配だな……

　今後，復習のたびに**この表を何度も確認していればそのうち覚えられるようになる**ので，心配しなくていいよ。

　有機化合物の成分元素の含有量を求める操作を**元素分析**という。元素分析の手順は，

次の**チェック問題**でおさえよう。

チェック問題 1

標準 4分

　図は、炭素、水素、酸素からなる純粋な有機化合物 A を試料として元素分析を行った装置の概略図である。

有機化合物 A　酸化銅(Ⅱ)

a →

排気吸引

d

ガスバーナー

c　吸収管　　e　吸収管

f

　元素分析ではまず、有機化合物 A の質量を正確に測定し、乾燥した　a　を一定の速度で流しながら、有機化合物 A を酸化銅(Ⅱ)CuO などの　b　剤の存在下で完全燃焼させる。完全燃焼によって生成した　c　を　d　に、e　を　f　に吸収させる。続いて、それぞれの吸収管の質量を測定して、それぞれの吸収管が増加した分の質量から、生成した　c　の質量と　e　の質量を求める。これをもとにすれば、各元素(C, H, O)の質量を求めることができる。

問　a　～　f　にあてはまる語として最も適当なものを次の①～⑨のうちから 1 つずつ選べ。

① 酸化　　② 還元　　③ 水　　④ 塩化カルシウム　　⑤ 酸素
⑥ ソーダ石灰　　⑦ 二酸化炭素　　⑧ 窒素　　⑨ アルゴン

解答・解説

a ⑤　　b ①　　c ③　　d ④　　e ⑦　　f ⑥

　有機化合物を構成する元素の種類や割合を調べることを元素分析という。C, H, O からなる有機化合物の組成式は次のように求める。

　まず、試料(有機物化合物 A)の質量を精密にはかる。次に、試料を乾燥酸素 O_2 中で完全燃焼させ、生じた H_2O を塩化カルシウム $CaCl_2$ に、CO_2 をソーダ石灰($CaO+NaOH$)に吸収させ、質量増加分から H_2O と CO_2 の質量を求める。これらの値をもとに、組成式を決定する。元素分析では、次のような装置を使う。

余ったO_2の一部が流れていく

完全燃焼されずCOなどが出てきたときCO_2に変える

有機化合物 A　CuO　完全燃焼させるための酸化剤

CO_2, H_2O, O_2

CO_2, O_2

O_2

O_2

有機化合物を完全燃焼させ，CO_2とH_2Oへ…

ガスバーナー

塩化カルシウム$CaCl_2$

ソーダ石灰$CaO＋NaOH$

H_2O 吸収管　CO_2 吸収管

中性の乾燥剤なのでH_2Oだけを吸収する

H_2Oの質量がわかる！

CO_2の質量がわかる！

塩基性の乾燥剤なので酸性の気体であるCO_2だけを吸収する

次の　ポイント　を参照

ポイント　元素分析の注意点

　ソーダ石灰は**塩基性の乾燥剤**で，$CaCl_2$より前につなぐと酸性の気体であるCO_2と湿気つまりH_2Oのどちらも吸収してしまいCO_2とH_2Oの質量を別々に調べることができない。そのため，「塩化カルシウム ➡ ソーダ石灰」の順にしなければならない。

チェック問題1 のように元素分析を行った後は，組成式(実験式)を求めてみるね。

組成式？

　有機化合物を構成している原子の個数を最も簡単な整数比で表したものを組成式というんだ。たとえば，酢酸CH_3COOHの分子式は$C_2H_4O_2$，組成式はCH_2Oになる。
メタンCH_4のように，分子式と組成式が同じCH_4になる有機化合物もあるんだよ。

分子式$C_2H_4O_2$は$(CH_2O)×2$と表せるので

↳ 分子式CH_4は$(CH_4)×1$と表せるので

組成式の求め方は次の **例** を参考にしてね。

例　C，H，Oからなる有機化合物15.4 mgを完全燃焼させると，CO_2 44.0 mgとH_2O 16.2 mgが得られた。H ＝1.0，C＝12.0，O＝16.0とし，この有機化合物の組成式を求めてみる。

解き方 有機化合物15.4 mg 中の C の質量は，生じた CO_2 中の C の質量と等しい。

$$\text{Cの質量} \Rightarrow 44.0 \underset{CO_2(mg)}{\bigg|} \times \underset{C(mg)}{\frac{C}{CO_2}\bigg|} = 44.0 \times \frac{12.0}{44.0} = 12.0\,\text{mg}$$

有機化合物15.4 mg 中の H の質量は，生じた H_2O の中の H の質量と等しい。

$$\text{Hの質量} \Rightarrow 16.2 \underset{H_2O(mg)}{\bigg|} \times \underset{H(mg)}{\frac{2H}{H_2O}\bigg|} = 16.2 \times \frac{2.0}{18.0} = 1.8\,\text{mg}$$

有機化合物15.4 mg 中の O の質量は，

$$\underset{\text{有機化合物の質量}}{15.4\,\text{mg}} - (\underset{\text{Cの質量}}{12.0\,\text{mg}} + \underset{\text{Hの質量}}{1.8\,\text{mg}}) = \underset{\text{Oの質量}}{1.6\,\text{mg}} \quad \text{になる。}$$

よって，それぞれを mol に変換することで，元素の個数の比がわかる。

mg から g に変換している

$$\frac{12.0 \times 10^{-3}}{\text{Cの原子量}} : \frac{1.8 \times 10^{-3}}{\text{Hの原子量}} : \frac{1.6 \times 10^{-3}}{\text{Oの原子量}}$$

$1.6\,\text{mg} \times \dfrac{1\,\text{g}}{10^3\,\text{mg}}$　$\left(\begin{array}{l}\times 10^{-3} \text{ はなくても}\\ \text{物質量 (mol) 比は}\\ \text{変わらない}\end{array}\right)$
$= 1.6 \times 10^{-3}\,\text{g}$

$$= \frac{12.0 \times 10^{-3}}{12.0} : \frac{1.8 \times 10^{-3}}{1.0} : \frac{1.6 \times 10^{-3}}{16.0} \quad \leftarrow \text{物質量 (mol) の比}$$

$$= \quad 1 \quad : \quad 1.8 \quad : \quad 0.1 \quad \Big\rangle \text{整数になるように 10 倍する}$$

$$= \quad 10 \quad : \quad 18 \quad : \quad 1$$

物質量 (mol) の比＝個数の比となるので，組成式は $C_{10}H_{18}O$ になる。

チェック問題 2   標準 3分

炭素，水素，酸素，硫黄からなる有機化合物の元素分析を行ったところ，炭素，水素，硫黄の質量パーセントが表のようになった。この有機化合物の組成式として最も適当なものを，下の①～⑥のうちから 1 つ選べ。

ただし，H＝1.0，C＝12，O＝16，S＝32 とする。

表

各元素の質量パーセント		
C	H	S
39.1%	8.7%	34.8%

① CH_4OS 　　② C_2H_6OS 　　③ $C_2H_6O_2S$

④ C_3H_8OS 　　⑤ $C_3H_8O_2S$ 　　⑥ $C_3H_8O_2S_2$

④

この有機化合物が100 g あれば，C の質量＝39.1 g，H の質量＝8.7 g，S の質量＝34.8 g，O の質量＝$\underset{\substack{\text{有機化合物}\\\text{の質量 (g)}}}{100}$ － （$\underset{\substack{\text{C の質量}\\\text{(g)}}}{39.1}$ ＋ $\underset{\substack{\text{H の質量}\\\text{(g)}}}{8.7}$ ＋ $\underset{\substack{\text{S の質量}\\\text{(g)}}}{34.8}$）＝17.4 g

よって，

$$\underset{\text{物質量 (mol) の比}}{C:H:O:S} = \frac{39.1}{12}:\frac{8.7}{1.0}:\frac{17.4}{16}:\frac{34.8}{32}$$

$$\fallingdotseq \quad 3.25 \quad : \quad 8.7 \quad : \quad 1.08 \quad : \quad 1.08$$

$$\fallingdotseq \quad 3 \quad : \quad 8 \quad : \quad 1 \quad : \quad 1$$

↙ 最も mol の少ない O や S の mol で 全体を割る

となり，組成式は C_3H_8OS になる。

 組成式がわかれば，分子量から分子式を求められるね。

そうだね。もし，組成式が CH_2O で分子量が60だったら，C＝12，H＝1.0，O＝16とすると，$CH_2O = \underset{C}{12} + \underset{H}{1.0 \times 2} + \underset{O}{16} = 30$になるよね。分子式は $(CH_2O)_n$ と表せるので，$30n = 60$ より $n = 2$ となり，分子式は $(CH_2O)_2 = C_2H_4O_2$ と求められるんだ。

2 異性体について

 なぜ有機化学では炭素 C にこだわるの？

数多くある原子の中で，炭素原子 C だけが他の炭素原子 C と安定な共有結合によりさまざまな長さ・種類の鎖や環をつくり，無数の化合物をつくるからなんだ。そのため，有機化合物には**分子式が同じでも性質の異なる化合物**（＝**異性体**）が存在することがある。

異性体には，構造式が異なる**構造異性体**，原子のつながり方が同じで分子の立体構造が異なる**立体異性体**がある。また，立体異性体には，**シス‐トランス異性体**（幾何異性体）と**鏡像異性体**（光学異性体）があるんだ。

ポイント ▶ **異性体について**

● 異性体 {
① 構造異性体
② 立体異性体 {
(a) **シス‐トランス異性体**（幾何異性体）
(b) **鏡像異性体**（光学異性体）
}
}

3 構造異性体について

→たとえば，$-\overset{|}{C}-\overset{|}{C}-O-$ と $-\overset{|}{C}-O-\overset{|}{C}-$ のような関係

構造異性体は，原子のつながり方が異なるために存在するんだ。

構造異性体については，❶「**炭素骨格の違い**」によるもの，❷「**官能基の違い**」によるもの，❸ 官能基や二重結合（C＝C）などの「**位置の違い**」によるものを考えればいいんだ。

【構造異性体の例】

❶ 分子式 C_4H_{10} の化合物には，「**炭素骨格が異なる**」構造異性体が2種類存在する。

まっすぐ…
$CH_3-CH_2-CH_2-CH_3$

枝あり $\overset{\displaystyle CH_3}{\underset{|}{}}$
$CH_3-CH-CH_3$

❷ 分子式 C_3H_8O の化合物には，$-OH$：**ヒドロキシ基**や $-\overset{|}{C}-O-\overset{|}{C}-$：**エーテル結合**という「**官能基が異なる**」構造異性体が存在する。

　㋑ $CH_3-CH_2-CH_2\underset{\text{ヒドロキシ基}}{-OH}$ 　　　㋺ $CH_3-CH_2\underset{\text{エーテル結合}}{-O-CH_3}$

❸ 分子式 C_3H_8O の化合物には，$-OH$：ヒドロキシ基の「**位置が異なる**」構造異性体が存在する。

　㋑ $CH_3-CH_2-CH_2$
　　C 骨格のはし → OH

　㋩ $CH_3-CH-CH_3$
　　C 骨格の途中 → OH

㋑と㋩は$-OH$の結合している位置が違う。

 まとめると，C_3H_8O には構造異性体が3種類（㋑，㋺，㋩）存在するね。

チェック問題 3　　　易　1分

次の □ にあてはまる数を，下の①〜⑥のうちから1つ選べ。

分子式 C_3H_8O の化合物には，□ 個の構造異性体がある。
① 1　　② 2　　③ 3　　④ 4　　⑤ 5　　⑥ 6

解答・解説

③

上の文章中の❷と❸を参照。

4 シス‐トランス異性体（幾何異性体）について

炭素‐炭素二重結合（C＝C）をもっている化合物が，二重結合を軸にして常温で自由に回転できないために生じる異性体を**シス‐トランス異性体（幾何異性体）**というんだ。

C＝Cはふつう自由に回転できない!!

シス‐トランス異性体（幾何異性体）には，置換基が C＝C 結合に対して**同じ側に結合しているもの**（＝シス形）と**反対側に結合しているもの**（＝トランス形）がある。

どちらも分子式は$C_4H_4O_4$

トラ に フマ れて，マレ に シス と覚えよう！
トランス形 ─ フマル酸 ─ マレイン酸 ─ シス形

チェック問題 4 　標準 1分

次の分子①〜⑤のうちから，シス‐トランス異性体（幾何異性体）が存在するものを 1 つ選べ。

① CH_3-CH_2-COOH 　　② $CH_3-CH(OH)-COOH$

③ $CH_2=CH-COOH$ 　　④ $HOOC-(CH_2)_4-COOH$

⑤ $HOOC-CH=CH-COOH$

解答・解説

⑤

①，②，④には，がないので検討しなくてよい。

③は、

$$\begin{matrix} H \\ H \end{matrix} C=C \begin{matrix} H \\ COOH \end{matrix}$$

└→ 同じHが結合しているので、シス-トランス異性体
（幾何異性体）は存在しない　　　　➡ 次の ポイント 参照

⑤には、マレイン酸とフマル酸のシス-トランス異性体が考えられる。

ポイント ▶ シス-トランス異性体（幾何異性体）について

$\begin{matrix} \alpha \\ \alpha \end{matrix} C=C$ の構造をもつ有機化合物にはシス-トランス異性体は生じない

思 考力のトレーニング 1　　やや難 2分

次の化合物は植物精油の成分の1つである。この構造式で示される化合物には幾何異性体はいくつあるか。下の①〜⑧のうちから1つ選べ。

$$CH_3-\overset{\overset{\displaystyle CH_3}{|}}{C}=CH-(CH_2)_2-\overset{\overset{\displaystyle CH_3}{|}}{C}=CH-(CH_2)_2-\overset{\overset{\displaystyle CH_3}{|}}{C}=CH-CH_2OH$$

① 幾何異性体は存在しない　　　　　　② 2　　　　③ 3
④ 4　　　⑤ 5　　　⑥ 6　　　⑦ 7　　　⑧ 8

解答・解説

④

$$\begin{matrix} CH_3 \\ CH_3 \end{matrix} C=CH-(CH_2)_2-\overset{\overset{\displaystyle CH_3}{|}}{C}=CH-(CH_2)_2-\overset{\overset{\displaystyle CH_3}{|}}{C}=CH-CH_2OH$$

⑦ココには幾何異性体　　⑦ココには幾何異性体
が存在する　　　　　　が存在する

同じ CH₃ が
結合しているので □□ の C＝C に
ついては幾何異性体は存在しない。

⑦のシス形に相当するもの ⇄ ⑦のシス形に相当するもの
⑦のトランス形に相当するもの ⇄ ⑦のトランス形に相当するもの

組み合わせは 4 通り

よって、2 × 2 ＝ 4 種類

5 鏡像異性体（光学異性体）について

不斉炭素原子をもつ分子には，たがいに**重ね合わせることのできない異性体が存在**し，この1対の異性体をたがいに**鏡像異性体**または**光学異性体**であるというんだ。

不斉炭素原子って，どんな炭素原子なの？

異なる X，Y，Z，W が結合している炭素 C を**不斉炭素原子**（➡ ＊印をつけて他の C と区別することがある）という。

◀乳酸の構造式は覚えよう！

不斉炭素原子をもつ分子には，下の図のような「鏡にうつすもの（実像）」と「鏡にうつったもの（鏡像）」の関係にある1対の立体異性体が存在し，これを**鏡像異性体**とよんだり，**光に対する性質が異なるので光学異性体**とよんだりするんだ。

たがいに重ね合わせることは，どうしてもできないの？

「左手」と「鏡にうつった左手（➡ 右手になるよね）」は重ね合わせることはできない（同じものにならない）よね。

または，「左手用の手ぶくろを右手につけて使えない」と考えてもいいね。

ポイント ▶ **鏡像異性体（光学異性体）について**

● **不斉炭素原子 C*** を発見！ ➡ **鏡像異性体（光学異性体）**が存在する
　● 鏡像異性体（光学異性体）は，①光に対する性質が異なり，
　　　　　　　　　　　　　　②におい・味などの生理作用が異なることがある

チェック問題 5

たがいに鏡像の関係にある1対の鏡像異性体(光学異性体)に関する次の記述a～dについて、正誤の組み合わせとして正しいものを、右の①～⑧のうちから1つ選べ。

a 偏光(平面偏光)に対する性質が異なる。
b 融点・沸点が異なる。
c 立体構造が異なる。
d 分子式が異なる。

	a	b	c	d
①	正	正	正	正
②	正	正	誤	正
③	正	誤	正	誤
④	正	誤	誤	誤
⑤	誤	正	正	誤
⑥	誤	正	誤	誤
⑦	誤	誤	正	正
⑧	誤	誤	誤	正

解答・解説

③

鏡像異性体どうしは、ほとんどの物理的性質(融点・沸点・密度など)や化学的性質(反応のようす)は同じである。

a 光に対する性質(旋光性)が異なる。〈正しい〉
b 物理的性質(融点や沸点など)は同じ。〈誤り〉
c 左手と右手の違いのこと。つまり、立体構造が異なる。〈正しい〉
d 分子式は同じである。〈誤り〉

チェック問題 6

次の化合物ア～カのうち、不斉炭素原子をもつ化合物が2つある。その組み合わせとして正しいものを、下の①～⑥のうちから1つ選べ。

ア $CH_3CH_2CH_3$
イ $CH_3CH(OH)CH_3$
ウ $CH_3CH(OH)CH_2COOH$
エ $CH_3CH=CHCH_3$
オ $CH_2(OH)CH(OH)CH_2OH$
カ $CH_3CH(NH_2)COOH$

① イ・エ   ② ウ・カ   ③ エ・オ
④ ア・オ   ⑤ イ・ウ   ⑥ オ・カ

第 6 章

有機化合物

② 　ウ　$CH_3 - \overset{\overset{\displaystyle H}{\displaystyle |}}{\underset{\underset{\displaystyle OH}{\displaystyle |}}{C^*}} - CH_2 - COOH$ （C*は不斉炭素原子）　　　カ　$CH_3 - \overset{\overset{\displaystyle H}{\displaystyle |}}{\underset{\underset{\displaystyle NH_2}{\displaystyle |}}{C^*}} - COOH$　「アラニン」という

6 異性体のまとめ

共通テストで，頻出する異性体の分子式は限られているんだ。

じゃあ、すべてを覚えてしまえばいいね。

そうだね。ただ，ある程度は考えながら暗記した方が忘れにくいと思うよ。

❶ 炭素 C 骨格のパターン

まずは，炭素 C 骨格のパターンを覚えてね。

① 鎖状構造 の場合は，
→「くさり状」のこと。枝分かれがあっても大丈夫！

C_3 ➡ C－C－C 　　のみの 1 種類
└ 3 つまっすぐ

C_4 ➡ C－C－C－C ， $\begin{array}{c} C \\ | \\ C-C-C \end{array}$ 　の 2 種類
└ 4 つまっすぐ　　└ 3 つまっすぐ　←枝 1 つ

C_5 ➡ C－C－C－C－C ， $\begin{array}{c} C \\ | \\ C-C-C-C \end{array}$ ， $\begin{array}{c} C \\ | \\ C-C-C \\ | \\ C \end{array}$ 　の 3 種類
└ 5 つまっすぐ　　└ 4 つまっすぐ　←枝 1 つ　　←枝 2 つ　3 つまっすぐ

② 環状構造 の場合は，
→「わ」になっているもの

C_3 ➡ $\begin{array}{c} C \\ C-C \end{array}$ ←三角形　　のみの 1 種類　　C_4 ➡ $\begin{array}{c} C-C \\ | \quad | \\ C-C \end{array}$ ←四角形　と　$\begin{array}{c} C \\ C-C-C \end{array}$ ←三角形に枝 1 つ　の 2 種類

になる。
次に，O のつなぎ方のパターンを覚えよう。

❷ 酸素 O のつなぎ方のパターン

酸素 O は－O－（手が 2 本）なので，つなぎ方には次の パターン I と パターン II がある。

パターン I 　エーテルをつくる。

例　$\cdots -\overset{|}{\underset{|}{C}} - \overset{|}{\underset{|}{C}} \overset{\downarrow}{-} \overset{|}{\underset{|}{C}} -$ 　　→　　$\cdots -\overset{|}{\underset{|}{C}} - \overset{|}{\underset{|}{C}} - \boxed{O} - \overset{|}{\underset{|}{C}} -$
　　　　　　C と C の間に O を入れる　　　　　　　　　　エーテル結合
　　　　　　　　　　　　　　　　　　　　　　　　　　エーテルだね。

例　　$\cdots$―C―C―C―H　――C と H の間に O を入れる――　$\cdots$―C―C―C―H　　←ヒドロキシ基

アルコールだね。

ここから，頻出する分子式とその異性体を紹介していくね。

❸ C と H だけからなる場合

① C_nH_{2n+2} の型 ―→ **すべて単結合からできている。鎖状構造のみ。**

❶ C_4H_{10} ―→ C 骨格のパターンを 鎖状 で考える。

㋐
$$CH_3―CH_2―CH_2―CH_3$$

㋑
$$CH_3―\overset{\displaystyle CH_3}{\underset{}{CH}}―CH_3$$ ← C_4 の 鎖状 は 2 つ

構造異性体が，㋐ と ㋑ の 2 種類存在する。

❷ C_5H_{12} ―→ C 骨格のパターンを 鎖状 で考える。

㋐
$$CH_3―CH_2―CH_2―CH_2―CH_3$$

㋑
$$CH_3―CH_2―\overset{\displaystyle CH_3}{CH}―CH_3$$

㋒
$$CH_3―\overset{\displaystyle CH_3}{\underset{\displaystyle CH_3}{C}}―CH_3$$ ← C_5 の 鎖状 は 3 つ

構造異性体が，㋐ ～ ㋒ の 3 種類存在する。

② C_nH_{2n} の型 ―→ C＝C か環状構造をもつ（n が 3 以上の場合）。

❶ C_3H_6

㋐
$$CH_2＝CH―CH_3$$

㋑
$$\overset{\displaystyle CH_2}{\underset{\displaystyle CH_2―CH_2}{}}$$
環状構造の
パターンは
これだけ

$\overset{H}{\underset{H}{\Big>}}C＝C\big<$　の形をもつので
シス-トランス異性体は存在しない

構造異性体が，㋐ と ㋑ の 2 種類存在する。

❷ C_4H_8

考え方　まず，C 骨格のパターンを 鎖状 で考え，↑ の位置に C＝C を入れていく。次に，C 骨格のパターンを 環状 で考える。

C 骨格のパターン：C_4 の 鎖状 は 2 つ

㋐ ～ ㋒ の位置にそれぞれ C＝C を入れると……

第
6
章

有
機
化
合
物

⑦ $CH_2 = CH-CH_2-CH_3$　シス-トランス異性体は存在しない

④ $CH_3-CH = CH-CH_3$　シス-トランス異性体が存在する

⑨
$$CH_2 = \overset{\overset{\displaystyle CH_3}{|}}{C}-CH_3$$
シス-トランス異性体は存在しない

C 骨格のパターンを 環状 で考えると……

㋓
$$\begin{array}{ccc} H_2C & - & CH_2 \\ | & & | \\ H_2C & - & CH_2 \end{array}$$

㋔
$$\begin{array}{c} CH_2 \\ \diagup \quad \diagdown \\ CH_2 - CH-CH_3 \end{array}$$

C 骨格のパターン：C₄ の 環状 は 2 つ

構造異性体が，⑦ 〜 ㋔ の 5 種類存在する。

ただし，④には
$$\underset{H}{\overset{CH_3}{\diagdown}}C=C\underset{H}{\overset{CH_3}{\diagup}}$$
シス形
と
$$\underset{H}{\overset{CH_3}{\diagdown}}C=C\underset{CH_3}{\overset{H}{\diagup}}$$
トランス形
が存在する。

チェック問題 7　やや難 3分

次の文中の空欄（ a ・ b ）にあてはまる数字を答えよ。

分子式 C_4H_8 で表される炭化水素の構造異性体には，鎖状のものが a 種類存在し，環状のものが b 種類存在する。

解答・解説

a 3　b 2

　上の文章 C_4H_8 の解説から，鎖状のものが⑦〜⑨の 3 種類，環状のものが㋓と㋔の 2 種類存在することがわかる。構造異性体だけを考えるので，立体異性体(シス-トランス異性体や鏡像異性体)は考えない。

❹ C，H，O からなる場合

❶ $C_nH_{2n+2}O$ の型 ⟶ すべて単結合からできている。鎖状構造のみ。

❶ C_3H_8O

考え方　C 骨格のパターンを 鎖状 で考えて，⑦ 〜 ⑨の↑の位置に O を入れる。

C 骨格のパターン：C₃ の鎖状は 1 つ

⑦ エーテルをつくる

$$-C-C-C-$$

① ②
アルコールをつくる

⑦ ～ ⑦ の位置にそれぞれ O を入れると……

⑦ $CH_3-O-CH_2-CH_3$　　① $CH_2-CH_2-CH_3$　　⑦ $CH_3-CH-CH_3$
　　　　　　　　　　　　　　　　　　　$\underset{|}{}OH$　　　　　　　　　　　$\underset{|}{}OH$

⑦ ～ ⑦ の 3 種類の構造異性体が存在する (p.369)。

❷ $C_4H_{10}O$

考え方 C 骨格のパターンを 鎖状 で考えて，⑦ ～ ⑨ の↑の位置に O を入れる。

C 骨格のパターン：C_4 の鎖状は 2 つ

エーテルをつくる　　　　　　　エーテルをつくる
⑦ ①　　　　　　　　　　⑦
$$-C-C-C-C-$$　　　　　　$$-C-C-C-$$

⑦ ① 　　　　　　　　　　⑦ ⑨
アルコールをつくる　　　　　　　アルコールをつくる

⑦ ～ ⑨ の位置にそれぞれ O を入れると……

⑦ $CH_3-O-CH_2-CH_2-CH_3$　　　　① $CH_3-CH_2-O-CH_2-CH_3$

⑦ $\underset{}{CH_3-O-\underset{|}{CH}-CH_3}$ 　　　　　　　　　　⇒ ⑦ ～ ⑦ はエーテル
　　　　　　$\overset{CH_3}{|}$

① $CH_2-CH_2-CH_2-CH_3$　　　　② $CH_3-\overset{*}{CH}-CH_2-CH_3$
　$\underset{|}{}OH$　　　　　　　　　　　　　　　　$\underset{|}{}OH$ （C^* は不斉炭素原子）

⑦ $\underset{}{CH_2-\underset{|}{CH}-CH_3}$　　　　　⑨ $\underset{}{CH_3-\underset{|}{C}-CH_3}$
　　$\overset{CH_3}{|}$　　　　　　　　　　　　　　$\overset{CH_3}{|}$
　$\underset{}{OH}$　　　　　　　　　　　　　　$\underset{}{OH}$　　⇒ ① ～ ⑨ はアルコール

構造異性体が，⑦ ～ ⑨ の 7 種類存在する。ただし，② には不斉炭素原子があるので，鏡像異性体 (光学異性体) が存在する。

分子式に Cl や Br を含んでいるときはどうするの？

Cl や Br などのハロゲン原子を含む場合は，**ハロゲン原子 (−Cl，−Br など) を水素原子 (−H) とみなして異性体を探し，その後に水素原子 (−H) をハロゲン原子 (−Cl，**

－Br など)へ**戻す**といいんだ。

次の記述 a ～ c 中の，□1□ ～ □3□ にあてはまる数を，次の①～⑧のうちから１つずつ選べ。ただし，同じ数を２回以上選んでもよい。

a 分子式 C_5H_{12} で表される化合物のすべての異性体の数は，□1□ である。

b 分子式 C_3H_5Br で表され，二重結合を１つもつ化合物のすべての異性体の数は □2□ である。

c 分子式 $C_4H_{10}O$ で表される化合物には，鏡像異性体(光学異性体)も含めて８個の異性体が存在する。このうち，アルコールの数は □3□ である。

① 1　② 2　③ 3　④ 4　⑤ 5　⑥ 6　⑦ 7　⑧ 8

解答・解説

a ③　　b ④　　c ⑤

a $CH_3-CH_2-CH_2-CH_2-CH_3$

$$CH_3-CH_2-\overset{\displaystyle CH_3}{\overset{|}{CH}}-CH_3$$

$$CH_3-\overset{\displaystyle CH_3}{\underset{\displaystyle CH_3}{\overset{|}{\underset{|}{C}}}}-CH_3 \quad の３つ（➡ p.375)。$$

b C_3H_6 とみなして考える。分子式が C_3H_6 で，二重結合を１つもつ化合物は $CH_2=CH-CH_3$ となる。

ここで，㋐ ～ ㋒ の位置にある－H を－Br に戻すと，

㋐には

シス形　　と　　トランス形　　が存在し，

⑦ $CH_2 = C - CH_3$ ⑨ $CH_2 = CH - CH_2$
　　　　|　　　　　　　　　　　　　　|
　　　　Br　　　　　　　　　　　　　Br

の4つの異性体が考えられる(⑦と⑨には，シス-トランス異性体は存在しない)。

> 注　異性体の数を答えるので，構造異性体だけでなく<u>立体異性体</u>を合わせて考える
> こと。　　　　　　　　　　　　　　└→ シス-トランス異性体や
> 　　　　　　　　　　　　　　　　　　　　鏡像異性体

c　－OH をもつものがアルコール。

p.377で探した $C_4H_{10}O$ の異性体の中で －OH をもつものを探す。

$CH_3 - \overset{*}{CH} - CH_2 - CH_3$
　　　　　|
　　　　　OH　　　　　　　　には，鏡像異性体があるので2つと数える点に注意
（C*は不斉炭素原子）　　する。この他に，

　　　　　　　　　　　　　　　　　　　CH$_3$　　　　　　　CH$_3$
　　　　　　　　　　　　　　　　　　　|　　　　　　　　　|
$CH_2 - CH_2 - CH_2 - CH_3$ ，　$CH_2 - CH - CH_3$ ，　$CH_3 - C - CH_3$ があり，合計
|　　　　　　　　　　　　　　　　　|　　　　　　　　　|
OH　　　　　　　　　　　　　　　　OH　　　　　　　　OH

5つ。

（思）**考力のトレーニング2**　やや難 3分

次の化合物 A の構造異性体のうち，カルボニル基をもつものは [a] 種類ある。[a] にあてはまる数字を答えよ。

化合物 A

解答・解説

a　**3**

化合物 A の分子式は C_4H_8O なので，求める構造異性体の分子式も C_4H_8O となる。

また，C_4 の骨格パターンは，C－C－C－C と $C - \overset{C}{C} - C$ の2種なので，この骨格にカルボニル基 $\diagdown C = O$ をもつものは，

$$\underset{\textcircled{$\mathcal{P}$}}{C}-\underset{\textcircled{$\mathcal{A}$}}{C}-C-C \qquad \overset{\displaystyle C}{\underset{\textcircled{$\mathcal{D}$}}{C}-C}-C \qquad \uparrow \text{の位置が} \quad \overset{\diagdown}{\diagup}C=O \text{ を表している}$$

の3種類(⑦, ⑦, ⑨)。よって, 次の3種類がカルボニル基をもつ構造異性体。

⑦ H—C—CH₂—CH₂—CH₃   ⑦ CH₃—C—CH₂—CH₃   ⑨ H—C—CH—CH₃
⎯ O ⎯   ⎯ O ⎯   CH₃
ホルミル基（アルデヒド基）   カルボニル基（ケトン基）   ⎯ O ⎯
                                                        ホルミル基（アルデヒド基）

ホルミル基（アルデヒド基）のもつ—C— はカルボニル基でもある
⎯⎯ ⎯⎯
O

注 $\overset{\displaystyle C}{\underset{\uparrow}{C}-C}-C$, $\overset{\displaystyle C}{C-\underset{\uparrow}{C}-C}$, $\overset{\displaystyle C\leftarrow}{C-C}-C$ は, どれも⑨である。

（↑の位置が $\overset{\diagdown}{\diagup}C=O$ を表している）

また,

$\overset{\displaystyle C}{\underset{\uparrow}{C}-C}-C$ は $\overset{\displaystyle C}{C-\underset{\|}{C}-C}$ となるが, この化合物は存在できない。
                                                ⎯⎯
                                                O

Cの手は4本が限界！

炭化水素

1 アルカン（C_nH_{2n+2}）について

　CとHだけからなる有機化合物を炭化水素 C_xH_y という。すべて単結合（C−C結合とC−H結合）からできている炭化水素 C_xH_y のうち，鎖状構造のものをアルカン，環状構造のものをシクロアルカンというんだ。

「環」を表す

「鎖状」つまり「くさり」のようにつながっている

アルカンの例

「環」つまり「わ」になっている

シクロアルカンの例

> 鎖状には，炭素がまっすぐにつながっているものや枝分かれでつながっているものがあるんだね。

　そうなんだ。まっすぐにつながっているものは「直鎖」ということもあるから，枝分かれの可能性も含んでいる「鎖状」との違いに気をつけてね。

　アルカンの炭素の数を n とすると，

両はしについているHは2個なので

Cの数を n 個とすると，C骨格の上と下にあるHの数は $2n$ 個

C_nH_{2n+2}
Hの合計は，$2n+2$個

となり，アルカンの一般式は，C_nH_{2n+2} になるんだ。

名　　称	分子式	構　　造	沸　点
メ タ ン　methane	CH_4　（$n=1$）	CH_4	低
エ タ ン　ethane	C_2H_6　（$n=2$）	CH_3-CH_3	
プロパン　propane	C_3H_8　（$n=3$）	$CH_3-CH_2-CH_3$	
ブ タ ン　butane	C_4H_{10}（$n=4$）	$CH_3-CH_2-CH_2-CH_3$	
ペンタン　pentane	C_5H_{12}（$n=5$）	$CH_3-CH_2-CH_2-CH_2-CH_3$	
ヘキサン　hexane	C_6H_{14}（$n=6$）	$CH_3-CH_2-CH_2-CH_2-CH_2-CH_3$	高

語尾が「-ane（アン）」

直鎖のアルカンは，分子量が大きくなるほどファンデルワールス力が強くなるので，沸点が高くなるよ

分子式（分子量）が同じ C_5H_{12} で表されるアルカンでは，分子の形が**直線状になる**
ほどファンデルワールス力が**強く**なり，沸点が**高く**なるよ。

沸点の順：$CH_3-\underset{\underset{CH_3}{|}}{\overset{\overset{CH_3}{|}}{C}}-CH_3$ ＜ $CH_3-CH_2-\underset{\underset{CH_3}{|}}{CH}-CH_3$ ＜ $\boxed{CH_3-CH_2-CH_2-CH_2-CH_3}$

　　　　　　　　　　球状　　　　　　　　　　やや直線状　　　　　　　　　　直線状

　　沸点10℃　　　　　　　　沸点28℃　　　　　　　　沸点36℃

　メタン CH_4 は**天然ガスの主成分**で，天然ガス（主成分 CH_4）を低温で加圧し液化し
たものを **LNG（液化天然ガス）**という（→ NG は，Natural Gas「天然ガス」を表す）。
LNG は，都市ガスとして利用されているね。また，プロパン C_3H_8 やブタン C_4H_{10}
などを常温で加圧し液化したものを **LPG（液化石油ガス）**というんだ。

😀❓ アルカンは，どんな化学反応をするの？

　アルカンは，C−C や C−H が共有結合で強く結びつき，とても安定で反応しにく
いんだ。
　だから，**❶ O_2 と混ぜて点火する，❷ Cl_2 と混ぜて光**（紫外線）**をあてる**などの過激
な条件でやっと反応する。
　❶の条件では，完全燃焼して CO_2 と H_2O ができる。

反応式：$C_nH_{2n+2} + \dfrac{3n+1}{2}O_2 \longrightarrow nCO_2 + (n+1)H_2O$
　　　　アルカン

　❷の条件では，H が次々に Cl と置き換わっていく（＝**置換反応**）。

$H-\underset{\underset{H}{|}}{\overset{\overset{H}{|}}{C}}-H$ ＋ $Cl-Cl$ $\xrightarrow{\text{光}}$ $H-\underset{\underset{H}{|}}{\overset{\overset{H}{|}}{C}}-Cl$ ＋ $H-Cl$

　　　　　　光をあてることで反応性の高い
　　　　　　Cl が生じ，Cl が H と置き換わる‼

$H-\underset{\underset{H}{|}}{\overset{\overset{H}{|}}{C}}-H$ $\xrightarrow[\text{置換}]{Cl_2,\ \text{光}}$ $H-\underset{\underset{H}{|}}{\overset{\overset{H}{|}}{C}}-Cl$ $\xrightarrow[\text{置換}]{Cl_2,\ \text{光}}$ $H-\underset{\underset{Cl}{|}}{\overset{\overset{H}{|}}{C}}-Cl$ $\xrightarrow[\text{置換}]{Cl_2,\ \text{光}}$ $H-\underset{\underset{Cl}{|}}{\overset{\overset{Cl}{|}}{C}}-Cl$ $\xrightarrow[\text{置換}]{Cl_2,\ \text{光}}$ $Cl-\underset{\underset{Cl}{|}}{\overset{\overset{Cl}{|}}{C}}-Cl$

メタン　　　　　クロロメタン　　　　ジクロロメタン　　　トリクロロメタン　　テトラクロロメタン
　　　　　　　└→Cl を示している　└→2個を示している　└→3個を示している　└→4個を示している
　　　　　　　（塩化メチル）　　　（塩化メチレン）　　（クロロホルム）　　（四塩化炭素）

　最も簡単なアルカンである CH_4 は，実験室では酢酸ナトリウム CH_3COONa の固
体と NaOH の固体を混ぜ，加熱してつくる。

$$CH_3\underline{COONa} + Na\underline{O}H \longrightarrow CH_4 + Na_2CO_3$$

「中間」がとれて，Na_2CO_3 が生じる!!

中間がなくなり残る

この反応のように有機化学では，**視覚的に覚えやすい反応**が多いんだ。

❶と❷がこの実験のポイント

CH_3COONa と NaOH

❶ 固体どうしの反応なので加熱する

CH_4は水に溶けにくいので水上置換で集める

❷ CH_4

〈CH_4の製法〉

思考力のトレーニング 1　やや難 2分

　アルカンと塩素の混合物に，光を照射すると，水素原子が塩素原子で置換される。この反応で生成するモノクロロ置換体(一塩素化物)の構造異性体の数を調べ，アルカンを互いに識別する方法がある。次の炭素数5のアルカン(ア)〜(ウ)からそれぞれ何種類のモノクロロ置換体が得られるか。その組み合わせとして正しいものを，右の①〜⑤のうちから1つ選べ。ただし，鏡像異性体(光学異性体)は考えないものとする。

(ア)　$CH_3CH_2CH_2CH_2CH_3$
(イ)　$CH_3CH(CH_3)CH_2CH_3$
(ウ)　$C(CH_3)_4$

	(ア)	(イ)	(ウ)
①	3	1	4
②	1	4	3
③	4	1	3
④	4	3	1
⑤	3	4	1

解答・解説

⑤

モノクロロ置換体の構造異性体の構造式を示す。

└ 1個の H が Cl と置き換わったもの

(ア)　$CH_3-CH_2-CH_2-CH_2-\underset{Cl}{CH_2}$　　　$CH_3-CH_2-CH_2-\underset{Cl}{CH}-CH_3$

$CH_3-CH_2-\underset{Cl}{CH}-CH_2-CH_3$

〈3種類〉

(イ)　　$\underset{\underset{}{CH_3}}{CH_3-CH}-CH_2-\underset{\underset{Cl}{}}{CH_2}$　　　　$\underset{\underset{}{CH_3}}{CH_3-CH}-\underset{\underset{Cl}{}}{CH}-CH_3$

　　　$\underset{\underset{Cl}{}}{CH_3-\underset{\overset{CH_3}{|}}{C}}-CH_2-CH_3$　　　$\underset{\underset{Cl}{}}{CH_2}-\underset{\overset{CH_3}{|}}{CH}-CH_2-CH_3$

　　　　　　　　　　　　　　　　　　　　　　　〈4種類〉

(ウ)　　$\underset{\underset{CH_2Cl}{}}{CH_3-\underset{\overset{CH_3}{|}}{C}}-CH_3$

　　　　　　　　　　　　　　　　　　　　　　　〈1種類〉

> シクロアルカンは，C と H だけからできていて，
> C−C 結合と C−H 結合だけからなる環状のものだったよね。

　そうだね。アルカン C_nH_{2n+2} から H が 2 個なくなると，環が 1 つ生じてシクロアルカンになる。

　アルカン C_nH_{2n+2} から H が 2 個減るから，シクロアルカンの一般式は C_nH_{2n} になる。

ポイント ▶ **シクロアルカン C_nH_{2n} について**

例

ひずみが大きく
とても不安定 → シクロプロパン　　　シクロヘキサン

注　正六角形で表すことが多いシクロヘキサンにはいす形や舟形とよばれる立体構造があるが，ほとんどは安定ないす形（室温で 99.9% 以上がいす形）で存在している。よって，シクロヘキサンのすべての炭素原子は同一平面上にない。

いす形（安定）　　　　　　　舟形（不安定）

2 アルケン（C_nH_{2n}）について

　炭化水素のなかで，**炭素-炭素二重結合（C＝C）を1つもち鎖状のものをアルケン**
という。アルケンの炭素の数を n とすると，

$$H-\underset{\underset{\boxed{H\ H}}{H}}{\overset{H}{C}}-\underset{H}{\overset{H}{C}}-\cdots\cdots-\underset{H}{\overset{H}{C}}-\underset{H}{\overset{H}{C}}-H \xrightarrow{-2H} H-\underset{H}{\overset{H}{C}}=\underset{}{\overset{H}{C}}-\cdots\cdots-\underset{H}{\overset{H}{C}}-\underset{H}{\overset{H}{C}}-H$$

アルカン（C_nH_{2n+2}）　　Hが2個とれると…　　C＝Cを1個生じる　　アルケン（C_nH_{2n+2-2}）　　Hの合計は，アルカンより2個少ない。

となり，アルケンの一般式は，C_nH_{2n} になるんだ。

名　称		分子式	示性式
エ テ ン	ethene	C_2H_4	$CH_2＝CH_2$
プロペン	propene	C_3H_6	$CH_2＝CHCH_3$
⋮	語尾が「-ene（ェン）」	⋮	⋮

- エテンは「**エチレン**」，プロペンは「**プロピレン**」と慣用名（昔から使われている名前）でよばれることも知っておいてね。
- アルカン（alkane）をアルカン（alkane）にかえて，エタン（ethane），プロパン（propane）と命名する。

　ブタン $CH_3-CH_2-CH_2-CH_3$ からH2個がとれたアルケンはどうよぶと思う？

　　「アン」を「エン」にして，ブテンでしょ？

　そうだね。ただ，ブテンには C＝C 結合の位置が異なる
　　$CH_2＝CH-CH_2-CH_3$ と $CH_3-CH＝CH-CH_3$
　　　　1-ブテン　　　　　　　　　2-ブテン
があるんだ。

1- や 2- は何を表しているの？

するどいね。C＝C結合のついている位置を区別するために，C骨格に番号をつけてよんでいるんだ。

$$\overset{1}{CH_2}=\overset{2}{CH}-\overset{3}{CH_2}-\overset{4}{CH_3}$$

1-ブテン

$$\overset{1}{CH_3}-\overset{2}{CH}=\overset{3}{CH}-\overset{4}{CH_3}$$

2-ブテン

1-ブテンは $\overset{4}{CH_2}=\overset{3}{CH}-\overset{2}{CH_2}-\overset{1}{CH_3}$ と考えて3-ブテンじゃダメなの？

ダメなんだ。<u>C＝C結合の位置番号が小さくなるようにC骨格に番号をつける</u>んだよ。2-ブテン $\overset{1}{CH_3}-\overset{2}{CH}=\overset{3}{CH}-\overset{4}{CH_3}$ には，

シス-2-ブテン　と　トランス-2-ブテン

のシス-トランス異性体（幾何異性体）が存在することにも気づくようになってね。

あと，エチレンやプロペンの立体構造をおさえてほしいんだ。C＝CとC＝Cに直接結合している原子つまり $\underset{\triangle}{\overset{\bigcirc}{}}C=C\overset{\square}{\underset{\times}{}}$ の ○，△，□，×は同一平面上にあるのでエチレンとプロペンの立体構造は次のようになる。

エチレン
すべての原子（©と⊕）は
常に同一平面上にある

この©の手が
正四面体方向に
のびている

プロペン
©は常に同一平面上にある

アルケンは，どんな化学反応をするの？

アルケンは，C＝C結合を1つもっていたよね。**この二重結合のうち1本の結合は反応しやすく，酸**（HCl，CH_3COOH など），**ハロゲン**（Cl_2，Br_2 など），H_2などを付加する（＝<u>付加反応</u>）んだ。

例 $CH_2=CH_2$ $\xrightarrow[\text{付加}]{H \nrightarrow Cl}$ CH_2-CH_2 クロロエタン
　　　　　　　　　　　　　　　 $|$ 　 $|$
　　　　　　　　　　　　　　　 H 　 Cl

　　 赤褐色
$CH_2=CH_2$ $\xrightarrow[\text{付加}]{Br \nrightarrow Br}$ $\overset{1}{C}H_2-\overset{2}{C}H_2$ ←Br_2 の赤褐色が消える
　　　　　　　　　　　　　　 $|$ 　 $|$
　　　　　　　　　　　　　　 Br 　 Br

　　　　　　　　　　　　　　 ┌─2個を示している
　　　　　　　　　　1, 2-ジブロモエタン
　　　　　　　　　　└─────Br を示している
　　　　　　　　　　炭素原子の位置番号を示している

$CH_2=CH_2$ $\xrightarrow[\text{触媒(PtやNi)}]{H \nrightarrow H}$ CH_2-CH_2 ←Pt や Ni を触媒として利用する
　　　　　　　　　　　　　　　 $|$ 　 $|$
　　　　　　　　　　　　　　　 H 　 H
　　　　　　　　　　　　　　　 エタン

Br_2 の付加は赤褐色が消えるので C=C 結合の検出に利用できる。

また，**アルケンの C=C 結合は酸化されやすい**。そのため，アルケンを硫酸で酸性にした過マンガン酸カリウム $KMnO_4$ 水溶液と反応させると，C=C 結合が**酸化**されて MnO_4^- **の赤紫色が消える**んだ。

エチレン$CH_2=CH_2$
を通すと…
エチレンを通す

KMnO₄水溶液（赤紫色）　　　 MnO_4^- の赤紫色が消える

最も簡単なアルケンであるエチレン $CH_2=CH_2$ は，実験室ではエタノール C_2H_5OH に濃硫酸 H_2SO_4 を加えて，約160℃～170℃に加熱してつくるんだ。

　　　　H　H
　　　　|　|　　　160～170℃　　　H　　　　H
H-C-C-H　$\xrightarrow{濃硫酸}$　　$\underset{H}{\overset{H}{>}}C=C\underset{H}{\overset{}{<}}$ ＋ $\boxed{H_2O}$
　　　　|　|
　　　　H　OH　エタノール　　　　　　エチレン

分子内で脱水する
（H₂Oがとれる）

チェック問題 1　　　標準 2分

　エチレン（エテン）に関する記述として正しいものを，次の①〜⑥のうちから2つ選べ。

①　メタノールと濃硫酸との混合物を加熱すると生成する。
②　炭素−炭素原子間の結合において，一方の炭素原子を固定したとき，他方の炭素原子は自由に回転できない。
③　水に溶けやすく，引火性がない。
④　塩素を付加させると，1,1-ジクロロエタンが生成する。
⑤　水を付加させると，エチレングリコールが生成する。
⑥　臭素水に通じると，臭素水の色が消える。

解答・解説

②，⑥

①　メタノール〈誤り〉➡ エタノールが正しい。

②　一方のCを固定したとき，C＝C結合は自由に回転できない。〈正しい〉

③　水に溶けにくく，引火性が強い。〈誤り〉

④　$CH_2=CH_2 \xrightarrow[\text{付加}]{Cl_2} CH_2-CH_2$ 〈誤り〉
　　エチレン　　　　　　　　｜　　｜
　　　　　　　　　　　　　 Cl　Cl　1,2-ジクロロエタン

　　　　　　　　　　　　　　　2個を示している
　　　　　　　　　　　　　　　Clを示している
　　　　　　　　　　　　炭素原子の位置番号を示している

⑤　$CH_2=CH_2 \xrightarrow[\text{付加}]{H_2O} CH_2-CH_2$ 〈誤り〉
　　エチレン　　　　　　　　｜　　｜
　　　　　　　　　　　　　 H　OH　エタノール
　　　　　　　　　　　　　　　エチレングリコールではない。

⑥ Br₂との反応は，C＝C や C≡C の検出反応に利用される。〈正しい〉

チェック問題 2

標準 **3**分

次の化合物 a ～ d の炭素原子間の二重結合に臭素(Br₂)が付加したとする。このとき，反応生成物が不斉炭素原子を1個だけもつ化合物はどれか。その組み合わせとして正しいものを，下の①～⑧のうちから1つ選べ。

a
$$H \quad \ \ Br$$
$$\ \ C=C$$
$$H \quad \ \ H$$

b
$$H \quad \ \ CH_3$$
$$\ \ C=C$$
$$H \quad \ \ H$$

c
$$H \quad \ \ CH_3$$
$$\ \ C=C$$
$$Cl \quad \ \ H$$

d
$$H \quad \ \ Br$$
$$\ \ C=C$$
$$Cl \quad \ \ H$$

① a・b ② a・c ③ a・d ④ b・c
⑤ b・d ⑥ a・b・c ⑦ a・c・d ⑧ b・c・d

解答・解説

⑤

a ～ d の Br₂ 付加後の生成物は次のようになる。

a

C*はなし

b

C*は1個

c

C*は2個

d

C*は1個

左の C* のようす　　　右の C* のようす

注 □, ○, △, ◇のようにすべて異なる原子や原子団(原子の集団)が結合していると，不斉炭素原子 C* になる。

よって，b，d が不斉炭素原子 C* を1個だけもつ。

自然界の炭素には^{12}Cと^{13}Cが存在し，^{13}Cが原子数の割合で1.0%含まれる。炭素原子として^{13}Cを1個だけ含むエチレン分子は，6.0×10^{23}個のエチレンに何個含まれるか。最も適当な数値を，次の①～⑥のうちから1つ選べ。

① 3.0×10^{19}　　② 6.0×10^{19}　　③ 1.2×10^{20}

④ 3.0×10^{21}　　⑤ 6.0×10^{21}　　⑥ 1.2×10^{22}

解答・解説

⑥

^{13}Cを1個だけ含むエチレンは $\begin{smallmatrix}H\\H\end{smallmatrix}\!\!>\!\!{}^{13}C\!=\!{}^{12}C\!\!<\!\!\begin{smallmatrix}H\\H\end{smallmatrix}$ のように^{12}Cも1個だけ含む。

エチレンのもつ炭素原子を $\begin{smallmatrix}H\\H\end{smallmatrix}\!\!>\!\!C\!=\!C\!\!<\!\!\begin{smallmatrix}H\\H\end{smallmatrix}$ とすると，^{13}Cを1個だけ含む
　　　　　　　　　　　　　　　 a　b

エチレン分子の個数は，a，bの炭素原子が「ともに^{12}Cになる場合」と「ともに^{13}Cになる場合」をエチレンの全個数である6.0×10^{23}個から引けばよい。

$$6.0 \times 10^{23} - \underbrace{\left(\frac{100-1.0}{100}\right) \times \left(\frac{100-1.0}{100}\right) \times 6.0 \times 10^{23}}_{\text{a, bともに}^{12}\text{Cのエチレン}} - \underbrace{\left(\frac{1.0}{100}\right) \times \left(\frac{1.0}{100}\right) \times 6.0 \times 10^{23}}_{\text{a, bともに}^{13}\text{Cのエチレン}}$$

（エチレンの全個数／a, bともに^{12}Cのエチレン／$\begin{smallmatrix}H\\H\end{smallmatrix}\!\!>\!\!{}^{12}C\!=\!{}^{12}C\!\!<\!\!\begin{smallmatrix}H\\H\end{smallmatrix}$の個数／a, bともに^{13}Cのエチレン／$\begin{smallmatrix}H\\H\end{smallmatrix}\!\!>\!\!{}^{13}C\!=\!{}^{13}C\!\!<\!\!\begin{smallmatrix}H\\H\end{smallmatrix}$の個数）

$$= 6.0 \times 10^{23} \times \left(1 - \frac{99}{100} \times \frac{99}{100} - \frac{1}{100} \times \frac{1}{100}\right) \fallingdotseq 1.2 \times 10^{22} \text{個}$$

注　慣れてきたら，^{13}Cを1個だけ含むエチレン分子は，

$\begin{smallmatrix}H\\H\end{smallmatrix}\!\!>\!\!{}^{13}C\!=\!{}^{12}C\!\!<\!\!\begin{smallmatrix}H\\H\end{smallmatrix}$ と $\begin{smallmatrix}H\\H\end{smallmatrix}\!\!>\!\!{}^{12}C\!=\!{}^{13}C\!\!<\!\!\begin{smallmatrix}H\\H\end{smallmatrix}$ の②通りなので，

同じ分子（^{13}Cを1個だけ含むエチレン）になる

$$\underbrace{\frac{1.0}{100}}_{{}^{13}\text{Cの確率}} \times \underbrace{\frac{100-1.0}{100}}_{{}^{12}\text{Cの確率}} \times \underbrace{②}_{\text{2通り}} \times \underbrace{6.0 \times 10^{23}}_{\text{エチレンの全個数}} \fallingdotseq 1.2 \times 10^{22} \text{個含まれる　と解きたい。}$$

炭素-炭素二重結合(C＝C)をもつアルケンは付加反応したね。アルケンを適当な温度・圧力の下で反応させると，分子間で次々と付加反応が起こり，分子量の大きな化合物が生成する。

このとき，反応させる分子量の小さな化合物は**単量体(モノマー)**，生成する分子量の大きな化合物は**重合体(ポリマー)**という。**モノマーがくり返し結合してポリマーが生成する反応を重合，付加反応による重合を付加重合**というんだ。

例　$n\ CH_2＝CH_2$ ──付加重合──▶ $\left[CH_2-CH_2\right]_n$
エチレン　　　　　　　　　　　　ポリエチレン ➡ 容器やポリ袋などに利用

$n\ CH_2＝CH$ ──付加重合──▶ $\left[CH_2-CH\right]_n$
　　　｜Cl　　　　　　　　　　　　　　｜Cl
塩化ビニル　　　　　　　　　　　ポリ塩化ビニル ➡ パイプや消しゴムなどに利用

これらのポリマーは，**分子量の大きな樹脂状の物質で，合成樹脂(プラスチック)**とよばれる。

3 アルキン(C_nH_{2n-2})について

炭化水素のなかで，炭素-炭素三重結合(C≡C)を1つもち鎖状のものを**アルキン**という。

アルキンの炭素の数をnとすると，

となり，アルキンの一般式は，C_nH_{2n-2}になるんだ。

名　称	分子式	示性式
エ チ ン　ethyne	C_2H_2	$CH≡CH$

● エチンは「**アセチレン**」と慣用名でよばれることも知っておいてね。
● アルカン(alkane)をアルカン(alkane)にかえて，エタン(ethane)と命名する。
　　　キン　yne　　　　　　　チン　yne

C≡CとC≡Cに直接結合している原子，つまり △−C≡C−○ の △，○ は一直線上にあるので，アセチレンは直線状の分子になる。

H — C ⬭⬭ C — H （Ⓒ と Ⓗ は常に同一直線上にある）

あと，C 原子間の距離は，結合が増えると短くなることを知っておいてね。

$$
\begin{array}{ccc}
\underset{\substack{\text{エタン}}}{\underset{\longleftrightarrow}{\underset{0.15\text{nm}}{\text{H}-\overset{\text{H}}{\underset{\text{H}}{\text{C}}}-\overset{\text{H}}{\underset{\text{H}}{\text{C}}}-\text{H}}}} >
\underset{\substack{\text{エチレン}}}{\underset{\longleftrightarrow}{\underset{0.13\text{nm}}{\overset{\text{H}}{\underset{\text{H}}{\text{C}}}=\overset{\text{H}}{\underset{\text{H}}{\text{C}}}}}} >
\underset{\substack{\text{アセチレン}}}{\underset{\longleftrightarrow}{\underset{0.12\text{nm}}{\text{H}-\text{C}\equiv\text{C}-\text{H}}}}
\end{array}
$$

← 1nm＝10^{-7}cm

アルキンはどんな化学反応をするの？

アルキンの三重結合($C\equiv C$)は，アルケンの二重結合($C=C$)と同じように，いろいろな分子(酸，ハロゲン，水素など)を付加する(＝**付加反応**)んだ。

$$
-\text{C}\equiv\text{C}- \xrightarrow{\text{H}\overset{\cdot}{-}\text{X}} -\overset{|}{\underset{\text{H}}{\text{C}}}=\overset{|}{\underset{\text{X}}{\text{C}}}-
$$
切れる　切れて　　　←HとXがくっつく!

$$
-\text{C}\equiv\text{C}- \xrightarrow{\text{X}\overset{\cdot}{-}\text{X}} -\overset{|}{\underset{\text{X}}{\text{C}}}=\overset{|}{\underset{\text{X}}{\text{C}}}-
$$
切れる　切れて　　　←Xがそれぞれくっつく!

注 生じた $-\overset{|}{\text{C}}=\overset{|}{\text{C}}-$ に，さらに付加させることも可能

例 $\underset{\text{アセチレン}}{\text{H}-\text{C}\equiv\text{C}-\text{H}} \xrightarrow[\text{付加}]{\text{H}\overset{\cdot}{-}\text{Cl}} \boxed{\text{CH}_2=\text{CH}}\underset{\text{Cl}}{\underset{|}{}}$　塩化 ビニル

ビニル基という

$$
\text{H}-\text{C}\equiv\text{C}-\text{H} \xrightarrow[\text{付加}]{\text{CH}_3-\overset{\text{O}}{\overset{\|}{\text{C}}}-\text{O}\overset{\cdot}{-}\text{H}} \boxed{\text{CH}_2=\text{CH}}\underset{\underset{\|}{\overset{}{\text{O}}}-\text{C}-\text{CH}_3}{\underset{|}{}}
$$
酢酸 ビニル

$$
\text{H}-\text{C}\equiv\text{C}-\text{H} \xrightarrow[\text{付加}]{\text{H}\overset{\cdot}{-}\text{CN}} \text{CH}_2=\text{CH}\underset{\underset{\text{アクリロニトリル}}{\text{CN}}}{\underset{|}{}}
$$
名前に注意!!
暗記しよう!

● シアン化水素 HCN は，$\text{H}-\text{C}\equiv\text{N}$ の構造式で表され，三重結合を 1 つもつ。

$$
\text{H}-\text{C}\equiv\text{C}-\text{H} \xrightarrow[\text{付加}]{\text{Br}\overset{\cdot}{-}\text{Br}} \underset{\underset{\text{Br}}{\underset{|}{}}}{\text{HC}}=\underset{\underset{\text{Br}}{\underset{|}{}}}{\text{CH}} \xrightarrow[\text{付加}]{\text{Br}\overset{\cdot}{-}\text{Br}} \underset{\underset{\text{Br}}{\underset{|}{}}}{\overset{\overset{\text{Br}}{\overset{|}{}}}{\text{HC}}}-\underset{\underset{\text{Br}}{\underset{|}{}}}{\overset{\overset{\text{Br}}{\overset{|}{}}}{\text{CH}}}
$$
1,2-ジブロモエチレン　1,1,2,2-テトラブロモエタン

● Br_2 の赤褐色が脱色される。よって，Br_2 の付加は，$C=C$ 結合だけでなく $C\equiv C$ 結合の検出反応にも利用できる。

$$H-C\equiv C-H \xrightarrow[\substack{触媒(PtやNi)\\付加}]{H-H} HC=CH \xrightarrow[\substack{触媒(PtやNi)\\付加}]{H-H} HC-CH$$

エチレン　　　　　　エタン

← PtやNiが触媒として使われる。

アルキンに水 H_2O を付加させるときには注意が必要だよ。たとえば，アセチレン $CH\equiv CH$ に，硫酸水銀(Ⅱ)$HgSO_4$(Hg^{2+} をもつ)を触媒として水 H_2O を付加させるとビニルアルコールができるけど，**ビニルアルコールは不安定なので，すぐに構造異性体のアセトアルデヒドに変化する**んだ。

$$H-C\equiv C-H \xrightarrow[\substack{触媒(Hg^{2+})\\付加}]{O,H,H} \underset{\substack{ビニルアルコール\\(不安定)}}{H-C=C-O+H} \xrightarrow{分子内の転位} \underset{アセトアルデヒド}{H-C-C-H,O}$$

くっつく　Hがとぶ

$C=C$ に直接 $-OH$ がついた構造は不安定　← 覚えておこう!!

また，最も簡単なアルキンであるアセチレン $CH\equiv CH$ は，実験室では炭化カルシウム(カーバイド)CaC_2に水 H_2O を加えてつくる。

H^+を与える

$$^{-}C\equiv C^{-} + \underset{H^+を与える}{O,H,H} \longrightarrow H-C\equiv C-H + \begin{matrix}OH^-\\OH^-\end{matrix}$$

この左辺と右辺に Ca^{2+} を加えて，化学反応式が完成する！

加える　　　　　　　　　　　　　　加える

$$Ca^{2+}\ \ C\equiv C\ +\ 2H_2O \longrightarrow H-C\equiv C-H + Ca^{2+}\ \ 2OH^-$$

$$CaC_2\ +\ 2H_2O \longrightarrow C_2H_2\ +\ Ca(OH)_2$$　← まとめると完成する

❶～❹がこの実験のポイント

❹ $CH\equiv CH$は水に溶けにくいので，水上置換で集める

くびれのある側に傾けて水を注ぐと反応が起こる ❷

ふたまた試験管

気体の発生を止めるときは水をもとに戻す

炭化カルシウム CaC_2

水　　水槽

水 H_2O

くびれ

❶ くびれのある側に固体を入れ，反対に液体を入れる。

❸ この実験は加熱の必要がない

CH≡CH の製法

アセチレン CH≡CH を，赤熱した Fe にふれさせると，3分子が結合して
(➡ **3分子重合**)ベンゼン C_6H_6 が生じる。

この反応は，

と考えるといいよ。

それぞれの C≡C の1か所が切れて 共有結合する！

チェック問題 3

標準 2分

アルキンに関する記述として正しいものを，次の①〜⑧のうちから2つ選べ。

① アセチレン(エチン)は正四面体構造をしている。

② 1-ブチン CH≡C−CH₂−CH₃ の4つの炭素原子は，同一直線上にある。

③ アセチレン(エチン)は，炭酸カルシウムに水を作用させてつくられる。

④ アセチレン(エチン)に適当な触媒を用いて1分子の水を付加させると，酢酸が得られる。

⑤ アセチレン(エチン)に適当な触媒を用いて水素を付加させると，エタンを経てエチレン(エテン)が得られる。

⑥ アセチレン(エチン)に適当な触媒を用いて酢酸を付加させると，酢酸ビニルが得られる。

⑦ 炭素原子間の距離は，エタン，エチレン(エテン)，アセチレンの順に長くなる。

⑧ プロピン1分子に臭素2分子を付加して得られる生成物は，1, 1, 2, 2-テトラブロモプロパン CHBr₂CBr₂CH₃ である。

解答・解説

⑥, ⑧

① 正四面体構造〈誤り〉 ➡ 直線構造　$H-C≡C-H$ が正しい。

② 1-ブチンは $H-\overset{1}{C}≡\overset{2}{C}-\overset{3}{C}H_2$ 　のように表すことができるので，4つの

炭素原子は同一直線上にない。（^1C, ^2C, ^3C は同一直線上にある。）〈誤り〉

③ 炭酸カルシウム $CaCO_3$〈誤り〉 ➡ 炭化カルシウム CaC_2 が正しい。

④ 酢酸〈誤り〉 ➡ アセトアルデヒドが正しい。

$$CH≡CH \xrightarrow[\text{付加}]{H_2O} \left(\begin{array}{c} CH_2=CH \\ | \\ OH \end{array} \right) \xrightarrow[\text{ので変化}]{\text{不安定な}} CH_3-C\diagdown\diagup{}^O_H \quad \text{アセトアルデヒド}$$

⑤ エタンを経てエチレン〈誤り〉 ➡ エチレンを経てエタンが正しい。

$$CH≡CH \xrightarrow[\text{付加}]{H_2} CH_2=CH_2 \xrightarrow[\text{付加}]{H_2} CH_3-CH_3$$
アセチレン　　　　　エチレン　　　　　エタン

⑥ $CH≡CH \xrightarrow[\text{付加}]{CH_3COOH} \begin{array}{c}CH_2=CH\\|\\O-C-CH_3\\ \| \\ O\end{array}$ 酢酸ビニル 〈正しい〉

⑦ C原子間の距離は，結合が増えると短くなる。〈誤り〉

⑧ $CH≡C-CH_3 + 2Br_2 \longrightarrow CHBr_2CBr_2CH_3$ 〈正しい〉
プロピン　　　　　　　　　　1,1,2,2-テトラブロモプロパン

アルカン・アルケン・アルキンのまとめとして確認してほしいことがあるんだ。

天然ガスは，主成分にメタン CH_4 とそのほかに低分子量のアルカンを含んでいて，この天然ガスを加圧して液体にしたものを液化天然ガス（LNG）といった（➡ p.382）。

エチレン $CH_2=CH_2$ は，無色・特有のにおいをもつ気体で引火性がある。アセチレン $CH≡CH$ は，無色・無臭の気体で，燃焼エンタルピーの絶対値が大きく高温の炎（＝酸素アセチレン炎という）ができるために金属の溶接や切断に使われるんだ。

29 時間目　第6章　有機化合物
アルコールとその誘導体

1 アルコールの名前や分類について

　メタン CH_4 やエタン CH_3-CH_3 の$-H$ を$-OH$（**ヒドロキシ基**）で置き換えたものをメタノール CH_3OH，エタノール C_2H_5OH という。このメタノールやエタノールのように，**R-OH** の構造をもつ化合物を**アルコール**というんだ。

$$
\begin{array}{c}
\text{H} \\
\text{H}-\text{C}-\text{H} \\
\text{H メタン}
\end{array}
\longrightarrow
\begin{array}{c}
\text{H} \\
\text{H}-\text{C}-\text{OH} \\
\text{H メタノール}
\end{array}
\qquad
\begin{array}{c}
\text{H H} \\
\text{H}-\text{C}-\text{C}-\text{H} \\
\text{H H エタン}
\end{array}
\longrightarrow
\begin{array}{c}
\text{H H} \\
\text{H}-\text{C}-\text{C}-\text{OH} \\
\text{H H エタノール}
\end{array}
$$

　プロパン $CH_3-CH_2-CH_3$ の$-H$ を$-OH$ で置き換えたプロパノールには次の2種類がある。

$$
\begin{array}{c}
\text{H H H} \\
\text{H}-\overset{3}{\text{C}}-\overset{2}{\text{C}}-\overset{1}{\text{C}}-\text{H} \\
\text{H H OH}
\end{array}
\text{1-プロパノール}
\qquad
\begin{array}{c}
\text{H H H} \\
\text{H}-\overset{1}{\text{C}}-\overset{2}{\text{C}}-\overset{3}{\text{C}}-\text{H} \\
\text{H OH H}
\end{array}
\text{2-プロパノール}
$$

　1-や2-はどうやって決めるの？

　$-OH$ の位置番号が小さくなるように C 骨格に番号をつけて決めるんだよ。
　また，メタノール CH_3OH は，CO と H_2 の混合気体（＝**水性ガス**または**合成ガス**）から加温・加圧でつくる。

$$
CO \; + \; 2H_2 \xrightarrow[\text{触媒(ZnO)}]{\text{加温・加圧}} CH_3OH \blacktriangleleft \text{有毒な液体}
$$

この反応は，頭に残りにくい複雑な反応なので，

$$
\begin{array}{c}
\text{H}\!\!-\!\!\text{H} \\
\text{C}\!=\!\text{O} \\
\text{H}\!\!-\!\!\text{H}
\end{array}
\boxed{\text{全部切れて}}
\longrightarrow
\begin{array}{c}
\text{H}-\text{C}-\text{O} \\
\text{H H}
\end{array}
\boxed{くっつく!!}
\quad \text{と形式的に覚えるといいよ。}
$$

　エタノール C_2H_5OH は，$CH_2=CH_2$ に水蒸気 H_2O を付加させてつくったり，

$$
CH_2=CH_2 \xrightarrow[\text{付加}]{\overset{\text{O}}{\text{H}-\text{H}}}
\begin{array}{c}
CH_2-CH_2 \\
\text{H} \quad \text{OH}
\end{array}
$$

エチレン　　　　　　　エタノール

　グルコース $C_6H_{12}O_6$ を酵母に含まれる酵素チマーゼで発酵させて（＝**アルコール発酵**）つくるんだ。

お酒の成分

$$C_6H_{12}O_6 \xrightarrow{\text{チマーゼ}} 2C_2H_5OH + 2CO_2$$

グルコース　　　　　　　エタノール

← 係数がつけにくい反応式なので注意しよう！！

ここで，アルコールを，「**2 つの分類方法**」でそれぞれのグループに分けてみるね。「**1 つ目の分類方法**」は，$-OH$ **の数によって分類**する。$-OH$ **が** n **個あるアルコールを** n **価アルコールという**。この分類方法は，簡単だね。

1 価アルコール
$$CH_3-OH$$

メタノール

$-OH$ が 1 個

2 価アルコール
$$CH_2-CH_2$$
$$\quad|\quad\quad|$$
$$\quad OH\quad OH$$

1, 2-エタンジオール
（エチレングリコール）

$-OH$ が 2 個

3 価アルコール
$$CH_2-CH-CH_2$$
$$\ \ |\quad\ \ |\quad\ \ |$$
$$\ OH\ OH\ OH$$

1, 2, 3-プロパントリオール
（グリセリン）

$-OH$ が 3 個

「**2 つ目の分類方法**」は，$-OH$ の結合している炭素原子の状態によって分類する。$-OH$ **の結合している** C **に，** n **個の** C **が結合していると第** n **級アルコールという**。

第一級アルコール

このCに他のCが 1 か所ついている

第二級アルコール

このCに他のCが 2 か所ついている

第三級アルコール

このCに他のCが 3 か所ついている

例　エタノール
$$CH_3-\overset{\displaystyle H}{\underset{\displaystyle OH}{C}}-H$$

例　2-プロパノール
$$CH_3-\overset{\displaystyle CH_3}{\underset{\displaystyle OH}{C}}-H$$

例　2-メチル-2-プロパノール
$$CH_3-\overset{\displaystyle CH_3}{\underset{\displaystyle OH}{C}}-CH_3$$

このCについているCがない

第 0 級になりそう…

メタノール（第一級アルコール）

➡ メタノールは，第一級アルコールに含めるので覚えておこう。

また，第一級アルコールは，

$$CH_3-CH_2-CH_2-\underset{\displaystyle OH}{CH_2}$$ のように「C 骨格のはしに $-OH$」が，

第二級アルコールは，

$$CH_3-CH_2-\underset{\displaystyle OH}{CH}-CH_3$$ のように「C 骨格の途中に $-OH$」が，

第三級アルコールは，

$$\begin{array}{c} \quad\ \ CH_3 \\ \quad\ \ | \\ CH_3-C-CH_3 \\ \quad\ \ | \\ \quad\ \ OH \end{array}$$
のように「C 骨格の枝分かれ部分に－OH」がついていると

覚えると簡単に級数を判定できるようになるよ。

 「第一級」は「はしに OH」，「第二級」は「途中に OH」，
「第三級」は「枝分かれに OH」と覚えるといいね。

2 アルコールの性質について

① 沸　点

官能基は有機化合物の性質を決めた。**アルコールの官能基である－OH は水溶液中では電離せず，アルコールの水溶液は**中性になる。また，アルコールは－OH 間で水素結合をつくるので，構造異性体のエーテルや同じくらいの分子量をもつ炭化水素に比べると，**沸点がはるかに高くなる**んだ。

$$\begin{array}{ccc} R-O & \cdots\cdots & H-O \\ | & & | \\ H & & R \end{array}$$
水素結合を形成する

② エーテル

O 原子に 2 個の炭化水素基が結合した R－O－R′の構造をもつものを**エーテル**，

$-\overset{|}{C}-O-\overset{|}{C}-$ を**エーテル結合**というんだ。

エーテルは 1 価のアルコールと構造異性体の関係にあり，1 価のアルコールに比べると沸点が低く水に溶けにくい。

例　CH_3-O-CH_3 ←── 構造異性体の関係 ──→ C_2H_5OH
　　　└─── 2 個を示している
ジメチルエーテル　　　　　　　　　　　　　　　　エタノール
　　　└─── CH_3- を示している
沸点－25 ℃，水に不溶　　　　　　　　　　　　　沸点78 ℃，水に可溶

ジエチルエーテル $C_2H_5-O-C_2H_5$ は，麻酔性があり，揮発性の高い液体で引火しやすい。また，水よりも軽く有機化合物を抽出するときの溶媒として使われる。

　　　　　　　　　　　　　　┌─── 2 個を示している
$C_2H_5-O-C_2H_5$　ジエチルエーテル
　　　　　　　　　　　　　　└─── C_2H_5- を示している

❸ アルコールの水溶性

炭素数の少ないアルコールは水によく溶ける。ただし，炭素数が増えてくると炭化水素に性質が似てくるので，水に溶けにくくなる。

メタノール	CH_3-OH	水に∞に溶ける
エタノール	CH_3-CH_2-OH	水に∞に溶ける
1-プロパノール	$CH_3-CH_2-CH_2-OH$	水に∞に溶ける
1-ブタノール	$CH_3-CH_2-CH_2-CH_2-OH$	水に溶けにくい
⋮	⋮	⋮

$-CH_2-$ が増えていくと，疎水性(水と仲がよくない性質)が増して水に溶けにくくなる。

となり，**$-OH$ 1 個あたりの炭素原子数が 3 個までは，水によく溶ける**んだ。

3 ナトリウム Na との反応について

アルコールに Na を加えると，H_2 を発生する。この反応は，「**$R-OH$ の H と Na が置き換わる**」と覚えてね。

$$R-O(\underline{H}) \quad + \quad (\underline{Na}) \quad \longrightarrow \quad R-ONa \quad + \quad \frac{1}{2}H_2$$

置き換わる!!　　　　　　　　ナトリウムアルコキシド

$\frac{1}{2}$ にして H の数をそろえる

反応式の係数を整数に直すと，

$$2R-OH \quad + \quad 2Na \quad \longrightarrow \quad 2R-ONa \quad + \quad H_2$$

となり，アルコールとしてメタノールやエタノールを使うと，

$$2CH_3OH \quad + \quad 2Na \quad \longrightarrow \quad 2CH_3ONa \quad + \quad H_2$$
メタノール　　　　　　　　ナトリウムメトキシド

$$2C_2H_5OH \quad + \quad 2Na \quad \longrightarrow \quad 2C_2H_5ONa \quad + \quad H_2$$
エタノール　　　　　　　　ナトリウムエトキシド

となる。ところが，エーテルに Na を加えても H_2 は発生しない。

$$R-O-R' \quad + \quad Na \quad \xrightarrow{\quad\times\quad} \text{反応しない}$$
エーテル

アルコールは H_2 を発生して，エーテルは H_2 を発生しないんだね。

そうなんだ。有機分野の問題で Na との反応が出題されたときは，ふつう**アルコールとエーテルの区別に使われる**ことを知っておくといいよ。

チェック問題

標準 2分

アルコールに関する記述として正しいものを，次の①～⑦のうちから２つ選べ。

① メタノールは，一酸化炭素と水素からつくられる。
② エタノールは，ナトリウムと反応してエタンを発生する。
③ エチレングリコール(1,2-エタンジオール)は，３価のアルコールである。
④ 2-プロパノールは，第三級アルコールである。
⑤ 第二級アルコールは，酸化されるとアルデヒドになる。
⑥ 直鎖の第一級アルコールの水に対する溶解度は，炭素の数が多くなると，大きくなる。
⑦ 2-ブタノールには，鏡像異性体(光学異性体)が存在する。

解答・解説

①，⑦

① メタノール CH_3OH は，工業的には一酸化炭素 CO と水素 H_2 の混合気体(＝水性ガスまたは合成ガス)を加温・加圧してつくる。〈正しい〉

$$CO \ + \ 2H_2 \ \longrightarrow \ CH_3OH$$

② エタノールは，ナトリウムと反応してナトリウムエトキシド C_2H_5ONa を生じ，水素 H_2 を発生する。〈誤り〉

$$2C_2H_5OH \ + \ 2Na \ \longrightarrow \ 2C_2H_5ONa + H_2$$

③ エチレングリコールは，２価のアルコール。〈誤り〉

$$CH_2 - CH_2 \quad \text{エチレングリコール}$$
$$\ | \qquad \ | \qquad (1,2\text{-エタンジオール})$$
$$OH \quad OH$$

④ 2-プロパノールは，「途中に OH」なので第二級アルコール。〈誤り〉

$$\overset{1}{CH_3} - \overset{2}{CH} - \overset{3}{CH_3}$$
$$\ | $$
$$OH \quad \text{2-プロパノール}$$

⑤ アルデヒドではなくケトンが正しい。(➡ p.403)〈誤り〉

⑥ 炭素の数が多くなると，水に対する溶解度は小さくなる。〈誤り〉

⑦ $\overset{1}{CH_3} - \overset{2}{CH} - \overset{3}{CH_2} - \overset{4}{CH_3}$ は，不斉炭素原子(C^*)をもつので，鏡像異性体が存
$$\ | $$
$$OH \quad \text{2-ブタノール}$$
在する。〈正しい〉

思 考力のトレーニング 1 やや難 4分

分子式が $C_{10}H_nO$ で表される不飽和結合をもつ直鎖状のアルコール A を一定質量とり，十分な量のナトリウムと反応させたところ，0.125 mol の水素が発生した。また，同じ質量の A に，触媒を用いて水素を完全に付加させたところ，0.500 mol の水素が消費された。このとき，A の分子式中の n の値として最も適当な数値を，次の①～⑤のうちから１つ選べ。

① 14   ② 16   ③ 18   ④ 20   ⑤ 22

解答・解説

③

> アルコール A は O を 1 個しかもたないので，1 価アルコールになる

アルコール A を R^A−OH（分子量 M_A）とし，w_A (g)（一定質量）使用したとする。
Na との反応式

$$②R^A-OH \ + \ 2Na \ \longrightarrow \ 2R^A-ONa \ + \ ①H_2$$

H₂(mol)は，R^A−OH(mol)の $\times \frac{1}{2}$ 倍発生する

から，次の①が成り立つ。

$$\frac{w_A}{M_A} \ \times \ \frac{1}{2} \ = \ 0.125 \quad \cdots\cdots①$$

R^A−OH(mol)　発生した H₂(mol)　発生した H₂(mol)

また，R^A−OH 1 mol に H₂ a (mol) が付加した（消費された）とすると，次の②式が成り立つ。

$$\frac{w_A}{M_A} \ \times \ a \ = \ 0.500 \quad \cdots\cdots②$$

R^A−OH(mol)　消費された H₂(mol)　消費された H₂(mol)

①より $\frac{w_A}{M_A} = 0.25$ となり，これを②に代入し，$a = 2$ となる。

ここで，完全に H₂ が付加した後の 1 価アルコールの一般式は，
$C_xH_{2x+1}OH$ つまり $C_xH_{2x+2}O$ ← メタノール CH_3OH やエタノール C_2H_5OH を思い出そう！

ここは，すべて単結合なので H₂ は付加できない

ここは，アルカンの一般式 C_xH_{2x+2} から −H が 1 個とれた形（アルキル基という）

なので，C が10個のアルコール A に完全に H_2 が付加した後の分子式は，

$$C_{10}H_{2 \times 10+1}OH \quad つまり \quad \underline{C_{10}H_{22}O}$$

になる。

よって，アルコール A（分子式 $C_{10}H_nO$）と H_2 の付加反応は次のように表せる。

$$C_{10}H_nO \ + \ \underset{a=2より}{2H_2} \ \longrightarrow \ \underline{C_{10}H_{22}O} \quad \leftarrow アルコール A 1 mol には H_2 2 mol が付加する$$

反応式の両辺で H 原子の数が等しいことに注目すると，

$$n + 2 \times 2 = 22 \quad となり，n = 18 \quad とわかる。$$

④ 脱水について

アルコール $R-OH$ を濃硫酸 H_2SO_4 とともに加熱すると脱水（H_2O がとれる）する。この脱水反応は，**温度によって脱水する場所が異なり，比較的低い温度では分子の間から，高い温度では分子内から脱水する**んだ。

例 エタノールを濃硫酸とともに加熱する

$$\underset{エタノール}{C_2H_5-O-H} \ + \ H-O-C_2H_5 \xrightarrow[\substack{濃硫酸 \\ (実験装置は下 \\ の図を参照)}]{130\sim140℃} \underset{ジエチルエーテル}{C_2H_5-O-C_2H_5} \ + \ H_2O$$

分子間で脱水する　　　　　　　　　　　　　　　対称のエーテル

$$\underset{\underset{エタノール}{H \quad OH}}{CH_2-CH_2} \xrightarrow[濃硫酸]{160\sim170℃} \underset{エチレン}{CH_2=CH_2} \ + \ H_2O$$

←分子内で脱水する　　　　アルケン　　（実験装置は p.388を参照）

❶反応温度（約 140℃）を測定するため，温度計の球部は濃硫酸中に入れる

❶〜❻がこの実験のポイント

❻冷却水は下から上へ流す。冷却水が冷却器内にたまりやすく冷却効率がよい

温度計

枝付きフラスコ

冷却水出口

リービッヒ冷却器

アダプター

❷液量はフラスコの半分以下にする

C_2H_5OH

❸電熱ヒーター

油浴（100℃以上にするので水浴はダメ）

冷却水入口

氷水

エタノールやジエチルエーテルは引火しやすいので，ガスバーナーは危険

❹沸騰石 突発的な沸騰を防ぐ

濃硫酸

$C_2H_5-O-C_2H_5$

❺ジエチルエーテルは沸点が34℃と低いので氷水で冷やして得る

三角フラスコ

ジエチルエーテルの合成

5 酸化について

アルコールを酸化剤(二クロム酸カリウム $K_2Cr_2O_7$ など)を使い酸化すると, **アルコールの級数により反応のようすが異なる**。この酸化反応は, −OH の結合している C に注目しながら視覚的に覚えるといいんだ。

このとき, C の数や C 骨格の形には変化がないことに注意してね。

第一級アルコール → アルデヒド → カルボン酸

第二級アルコール → ケトン

第三級アルコール → 酸化されにくい

☺ **同じ C についている H と OH から H が 2 個とれているね。**

そうだね。**分子内脱水 −C−C− とまちがえやすいので注意**してね。

H OH → 分子内脱水は, 異なる炭素原子から H_2O がとれる!

第一級アルコール の例 ⇒ 第一級は,「はしに OH」

メタノール → ホルムアルデヒド → ギ酸 → 炭酸 H_2CO_3 → CO_2 H_2O

● どこまで酸化が進んだのかは, 問題文中に与えられるヒントからわかるよ。

$CH_3-\overset{H}{\underset{H}{C}}-O-H$ $\xrightarrow[(酸化)]{-2H}$ $CH_3-C\overset{}{\underset{O}{H}}$ $\xrightarrow[(さらに酸化)]{間に入れる O}$ $CH_3-C-O-H$

エタノール → アセトアルデヒド → 酢酸

第 **6** 章

有機化合物

第二級アルコール の例 ➡ 第二級は，「途中に OH」

$$CH_3-\underset{\underset{OH}{|}}{CH}-CH_3 \xrightarrow[\text{(酸化)}]{-2H} CH_3-\underset{\underset{O}{\|}}{C}-CH_3$$

2-プロパノール　　　　　　　　　アセトン

第三級アルコール の例 ➡ 第三級は，「枝分かれに OH」

$$CH_3-\underset{\underset{OH}{|}}{\overset{\overset{CH_3}{|}}{C}}-CH_3 \longrightarrow \text{酸化されにくい}$$

2-メチル-2-プロパノール

「酸化」と反対の意味をもつ化学用語を覚えてる？

 「還元」だよ。

そうだね。

第一級アルコール $\xrightarrow[\text{還元}]{\text{酸化}}$ アルデヒド $\xrightarrow[\text{還元}]{\text{酸化}}$ カルボン酸

第二級アルコール $\xrightarrow[\text{還元}]{\text{酸化}}$ ケトン

のように，逆反応（**赤字部分**）が問われることもあるので注意してね。

> **ポイント** ▶ **アルコールの酸化について**
>
> ● 第一級アルコール $\xrightarrow[\text{還元}]{\text{酸化}}$ アルデヒド $\xrightarrow[\text{還元}]{\text{酸化}}$ カルボン酸 ⎫
> 　「はしに OH」　　　　　　　　　　　　　　　　　　　 ⎪
> ● 第二級アルコール $\xrightarrow[\text{還元}]{\text{酸化}}$ ケトン　　　　　　　 ⎬ C の数や
> 　「途中に OH」　　　　　　　　　　　　　　　　　　　 ⎪ C 骨格の形は
> ● 第三級アルコール $\longrightarrow$ 酸化されにくい　　　　　 ⎭ 変わらない!!
> 　「枝分かれに OH」

思考力のトレーニング 2　やや難 5分

次のアルコールア～エを用いた反応の生成物について，問い(a・b)に答えよ。

ア　$CH_3-\underset{\underset{\displaystyle}{CH_3}}{CH}-CH_2-CH_2-OH$

イ　$CH_3-CH_2-CH_2-\underset{\underset{\displaystyle OH}{|}}{CH}-CH_3$

ウ　$CH_3-CH_2-\underset{\underset{\displaystyle OH}{|}}{CH}-CH_2-CH_3$

エ　$CH_3-\underset{\underset{\displaystyle OH}{|}}{CH}-\underset{\underset{\displaystyle}{CH_3}}{CH}-CH_3$

a　ア～エに適切な酸化剤を作用させると，それぞれからアルデヒドまたはケトンのどちらか一方が生成する。ア～エのうち，ケトンが生成するものはいくつあるか。正しい数を，次の①～⑤のうちから1つ選べ。

①　1　　②　2　　③　3　　④　4　　⑤　0

b　ア～エにそれぞれ適切な酸触媒を加えて加熱すると，OH基の結合した炭素原子とそのとなりの炭素原子から，OH基とH原子がとれたアルケンが生成する。ア～エのうち，このように生成するアルケンの異性体の数が最も多いアルコールはどれか。最も適当なものを，次の①～④のうちから1つ選べ。ただし，シス-トランス異性体(幾何異性体)も区別して数えるものとする。

①　ア　　②　イ　　③　ウ　　④　エ

解答・解説

a　③　　b　②

a　アルコールア～エの級数による分類は次のようになる。

ア　$CH_3-\underset{\underset{\displaystyle}{CH_3}}{CH}-CH_2-CH_2-OH$

「C骨格のはしに－OH」
↓
第一級アルコール

イ　$CH_3-CH_2-CH_2-\underset{\underset{\displaystyle OH}{|}}{CH}-CH_3$

「C骨格の途中に－OH」
↓
第二級アルコール

ウ　$CH_3-CH_2-\underset{\underset{\displaystyle OH}{|}}{CH}-CH_2-CH_3$

「C骨格の途中に－OH」
↓
第二級アルコール

エ　$CH_3-\underset{\underset{\displaystyle OH}{|}}{CH}-\underset{\underset{\displaystyle}{CH_3}}{CH}-CH_3$

「C骨格の途中に－OH」
↓
第二級アルコール

第6章

有機化合物

ア～エのうち，酸化によりケトンが生成するものは第二級アルコール。つまり，イ，ウ，エの 3 つになる。

b 「OH 基の結合した C とそのとなりの C から OH と H(H_2O) がとれてアルケンが生成する」→分子内脱水とわかる。アルコールア～エの分子内脱水により生成するアルケンは次の通り。ただし，$\overset{\alpha}{\underset{\alpha}{}}C = C\diagdown$ の構造をもつアルケンには，シス-トランス異性体が存在しないので注意しよう（➡ p.371）。

ア $CH_3 - \underset{\underset{CH_3}{|}}{CH} - \underset{\underset{\boxed{H}}{|}}{CH} - \underset{\underset{\boxed{OH}}{|}}{CH_2}$ $\xrightarrow[脱水]{分子内}$ $CH_3 - \underset{\underset{CH_3}{|}}{CH} - CH = CH_2$ のみ生成する

このアルケンにはシス-トランス異性体が存在しないので，アから生成するアルケンは 1 つ。

イ $CH_3 - CH_2 - \underset{\underset{\boxed{H}}{|}}{CH} - \underset{\underset{\boxed{OH}}{|}}{CH} - \underset{\underset{\boxed{H}}{|}}{CH_2}$

$\xrightarrow[脱水]{分子内}$ ☐の位置で脱水　　　　　　　　　☐の位置で脱水
$CH_3 - CH_2 - CH = CH - CH_3$ と $CH_3 - CH_2 - CH_2 - CH = CH_2$ が生成する
$\begin{pmatrix}シス形とトランス形\\の 2 つが存在する\end{pmatrix}$ 　　　　$\begin{pmatrix}シス-トランス異性体は\\存在しない\end{pmatrix}$

イから生成するアルケンは 3 つ。

ウ $CH_3 - CH_2 - \underset{\underset{\boxed{OH}}{|}}{CH} - \underset{\underset{\boxed{H}}{|}}{CH} - CH_3$ $\xrightarrow[脱水]{分子内}$ $CH_3 - CH_2 - CH = CH - CH_3$ のみ生成する
$\begin{pmatrix}シス形とトランス形\\の 2 つが存在する\end{pmatrix}$

$\begin{pmatrix}CH_3 - \underset{\underset{\boxed{H}}{|}}{CH} - \underset{\underset{\boxed{OH}}{|}}{CH} - CH_2 - CH_3\\のように脱水しても同一の分子になる\end{pmatrix}$
ウから生成するアルケンは 2 つ。

エ $CH_2 - CH - \underset{\underset{CH_3}{|}}{\underset{\overset{|}{C}}{C}} - CH_3$
　$\boxed{H}\;\boxed{OH}\;\boxed{H}$

$\xrightarrow[脱水]{分子内}$ ☐の位置で脱水　　　　　　☐の位置で脱水
$\underset{\underset{CH_3}{|}}{CH_2 = CH - C} - CH_3$ と $\underset{\underset{CH_3}{|}}{CH_3 - CH = C} - CH_3$ が生成する
$\begin{pmatrix}シス-トランス異性体は\\存在しない\end{pmatrix}$ 　　$\begin{pmatrix}シス-トランス異性体は\\存在しない\end{pmatrix}$

エから生成するアルケンは 2 つ。

よって，生成するアルケンの異性体の数が最も多いアルコールは， 3 つ生成するイになる。

30 時間目 アルデヒドとケトン

1 アルデヒドとケトンの例について

カルボニル基 $>C=O$ をもつ化合物を**カルボニル化合物**という。カルボニル化合物

のうち，H が結合している**ホルミル基（アルデヒド基）** $\overset{H}{>}C=O$ をもつ化合物を**アル**

デヒド，2 つの炭化水素基 R−，R′−と結合した形の化合物を**ケトン**という。

アルデヒド　（アルデヒド基）　　ケトン

アルデヒドは，**ホルムアルデヒドとアセトアルデヒド**を覚えてね。

Cu を酸化して得られる CuO を熱いうちにメタノール CH_3OH の液面に近づけると，蒸気になったメタノールが CuO に酸化され，ホルムアルデヒドが得られる。

CuO が還元されて，メタノールが酸化される

アセトアルデヒドは，実験室では二クロム酸カリウム $K_2Cr_2O_7$ の硫酸酸性水溶液でエタノール C_2H_5OH を酸化して得られる。

❶〜❺がこの実験のポイント

エタノール C₂H₅OH
二クロム酸カリウム K₂Cr₂O₇
希硫酸 H₂SO₄

ガラス管

試験管

温水

沸騰石
(突沸を防ぐ)

水

❶逆流を防ぐために
ガラス管の先は水
溶液に入れない

❸アセトアルデヒ
ドは蒸発しや
すいので,冷水
中に水溶液とし
て集めるとよい

❹反応後は Cr³⁺ が
生じるので暗緑
色の水溶液になる
(Cr³⁺ の水溶液は
暗緑色)

アセトアルデヒド
CH₃CHO の水溶液

❷アセトアルデヒド
の沸点は酢酸より
低いため,酢酸に
酸化される前に蒸
発してくる

❺氷水
生じたアセトアル
デヒドを確実に
液化させるために
氷冷する

アセトアルデヒドの合成

また,アセトアルデヒドは,工業的には塩化パラジウム(Ⅱ)PdCl₂ と塩化銅(Ⅱ)
CuCl₂ を触媒とし,エチレン CH₂=CH₂ を酸化して得られる。

$$CH_2=CH_2 \xrightarrow[\text{触媒(PdCl}_2, \text{CuCl}_2)]{O_2} CH_3-C\overset{\displaystyle O}{\underset{\displaystyle H}{\Big\backslash}}$$

エチレン　　　　　　　　　　　　　　　アセトアルデヒド

　覚えにくい反応が多いね。

そうだね。メタノールやエタノールの酸化は,メタノール CH₃-OH やエタノール
CH₃-CH₂-OH が「はしに OH」(第一級アルコール)なので,第一級アルコールを
酸化するとアルデヒドになることから考えるといいね。

エチレンの酸化は,

ここに O を
入れて

$$\overset{H}{\underset{H}{\Big\backslash}}C=C\overset{H}{\underset{H}{\Big/}} \longrightarrow \left[\overset{H}{\underset{H}{\Big\backslash}}C=C\overset{H}{\underset{O-H}{\Big/}}\right] \xrightarrow[\text{(p.393 参照)}]{\text{分子内転位}} CH_3-\overset{H}{\underset{\overset{\|}{O}}{C}}-H$$

エチレン　　　　　ビニルアルコール　　（C=C に直接　　アセトアルデヒド
　　　　　　　　　　（不安定）　　　　　−OH がつくと
　　　　　　　　　　　　　　　　　　　　不安定なので）

と形式的に覚えるといいよ。

ケトンは，CH$_3$－が2つ結合している**アセトン**を覚えてね。

CH$_3$ – C – CH$_3$　アセトン
　　　‖
　　　O　　無色・芳香の液体

> アセトンは，
> 水によく溶ける

アセトンは，実験室で酢酸カルシウム(CH$_3$COO)$_2$Ca を，空気を遮断して加熱分解する(＝**乾留**)ことで得られるんだ。

O　　　　　　　　　　O
‖　　　　　　　　　　‖
CH$_3$ – C – O$^-$ Ca^{2+} $^-$O – C – CH$_3$　$\xrightarrow{乾留}$　CH$_3$ – C – CH$_3$　＋　CaCO$_3$
　　　　　　　　　　　　　　　　　　　　　　　　　　　‖
　「中間」がとれる!!　　　　　　　　　　　　　　　　O

(CH$_3$COO)$_2$Ca　$\xrightarrow{乾留}$　CH$_3$COCH$_3$　＋　CaCO$_3$
酢酸カルシウム　　　　　　アセトン　　　　　炭酸カルシウム

> ❶〜❸がこの
> 実験のポイント

酢酸カルシウム
(固体)

❷アセトンは水によく
溶けるので，水上置
換で捕集することは
できない。

❶反応物が固体なので
加熱する

❸氷水
アセトンは沸点が
56℃なので氷水で冷
やされ液体として回
収される

アセトンの合成

チェック問題 1　やや難 3分

化合物 A 〜 C を酸化して得られる化合物の組み合わせとして最も適当なもの
を，次の①〜⑥のうちから1つ選べ。

O
‖
CH$_3$ – C – H　　　　CH$_3$ – CH – CH$_3$　　　CH$_2$＝CH$_2$
　　　　　　　　　　　　　|
　　　　　　　　　　　　OH
A　　　　　　　　　B　　　　　　　　C

	A を酸化して 得られる化合物	B を酸化して 得られる化合物	C を酸化して 得られる化合物
①	$CH_3-\overset{\overset{O}{\|}}{C}-OH$	$CH_3-CH_2-CH_3$	CH_3-CH_3
②	$CH_3-\overset{\overset{O}{\|}}{C}-OH$	$CH_3-\overset{\overset{O}{\|}}{C}-CH_3$	$CH_3-\overset{\overset{O}{\|}}{C}-H$
③	$CH_3-\overset{\overset{O}{\|}}{C}-OH$	$CH_3-\overset{\overset{O}{\|}}{C}-CH_3$	CH_3-CH_3
④	CH_3-CH_2-OH	$CH_3-CH_2-CH_3$	$CH_3-\overset{\overset{O}{\|}}{C}-H$
⑤	CH_3-CH_2-OH	$CH_3-CH_2-CH_3$	CH_3-CH_3
⑥	CH_3-CH_2-OH	$CH_3-\overset{\overset{O}{\|}}{C}-CH_3$	$CH_3-\overset{\overset{O}{\|}}{C}-H$

解答・解説

②

アルデヒドを酸化するとカルボン酸が生成する。

間に O を入れる

A $CH_3-\overset{}{\underset{\overset{\|}{O}}{C}}-H$ $\xrightarrow[(酸化)]{+O}$ $CH_3-\overset{}{\underset{\overset{\|}{O}}{C}}-O-H$

アセトアルデヒド　　　　　　　　　酢酸

第二級アルコールを酸化するとケトンが生成する。

B $CH_3-\overset{2}{\underset{\overset{\|}{OH}}{C}}H-CH_3$ $\xrightarrow[(酸化)]{-2H}$ $CH_3-\overset{}{\underset{\overset{\|}{O}}{C}}-CH_3$

H を 2 個とる

2 - プロパノール　　　　　　　　アセトン
(「途中に OH」なので第二級)

エチレンを触媒を使って酸化するとアセトアルデヒドが生成する。

C $CH_2=CH_2$ $\xrightarrow[触媒(PdCl_2, CuCl_2)]{O_2}$ $CH_3-\overset{}{\underset{\overset{\|}{O}}{C}}-H$

エチレン　　　　　　　　　　　アセトアルデヒド

2 アルデヒドの検出反応について

アルデヒドは，アルカリ性の水溶液中で**還元剤**としてはたらくんだ。この性質を利用して，アルデヒドを検出するためにはどんな試薬を使ったらいいかな？

 酸化剤を使えばいいね。

そうなんだ。酸化剤として銀イオン Ag^+ や銅（Ⅱ）イオン Cu^{2+} を使う。このとき，Ag^+（**正確には** $[Ag(NH_3)_2]^+$）**を含んでいる溶液を**アンモニア性硝酸銀水溶液，Cu^{2+}（**正確には** Cu^{2+} **の錯イオン）を含んでいる溶液を**フェーリング液というんだ。

これらの水溶液（➡ 酸化剤）にアルデヒド（➡ 還元剤）を加えて温めたり加熱したりすると，それぞれ Ag がガラス容器の内側の面に鏡のように析出したり（銀鏡反応），酸化銅（Ⅰ）Cu_2O の赤色沈殿を生じたり（フェーリング液の還元反応）する。

注 銀鏡反応を応用すると，ガラスなどの金属以外のものにめっきすることができる。

ポイント　アルデヒドの検出反応について

● 銀鏡反応…Ag が析出する
● フェーリング液の還元反応…Cu_2O（赤色）が沈殿する

3 ヨードホルム反応について

特定の構造をもつアルコール，アルデヒドやケトンは，I_2 と NaOH 水溶液を加えて温めると，特有のにおいをもつ黄色沈殿（＝ヨードホルム CHI_3）を生じる。

 特定の構造ってどんな構造なの？

CH₃－CH－　　　CH₃－C－
　　　OH　　か　　　　O　　　のどちらかの構造で，－ の部分には，H 原子か C 原子が直接結合する必要があるんだ。

> H原子が直接結合すると
> $CH_3-\underset{\underset{\text{エタノール}}{OH}}{\overset{|}{CH}}-H$ や $CH_3-\underset{\underset{\text{アセトアルデヒド}}{O}}{\overset{\parallel}{C}}-H$ になるね。

そうだね。$CH_3-\underset{\underset{\text{酢酸}}{O}}{\overset{\parallel}{C}}-OH$ は**直接水素原子がついていないので**，~~**ヨードホルム反応**~~

~~**で検出することはできない**~~んだ。

ポイント ▶ ヨードホルム反応について

$CH_3-CH(OH)-$ ▢ か，CH_3-CO- ▢ のどちらかの構造が必要で，
ヨードホルム CHI_3（黄色）が沈殿する

$$\left(CH_3-\underset{OH}{\overset{|}{CH}}-\text{▢ または，}\quad CH_3-\underset{O}{\overset{\parallel}{C}}-\text{▢}\right) \xrightarrow[\text{加熱}]{I_2,\ NaOH} CHI_3（黄色）が生じる$$

$\underset{\underset{\text{エタノール}}{OH}}{CH_3-\overset{|}{CH}-H}$　$\underset{\underset{\text{2-プロパノール}}{OH}}{CH_3-\overset{|}{CH}-CH_3}$　$\underset{\underset{\text{アセトアルデヒド}}{O}}{CH_3-\overset{\parallel}{C}-H}$　$\underset{\underset{\text{アセトン}}{O}}{CH_3-\overset{\parallel}{C}-CH_3}$ などは，

いずれもヨードホルム反応を示す

チェック問題 2 　　　標準 4分

　アルデヒドやケトンに関する記述として誤りを含むものはどれか。次の①〜⑨のうちから2つ選べ。

① アルデヒドを還元すると，第一級アルコールが生じる。

② アルデヒドをアンモニア性硝酸銀水溶液と反応させると，銀が析出する。

③ アセトアルデヒドを酸化すると，酢酸が生じる。

④ メタノールを，白金や銅を触媒として酸素と反応させると，アセトアルデヒドが生じる。

⑤ アセトアルデヒドは，工業的には，触媒を用いたエテン（エチレン）の酸化によりつくられている。

⑥ アセトンにフェーリング液を加えて加熱すると，赤色の酸化銅（Ⅰ）が析出する。

⑦ アセトンは，水と任意の割合で混じり合う。

⑧　2-プロパノールの酸化によりアセトンが得られる。

⑨　アセトンにヨウ素と水酸化ナトリウム水溶液を加えて反応させると，ヨードホルムが生じる。

解答・解説

④，⑥

①　第一級アルコール $\xrightarrow[\text{還元}]{\text{酸化}}$ アルデヒド〈正しい〉

②　アルデヒド R−CHO は，銀鏡反応により銀 Ag を析出させる。〈正しい〉

③　$\underset{\text{アセトアルデヒド}}{\mathrm{CH_3-\overset{\displaystyle}{\underset{\underset{O}{\|}}{C}}-H}} \xrightarrow{\text{酸化}} \underset{\text{酢酸}}{\mathrm{CH_3-\overset{\displaystyle}{\underset{\underset{O}{\|}}{C}}-O-H}}$ 〈正しい〉

④　メタノール CH₃OH を白金 Pt や銅 Cu を触媒として O₂で酸化すると<u>ホルムアルデヒド HCHO</u> の気体が発生する。〈誤り〉

⑤ エチレン（エチン） $\xrightarrow[\substack{\text{触媒}\\(\text{PdCl}_2,\ \text{CuCl}_2)}]{\text{O を入れる（酸化）}}$ ［ビニルアルコール（不安定）］ $\xrightarrow[\text{転位}]{\text{分子内}}$ アセトアルデヒド 〈正しい〉

⑥　$\underset{\text{アセトン}}{\mathrm{CH_3-\overset{\displaystyle}{\underset{\underset{O}{\|}}{C}}-CH_3}}$ はホルミル基（アルデヒド基）− CHO をもたないため，フェーリング液の還元反応は起こらない。よって，Cu₂O は析出しない。〈誤り〉

⑦　アセトンは水によく溶ける。〈正しい〉また，有機化合物もよく溶かすので，有機溶媒として用いられる。

⑧　$\underset{\text{2-プロパノール（第二級アルコール）}}{\mathrm{CH_3-\underset{\underset{OH}{|}}{CH}-CH_3}} \xrightarrow[-2H]{\text{酸化}} \underset{\text{アセトン}}{\mathrm{CH_3-\overset{\displaystyle}{\underset{\underset{O}{\|}}{C}}-CH_3}}$ 〈正しい〉

⑨　アセトン $\boxed{\mathrm{CH_3-\overset{\displaystyle}{\underset{\underset{O}{\|}}{C}}}-CH_3}$ は，$\boxed{\mathrm{CH_3-\overset{\displaystyle}{\underset{\underset{O}{\|}}{C}}-R}}$ の構造をもつので，ヨードホルム反応により，ヨードホルム CHI₃ の黄色沈殿を生じる。〈正しい〉

思考力のトレーニング

やや難 3分

アルデヒド A $\overset{R^1}{\underset{H}{}}$C＝O はヨードホルム反応を示さず，ケトン B $\overset{R^2}{\underset{R^3}{}}$C＝O はヨードホルム反応を示した。$R^1$，$R^2$，$R^3$ の組み合わせとして正しいものを，次の①〜④のうちから 1 つ選べ。

	R^1	R^2	R^3
①	H	CH_3CH_2	CH_3CH_2
②	CH_3	CH_3	CH_3CH_2
③	CH_3	CH_3CH_2	CH_3
④	CH_3CH_2	CH_3	CH_3

解答・解説

④

①〜④のアルデヒドとケトンは次のようになる。（ヨードホルム反応を示すには，□の構造が必要になる。）

① H−C−H と CH_3−CH_2−C−CH_2−CH_3
　　‖　　　　　　　　　　　　‖
　 A　O ホルムアルデヒド　　B　O

　　　　　いずれもヨードホルム反応を示さない

② CH_3−C−H と CH_3−C−CH_2−CH_3
　　　　‖　　　　　　　‖
　 A　　O アセトアルデヒド　B　O

　　　　　いずれもヨードホルム反応を示す

③ CH_3−C−H と CH_3−CH_2−C−CH_3
　　　　‖　　　　　　　　　　　　‖
　 A　　O アセトアルデヒド　B　O

　　　　　いずれもヨードホルム反応を示す

④ CH_3−CH_2−C−H と CH_3−C−CH_3
　　　　　　　‖　　　　　　　　‖
　　　 A　　　O　　　　 B　O アセトン

　ヨードホルム反応　　ヨードホルム反応
　を示さない　　　　　を示す

よって，アルデヒド A がヨードホルム反応を示さず，ケトン B がヨードホルム反応を示すものは④になる。

第6章　有機化合物

カルボン酸とエステル

1 カルボン酸とその性質について

カルボキシ基−COOH をもつ化合物を**カルボン酸**という。

カルボン酸には，−COOH を１個もつ **1 価カルボン酸**(モノカルボン酸)，−COOH を２個もつ **2 価カルボン酸**(ジカルボン酸)などがあるんだ。

1 価カルボン酸(モノカルボン酸)には，

ホルミル基(アルデヒド基)

$$H-\overset{\displaystyle O}{\underset{\displaystyle }{C}}-OH$$
ギ酸

脂肪酸[注]の中で最も強い酸性を示し，還元性も示す

$$CH_3-\overset{\displaystyle O}{\underset{\displaystyle }{C}}-OH$$
酢酸

COOH
安息香酸

[注] 脂肪酸(脂肪族モノカルボン酸)とは，鎖式の 1 価カルボン酸のことをいう。

ギ酸　　　酢酸　　　安息香酸　　　マレイン酸

ベンゼン環がある　　2 価

脂肪酸　　　脂肪酸ではない

2 価カルボン酸(ジカルボン酸)には，

マレイン酸　〔シス形〕

フマル酸　〔トランス形〕

← p.370 参照
「トラにフマれて，マレにシス」

シュウ酸　　　フタル酸　　　テレフタル酸

−COOH どうしが照れ(テレ)て反対側についていると覚えよう！

などがある。**ギ酸 HCOOH はきわめて酸性が強く，ホルミル基(アルデヒド基)**

−CHO をもつために還元性を示す。

　酢酸 CH_3COOH は食酢の中に含まれていて，純度の高いものは冬期に氷結（凝固）するので，「氷酢酸」ということもあるんだ。

　また，ベンゼンなどの無極性溶媒の中で，CH_3COOH のほとんどは分子間で**水素結合**を形成し**二量体**をつくる。

　カルボン酸は水溶液中ではわずかに電離して**弱酸性を示し**，NaOH などの塩基と中和反応して塩をつくる。

$$CH_3-C\begin{matrix}O\cdots H-O\\O-H\cdots O\end{matrix}C-CH_3$$

二量体　　　　　水素結合

2分子が結びついているので二量体という。

$$R-COOH \rightleftharpoons R-COO^- + H^+ \text{（電離）}$$
カルボン酸

$$R-COOH + NaOH \longrightarrow R-COONa + H_2O \quad\text{（中和）}$$

　また，カルボン酸は炭酸 $CO_2 + H_2O$（H_2CO_3）よりも強い酸なので，炭酸水素ナトリウム $NaHCO_3$ 水溶液と次のように反応する。

$$\overset{H^+ \text{を与える}}{R-COOH} + NaHCO_3 \longrightarrow R-COO^-Na^+ + H_2O + CO_2$$
（弱酸の遊離）

 カルボン酸 RCOOH が自分よりも弱い酸である炭酸 $CO_2 + H_2O$ を追い出しているね。

　そうなんだ。この反応は，**カルボキシ基−COOH の検出反応として使われる**ことがあるので知っておいてね。

　ここで注意してほしいことがあるんだ。カルボン酸は炭酸 $CO_2 + H_2O$（H_2CO_3）よりも強い酸だけど，塩酸 HCl よりは弱い酸なので，

$$\overset{H^+ \text{を与える}}{R-COOH} + HCO_3^- \longrightarrow R-COO^- + CO_2 + H_2O$$
　　　　　　　　　　　　　　　　　　　　　　　（H_2CO_3）

← 自分より弱い酸は追い出せる!!

の反応は起こるけど，

$$\overset{H^+ \text{を与える}}{R-COOH} + Cl^- \xrightarrow{\times} R-COO^- + HCl$$

← 自分より強い酸は追い出せない!!

の反応は起こらないんだ。

　このように，有機化合物の酸の強さの順を暗記していないと，反応が起こる・起こらないの判定ができないんだ。

 暗記しておく酸の強さの順を教えてよ。

次のポイントにある「酸の強さの順」を覚えてね。

ポイント ▶ **有機化合物の酸の強さについて**

● 弱酸の塩　＋　強酸　──→　弱酸　＋　強酸の塩　（弱酸の遊離）

● 酸の強さの順

$$H_2SO_4 \cdot HCl > RCOOH > CO_2 + H_2O > \text{〔ベンゼン環〕}-OH$$
$$(H_2CO_3)$$

　　希硫酸　　塩酸　　カルボン酸　　　炭酸　　　　フェノール

チェック問題 1　　　　　　標準 2分

ギ酸に関する記述として誤りを含むものを，次の①～⑤のうちから１つ選べ。

① ホルミル基(アルデヒド基)とカルボキシ基をもつ。
② 分子量が最も小さいカルボン酸である。
③ アンモニア性硝酸銀水溶液に加えると，銀が析出する。
④ アセトアルデヒドの酸化により得られる。
⑤ 炭酸水素ナトリウム水溶液を加えると，二酸化炭素が発生する。

解答・解説

④

① ギ酸　$\boxed{\begin{array}{c} O \\ \| \\ H-C-O-H \end{array}}$ カルボキシ基　〈正しい〉

　　ホルミル基（アルデヒド基）

② 原子量の最も小さな H がカルボキシ基に結合しているため。〈正しい〉

③ ホルミル基(アルデヒド基)をもっているので，銀鏡反応を示す。〈正しい〉

④ アセトアルデヒドを酸化すると酢酸になる。〈誤り〉

$$CH_3-\underset{O}{\overset{\|}{C}}-H \xrightarrow[\text{酸化}]{\overset{\text{間に入れる}}{\downarrow O}} CH_3-\underset{O}{\overset{\|}{C}}-O-H$$

　アセトアルデヒド　　　　　　　　　　酢酸

⑤ 酸の強さの順は　$HCOOH > CO_2 + H_2O(H_2CO_3)$　なので，

　　$HCOOH + NaHCO_3 \longrightarrow HCOONa + H_2O + CO_2$

　　　　　　　　　　　　　　　　　　　　　　　　（弱酸の遊離）

の反応が起こる。〈正しい〉

② 酸無水物について

2個のカルボキシ基 $-COOH$ から水 H_2O 1分子がとれてできた化合物を酸無水物またはカルボン酸無水物という。カルボン酸無水物は，

$$\underset{\overset{\|}{O}}{-C}\!-\!\boxed{O-H+H\!\!-\!\!O}\!-\!\underset{\overset{\|}{O}}{C}\!-\quad\longrightarrow\quad \underset{\overset{\|}{O}}{-C}\!-\!O\!-\!\underset{\overset{\|}{O}}{C}\!-\qquad$$ の構造をもつ。

H_2O を間からとる

❶ 分子間から水1分子がとれる場合

CH_3COOH に十酸化四リン P_4O_{10} などの脱水剤を加えて加熱すると，分子間で脱水され無水酢酸ができる。

H_2O がとれる！

$$\begin{array}{c}CH_3\!-\!\underset{\overset{\|}{O}}{C}\!-\!O\!-\!H \\[2pt] CH_3\!-\!\underset{\overset{\|}{O}}{C}\!-\!O\!-\!H\end{array}\quad\xrightarrow[\substack{脱水剤\\加熱}]{-H_2O}\quad \begin{array}{c}CH_3\!-\!\underset{\overset{\|}{O}}{C}\!\!\diagdown\\[2pt] CH_3\!-\!\underset{\overset{\|}{O}}{C}\!\!\diagup\end{array}\!\!O+H_2O$$

酢酸 　　　　　　　　　　　　　無水酢酸

$$2CH_3COOH \xrightarrow[脱水剤]{加熱} (CH_3CO)_2O+H_2O$$

❷ 分子内から水1分子がとれる場合

マレイン酸やフタル酸などの，2つのカルボキシ基が近くにあり，生じる酸無水物の形に構造上無理がない五角形（＝五員環という）などの場合，分子内で脱水され酸無水物ができる。

H_2O がとれる！　　　　　　　　　　五角形！

$-COOH$ どうしが近い！

マレイン酸　　　　　　　　　　　無水マレイン酸

H_2O がとれる！　　　　　　　　　　五角形！

$-COOH$ どうしが近い！

フタル酸　　　　　　　　　　　無水フタル酸

😊 ふーん。じゃあ，フマル酸は加熱しても脱水しないね。

$$H-O-\overset{\displaystyle O}{\overset{\|}{C}}-\overset{C}{\overset{\|}{C}}-H$$

- COOHどうしが遠い！

$$\xrightarrow{\text{加熱}} \text{変化なし}$$

$$H-\overset{C}{\overset{\|}{C}}-C-O-H$$

フマル酸

そうなんだ。あとね，

$$C_4H_4O_4 \xrightarrow{\text{加熱}} C_4H_2O_3 \qquad C_8H_6O_4 \longrightarrow C_8H_4O_3$$

マレイン酸 　無水マレイン酸 　　　　　フタル酸 　　　　無水フタル酸

のように分子式とあわせて暗記しておくと役立つよ。

思 考力のトレーニング 　　難 4分

　分子式 $C_5H_8O_4$ をもつジカルボン酸は，図に示すように，立体異性体を区別しないで数えると4種類存在する。これら4種類のジカルボン酸を還元して生成するヒドロキシ酸 $C_5H_{10}O_3$ は，立体異性体を区別しないで数えると ア 種類あり，そのうち不斉炭素原子をもつものは イ 種類存在する。空欄 ア ・ イ にあてはまる数の組み合わせとして最も適当なものを，あとの①～⑧のうちから1つ選べ。

$$HOOC-CH_2-CH_2-CH_2-COOH$$

$$\begin{array}{c} CH_3-CH-CH_2-COOH \\ | \\ COOH \end{array}$$

$$\begin{array}{c} CH_3-CH_2-CH-COOH \\ | \\ COOH \end{array}$$

$$\begin{array}{c} COOH \\ | \\ CH_3-C-CH_3 \\ | \\ COOH \end{array}$$

図　4種類のジカルボン酸 $C_5H_8O_4$ の構造式

	ア	イ
①	4	0
②	4	1
③	5	2
④	5	3
⑤	6	4
⑥	6	5
⑦	8	6
⑧	8	7

④

4種類のジカルボン酸を還元して生成するヒドロキシ酸(ヒドロキシ基−OH を
もつカルボン酸)$C_5H_{10}O_3$ は，次のようになり，立体異性体を区別しないで数える
と⑦，⑨，⑤，⑥，⑧の 5 種類ある。
　　　　　　　　ア

HOOC−CH₂−CH₂−CH₂−COOH
　　⑦
この線に対して
左右対称になっている

⑦のみ還元して
−CH₂−OH にする
⑦
HO−CH₂−CH₂−CH₂−CH₂−COOH

⑨のみ還元して
−CH₂−OH にする
HOOC−CH₂−CH₂−CH₂−CH₂−OH
⑦と同じ分子なので
異性体として数えない

CH₃−CH−CH₂−COOH
　　｜
　　COOH
　　⑨

⑨のみ還元して
−CH₂−OH にする
⑨
CH₃−CH−CH₂−COOH
　　｜
　　CH₂−OH

⑤のみ還元して
−CH₂−OH にする
⑤
CH₃−CH−CH₂−CH₂−OH
　　｜
　　COOH

⑨と⑤は，
C骨格の形
C−C−C−C
　　　｜
　　　C
に注目すると，異な
る分子であることが
わかりやすい

CH₃−CH₂−CH−COOH
　　　　｜
　　　　COOH
　　　　⑥

⑥のみ還元して
−CH₂−OH にする
⑥
CH₃−CH₂−CH−COOH
　　　　｜
　　　　CH₂−OH

⑨のみ還元して
−CH₂−OH にする
CH₃−CH₂−CH−CH₂−OH
　　　　｜
　　　　COOH
⑥と同じ分子なので
異性体として数えない

C骨格の形
C−C−C−C = C−C−C
　　　　｜　上下対称　｜
　　　　C　　　　　　C
に注目すると，同じ分子
であることがわかりやすい

　COOH
　｜
CH₃−C−CH₃
　｜
　COOH
　⑧

⑧のみ還元して
−CH₂−OH にする
⑧
　CH₂−OH
　｜
CH₃−C−CH₃
　｜
　COOH

⑦のみ還元して
−CH₂−OH にする
　COOH
　｜
CH₃−C−CH₃
　｜
　CH₂−OH
⑧と同じ分子なので
異性体として数えない

C骨格の形

正四面体形
に注目すると，同じ分子
であることがわかりやすい

⑦，⑨，⑤，⑥，⑧のうち，不斉炭素原子をもつものは⑨，⑤，⑥の 3 種類存在す
る。　　　　　　　　　　　　　　　　　　　　　　　　　　　　　　　　イ

⑨　　　　　　　　　　　　　　⑤　　　　　　　　　　　　⑥
CH₃−C*H−CH₂−COOH,　CH₃−C*H−CH₂−CH₂−OH,　CH₃−CH₂−C*H−COOH
　　｜　　　　　　　　　　　　　｜　　　　　　　　　　　　　　　　｜
　　CH₂−OH　　　　　　　　　　COOH　　　　　　　　　　　　　　CH₂−OH

(C* は不斉炭素原子を表す)

3 エステル化について

カルボン酸である酢酸 CH_3COOH とアルコールであるエタノール C_2H_5OH の混合物に，触媒として少量の濃硫酸 H_2SO_4 を加えて加熱すると，一部が反応して酢酸エチル $CH_3COOC_2H_5$ というエステルと水 H_2O ができるんだ。

例

H₂Oがとれる！　エステル化　濃硫酸，加熱

$$CH_3-\overset{O}{\underset{\|}{C}}-O-H \ + \ C_2H_5-O-H \ \xrightleftharpoons \ CH_3-\overset{O}{\underset{\|}{C}}-O-C_2H_5 \ + \ H_2O$$

エタノール

酢酸　　　　　　　　　　　　　　　　　　　　酢酸エチル

　エステルって？

エステル結合 $-\overset{O}{\underset{\|}{C}}-O-$ をもっている化合物を**エステル**というんだ。エステルは**水に溶けにくく，ジエチルエーテルなどの有機溶媒に溶けやすい**。また，果実のようなにおいをもつものが多く，お菓子などの香料に用いられるものもある。

あと，エステルが生成する反応（＝**エステル化**という）には，注意するポイントが3つあるから，覚えてね。

❶ **カルボン酸から $-OH$ が，アルコールから $-H$ がとれて**，エステルが生成する。

H₂Oがとれる　　　エステル化　濃硫酸，加熱

$$R^1-\overset{O}{\underset{\|}{C}}-O-H \ + \ R^2-O-H \ \xrightleftharpoons \ R^1-\overset{O}{\underset{\|}{C}}-O-R^2 \ + \ H-O-H$$

エステル

❷ この反応は，行ったり来たりする反応（**可逆反応**）である。

❸ エステル $R^1-\overset{O}{\underset{\|}{C}}-O-R^2$ の名前は，まずカルボン酸 $R^1-\overset{O}{\underset{\|}{C}}-O-H$ の名前，次に R^2 の名前をつける。

例 $CH_3-\overset{O}{\underset{\|}{C}}-O-C_2H_5$ は，$CH_3-\overset{O}{\underset{\|}{C}}-O-H$ 酢酸と $-C_2H_5$ エチル基から，「酢酸エチル」となる。

ポイント ▶ エステル化について

● カルボン酸から $-OH$，アルコールから $-H$ がとれる

---

4 エステルの合成実験について

　エステル化は，実験の出題が多い。酢酸エチル $CH_3COOC_2H_5$ は，図のような実験装置で合成するんだ。まず，乾いた試験管に酢酸 CH_3COOH，エタノール C_2H_5OH，濃硫酸 H_2SO_4（触媒）を入れ，沸騰石を加える。

沸騰石は，突発的な沸騰（突沸）を防ぐために入れるんだよね。

　そうだね。次に，この試験管に十分に長いガラス管をとりつけ，熱水の入ったビーカー中で数分間加熱する。

長いガラス管は，何のためにとりつけるの？

蒸発した内容物を冷却して，液体に戻すためにとりつけるんだよ。

　酢酸とエタノールから酢酸エチルを合成する反応は，次のように表せたよね。

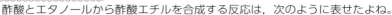

$$CH_3COOH \;+\; C_2H_5OH \;\underset{}{\overset{濃硫酸}{\rightleftharpoons}}\; CH_3COOC_2H_5 \;+\; H_2O$$

酢酸　　　　　　エタノール　　　　　　　　　　酢酸エチル

　この反応は，**可逆反応**なので，試験管の内容物は，未反応の CH_3COOH や C_2H_5OH，生成した $CH_3COOC_2H_5$ や H_2O，触媒である濃硫酸 H_2SO_4 の混合物になっているんだ。

　この試験管の内容物を冷却し，$NaHCO_3$ の飽和水溶液を少しずつ加えると，H_2SO_4（水でうすまり希硫酸となる）と CH_3COOH は $CO_2 + H_2O$（H_2CO_3）よりも強い酸なので，弱酸の遊離が起こり CO_2 が発生する。

$$\overset{H^+}{CH_3COOH} \;+\; NaHCO_3 \;\longrightarrow\; CH_3COONa \;+\; H_2O \;+\; CO_2 \quad（弱酸の遊離）$$

　こうして，H_2SO_4 や CH_3COOH は Na_2SO_4 や $CH_3COO^- Na^+$ になり，水層に溶ける。また，$-OH$ 1個あたり C 2個の C_2H_5OH も水層に溶ける。

酢酸エチルは，上層になっているね。

そうだね。$CH_3COOC_2H_5$ は，**水に溶けにくく水よりも密度が小さいので**，上層になるんだ。この上層から果実のような芳香をもつ酢酸エチルを得ることができるよ。

チェック問題 2

標準 2分

次の操作 1 ～ 3 からなる実験について，下の問いに答えよ。

操作 1　乾いた試験管 A に酢酸とエタノールを 2 mL ずつ入れて振り混ぜ，さらに濃硫酸を0.5mL 加えた。この試験管 A に沸騰石を入れて，十分に長いガラス管をとりつけ，図に示すように80℃の水の入ったビーカーの中で 5 分間加熱した。

操作 2　この試験管 A の内容物を冷却したのち，炭酸水素ナトリウムの飽和水溶液を少量ずつ加えて中和した。

操作 3　試験管 A の内容物が水層と生成物の層の 2 層に分離したので，生成物の層を乾いた試験管 B に移した。

問　操作 1 ～ 3 に関する記述として誤りを含むものを，次の①～⑤のうちから 1 つ選べ。

① 操作 1 で試験管 A に沸騰石を入れるのは，突沸(突発的な沸騰)を防ぐためである。

② 操作 1 で試験管 A に長いガラス管をとりつけるのは，蒸発した内容物を冷却して，液体に戻すためである。

③ 操作 2 では，二酸化炭素が発生した。

④ 操作 2 の中和の結果，試験管 A の内容物が分離したとき，生成物の層は下層であった。

⑤ 操作 3 で試験管 B に移した生成物には，果実のような芳香があった。

解答・解説

④

操作1では，エステル化により酢酸エチルが生じる。

$$CH_3-\overset{\overset{\textstyle O}{\|}}{C}-O-H \;+\; C_2H_5-O-H \;\underset{}{\overset{\text{エステル化}}{\rightleftharpoons}}\; CH_3-\overset{\overset{\textstyle O}{\|}}{C}-O-C_2H_5 + H_2O$$

酢酸　　　　　　　エタノール　　　　　　　　　　　　　　酢酸エチル

操作2，3のようすは，p.422とp.423で紹介した実験操作を参照。

② 空気によって冷却し，蒸発した内容物を液体に戻す。〈正しい〉

③ エステル化は可逆反応なので，未反応の CH_3COOH や C_2H_5OH，生成した $CH_3COOC_2H_5$ や H_2O，触媒の H_2SO_4 が混在している。これに $NaHCO_3$ の飽和水溶液を加えると，H_2SO_4 や CH_3COOH が反応し CO_2 が発生する（弱酸の遊離）。〈正しい〉

④ 生成物である酢酸エチル $CH_3COOC_2H_5$ は，水に溶けにくく水よりも密度が小さいので<u>上層</u>になる。〈誤り〉

⑤ 酢酸エチルは，果実のような芳香をもつ。〈正しい〉

5 エステルの加水分解について

エステルに希塩酸や希硫酸などの強酸を加えたり，水酸化ナトリウムなどの強塩基の水溶液を加えたりして加熱すると，エステルをバラバラにすることができる。

❶ エステルである酢酸エチルに希塩酸や希硫酸を加えて加熱すると，H^+ が触媒としてはたらき，カルボン酸である酢酸とアルコールであるエタノールになる。

$$CH_3-\overset{\overset{\textstyle O}{\|}}{C}\text{┼}O-C_2H_5 \;+\; H_2O \;\underset{}{\overset{H^+,\ \text{加熱}}{\rightleftharpoons}}\; CH_3-\overset{\overset{\textstyle O}{\|}}{C}-O-H \;+\; C_2H_5-O-H$$

酢酸エチル　　　　　　　　　　　　　　　　　　　酢酸　　　　　　エタノール

このエステル化の逆反応を加水分解といい，希塩酸 HCl や希硫酸 H_2SO_4 の H^+ が触媒としてはたらいているんだ。

❷ エステルである酢酸エチルに水酸化ナトリウム水溶液を加えて加熱すると，カルボン酸の塩である酢酸ナトリウムとアルコールであるエタノールになる。

$$CH_3-\overset{\overset{\textstyle O}{\|}}{C}\text{┼}O-C_2H_5 \;+\; NaOH \;\overset{\text{加熱}}{\longrightarrow}\; CH_3-\overset{\overset{\textstyle O}{\|}}{C}-O^-Na^+ \;+\; C_2H_5-O-H$$

酢酸エチル　　　　　　　　　　　　　　　　酢酸ナトリウム　　　　　エタノール

強塩基のときは，一方通行で反応するんだね。

そうなんだ。**この強塩基による加水分解は，不可逆反応であり，セッケンをつくるときに使われるのでけん化ともいう**んだ。
エステルを加水分解してできる生成物は，次のように覚えたらいいよ。

まず，エステル結合 $-\overset{\overset{\textstyle O}{\|}}{C}-O-$ の下に，<u>強酸</u>を使うときにはH−O−H，<u>強塩基を使うときにはOH⁻を書く</u>。

〈強酸を使うとき〉
$$R^1-\overset{\overset{\textstyle O}{\|}}{C}-O-R^2$$
$$H-O-H$$

←──── 書く ────→

〈強塩基を使うとき〉
$$R^1-\overset{\overset{\textstyle O}{\|}}{C}-O-R^2$$
$$^-O-H$$

次に，$-\overset{\overset{\textstyle O}{\|}}{C}\downarrow O-$ の矢印の部分を<u>切断する</u>。

〈強酸を使うとき〉
$$R^1-\overset{\overset{\textstyle O}{\|}}{C}-O-R^2$$
$$H-O-H$$
切断

〈強塩基を使うとき〉
$$R^1-\overset{\overset{\textstyle O}{\|}}{C}-O-R^2$$
$$^-O-H$$
切断

最後に，切れた部分を**つなぐと生成物がわかる**んだ。

〈強酸を使うとき〉
つなぐ
$$R^1-\overset{\overset{\textstyle O}{\|}}{C} \qquad O-R^2$$
$$H-O \qquad H$$
カルボン酸　　アルコール
R^1COOHになる　R^2OHになる

〈強塩基を使うとき〉
つなぐ
$$R^1-\overset{\overset{\textstyle O}{\|}}{C} \qquad O-R^2$$
$$^-O \qquad H$$
カルボン酸の　　アルコール
イオン　　　　R^2OHになる
R^1COO^-になる

ポイント エステルの加水分解について

- **強酸**を使うとき

  エステル ＋ 水 ⇄ カルボン酸 ＋ アルコール

- **強塩基**を使うとき

  エステル ＋ 塩基 ⟶ カルボン酸の塩 ＋ アルコール

チェック問題 3

分子式 $C_4H_8O_2$ で表される化合物のうち，エステル結合をもつエステルはいくつ存在するか。正しい数を，次の①〜⑥のうちから1つ選べ。

① 1　　② 2　　③ 3　　④ 4　　⑤ 5　　⑥ 6

解答・解説

④

エステル結合 $-\overset{\text{O}}{\underset{\|}{C}}-O-$ をもつ $C_4H_8O_2$ のエステルは，次の⑦〜㋑の4種類になる。

⑦ $H-\overset{O}{\underset{\|}{C}}-O-\boxed{CH_2-CH_2-CH_3}$

まず，ここがHの　残ったCがまっすぐ
化合物から考えていく

㋑ $H-\overset{O}{\underset{\|}{C}}-O-\boxed{\overset{CH_3}{\underset{|}{CH}-CH_3}}$

残ったCが枝分かれ

㋒ $\boxed{CH_3}-\overset{O}{\underset{\|}{C}}-O-CH_2-CH_3$

Cが1個の場合

㋓ $\boxed{CH_3-CH_2}-\overset{O}{\underset{\|}{C}}-O-CH_3$

Cが2個の場合

チェック問題 4

分子式 $C_5H_{10}O_2$ で表されるエステルを酸で加水分解して得られた化合物について，次の実験結果(a・b)を得た。もとのエステルの構造式として最も適当なものを，下の①〜⑤のうちから1つ選べ。

a　得られたアルコールは，ヨードホルム反応を示した。
b　得られたカルボン酸には還元性がある。

① $CH_3CH_2-\underset{\underset{O}{\|}}{C}-O-CH_2CH_3$

② $CH_3-\underset{\underset{O}{\|}}{C}-O-CH_2CH_2CH_3$

③ $CH_3-\underset{\underset{O}{\|}}{C}-O-\overset{CH_3}{\underset{|}{CH}CH_3}$

④ $H-\underset{\underset{O}{\|}}{C}-O-\overset{CH_3}{\underset{|}{CH}CH_2CH_3}$

⑤ $H-\underset{\underset{O}{\|}}{C}-O-CH_2\overset{CH_3}{\underset{|}{CH}CH_3}$

④

①〜⑤のエステルを加水分解して得られるカルボン酸とアルコールは次の通り。

① $CH_3CH_2-\overset{\underset{\|}{O}}{C}-OH$ と $HO-CH_2CH_3$
エタノール
プロピオン酸

② $CH_3-\overset{\underset{\|}{O}}{C}-OH$ と $HO-CH_2CH_2CH_3$
1-プロパノール
酢酸

③ $CH_3-\overset{\underset{\|}{O}}{C}-OH$ と $HO-\overset{\overset{CH_3}{|}}{C}HCH_3$
2-プロパノール
酢酸

④ $H-\overset{\underset{\|}{O}}{C}-OH$ と $HO-\overset{\overset{CH_3}{|}}{C}HCH_2CH_3$
2-ブタノール
ギ酸

⑤ $H-\overset{\underset{\|}{O}}{C}-OH$ と $HO-CH_2\overset{\overset{CH_3}{|}}{C}HCH_3$
2-メチル-1-プロパノール
ギ酸

$$R^1-\overset{\underset{\|}{O}}{C} \dashrightarrow O-R^2$$
から
$$R^1-\overset{\underset{\|}{O}}{C}-O-H$$
と
$$H-O-R^2$$
が
得られた。

得られる**カルボン酸の中で還元性を示すのは，ホルミル基(アルデヒド基)をもつギ酸のみ**(実験結果 b)。

$H-\overset{\underset{\|}{O}}{C}-O-H$ ── 還元性を示す構造 ギ酸

この結果，求めるエステルはギ酸のエステルである④か⑤のどちらかになる。

④と⑤のエステルから得られるアルコールの中でヨードホルム反応を示す(実験結果 a)のは，④から得られる 2-ブタノールのみ。□は**ヨードホルム**を示す構造。

$CH_3-CH-CH_2-CH_3$
          |
          OH
直接Cが結合している!

2-ブタノール

また，⑤から得られる 2-メチル-1-プロパノールは，ヨードホルム反応を示さない。

$CH_3-CH-CH-H$ ← CH_3-CH- の構造を
      | | |
      CH_3 OH   OH   もたない

2-メチル-1-プロパノール

よって a，b の条件をみたすエステルは，④のエステル。

第6章 有機化合物

32
時間目

油脂とセッケン

1 油脂について

炭水化物(糖類)・タンパク質・脂質を**三大栄養素**という。ここでは三大栄養素の中で，脂質である油脂について勉強するね。

油脂には，**常温で固体の脂肪**と**常温で液体の脂肪油**がある。身のまわりでいえば，ウシやブタの脂は脂肪，大豆油やゴマ油は脂肪油になる。また，**油脂は，水に溶けにくく，水より軽く，ジエチルエーテルなどの有機溶媒によく溶ける**んだ。

油脂は，**3価のアルコールであるグリセリン $C_3H_5(OH)_3$ 1分子と1価のカルボン酸である脂肪酸 RCOOH 3分子とからできた構造をもつ。**

グリセリン　　　　　　　　脂肪酸　　　　　　　油脂
(1, 2, 3-プロパントリオール)

脂肪酸から OH，グリセリンから H がとれた構造をもつ

上の反応式は，次のように簡単に表すこともできる。

$$C_3H_5(OH)_3 + 3RCOOH \longrightarrow C_3H_5(OCOR)_3 + 3H_2O$$

$(RCOO)_3C_3H_5$ と書くこともできる

エステル結合があるから，エステルだね。

そうだね。天然の油脂は，すべて同じ脂肪酸(RCOOH)からできていることは少なく，さまざまな脂肪酸(RCOOH)からできていて，さらに混合物であることが多いんだ。つまり，**油脂はエステルの混合物だね。**

ポイント　油脂について

● 油　脂 ➡ グリセリンと脂肪酸のエステル
● 脂　肪 ➡ 常温で固体　　例　牛脂，豚脂
● 脂肪油 ➡ 常温で液体　　例　大豆油，ゴマ油

油脂を構成する脂肪酸にはどんなものがあるの？

天然の油脂を構成する脂肪酸は，炭素原子の数が16や18の脂肪酸が多いんだ。

炭素原子を多く含んでいる脂肪酸を高級脂肪酸，高級脂肪酸で炭素間の結合がすべて単結合（C＝C 結合をもたない）のものを高級飽和脂肪酸，C＝C 結合をもつものを高級不飽和脂肪酸という。

炭素数	分子式	名　称	C＝C の数	分子量	融点	
16	$C_{15}H_{31}COOH$	パルミチン酸	0	256	63℃	高級飽和脂肪酸（C＝C なし）
18	$C_{17}H_{35}COOH$	ステアリン酸	0	284	70℃	
	$C_{17}H_{33}COOH$	オレイン酸	1	282	13℃	高級不飽和脂肪酸（C＝C あり）
	$C_{17}H_{31}COOH$	リノール酸	2	280	−5℃	
	$C_{17}H_{29}COOH$	リノレン酸	3	278	−11℃	

H が 2 個減るたびに C ＝ C が 1 個増える

分子内の C ＝ C の数が増すと融点は低くなる

例

H2個減る　C＝C が 1 個生じる

「パルステオリレン」と覚えよう!!

ベンゼン君
（新登場）

注　C＝C の数が多くなるほど不規則な形になり，分子が集まりにくく，融点が低くなる。

例　オレイン酸 $C_{17}H_{33}COOH$ の構造

天然の高級不飽和脂肪酸は
ふつうシス形で，
分子が折れ曲がっている。

CH_3-CH_2
CH_2-CH_2
CH_2-CH_2
CH_2-CH_2
C＝C
H　H
CH_2-CH_2
CH_2-CH_2
CH_2-C
CH_2-C
O－H

油脂の性質は，高級脂肪酸の種類と関係がありそうだね。

そうなんだ。油脂を構成する高級脂肪酸の種類は，油脂の性質と関係するんだ。つまり，常温で固体のパルミチン酸などを多く含んでいる油脂は常温で固体の脂肪になることが多く，常温で液体のリノール酸などを多く含んでいる油脂は常温で液体の脂肪油になることが多い。

チェック問題 1

やや難　3分

次の文中の空欄 □□□□ に入る適当なものを，次の①〜⑥のうちから 1 つ選べ。

グリセリンとリノール酸（$C_{17}H_{31}COOH$）だけからできている油脂と，グリセリンとリノレン酸（$C_{17}H_{29}COOH$）だけからできている油脂がある。それぞれの油脂 1 mol に，触媒を加えて水素と反応させ，構成脂肪酸をすべてステアリン酸にするとき，反応によって消費される水素の物質量の比は，□□□である。

　　①　1：1　　②　1：2　　③　1：3　　④　2：3　　⑤　3：4　　⑥　3：5

解答・解説

④

　それぞれの油脂は次のようになる。

㋐　グリセリンとリノール酸だけからできている油脂

　注　C_nH_{2n+1}－（アルキル基）は $C-C$ と $C-H$ だけからなる。高級脂肪酸では，H が 2 個減るごとに $C=C$ が 1 個増える。

$C_{17}H_{35}$－（アルキル基）より H が 4 個減っているので，$C_{17}H_{31}$－ は $C=C$ を 2 個もつ

㋑　グリセリンとリノレン酸だけからできている油脂

$C_{17}H_{35}$－（アルキル基）より H が 6 個減っているので，$C_{17}H_{29}$－ は $C=C$ を 3 個もつ

　㋐，㋑の油脂 1 mol に，触媒を加えて H_2 と反応させ，構成脂肪酸をすべてステアリン酸 $C_{17}H_{35}COOH$ にするときの化学反応式は次の①，②式となる。

　㋐の場合，$C_3H_5(OCOC_{17}H_{31})_3 + 6H_2 \longrightarrow C_3H_5(OCOC_{17}H_{35})_3$　……①

　　　　　　　　└ 1 分子中に $C=C$ を 6 個もっている油脂なので……

　㋑の場合，$C_3H_5(OCOC_{17}H_{29})_3 + 9H_2 \longrightarrow C_3H_5(OCOC_{17}H_{35})_3$　……②

　　　　　　　　└ 1 分子中に $C=C$ を 9 個もっている油脂なので……

　①，②式より，反応によって油脂 1 mol に消費される H_2 の物質量（mol）の比は，

　　　6 mol：9 mol ＝ 2：3

になる。

思考力のトレーニング 1　　やや難　3分

トリグリセリドXを完全に加水分解したところ，グリセリンと，脂肪酸A(炭素数18)と脂肪酸B(炭素数18)のみが得られ，AとBの物質量比は1：2であった。

Xをある酵素で部分的に加水分解すると，図のように脂肪酸A，脂肪酸B，化合物Yのみが物質量比1：1：1で生成した。また，Xには鏡像異性体(光学異性体)が存在し，Yには鏡像異性体が存在しなかった。AをR^A-COOH，BをR^B-COOHと表すとき，図に示す化合物Yの構造式において，$\boxed{ \text{ア} }$・$\boxed{ \text{イ} }$にあてはまる原子と原子団の組み合わせとして最も適当なものを，あとの①～④のうちから1つ選べ。

$$\text{トリグリセリドX} \longrightarrow \text{脂肪酸A} + \text{脂肪酸B} + \begin{array}{l} CH_2-O-\boxed{\text{ア}} \\ | \\ CH\ -O-\boxed{\text{イ}} \\ | \\ CH_2-O-H \end{array}$$
化合物Y

図　ある酵素によるトリグリセリドXの加水分解

	ア	イ
①	$\overset{O}{\overset{\|\|}{C}}-R^A$	H
②	$\overset{O}{\overset{\|\|}{C}}-R^B$	H
③	H	$\overset{O}{\overset{\|\|}{C}}-R^A$
④	H	$\overset{O}{\overset{\|\|}{C}}-R^B$

解答・解説

④

トリグリセリドXは，グリセリン $C_3H_5(OH)_3$ 1分子，脂肪酸A R^A-COOH 1分子，脂肪酸B R^B-COOH 2分子からなるエステルであり，鏡像異性体が存

〔AとBの物質量(mol)比1：2からわかる〕

在することから不斉炭素原子をもつ。

よって，トリグリセリドXは，次のうち左の化合物とわかる。

$$
\begin{array}{l}
CH_2 - O - \overset{\displaystyle O}{\overset{\|}{C}} - R^A \\
C^*H - O - \overset{\displaystyle O}{\overset{\|}{C}} - R^B \\
CH_2 - O - \overset{\displaystyle O}{\overset{\|}{C}} - R^B
\end{array}
$$

（C*は不斉炭素原子）
トリグリセリド X になる

$$
\begin{array}{l}
CH_2 - O - \overset{\displaystyle O}{\overset{\|}{C}} - R^B \\
CH - O - \overset{\displaystyle O}{\overset{\|}{C}} - R^A \\
CH_2 - O - \overset{\displaystyle O}{\overset{\|}{C}} - R^B
\end{array}
$$

不斉炭素原子をもたない
ため，トリグリセリド X
ではない

← A 1分子と B 2分子
からなるトリグリセリド
は左の 2 つだけ。

　トリグリセリド X 1 mol を部分的に加水分解し，A 1 mol，B 1 mol，エステル 1 mol が生成するには次の(ア)または(イ)のように加水分解される必要がある。
化合物 Y

(ア)　A が生成するにはこの位置が必ず加水分解される必要がある

$$
\begin{array}{l}
CH_2 - O - \overset{\displaystyle O}{\overset{\|}{C}} - R^A \\
C^*H - O - \overset{\displaystyle O}{\overset{\|}{C}} - R^B \\
CH_2 - O - \overset{\displaystyle O}{\overset{\|}{C}} - R^B
\end{array}
$$
トリグリセリド X

↓の位置で
加水分解する

$$
\begin{array}{l}
CH_2 - O - H \\
C^*H - O - H \\
CH_2 - O - \overset{\displaystyle O}{\overset{\|}{C}} - R^B
\end{array}
$$
$+ R^A - COOH + R^B - COOH$

不斉炭素原子をもち，
鏡像異性体が存在する ⇒ 化合物 Y ではない

(イ)　A が生成するにはこの位置が必ず加水分解される必要がある

$$
\begin{array}{l}
CH_2 - O - \overset{\displaystyle O}{\overset{\|}{C}} - R^A \\
C^*H - O - \overset{\displaystyle O}{\overset{\|}{C}} - R^B \\
CH_2 - O - \overset{\displaystyle O}{\overset{\|}{C}} - R^B
\end{array}
$$
トリグリセリド X

↓の位置で
加水分解する

$$
\begin{array}{l}
CH_2 - O - \boxed{H}^{\ ア} \\
CH - O - \boxed{\overset{\displaystyle O}{\overset{\|}{C}} - R^B}^{\ イ} \\
CH_2 - O - H
\end{array}
$$
$+ R^A - COOH + R^B - COOH$

不斉炭素原子をもたないので，
鏡像異性体が存在しない ⇒ 化合物 Y とわかる

　化合物 Y(エステル)には鏡像異性体が存在しないので，(イ)で生じたエステルが Y になる。

別解
選択肢から解答を決めることもできる。化合物 Y はグリセリン 1 分子と脂肪酸 B 1 分子からなるエステルなので，②か④が解答になる。②と④のうち，不斉炭素原子をもたないものは④だけである。

2 油脂の利用について

マーガリンの原料となる油脂は，大豆油などの C=C 結合を多く含む脂肪油に Ni を触媒として H_2 を付加させてつくる。**H_2 を付加させて C=C 結合を少なくすると，常温で固化する**よね。このようにしてつくった油脂を**硬化油**といい，この硬化油に発酵乳・食塩・ビタミン類などを加え，練り合わせてマーガリンをつくるんだ。

$$
\begin{array}{ccc}
\overset{\displaystyle H \quad H}{-\underset{}{C}=\underset{}{C}-} & + \quad H{-}H & \xrightarrow[\text{触媒(Ni)}]{} & \overset{\displaystyle H \quad H}{-\underset{\displaystyle H \quad H}{C}-\underset{}{C}-} \leftarrow H_2 \text{が付加}
\end{array}
$$

脂肪油 　　　　　　　　　　　　　　　　　　硬化油

C=C 結合を多く含む**アマニ油**などの脂肪油は，木材の表面にうすく塗っておくと，C=C 結合が空気中の O_2 に酸化されて固まる。このような**アマニ油などの脂肪油を乾性油といい，塗料などに使う**。

ポイント　油脂の利用について

● **硬化油** ➡ 脂肪油に水素を付加させて固化させたもの　　例　マーガリン
● **乾性油** ➡ 空気中で C=C が酸素と結合して固まる脂肪油　例　アマニ油

チェック問題 2　　　　　　　標準 3分

油脂や高級脂肪酸に関する記述として下線部に誤りを含むものを，次の①～⑤のうちから１つ選べ。

① けん化価は，油脂 1 g を完全にけん化するのに必要な水酸化カリウムの質量を mg 単位で表した数値で，この値が大きいほど油脂の平均分子量は小さい。
② ヨウ素価は，油脂 100 g に付加するヨウ素の質量を g 単位で表した数値で，油脂の中でも空気中で放置すると固化しやすい乾性油はヨウ素価が大きい。
③ マーガリンの主成分である硬化油は，液体の油脂を酸化してつくられる。
④ 油脂は，高級脂肪酸とグリセリン(1, 2, 3-プロパントリオール)のエステルである。
⑤ 示性式 $C_{17}H_{29}COOH$ で示される鎖状の脂肪酸には，炭素原子間の二重結合が 3 つある。

解答・解説

③

① けん化価とは，「油脂 1 g を完全にけん化するのに必要な KOH の質量を mg 単位で表した数値のこと」で次のように求める。

　　油脂 1 mol をけん化するのに KOH（式量56）が 3 mol 必要で，油脂の平均分子量を M とすると，

$$C_3H_5(OCOR)_3 + 3KOH \longrightarrow C_3H_5(OH)_3 + 3RCOOK \text{ から，}$$

油脂

エステル結合が 3 か所あるため，油脂 $C_3H_5(OCOR)_3$ 1 mol に対して KOH 3 mol が必要

$$\text{けん化価} = \frac{1}{\underset{\text{小}}{\overset{\text{大}}{M}}} \times 3 \times 56 \times 10^3 \quad \cdots ①$$

油脂（mol）　けん化に必要な　KOH（g）　KOH（mg）
　　　　　　KOH（mol）

　　①式から，けん化値が大きいほど M は小さい。〈正しい〉

② ヨウ素価とは，「油脂100 g に付加する I_2 の質量を g 単位で表した数値のこと」で次のように求める。

　　油脂の平均分子量を M，油脂 1 分子に含まれる C＝C 結合の数を n 個とすると，油脂 1 mol には I_2（分子量254）n（mol）が付加することから，

$$\left(\underset{/}{\overset{\backslash}{C}}＝\underset{\backslash}{\overset{/}{C}} \text{ 1 個に } I_2 \text{ 1 個が付加して，} -\underset{|}{\overset{|}{C}}-\underset{|}{\overset{|}{C}}- \text{ になると考えればよい。} \right)$$
$$ I \quad I$$

$$\text{ヨウ素価} = \frac{100}{M} \times n \times 254 \quad \cdots ②$$

油脂（mol）　付加する I_2（mol）　I_2（g）

　　②式から，ヨウ素価は n の値に比例することがわかる。つまり，C＝C 結合の数である n の値が大きいほどヨウ素価が大きい。

　　空気中で固化しやすい乾性油は，C＝C 結合が多い（n の値が大きい）のでヨウ素価が大きい。〈正しい〉

③ 硬化油は，液体の油脂である脂肪油に Ni を触媒として水素 H_2 を付加してつくることができる。

　　H_2 の付加は，脂肪油が H_2 を受けとる変化と見ることができるので酸化ではなく還元が正しい。〈誤り〉

④ 油脂は，高級脂肪酸 R－COOH とグリセリン（1, 2, 3-プロパントリオール）$C_3H_5(OH)_3$ のエステル。〈正しい〉

⑤ $C_{17}H_{29}-$ は，$C_{17}H_{35}-$（アルキル基）よりも H が 6 個減っているので C＝C を 3 個もつ。つまり，リノレン酸 $C_{17}H_{29}COOH$ には，炭素原子間の二重結合が 3 つある。〈正しい〉

3 セッケンについて

エステルに NaOH のような強塩基を加えて加熱すると，カルボン酸の塩とアルコールになったね。

 けん化っていったよね。

そうだね。だから，**エステルである油脂に NaOH 水溶液を加えて加熱すると，油脂がけん化されてグリセリンと**高級脂肪酸のナトリウム塩（セッケン）ができる。

セッケンは，水になじみやすいカルボン酸イオンの部分（＝親水基）と水になじみにくい長い炭化水素の部分（＝疎水基または親油基）とからできた構造をもっている。

セッケンを水に溶かしてセッケン水をつくると，セッケン水の表面で，セッケンは，疎水基の部分を空気中に，親水基の部分を水中に向けて，空気と水の界面に並ぶ。

 界面って？

空気と水や，油と水などの混じり合わない物質の境界面のことをいうんだ。セッケンが界面に並ぶと，水の表面にはたらく丸くなろうとする力（＝表面張力）が減少するので，セッケン水は繊維のすき間にしみこみやすくなる。このようなはたらきをする物質を界面活性剤というんだ。

第6章

有機化合物

また，セッケン水の濃度が一定以上になると，**セッケンは疎水基を内側に，親水基を外側にして球状のコロイド粒子**（＝**ミセル**）**をつくり，水中に細かく分散する。**

空気と水の界面に並ぶ

ミセル

水中に分散

セッケンってどうやって油汚れを落とすの？

セッケンの洗浄のしくみは次のようになるんだ。

ミセル

セッケン

油汚れ

繊維

セッケン水が繊維のすき間にしみこむ。

油汚れ

セッケン

セッケンが疎水基（親油基）を内側に親水基を外側に向けて油をとり囲む。

油汚れ

油が繊維の表面からはがれて水中に分散する。

油は水と混じらないよね。でも，**油とセッケン水を混ぜると，油はセッケンの疎水性の部分にとり囲まれ，細かい粒子となって水中に分散し，にごった水溶液**（＝**乳濁液**）**になる。**

このようにセッケンが油を水中に分散させる作用を乳化作用というんだ。

セッケン水って何性になるかわかる？

弱酸 RCOOH と強塩基 NaOH を中和することによってできると考えられる塩だから弱塩基性になるね。

そうだね。**セッケン水は，陰イオン RCOO$^-$ が H$_2$O の H$^+$ と結びつき，弱塩基性を示す。**このため，絹や羊毛などの塩基性に弱い動物性繊維（タンパク質）の洗濯に使うことが難しいんだ。

$$H_2O \rightleftarrows H^+ + OH^-$$ ◀ H$_2$O のわずかな電離

$$+)\ RCOO^- + H^+ \longrightarrow RCOOH$$ ◀ H$_2$O の H$^+$ と結びつく

$$\overline{RCOO^- + H_2O \rightleftarrows RCOOH + OH^-}$$ ◀ まとめると……

弱塩基性

また，Ca^{2+} や Mg^{2+} を多く含む**硬水にセッケンを溶かすと，水に溶けにくい高級脂肪酸のカルシウム塩**$(RCOO)_2Ca$ **やマグネシウム塩**$(RCOO)_2Mg$ **が沈殿するので，セッケンの泡立ちが悪くなる**よ。

$$2RCOO^- + Ca^{2+} \longrightarrow (RCOO)_2Ca \downarrow$$
$$2RCOO^- + Mg^{2+} \longrightarrow (RCOO)_2Mg \downarrow$$

ポイント　セッケンについて

- セッケンは油を塩基で分解（けん化）してつくる
- セッケン水は弱塩基性を示す
- 硬水中でセッケンは泡立ちにくい

チェック問題 3　　　標準 3分

　一種類の飽和脂肪酸のみからなる油脂44.5 g をけん化するためには，6.00 g の水酸化ナトリウムが必要であった。この油脂の分子量として最も適当な数値を，次の①〜⑥のうちから１つ選べ。

　ただし，H＝1.0，O＝16，Na＝23とする。

① 284　　② 297　　③ 445　　④ 593　　⑤ 890　　⑥ 1190

解答・解説

⑤

　一種類の飽和脂肪酸（R^1COOH とする）のみからなる油脂は $C_3H_5(OCOR^1)_3$ と表すことができる。この油脂をけん化したときの化学反応式は，

エステル結合

$$C_3H_5(\underline{OCO}R^1)_3 + 3NaOH \longrightarrow C_3H_5(OH)_3 + 3R^1COONa$$

> 油脂 1 分子中にエステル結合が 3 か所あるので，NaOHが 3 mol 必要

となり，油脂（➡ 分子量を M とする）1 mol と反応する NaOH（式量40）は 3 mol になる。よって，

$$\underbrace{\frac{44.5}{M}}_{\text{油脂(mol)}} \times \underbrace{3}_{\substack{\text{必要な}\\ \text{NaOH(mol)}}} = \underbrace{\frac{6.00}{40}}_{\text{NaOH(mol)}} \quad \text{より，} M = 890。$$

⁴ 合成洗剤について

　高級アルコール(C原子の多いアルコール)に濃硫酸を作用させて得られる硫酸エステルのナトリウム塩やベンゼンからつくられるアルキルベンゼンスルホン酸ナトリウムなどを合成洗剤という。

$$C_{12}H_{25}-OH \xrightarrow[\text{注エステル化}]{H_2SO_4} C_{12}H_{25}-O-SO_3H \xrightarrow[\text{中和}]{NaOH} C_{12}H_{25}-O-SO_3^-Na^+$$

1-ドデカノール　　　　　　　　　　硫酸水素ドデシル　　　　　　　硫酸ドデシルナトリウム
(高級アルコール)　　　　　　　　　(硫酸エステル)　　　　　　　　(硫酸エステルのナトリウム塩)

疎水基　親水基

　注　硫酸からOH，アルコールからHがとれた硫酸エステルが生じるので，エステル化である。

$$C_{12}H_{25}-O-\boxed{H \quad H-O}-SO_3H$$
　　　1-ドデカノール　　　　濃硫酸

$$C_nH_{2n+1}-\!\!\!\bigcirc\!\!\!-\xrightarrow[\text{スルホン化}]{H_2SO_4} C_nH_{2n+1}-\!\!\!\bigcirc\!\!\!-SO_3H \xrightarrow[\text{中和}]{NaOH} C_nH_{2n+1}-\!\!\!\bigcirc\!\!\!-SO_3^-Na^+$$

アルキル　　　　　　　　　　アルキルベンゼン　　　　　　　　アルキルベンゼン
ベンゼン　　　　　　　　　　スルホン酸　　　　　　　　　　　スルホン酸ナトリウム

疎水基　親水基

　セッケンと同じように疎水基と親水基をもっているね。

　そうだね。だから，セッケンと同じように洗浄作用があるんだ。
　ただし，**合成洗剤は，強酸と強塩基を中和することによってできると考えられる塩なので加水分解せず，合成洗剤の水溶液は中性になる。**

　ふーん。じゃあ，絹や羊毛の洗濯に使えるね。

　そうだね。また，合成洗剤のカルシウム塩やマグネシウム塩は水に溶けるから，合成洗剤は**硬水中でも泡立つ**んだ。

ポイント　合成洗剤について

● 合成洗剤の水溶液は中性
● 硬水中でも合成洗剤は泡立つ

チェック問題 4 　　標準 3分

次の記述①〜⑤のうちから，誤りを含むものを１つ選べ。

① 油脂に水酸化ナトリウムを反応させると，グリセリンとセッケンが得られる。
② 硬水中でセッケンの洗浄力が低下するのは，セッケンが Ca^{2+} や Mg^{2+} と反応して水に溶けにくい塩をつくるためである。
③ セッケン分子は，疎水性の炭化水素基の部分と親水性のカルボン酸イオンの部分をもっている。
④ セッケン(脂肪酸ナトリウム)と合成洗剤(アルキルベンゼンスルホン酸ナトリウム)は，いずれもその水溶液にフェノールフタレイン溶液を加えると赤く着色した。
⑤ セッケンが羊毛に使用できないのは，セッケンが水溶液中で一部加水分解され，塩基性(アルカリ性)を示すからである。

解答・解説

④

④ 合成洗剤(アルキルベンゼンスルホン酸ナトリウム)の水溶液は中性なので，フェノールフタレイン溶液を赤く着色することはない。〈誤り〉

考力のトレーニング 2 　　やや難 3分

界面活性剤に関する次の実験１・２について，下の問い(a・b)に答えよ。

実験１ ビーカーにヤシ油(油脂)をとり，水酸化ナトリウム水溶液とエタノールを加えた後，均一な溶液になるまで温水中で加熱した。この溶液を飽和食塩水に注ぎよく混ぜると，固体が生じた。この固体をろ過により分離し，乾燥した。

実験２ 実験１で得られた固体の0.5％水溶液５ mL を，試験管アに入れた。これとは別に，硫酸ドデシルナトリウム(ドデシル硫酸ナトリウム)の0.5％水溶液を５ mL つくり，試験管イに入れた。試験管ア・イのそれぞれに１ mol/L の塩化カルシウム水溶液を１ mL ずつ加え，試験管内のようすを観察した。

a 実験１で飽和食塩水に溶液を注いだときに固体が生じたのは，どのような反応あるいは現象か。最も適当なものを，次の①〜⑥のうちから１つ選べ。

① 中 和　　② 水 和　　③ けん化
④ 乳 化　　⑤ 浸 透　　⑥ 塩 析

第 **6** 章

有機化合物

b　実験2で観察された試
　　験管ア・イ内のようすの
　　組み合わせとして最も適
　　当なものを，右の①〜⑥の
　　うちから1つ選べ。

	試験管ア内の様子	試験管イ内の様子
①	均一な溶液であった	油状物質が浮いた
②	均一な溶液であった	白濁した
③	油状物質が浮いた	均一な溶液であった
④	油状物質が浮いた	白濁した
⑤	白濁した	均一な溶液であった
⑥	白濁した	油状物質が浮いた

解答・解説

a　⑥　　b　⑤

実験1　油脂$(RCOO)_3C_3H_5$を NaOH 水溶液でけん化し，セッケン RCOONa を
　　　　合成する。

$$(RCOO)_3C_3H_5 \ + \ 3NaOH \xrightarrow[\text{けん化}]{\text{加熱}} \ C_3H_5(OH)_3 \ + \ 3RCOONa$$
　　　油脂(ヤシ油)　　　　　　　　　　　　　　　　　　グリセリン　　　　セッケン

　このときの実験操作は次のようになる。

油脂(ヤシ油) $(RCOO)_3C_3H_5$
エタノールC_2H_5OH
NaOH水溶液
湯浴

ビーカーの中の
混合水溶液を
飽和食塩水に
加える

析出したセッケン
をガーゼで
ろ過する

左の反応液
塩析により
セッケンが
分離してくる。

温水中で加熱するとけん化が
起こり，均一な溶液になり
グリセリンとセッケンが生じる。

飽和食塩水 $NaClaq$

ガーゼ
セッケン RCOONa

セッケンの合成実験

　a　セッケンは親水コロイド(➡ p.119)であり，多量の電解質(飽和食塩 NaCl 水)
　　に加えたことで「**塩析**」が起こる。

実験2　実験1で得られたセッケン RCOONa の水溶液(セッケン水)を試験管ア
　　　　に入れ，硫酸ドデシルナトリウム(合成洗剤)の水溶液を試験管イに入れる。
　　参考　硫酸ドデシルナトリウムの化学式は，$C_{12}H_{25}-OSO_3Na$

　b　1 mol/L(濃い！)塩化カルシウム $CaCl_2$水溶液(Ca^{2+}を多く含む硬水)を加え
　　ると，試験管ア(セッケン水)は水に溶けにくい$(RCOO)_2Ca$をつくるので，沈殿
　　が生じて白濁し，試験管イ(合成洗剤の水溶液)は硬水を加えても使用できる(カ
　　ルシウム塩は水に溶けるので沈殿が生じない！)ので均一な溶液のまま。

第6章　有機化合物

33 時間目 ベンゼンとその反応

1 ベンゼンについて

　ベンゼン C_6H_6 は，特有のにおいをもち，水よりも軽い無色の液体で，水に溶けにくく，引火しやすい。また，C の含有率が大きく，**空気中ですすを出しながら燃える**。

　以上に加えて，ベンゼン C_6H_6 には次の**❶〜❺の注意する**ポイントがあるんだ。

❶ **すべての** C 原子・H 原子が**同一平面上にある**

❷ 炭素原子間の結合は，単結合と二重結合の中間の状態で，その形は**正六角形**

❸ 炭素−炭素間結合は**同等**で，その長さは「**単結合より短く，二重結合より長い**」

❹ **ベンゼン環は非常に安定でこわれにくい**

〈構造式を略記したもの〉　　　　　　　　　　〈分子の模型〉

ベンゼン

$\bigcirc$：C 原子
$\bullet$：H 原子

正六角形

ベンゼン

> 注　ベンゼン分子中の炭素−炭素二重結合は決まった炭素原子の間に固定されていないので，厳密には上の構造式は正しい構造式とはいえない。ただし，この構造式は便利なので，**実際の構造を正しく示していないことを認めたうえで，ベンゼンの構造式として用いる。**

❺ **二置換体の異性体は**オルト (o-)・メタ (m-)・パラ (p-)の **3 種類**

　ベンゼンの形は正六角形なので，H 6 個のうち 2 個を別の基で置き換えたものには，オルト (o-)・メタ (m-)・パラ (p-)の 3 種類の構造異性体が存在するんだ。

例

o-キシレン　　　　　　　　m-キシレン　　　　　　　　p-キシレン

第
6
章

有機化合物

2 置換反応について

　ベンゼンは，アルケンの C＝C やアルキンの C≡C よりは付加反応が起こりにく
く，**置換反応**が起こりやすい。

　置換反応は，置き換わる反応だったよね。ベンゼンでは，
　何と何が置き換わるの？

　ベンゼンの置換反応は，「－H」が「－ X」つまり「塩素原子－Cl」，「ニトロ基
－NO₂」，「スルホ基－SO₃H」などと置き換わるんだ。

① ハロゲン化 ← Cl のときは，塩素化という

　ベンゼンを，Fe や FeCl₃ を触媒にして Cl₂ と反応させると……

② ニトロ化

　ベンゼンを，濃硝酸 HNO₃ と濃硫酸 H₂SO₄ の混合物（＝混酸）と約60℃で反応させ
ると……

③ スルホン化

　ベンゼンを，濃硫酸 H₂SO₄ とともに加熱して反応させると……

ポイント　置換反応について

- ハロゲン化(塩素化)　：－H　⟶　－Cl
- ニトロ化　　　　　　：－H　⟶　－NO₂
- スルホン化　　　　　：－H　⟶　－SO₃H

チェック問題 1　やや難 2分

次の操作1・操作2からなる実験により，ベンゼンから有機化合物A(分子量123)を合成した。この実験および生成した化合物Aに関する記述として誤りを含むものを，下の①～⑤のうちから1つ選べ。H＝1.0，C＝12，N＝14，O＝16とする。

操作1　試験管に濃硝酸2mLと濃硫酸2mLをとり，これにベンゼン1mLを加えた後，試験管を振り混ぜながら60℃で十分な時間加熱した。

操作2　この試験管の内容物をすべてビーカー中の冷水50mLに注ぎ，ガラス棒でかき混ぜた後，静置した。

① 操作1でベンゼンを試験管に加えた直後，内容物は二層に分かれ，上層がベンゼンであった。
② 操作2の後，生成した化合物Aはビーカー内で上層に分離した。
③ 化合物Aは置換反応で生成した。
④ 化合物Aは特有のにおいをもつ。
⑤ 化合物Aはジエチルエーテルなどの有機溶媒によく溶ける。

解答・解説

②

ベンゼンを濃硫酸と濃硝酸の混合物(混酸)と約60℃で反応させると，ニトロ化が起こり，分子量123のニトロベンゼンが生成する。

└→化合物A

+　HNO₃　$\xrightarrow[\text{ニトロ化}]{\text{濃硫酸，約60℃}}$　⟨⟩－NO₂　+　H₂O

　　　　　　　　　　　　　　　　　ニトロベンゼン(化合物A)

実験操作の1・2は，次のようになる。

ニトロベンゼンの合成

② ニトロベンゼンは，水よりも密度が大きく下層になる。〈誤り〉
③ ニトロ化は，置換反応。〈正しい〉
④ ニトロベンゼンは，特有の甘いにおいをもつ。〈正しい〉

3 付加反応について

ベンゼンの付加反応は起こりにくいの？

そうなんだ。ただし，「**高温・高圧＋触媒**」・「**光（紫外線）**」などの**特別な条件**であれば，安定なベンゼン環がこわれ，付加反応が起こるよ。

形式的な考え方

❶ Pt や Ni を触媒にして，高温・高圧の H_2 を反応させると……

ベンゼン $+ 3H_2$ —[高温・高圧 / 触媒（Pt や Ni）]→ シクロヘキサン C_6H_{12}

H_2 が付加する

「環」を表す

❷ 光(紫外線)をあてながら塩素 Cl_2 を反応させると……

$$\text{（ベンゼン）} + 3Cl_2 \xrightarrow{\text{紫外線}} \text{（ヘキサクロロシクロヘキサン）}$$

[Cl_2 が付加する]
— 6 個を示している
ヘキサクロロシクロヘキサン$C_6H_6Cl_6$
— Cl を示している
（ベンゼンヘキサクロリド，略称BHC）

チェック問題2

標準 2分

ベンゼンに関する記述として誤りを含むものを，①〜⑥のうちから1つ選べ。

① 分子は平面構造をもつ。
② 常温・常圧で無色の液体であり，空気中ですすを出しながら燃える。
③ 水に溶けにくい。
④ 炭素原子間の結合距離は，すべて等しい。
⑤ ジクロロベンゼンには，ベンゼン環に結合する塩素原子の位置によって3種類の異性体が存在する。
⑥ 鉄粉を触媒にして塩素を反応させると，ヘキサクロロシクロヘキサン $C_6H_6Cl_6$ がおもに生成する。

解答・解説

⑥

　ベンゼンは常温・常圧で無色の液体であり，水に溶けにくい。また，すべてのC・Hが同一平面上にある正六角形の平面構造で，空気中ですすを出して燃える。よって，①，②，③は〈正しい〉。
④ 正六角形なので，炭素原子間の結合距離はすべて等しい。〈正しい〉
⑤ ベンゼンのもつ2つのH−を塩素原子Cl−に置き換えたジクロロベンゼンには，$o-$，$m-$，$p-$の3種類の構造異性体が存在する。〈正しい〉
⑥ 鉄粉を触媒にしてベンゼンに塩素 Cl_2 を反応させると，塩素化が起こりクロロベンゼンが生成する（置換反応）。

$$\text{（ベンゼン）} + Cl_2 \xrightarrow{\text{触媒（Fe）}} \text{（ベンゼン）}-Cl + HCl$$

クロロベンゼン

第 **6** 章

有機化合物

ヘキサクロロシクロヘキサン は，紫外線をあてながら，ベ

ンゼンに塩素を反応させると生成する（付加反応）。〈誤り〉

4 酸化反応について

　ベンゼン環は非常に安定で，こわれにくい。だから，「**ベンゼン環に C 原子が直接ついている化合物**」を**過マンガン酸カリウム** KMnO₄ などの酸化剤と反応させると，**ベンゼン環はこわれず，環に直接ついている C 原子だけが酸化を受ける**んだ。

❶ ベンゼン環に直接ついている炭素原子の酸化

トルエンやエチルベンゼンを KMnO₄ 水溶液で酸化すると……

トルエン　　　　　　　　　　　　　　　〜のC原子が酸化される　　　安息香酸

エチルベンゼン　　　　　　　　　　　　〜のC原子が酸化される　　　安息香酸

スタートが違うけれど，ゴールは同じ化合物だね

ベンゼン環に直接ついている C 原子が酸化されて，最後は−COOH になる。
じゃあ，*o*-キシレンや*p*-キシレンを同じように酸化するとどうなると思う？

o-キシレン　　　　から　　　　　，　　　　*p*-キシレン　　　から　　　　，

が得られるね。

そうだね。 は**フタル酸**， は**テレフタル酸**というんだ。

❷ ベンゼン環の酸化

 ベンゼン環を，酸化剤を使って酸化することはできないの？

条件しだいではこわす（酸化する）ことができるんだ。

ベンゼンやナフタレンを，**酸化バナジウム（Ⅴ）** V_2O_5 **を触媒にし**，高温にして空気中で酸化すると……

ベンゼン $\xrightarrow[\substack{\text{触媒}(V_2O_5)\\高温}]{O_2}$ マレイン酸 $\xrightarrow[\text{}]{\substack{分子内\\で脱水}}$ 無水マレイン酸

—— H_2O がとれる！

ナフタレン $\xrightarrow[\substack{\text{触媒}(V_2O_5)\\高温}]{O_2}$ フタル酸 $\xrightarrow[\text{}]{\substack{分子内\\で脱水}}$ 無水フタル酸

—— H_2O がとれる！

覚えにくい反応だよね。

そうだね。ベンゼンの酸化は，

ベンゼン $\xrightarrow[\text{にわりこみ}]{O_2 が C=C 2 ヵ所}$ ベンゼンの左側から得られる

ホルミル基（アルデヒド基）

$\xrightarrow[\text{わりこむ}]{さらに -C=O に O が}$ マレイン酸 $\xrightarrow[\text{脱水する!!}]{高温なので}$ 無水マレイン酸

—— H_2O がとれる

と形式的に覚えるといいね。ナフタレンの酸化も同じように考えよう。

第 **6** 章

有機化合物

- ベンゼン環に直接ついている C ➡ 酸化されて −COOH に
- V_2O_5 を触媒にして空気中で酸化 ➡ ベンゼン環がこわれる！

チェック問題 3

標準 2分

芳香族炭化水素の反応に関する記述として下線部に誤りを含むものを，次の①〜④のうちから1つ選べ。

① ナフタレンに，高温で酸化バナジウム（Ｖ）を触媒として酸素を反応させると，<u>o-キシレン</u>が作成する。

② ベンゼンに，鉄粉または塩化鉄（Ⅲ）を触媒として塩素を反応させると，<u>クロロベンゼン</u>が生成する。

③ ベンゼンに，高温で濃硫酸を反応させると，<u>ベンゼンスルホン酸</u>が生成する。

④ ベンゼンに，高温・高圧でニッケルを触媒として水素を反応させると，<u>シクロヘキサン</u>が生成する。

解答・解説

①

① o-キシレン（CH₃ CH₃ ベンゼン環）ではなく，無水フタル酸（CO CO O ベンゼン環）が生成する。

〈誤り〉

②，③，④は〈正しい〉。②〜④の下線部の生成物の構造式は次の通り。

クロロベンゼン ⟨ベンゼン環⟩—Cl， ベンゼンスルホン酸 ⟨ベンゼン環⟩—SO₃H，

シクロヘキサン（構造式）

考力のトレーニング 　難　4分

次の問いに答えよ。

問1　分子式 C_7H_7Cl で表される化合物のうち，ベンゼン環をもつものはいくつ存在するか。正しい数を，次の①～⑥のうちから1つ選べ。

①　1　　　②　2　　　③　3　　　④　4　　　⑤　5　　　⑥　6

問2　クロロベンゼンの水素原子2個をメチル基2個で置き換えると，何種類の化合物ができるか。次の①～⑤のうちから1つ選べ。

①　3種類　　②　4種類　　③　5種類　　④　6種類　　⑤　7種類

解答・解説

問1　④　　問2　④

問1　トルエンの分子式は C_7H_8 なので，トルエンのもつ－H

1個を－Cl に置き換えると分子式 C_7H_7Cl になる。よって，

　　トルエンのもつ⑦～㋓の－H を－Cl に置き換えた

の4つが存在する。

⑦　　　　　　㋑　　　　　　　㋒　　　　　　　㋓

o-異性体　　　m-異性体　　　p-異性体

注　は同じ分子になる。
↳どれも⑦になる。

このCは正四面体の中心に位置している。ClとHの位置が入れかわっても同じ分子になる。

問2　クロロベンゼン（構造式：Cl、H、ベンゼン環）のもつ2個のHを
メチル基 CH_3- 2個で置き換える。

o-体（構造図）　→　⑦〜①に残り1つの CH_3- を導入する

⑦ Cl、CH_3、CH_3
④ Cl、CH_3、CH_3
⑦ Cl、CH_3、CH_3
① Cl、CH_3、CH_3

m-体（構造図）　→　⑦〜⑦に残り1つの CH_3- を導入する

⑦ Cl、CH_3、CH_3　↓　これは⑦と同じ
⑦ Cl、CH_3、CH_3
⑦ Cl、CH_3、CH_3
⑦ Cl、CH_3、CH_3　↓　これは⑦と同じ

p-体（構造図）　この線に対して左右対称になる　→　⑦，⑦に残り1つの CH_3- を導入する

⑦ Cl、CH_3、CH_3　↓　これは④と同じ
⑦ Cl、CH_3、CH_3　↓　これは⑦と同じ

よって，⑦，④，⑦，①，⑦，⑦の6種類である。

参考　キシレン（ジメチルベンゼン）の o-異性体，m-異性体，p-異性体のベンゼン環
に $-Cl$ を導入すると考えて解くこともできる。

第6章 有機化合物

フェノールとその反応

1 フェノールの性質について

ベンゼン環の炭素原子に－OH が直接結合した化合物をフェノール類という。

フェノール　　　*o*-クレゾール　　　サリチル酸　　　1-ナフトール　　　2-ナフトール

> 注　ナフタレンの H には 2 種類の H 原子（ⓗ と△）
>
>
>
> があるので，その一置換体には　　　　　と
>
> ⓗを X に置換　△を X に置換
>
> の2種類の構造異性体がある。

　フェノール類は，－OH をもっているので，アルコールと「似ている性質」を示すことが多い。ただし，「フェノール類特有の性質」も示すんだ。

どんな点が「似て」いて，どんな点が「異なる」の？

　代表的なフェノール類の「フェノール」で考えてみることにするね。

❶ アルコールに似ている性質

アルコールとフェノールは，ともに Na と反応して H_2 を発生する。

$$2R-OH \ + \ 2Na \ \longrightarrow \ 2R-ONa \ + \ H_2$$
アルコール　　　　　　　　　　　　ナトリウムアルコキシド

$$2 \overset{}{\bigcirc}-OH \ + \ 2Na \ \longrightarrow \ 2 \overset{}{\bigcirc}-ONa \ + \ H_2$$
フェノール　　　　　　　　　　　　ナトリウムフェノキシド

❷ フェノール特有の性質

❶ アルコールの水溶液は**中性**だが，フェノールの水溶液は**弱酸性を示す。** フェノールは，NaOH などの塩基と中和して塩をつくる。

❷ 塩化鉄（Ⅲ）FeCl₃ 水溶液でフェノール ⬡—OH は**紫色**に呈色する。

> 注 フェノール類は ⬡—OH の形をもち，そのほとんどが FeCl₃ 水溶液で紫に近い色に呈色する。そのため，サリチル酸（赤紫色になる）やサリチル酸メチル（赤紫色になる）なども紫に近い色に呈色する。

❸ フェノールは，ベンゼンにくらべて，ベンゼン環のオルト (*o*-) 位やパラ (*p*-) 位にある H 原子が置換されやすく（⮕ p.474「配向性」参照），**Br₂ 水を加えると，2,4,6-トリブロモフェノールの白色沈殿**（⮕ フェノールの検出に使われる）を生じる。

濃硝酸 HNO₃ と濃硫酸 H₂SO₄ の混酸でニトロ化していくとオルト (*o*-) 位やパラ (*p*-) 位でニトロ化が進み，最後にはピクリン酸(2,4,6-トリニトロフェノール)ができる。

> 注 ピクリン酸は，フェノールよりはるかに**酸性が強く**，その水溶液は**強酸**性になる。

2 フェノールの合成について

　ベンゼンからフェノールを合成するのにいくつかの方法があり，そのうち 3 つの方法❶〜❸をここで紹介するね。

❶ ベンゼンスルホン酸ナトリウムをアルカリ融解する方法

❶　まず，ベンゼンをスルホン化してベンゼンスルホン酸をつくる。

$$\text{—H} + \text{H–O–SO}_3\text{H} \xrightarrow{\text{スルホン化}} \text{—SO}_3\text{H} + \text{H}_2\text{O}$$

　└ H_2O がとれる！　　　　　　　　　　　　　ベンゼンスルホン酸

❷　次に，ベンゼンスルホン酸を水酸化ナトリウムで中和する。

$$\text{—SO}_3\text{H} + \text{NaOH} \xrightarrow{\text{中和}} \text{—SO}_3\text{Na} + \text{H}_2\text{O}$$

　H^+ と OH^- が反応して H_2O に　　　ベンゼンスルホン酸
　　　　　　　　　　　　　　　　　　　　　ナトリウム

❸　そして，生成したベンゼンスルホン酸ナトリウムの結晶を NaOH の固体と高温（約300℃）で加熱し，どろどろに溶かした状態（＝融解液）で反応させる。この操作をアルカリ融解という。
　この反応は，次の 2 段階に分けて考えるといいよ。

$$\text{(SO}_3^-\text{)} \text{Na}^+ \longrightarrow \text{(OH)}$$

　　OH^- がガツーンとぶつかって　　　一瞬フェノールに変化する

　　Na^+ (OH^-)

$$\text{—OH} + \text{OH}^- \xrightarrow{\text{中和}} \text{—O}^- + \text{H}_2\text{O}$$

　フェノールは弱酸なので，近くに余っている OH^- と中和する

❹　最後に，フェノールのイオンであるフェノキシドイオンが，塩酸 HCl や炭酸 CO_2+H_2O などのフェノールより強い酸から H^+ を受けとり，フェノールができる。

$$\text{—O}^- + \text{H}^+ \xrightarrow{\text{弱酸の遊離}} \text{—OH}$$

フェノキシドイオン　　　　　　　　　　　　フェノール

第 6 章　有機化合物

❷ クロロベンゼンを加水分解する方法

❶ 最初に，ベンゼンを塩素化してクロロベンゼンをつくる。

❷ 次に，生成したクロロベンゼンと水酸化ナトリウム水溶液を高温（約300℃）・高圧（約200気圧）の下で反応させる。

❸ ❶の❹と同様に，フェノキシドイオンが，塩酸 HCl や炭酸 $CO_2 + H_2O$ などのフェノールより強い酸から H^+ を受けとり，フェノールができるんだ。

❸ クメンを経由する方法（クメン法）

❶ まず，ベンゼンがプロペンに付加し，クメン（イソプロピルベンゼン）ができる。

　注　ベンゼンの−H が CH₃−CH−イソプロピル基 ($\begin{smallmatrix}\text{プロピル基 CH}_3-\text{CH}_2-\text{CH}_2-\\\text{が枝分かれしたもの}\end{smallmatrix}$)

　　　　　　　　　　枝分かれを表す

　　に置き換わっているので，置換反応（➡イソプロピル化）ともいえる。

❷ 次に，クメンを空気中の O_2 で酸化し，クメンヒドロペルオキシドとする。この反応を**空気酸化**というんだ。

❸ 最後に，クメンヒドロペルオキシドを希硫酸で分解し，フェノールをつくる。フェノールだけでなく，アセトンが生成することにも注意してね。

チェック問題 1　　　　　　　　標準 2分

空欄 [1] ～ [3] にあてはまる化合物を，①～⑥のうちから1つずつ選べ。

① ベンゼンスルホン酸　　② ニトロベンゼン　　③ クメン
④ 安息香酸　　　　　　　⑤ m-キシレン　　　　⑥ アセトン

---

1 ①   2 ③   3 ⑥

フェノールの3通りの製法をおさえておけばOK。

3 サリチル酸とその誘導体について

サリチル酸は，ヒドロキシ基−OH とカルボキシ基−COOH の
2種類の官能基をもっている（＝ヒドロキシ酸）ので，**カルボン酸と
フェノール類の両方の性質をもっている**んだ。

サリチル酸

サリチル酸は，フェノールからつくることができる。ナトリウム
フェノキシドまでの反応はすでに勉強したので，ここではナトリウムフェノキシドか
らの反応を考えていくことにするね。

❶　ナトリウムフェノキシドに高温・高圧のもと，CO_2 を反応させると，サリチ
ル酸ナトリウムができる。

CとHの間に無理やり CO_2 を入れる!!

H^+ が−O^- へ移る!!　　弱酸の遊離

サリチル酸ナトリウム

❷　最後に希硫酸 H_2SO_4 や塩酸 HCl などの強酸を加えると，サリチル酸ナトリウ
ムが強酸から H^+ を受けとりサリチル酸ができる。

強酸のH^+

サリチル酸

サリチル酸は，「カルボン酸」と「フェノール類」のそれぞれの性質をもつ。

❶ カルボン酸としての性質

アルコールであるメタノール CH_3OH と少量の濃硫酸 H_2SO_4（触媒）を加えて加熱すると，サリチル酸メチルが生成するんだ。

サリチル酸　　メタノール　　　　　　　　サリチル酸メチル

> 😊 カルボン酸から $-OH$，アルコールから $-H$ がとれてできているからエステル化（➡ p.421）だよね？

そうだね。**サリチル酸メチルは，消炎鎮痛用塗布薬としてシップ薬に使う**んだ。

❷ フェノール類としての性質

無水酢酸 $(CH_3CO)_2O$ と反応させると，アセチルサリチル酸が生成する。**アセチルサリチル酸は，解熱鎮痛剤として使う**んだ。また，$CH_3-\overset{\overset{\text{O}}{\|}}{C}-$ をアセチル基といい，このアセチル基を結合させる反応をとくにアセチル化という。

サリチル酸　　　　　　　　無水酢酸　　　　　　　　　　　アセチルサリチル酸　　　酢酸

> アスピリンともいう

> 注　$-OH$ や $-NH_2$ の H が**アセチル基** $CH_3-\overset{\overset{\text{O}}{\|}}{C}-$ で置き換わる反応を**アセチル化**という。無水酢酸は酢酸よりも反応性が大きく，アセチル化は**不可逆反応**になる。
>
> $$-O-H \ + \ CH_3-\overset{\overset{\text{O}}{\|}}{C}-O-\overset{\overset{\text{O}}{\|}}{C}-CH_3 \ \longrightarrow \ -O-\overset{\overset{\text{O}}{\|}}{C}-CH_3 \ + \ CH_3COOH$$
>
> 　　　　　　　　　無水酢酸　　　　　　エステル
>
> 　　　　　　　　　　　　　　　　　　　　　酢酸がとれる!!

ポイント ▶ サリチル酸の誘導体について

● サリチル酸＋メタノール ⟶ サリチル酸メチル（消炎鎮痛用塗布薬）

● サリチル酸＋無 水 酢 酸 ⟶ アセチルサリチル酸（解熱鎮痛剤）

　サリチル酸からアセチルサリチル酸を合成する実験を行った。乾いた試験管にサリチル酸1.0g，化合物A 2.0g，濃硫酸数滴を入れ，この試験管を振り混ぜながら温めた。その後，試験管の内容物を冷水に加え，沈殿をろ過し，アセチルサリチル酸の白色固体を得た。この実験に関する下の問い(a・b)に答えよ。

a　化合物Aとして最も適当なものを，次の①～⑥のうちから1つ選べ。

① メタノール　　　　② エタノール　　　　③ ホルムアルデヒド
④ アセトアルデヒド　⑤ 無水酢酸　　　　　⑥ 無水フタル酸

b　得られたアセチルサリチル酸の白色固体に未反応のサリチル酸が混ざっていないことを確認したい。未反応のサリチル酸の検出に用いる溶液として最も適当なものを，次の①～⑤のうちから1つ選べ。

① 塩化鉄(Ⅲ)水溶液　　　　② フェノールフタレイン溶液
③ 炭酸水素ナトリウム溶液　④ 水酸化ナトリウム溶液
⑤ 酢酸水溶液

解答・解説

a ⑤　　b ①

a　サリチル酸に無水酢酸(➡ 化合物A)と濃硫酸を作用させると，-OH が反応してアセチルサリチル酸が生成する。

実験操作は次のようになる。

試験管をふり混ぜ
ながら温める

振る
振る

サリチル酸
無水酢酸
(化合物A)
濃H₂SO₄

試験管の内容物を冷水に加えてかき混ぜると，アセチルサリチル酸がビーカーの底に沈む。これをろ過してアセチルサリチル酸を得る。

冷水

アセチルサリチル酸

アセチルサリチル酸の合成

b　塩化鉄(Ⅲ)FeCl₃水溶液を加えるとサリチル酸は紫に近い色(赤紫色)に呈色するが，アセチルサリチル酸は呈色しない。もし，アセチルサリチル酸にサリチル酸が混ざっていれば，塩化鉄(Ⅲ)FeCl₃水溶液を加えると赤紫色に呈色するので，サリチル酸を検出できる。

思 考力のトレーニング　やや難 4分

　フェノールを混酸(濃硝酸と濃硫酸の混合物)と反応させたところ，段階的にニトロ化が起こり，ニトロフェノールとジニトロフェノールを経由して2, 4, 6-トリニトロフェノールのみが得られた。この途中で経由したと考えられるニトロフェノールの異性体とジニトロフェノールの異性体はそれぞれ何種類か。最も適当な数を，次の①〜⑥のうちから1つずつ選べ。ただし，同じものをくり返し選んでもよい。

　　ニトロフェノールの異性体　　 1 　種類
　　ジニトロフェノールの異性体　 2 　種類

①　1　　②　2　　③　3　　④　4　　⑤　5　　⑥　6

解答・解説

1　②　　2　②

最終的に 2, 4, 6-トリニトロフェノール(ピクリン酸)のみが得られるためには，次のようにニトロ化が起こったと考えられる。

よって，途中で経由したと考えられるニトロフェノールの異性体は(ア)と(イ)の 2 種類，ジニトロフェノールの異性体は(ウ)と(エ)の 2 種類となる。

35 時間目 アニリンとその誘導体

1 アニリンの性質について

アニリン

アニリンは無色の液体で，酸化されやすく，**空気中に放置しておくと徐々に酸化され褐色になる**。また，水には少ししか溶けないが，有機溶媒（ジエチルエーテルなど）にはよく溶ける。そして，アニリンの水溶液は，**アンモニアより弱い塩基性を示す**。

アンモニア：NH_3 + H_2O ⇄ NH_4^+ + OH^-（弱塩基性）

アニリン：⟨benzene⟩−NH_2 + H_2O ⇄ ⟨benzene⟩−NH_3^+ + OH^-（弱塩基性）

ふーん。じゃあ，アンモニアのように酸と反応するの？

そうなんだ。たとえば，アニリンに塩酸を加えると塩をつくり，水に溶ける。

H^+ を与える

アンモニア：NH_3 + HCl —中和→ NH_4Cl

H^+ を与える

アニリン：⟨benzene⟩−NH_2 + HCl —中和→ ⟨benzene⟩−$NH_3^+Cl^-$
アニリン塩酸塩
（電離し，水によく溶ける）

$$\left[\text{⟨benzene⟩}-NH_3\right]^+ Cl^-$$
と書いてもよい

アニリンは，酸化されやすい。そのため，酸化剤である**さらし粉やニクロム酸カリウム $K_2Cr_2O_7$ を加えると，アニリンが酸化されて，それぞれ赤紫色や黒色に変色する**（➡ **アニリンの検出反応**）んだ。

⟨benzene⟩−NH_2
アニリン
　さらし粉 → 赤紫色
　$K_2Cr_2O_7$ → 黒色

「アニリンブラック」という黒色の物質に変化する

> ### ポイント アニリンの性質について
>
> ● 水に少し溶けて弱塩基性を示し，酸と反応して塩をつくる
> ● さらし粉で赤紫色，ニクロム酸カリウムで黒色に変色（アニリンブラックに変化）

2 アミドの生成について

アニリンに氷酢酸(➡ **純粋な酢酸**)を加えて加熱すると，**アセトアニリド**が生成するんだ。

$\overset{\frown}{\smile}$ ── $-COOH$ から OH が，$-NH_2$ から H がとれているね。

そうだね。エステルができるときに似ているよね。この反応でできた $-\overset{O}{\overset{\|}{C}}-\overset{H}{\overset{|}{N}}-$ を **アミド結合**といい，アミド結合をもつ化合物を**アミド**というんだ。

また，アニリンに無水酢酸を反応(➡ **アセチル化**)させてもアセトアニリドをつくることができる。

アセトアニリドは，かつては解熱剤として利用されていたけど，そのままでは毒性が強いので，今は薬の原料に使われているんだ。

アセチル基 $CH_3-\overset{O}{\overset{\|}{C}}-$ を結合させるので

アニリン $-NH_2$ + $(CH_3CO)_2O$ $\xrightarrow{\text{アセチル化}}$ $-NHCOCH_3$ + CH_3COOH

アセチル化は不可逆（一方通行）

ポイント ▶ アミドの生成について

● アミド，エステルともに $-COOH$ から OH がとれる！

3 アニリンの合成について

アニリンは，フェノールと同じように，ベンゼンから 1 段階でつくることができない。そのため，数段階に分け，反応させてつくるんだ。

❶ まず，ベンゼンをニトロ化して**ニトロベンゼン**をつくる。

$$\text{ベンゼン} \diagdown \!\!\!-H + H-O-NO_2 \xrightarrow[\text{ニトロ化}]{\text{濃硫酸}} \diagdown \!\!\!-NO_2 + H_2O$$

ベンゼン　　　　硝酸　　　　　　　　　　　　　　ニトロベンゼン

H₂Oがとれる！

❷ 次に，ニトロベンゼンに濃塩酸 HCl と Sn (または Fe) を反応させると，ニトロベンゼンが還元されて**アニリン塩酸塩**が生成する。

この反応では，まずニトロベンゼンが **O 原子を失い，H 原子を受けとり**（➡ 還元の定義を思い出そう！），アニリンになる。

$$\diagdown \!\!\!-NO_2 \xrightarrow[\text{還元}]{\text{Sn + HCl}} \diagdown \!\!\!-NH_2$$

O を失い，H と結びつく　　　　アニリン

ところが，ふつう塩酸 HCl は過剰に加えられており，できたアニリンはすぐに次のように中和されてしまう。

H⁺を与える

$$\diagdown \!\!\!-NH_2 + HCl \xrightarrow{\text{中和}} \diagdown \!\!\!-NH_3Cl$$

参考 工業的には，触媒を用いてニトロベンゼンを H₂ で還元してつくる。

$$\diagdown \!\!\!-NO_2 \xrightarrow[\substack{\text{触媒(Ni)} \\ \text{還元}}]{H_2} \diagdown \!\!\!-NH_2$$

O 原子を失い，H 原子を受けとる

❸ 最後に，アニリン塩酸塩を NaOH で塩基性にして**アニリン**を得ることができる。

H⁺を与える

$$\diagdown \!\!\!-NH_3^+ + OH^- \longrightarrow \diagdown \!\!\!-NH_2 + H_2O \quad （弱塩基の遊離）$$

まとめると……

$$\diagdown \!\!\!-NH_3Cl + NaOH \xrightarrow{\text{弱塩基の遊離}} \diagdown \!\!\!-NH_2 + H_2O + NaCl$$

ニトロベンゼンを用いて，次の操作1～4を順に行った。下の問い(a・b)に答えよ。

操作1　スズ2gとニトロベンゼン0.5mLを試験管Aにとり，濃塩酸3mLを加えた。

操作2　試験管を約60℃の温水に入れ，ときどきとり出してよく振り混ぜた。

操作3　試験管中の未反応のスズを残し，溶液を三角フラスコに移した。これをときどき振り混ぜながら，6mol/L水酸化ナトリウム水溶液を少しずつ加えたところ，白色の沈殿が生じた。水酸化ナトリウム水溶液をさらに加えると沈殿が溶けた。それと同時に，生成物が油滴として遊離した。

操作4　三角フラスコにジエチルエーテル6mLを加えてよく振り混ぜ，しばらく放置した。エーテル層を時計皿に移し，エーテルを蒸発させると油状の物質が残った。

a　この実験に関する記述として誤りを含むものを，次の①～④のうちから1つ選べ。

　① 操作1でニトロベンゼンは，油滴として濃塩酸から分離していた。
　② 操作2でスズは，酸化剤としてはたらいている。
　③ 操作3で生じた白色の沈殿は，スズの化合物である。
　④ 操作4でエーテル層は，水層の上部に分離した。

b　操作4で得た油状の物質に関する記述として誤りを含むものを，次の①～④のうちから1つ選べ。

　① この物質にさらし粉の水溶液を加えると，赤紫色に呈色する。
　② この物質に酢酸を加えて加熱すると，縮合反応が起こる。
　③ この物質に二クロム酸カリウム水溶液と硫酸を加えて加熱すると，白色物質ができる。
　④ この物質を空気中に放置しておくと，褐色に変化した。

解答・解説

a　② 　b　③

　ニトロベンゼンにスズSnと濃塩酸HClを加えて還元するとアニリン塩酸塩の水溶液が生じる。この水溶液にNaOH水溶液を加えるとアニリンが生じる。

a　実験操作 1 〜 4 は次のようになる。

操作1　試験管にニトロベンゼンとスズ Sn をとり，よく振り混ぜながら濃塩酸 HCl を少しずつ加える。

ニトロベンゼンは，油滴として濃 HCl から分離する。①は〈正しい〉。

操作2　試験管を温めながら油滴(ニトロベンゼン)がなくなるまでさらに振り混ぜる。

操作3　冷却した後，内容物の溶液(〈benzene〉—NH₃⁺Cl⁻ を含む)のみを三角フラスコに移し，その溶液に NaOH 水溶液を少しずつ加えると Sn(OH)₄ の白色沈殿を生じ，さらに NaOH 水溶液を加えて Sn(OH)₄ の沈殿を溶解させる。

$$\text{アニリン塩酸塩} + NaOH \longrightarrow \text{アニリン} + NaCl + H_2O \quad (\text{弱塩基の遊離})$$

操作4　三角フラスコにジエチルエーテルを加えてよく振り混ぜ，静置する。分離した2層のうち，ジエチルエーテル層（⬡—NH₂ を含む）を時計皿に移し，ドラフト内に放置すると油状物質としてアニリンが得られる。

ジエチルエーテルを加えて振り混ぜると，
アニリンはジエチルエーテルに溶ける。

a　① 操作1の図を参照。〈正しい〉
　　② Sn は<u>還元剤</u>としてはたらいている。〈誤り〉
　　③ Sn(OH)₄↓（白）のこと。〈正しい〉
　　④ 操作4の図を参照。〈正しい〉
b　操作4で得た油状の物質は，アニリンである。
　　① アニリンはさらし粉水溶液で赤紫色に呈色する。〈正しい〉
　　② アセトアニリドが生じる。

H₂Oがとれる　　　　　　　　　　　　アセトアニリド

<u>2つの分子</u>から H₂O などの簡単な分子がとれる反応を縮合反応という。
→ここではアニリンと酢酸のこと
〈正しい〉

　　③ 白色物質でなく，<u>黒色物質</u>。黒色物質はアニリンブラックとよばれる。〈誤り〉
　　④ アニリンは無色の液体で，酸化されやすく，空気中の酸素によって徐々に酸化され，褐色に変化する。〈正しい〉

4 染料の合成について

アゾ基−N＝N−をもつ化合物をアゾ化合物といい，工業用の染料(➡アゾ染料という)として使われる。アゾ化合物は，

p-ヒドロキシアゾベンゼン
(*p*-フェニルアゾフェノール)

参考 メチルオレンジ

などが有名で，とくに，橙赤色の染料である*p*-ヒドロキシアゾベンゼンの合成が重要になるんだ。

❶ まず，アニリンに「亜硝酸ナトリウム $NaNO_2$ と塩酸 HCl」を 5 ℃以下に冷やしながら反応させると，塩化ベンゼンジアゾニウムが生成する(＝ジアゾ化)。この反応は，

(ア) 亜硝酸イオン NO_2^- が塩酸 HCl から H^+ を受けとる。

$$NO_2^- + H^+ \longrightarrow HNO_2 \quad (弱酸の遊離)$$

亜硝酸イオン　　　　　亜硝酸

(イ) 亜硝酸 HNO_2，アニリン，塩酸 HCl の間で H_2O が 2 つとれて，

アニリン　　　　　　亜硝酸　　　　　塩化ベンゼンジアゾニウム

H_2O がとれる！←　　　　→H_2O がとれる！

となり，塩化ベンゼンジアゾニウム（$\left[\text{◯}-N≡N \right]^+ Cl^-$ を $\text{◯}-N^+≡NCl^-$ とも書いてもよい）が生じる。

② 次に，フェノールを NaOH と反応させ，ナトリウムフェノキシドが生成するんだ。

③ 最後に，**5℃以下に冷やした**塩化ベンゼンジアゾニウムとナトリウムフェノキシドを反応させると，橙赤色の*p*-ヒドロキシアゾベンゼンが生成する。この反応を**ジアゾカップリング**（カップリング）というんだ。

5℃以下に冷やさなかったら，どうなるの？

❶で生成し，❸で使用する塩化ベンゼンジアゾニウムを構成している**ベンゼンジアゾニウムイオン** は，非常に不安定なので，水溶液の温度が5℃以上になったり，加熱すると，N_2 を発生して分解し，フェノールになるんだ。

まとめると……

ふーん。結局，フェノールのつくり方には**34**の**2**（➡ p.453〜455）と合わせて4通りあるんだね。

チェック問題 2

標準 2分

窒素原子を含む芳香族化合物に関する記述として下線部に誤りを含むものを，次の①〜⑤のうちから1つ選べ。

① 5℃以下においてアニリンの希塩酸溶液に<u>亜硝酸ナトリウム水溶液</u>を加えると，塩化ベンゼンジアゾニウムが生成する。

② 塩化ベンゼンジアゾニウムが水と反応すると，<u>クロロベンゼンが生成する</u>。

③ アニリンに無水酢酸を反応させると，<u>アミド結合をもつ化合物</u>が生成する。

④ アニリンにさらし粉水溶液を加えると，<u>赤紫色を呈する</u>。

⑤ p-ヒドロキシアゾベンゼンには，<u>窒素原子間に二重結合が存在する</u>。

解答・解説

②

① ジアゾ化では，亜硝酸ナトリウム $NaNO_2$ 水溶液を使う。〈正しい〉

② クロロベンゼンでなく，<u>フェノール</u>が生成する。〈誤り〉

$$\text{（ベンゼン環）}-N_2Cl \ + \ H_2O \ \xrightarrow{\text{5℃以上}} \ \text{（ベンゼン環）}-OH \ + \ N_2 \ + \ HCl$$

塩化ベンゼンジアゾニウム

③

アミド結合をもつアセトアニリドが生成する。〈正しい〉

④ アニリンは酸化されやすく，さらし粉(酸化剤)を加えると酸化され赤紫色に呈色する。〈正しい〉

⑤ p-ヒドロキシアゾベンゼン （ベンゼン環）−N=N−（ベンゼン環）−OH は，窒素・窒素二重結合をもつ。〈正しい〉

アゾ基−N=N−は窒素原子間に二重結合が存在する

アニリンとフェノールを用いて，次の操作1～4からなる実験を行った。下の問い(a・b)に答えよ。

操作1　アニリン1mLをビーカーに入れ，2mol/Lの塩酸20mLを加えてガラス棒で十分にかき混ぜ，均一な酸性溶液Aを得た。

操作2　Aの入ったビーカーを氷水に浸して十分に冷やした。ガラス棒でかき混ぜながら，Aにあらかじめ氷水で冷やしておいた10%亜硝酸ナトリウム水溶液10mLを少しずつ加え，溶液Bを得た。

操作3　フェノール1gを別のビーカーに入れ，2mol/L水酸化ナトリウム水溶液20mLを加えてガラス棒で十分にかき混ぜ，均一な塩基性溶液Cを得た。Cの入ったビーカーを氷水に浸して，5℃以下に冷やした。

操作4　白色の木綿の布をCに浸して十分に液をしみこませた。この布をとり出し，冷やしたままのBに浸したあと，水で十分に洗浄した。

a　操作1～4に関する記述として誤りを含むものを，次の①～⑤のうちから1つ選べ。

① 操作1では，アニリン塩酸塩が生じた。
② 操作2では，ジアゾニウム塩が生じた。
③ 操作2により生じた有機化合物は，加熱すると酸素を発生してフェノールを生じた。
④ 操作3では，ナトリウムフェノキシドが生じた。
⑤ 操作4で布は橙赤色に着色した。

b　操作4で布を着色した化合物の構造式として最も適当なものを，次の①～⑥のうちから1つ選べ。

① $\langle\!\!\!\bigcirc\!\!\!\rangle$—O—$\langle\!\!\!\bigcirc\!\!\!\rangle$—NH$_2$

② H$_2$N—$\langle\!\!\!\bigcirc\!\!\!\rangle$—N=N—$\langle\!\!\!\bigcirc\!\!\!\rangle$—NH$_2$

③ HO—$\langle\!\!\!\bigcirc\!\!\!\rangle$—N=N—$\langle\!\!\!\bigcirc\!\!\!\rangle$—OH

④ $\langle\!\!\!\bigcirc\!\!\!\rangle$—NH—$\langle\!\!\!\bigcirc\!\!\!\rangle$—OH

⑤ $\langle\!\!\!\bigcirc\!\!\!\rangle$—N=N—O—$\langle\!\!\!\bigcirc\!\!\!\rangle$

⑥ $\langle\!\!\!\bigcirc\!\!\!\rangle$—N=N—$\langle\!\!\!\bigcirc\!\!\!\rangle$—OH

解答・解説

　a　③　　b　⑥

　アニリンの塩酸溶液を氷冷しながら，NaNO$_2$水溶液を加えるとジアゾ化により塩化ベンゼンジアゾニウムの水溶液が生じる。

この水溶液に，ナトリウムフェノキシドの水溶液を加えると，ジアゾカップリングにより橙赤色染料の p-ヒドロキシアゾベンゼンが生じる。

操作 1 ～ 4 は次のようになる。

a ① —NH$_2$ + HCl $\longrightarrow$ —NH$_3$Cl より，アニリン塩酸塩が生じる。〈正しい〉

② 塩化ベンゼンジアゾニウム —$^+$N≡NCl$^-$ が生じる。ジアゾニウム塩は，R−N$^+$≡N の構造をもつ。〈正しい〉

③ 酸素でなく窒素が発生する。〈誤り〉

$$\left[\text{} —N≡N \right]^+ Cl^- + H_2O \xrightarrow{\text{加熱}} \text{} —OH + N_2 + HCl$$

④ —OH + NaOH $\longrightarrow$ —ONa + H$_2$O より，ナトリウムフェノキシドが生じる。〈正しい〉

⑤ p-ヒドロキシアゾベンゼン（p-フェニルアゾフェノール）は橙赤色の染料。〈正しい〉

b p-ヒドロキシアゾベンゼン（p-フェニルアゾフェノール）の構造式を選ぶ。

　ベンゼン環に官能基を1つもつ物質に置換反応を行うと，オルト(o-)，メタ(m-)，パラ(p-)の位置で反応が起こる可能性がある。どの位置で反応が起こるかは，最初に結合している官能基の影響を強く受ける。たとえば次のように，フェノールをある反応条件でニトロ化すると，おもにo-ニトロフェノールとp-ニトロフェノールが生成し，m-ニトロフェノールは少ししか生成しない。したがって，ベンゼン環に結合したヒドロキシ基はo-やp-の位置で置換反応を起こしやすい官能基といえる。

o-ニトロフェノール　p-ニトロフェノール　m-ニトロフェノール（少ししか生成しない）

　一般に，o-やp-の位置で置換反応を起こしやすい官能基をもつ物質には次のものがある。

　一方，m-の位置で置換反応を起こしやすい官能基をもつ物質には次のものがある。

　このことを利用すれば，目的の化合物を効率よくつくることができる。

　この情報をもとに，除草剤の原料であるm-クロロアニリンを，次のようにベンゼンから化合物A，Bを経て効率よく合成する実験を計画した。

　操作1～3として最も適当なものを，次の①～⑥のうちからそれぞれ1つずつ選べ。

操作1 [1] 　操作2 [2] 　操作3 [3]

① 濃硫酸を加えて加熱する。
② 固体の水酸化ナトリウムと混合して加熱融解する。
③ 鉄を触媒にして塩素を反応させる。
④ 光をあてて塩素を反応させる。
⑤ 濃硫酸と濃硝酸を加えて加熱する。
⑥ スズと塩酸を加えて反応させた後，水酸化ナトリウム水溶液を加える。

解答・解説

1 ⑤ 　2 ③ 　3 ⑥

アニリンは，ベンゼンから次のように合成した。

問題文の情報からベンゼン環に結合した−NH₂は，*o*-や*p*-の位置で置換反応を起こしやすい(➡ *o*-，*p*-配向性という)ことがわかる。つまり，アニリンを塩素化しても*m*-クロロアニリンは効率よく合成できない。

o-クロロアニリン　*p*-クロロアニリン　*m*-クロロアニリン
(少ししか生成しない)

ここで，*m*-異性体を効率よく合成するには，*m*-の位置で置換反応を起こしやすい(➡ *m*-配向性という)官能基である−NO₂をもつニトロベンゼンを塩素化すればよいと気づく。

ほとんど生成しない

以上より，ニトロベンゼンを塩素化した後，Sn と HCl で還元すれば*m*-クロロアニリンが効率よく合成できる。

操作1 ⑤
濃硫酸と濃硝酸を
加えて加熱する。

操作2 ③
鉄を触媒にして
塩素を反応させる。

操作3 ⑥
スズと塩酸を加えて反応させた後，
水酸化ナトリウム水溶液を加える。

注　問題文中で説明しているのが，芳香族化合物の置換反応の起こりやすさのこと
で，この性質を置換基の「配向性」という。本問題では，「配向性」について詳細
に説明しているので，問題文中の説明だけで正解を導くことができる。ただし，
「配向性」については知っておきたい性質なので，次の内容をおさえておこう。

【芳香族化合物の置換基の配向性】

⬡—X に，さらに置換反応を行わせる場合，すでに結合している－X によって，
2つ目の置換基の入りやすい位置が決まる。

(1)　－X が $-\overset{..}{\underset{..}{O}}H$，$-\overset{..}{N}H_2$，$-\overset{..}{\underset{..}{Cl}}\!:$，$-CH_3$，$-C_2H_5$ などの場合

O，N，Cl に非共有電子対がある　　アルキル基

o-体や *p*-体が多く生成する。

例

トルエン　$\xrightarrow{\text{ニトロ化}}$

o-体(58%)　　*m*-体(4%)　　*p*-体(38%)　　➡ *o*-体と*p*-体が
多く生成している

(2)　－X が $-NO_2$，$-COOH$，$-SO_3H$ などの場合

N, C, S に非共有電子対がない

o-体や *p*-体が生成しにくくなり，結果的に *m*-体が *o*-体や *p*-体より多く生成
する。

例

$\xrightarrow{\text{ニトロ化}}$

o-体(7%)　　*m*-体(91%)　　*p*-体(2%)　　➡ *m*-体が多く
生成している

配向性を知っていると，次の反応が覚えやすくなる。

ピクリン酸
(2,4,6-トリニトロフェノール)

2,4,6-トリニトロトルエン(TNT)

36 時間目 芳香族化合物の分離・まとめ

1 芳香族化合物の分離について

溶媒への溶け方の違いを利用し，芳香族化合物の混合物を分離することができる。芳香族化合物は水よりもジエチルエーテルなどの有機溶媒によく溶けるが，中和反応などで塩になると電離し，イオンになるので水によく溶けるようになる。

このような**溶媒に対する溶け方の違いを利用して，混合物から目的物質を分離する**操作を**抽出**という。このとき，ジエチルエーテルと水のような混ざり合わない溶媒どうしを**分液ろうと**というガラス器具に入れて，芳香族化合物を分離するんだ。

分液ろうとの使い方は次のようになるので，よく見ておいてね。

いくつもの芳香族化合物をどのように分離していくの？

酸の強さを利用し，芳香族化合物を塩にしたり，塩から分子に戻したりすることで分離していくんだ。

酸の強さの順序を覚えないと分離の問題が解けないので，その順序は早く覚えよう。

暗記
しよう!!

$$H_2SO_4 \cdot HCl > RCOOH > CO_2 + H_2O > \text{〈ベンゼン環〉}-OH \quad (\text{酸の強さの順})$$

希硫酸　塩酸 ── 強酸

カルボン酸　(H_2CO_3)炭酸 ── 弱酸

フェノール

カルボン酸の R－は CH_3- などの炭化水素基や，ベンゼン環になるんだ。

R－部分が CH₃－ になれば酢酸，ベンゼン環になれば安息香酸になるね。

$$CH_3COOH$$

酢酸

—COOH

安息香酸

　そうだね。また，**フェノールのところは，ベンゼン環の炭素原子に－OH が直接結合したフェノール類であればいいよ**。ただ，その水溶液が中性であるアルコールは，フェノール類ではないから気をつけてね。

じゃあ，フェノール類だから，クレゾール（➡ p.451）でもいいの？

　そうだね。クレゾールでもいいんだ。
「弱酸のイオン」に「強酸」を加えると，

> 弱酸の塩 ＋ 強酸 ⟶ 弱酸 ＋ 強酸の塩 （弱酸の遊離）

となり，**強い酸が自分よりも弱い酸を追い出した**よね。たとえば，安息香酸に炭酸水素ナトリウム $NaHCO_3$ 水溶液を加えると，カルボン酸である安息香酸が，カルボン酸より弱い酸の炭酸 $CO_2＋H_2O$ を追い出すんだ。
　具体的には，ジエチルエーテルに安息香酸を溶かしておき，これに $NaHCO_3$ 水溶液を加えると，安息香酸は塩である安息香酸ナトリウムになり，水層に移動する。

安息香酸　　　　　　　　　　　　　　安息香酸ナトリウム

　　分子　　　　　　　　　　　　　　　　　　塩

ジエチルエーテルに溶ける　　　　　水によく溶けるようになる

　このように，塩に変えるなどの方法を使って芳香族化合物を分離していくんだ。あと，**アニリン** ⟨ ⟩—NH₂ が**弱塩基**，**NaOH が強塩基である**ことも分離の問題を解くのに大切な知識なんだ。

ポイント　芳香族化合物の分離について

● 酸の強さ

$$H_2SO_4 \cdot HCl \;>\; RCOOH \;>\; CO_2 + H_2O \;>\; \text{フェノール}$$

希硫酸　塩酸　　カルボン酸　　炭酸　　　　　　　　　　フェノール

● 塩基の強さ

$$NaOH \;>\; \text{アニリン}$$

水酸化ナトリウム　　　　　　　　アニリン

● 芳香族化合物は，塩になると水に溶けるようになる

チェック問題 1

やや難 5分

アニリン，サリチル酸，フェノールの混合物のエーテル溶液がある。各成分を次の操作により分離した。a～cにあてはまる化合物の組み合わせとして最も適当なものを，次の①～⑥のうちから１つ選べ。

	a	b	c
①	アニリン	サリチル酸	フェノール
②	アニリン	フェノール	サリチル酸
③	フェノール	サリチル酸	アニリン
④	フェノール	アニリン	サリチル酸
⑤	サリチル酸	フェノール	アニリン
⑥	サリチル酸	アニリン	フェノール

解答・解説

②

【操作1】 混合物のエーテル溶液にNaOH水溶液を加えると，酸であるサリチル酸とフェノールは中和され塩となり水層に移る。

注 サリチル酸は −COOH と ⟨⟩−OH があるので，カルボン酸としての性質とフェノール類としての性質の両方をもつことに注意しよう！

アニリンは塩基なのでNaOH水溶液とは反応せずにエーテル層に残る。

【操作2】 アニリンのエーテル溶液からエーテルを蒸発させるとアニリン（化合物aとなる）が得られる。

【操作3】 【操作1】の水層にHClを加えると，**酸の強さが** HCl ＞ RCOOH，

HCl ＞ ⟨⟩−OH なので，次の反応が起こる。

ここに，NaHCO₃水溶液とエーテルを加えて振り混ぜると，**酸の強さが**

RCOOH ＞ CO₂ ＋ H₂O ＞ ⟨⟩−OH なのでサリチル酸のカルボキシ基**だけ**
　　　　　　　（H₂CO₃）
が反応し，サリチル酸が塩となり水層に溶ける。

$$\begin{array}{c} COOH \\ \hline \\ OH \end{array} + Na^+ HCO_3^- \longrightarrow \begin{array}{c} COO^- Na^+ \\ \hline \\ OH \end{array} + CO_2 + H_2O \qquad (\text{弱酸の遊離})$$

塩 (水層へ移る)

水に溶ける

フェノールは $NaHCO_3$ 水溶液とは反応せず，エーテル層に溶ける。

$$\begin{array}{c} OH \\ \hline \end{array} \longleftarrow \quad \begin{array}{c} \\ OH \end{array} \text{は } CO_2 + H_2O \text{ よりも弱い酸なので}$$

分子

$NaHCO_3$ とは反応しない

（エーテル層へ移る）

エーテルに溶ける

【操作4】 フェノールのエーテル溶液からエーテルを蒸発させるとフェノール（化合物 b となる）が得られる。

【操作5】 【操作3】の水層に HCl を加えると，酸の強さが HCl ＞ RCOOH なので白い固体であるサリチル酸（化合物 c となる）が生じる。

$$\begin{array}{c} COO^- \\ \hline \\ OH \end{array} + HCl \longrightarrow \begin{array}{c} COOH \\ \hline \\ OH \end{array} + Cl^- \quad (\text{弱酸の遊離})$$

サリチル酸（化合物c）

【操作1〜5】をまとめると次のようになる。

2 有機化合物の構造決定について

有機化合物の構造を決定するときに，何を手がかりに決めていけばいいかな。

 官能基がわかれば，かんたんに決定できそうだね。

そうだね。構造決定の問題は，官能基を決定することができると選択肢をしぼりこみやすくなるんだ。

有機化合物の官能基や有機化合物そのものを知らせる「ヒント文」が与えられるので，それを手がかりに構造を決定していってね。

| ヒント 1 | Br_2 水を加えて，赤褐色が消えた ➡ C＝C や C≡C の検出 |

● このヒントは，C＝C と環状構造の区別に使われることが多い

| ヒント 2 | Na を加えると，水素 H_2 を発生した ➡ －OH の検出 |

● このヒントは，アルコールとエーテルの区別に使われることが多い

チェック問題 2   標準

次のa・bにあげた２つの化合物をそれぞれ区別するには，下の操作ア～ウのどれを行えばよいか。最も適当な組み合わせを，①～⑥のうちから１つ選べ。

a $CH_3CH_2CH_2CH_2OH$ と $CH_3CH_2OCH_2CH_3$

b $CH_3CH_2CH_2CH_2CH＝CH_2$ と

	a	b
①	ア	イ
②	ア	ウ
③	イ	ア
④	イ	ウ
⑤	ウ	ア
⑥	ウ	イ

操作
ア　アンモニア水を加えて，アンモニウム塩が生じるかどうかを調べる。
イ　臭素水を加えて振り混ぜ，赤褐色が消えるかどうかを調べる。
ウ　ナトリウムの小片を加えて，気体が発生するかどうかを調べる。

解答・解説

a　アルコールとエーテルの区別 ➡ ヒント 2 つまり操作ウを行えばよい。
b　C＝C と環状構造の区別 ➡ ヒント 1 つまり操作イを行えばよい。

ヒント 3 硫酸酸性の二クロム酸カリウム $K_2Cr_2O_7$ 水溶液で酸化する

➡ アルデヒドが生成する場合は，第一級アルコール（「はしに OH」）の検出

➡ ケトンが生成する場合は，第二級アルコール（「途中に OH」）の検出

ヒント 4 銀鏡反応を示した ➡ －CHO の検出

ヒント 5 フェーリング液を加えて熱すると，赤色沈殿 Cu_2O が生成した（フェーリング液を還元した）➡ －CHO の検出

チェック問題 3　　　　標準　3分

次の記述ア〜ウにあてはまる化合物 A と化合物 B の組み合わせとして最も適当なものを，①〜⑥のうちから 1 つ選べ。

	A	B
①	ジエチルエーテル	1-プロパノール
②	ジエチルエーテル	2-プロパノール
③	1-プロパノール	ジエチルエーテル
④	1-プロパノール	2-プロパノール
⑤	2-プロパノール	ジエチルエーテル
⑥	2-プロパノール	1-プロパノール

ア　A と B に室温でナトリウムを作用させると，いずれも水素を発生する。

イ　A を酸化すると，銀鏡反応を示す生成物が得られる。

ウ　B を酸化しても，銀鏡反応を示す生成物は得られない。

解答・解説

④

$$CH_3\overset{3}{-}CH_2\overset{2}{-}CH_2\overset{1}{\underset{|}{}}\;OH \qquad CH_3\overset{1}{-}CH\overset{2}{-}CH_3\overset{3}{\underset{|}{}}\;OH \qquad CH_3-CH_2-O-CH_2-CH_3$$

ジエチルエーテル

1-プロパノール　　　　2-プロパノール

「はしに OH」　　　　　「途中に OH」

➡ 第一級アルコール　➡ 第二級アルコール

ア　ヒント 2 から A と B はアルコールとわかる。ジエチルエーテルではない。

イ　ヒント 3 と ヒント 4 から，A を酸化するとアルデヒドが得られるので，A は第一級アルコールである 1-プロパノールとわかる。

ウ　ヒント 3 と ヒント 4 から，B を酸化してもアルデヒドは得られない，つまりケトンが得られる第二級アルコールの 2-プロパノールが B とわかる。

ヒント 6 NaOH 水溶液と I_2 を加えて温めると，黄色の沈殿 CHI_3 が生成した（ヨードホルム反応を示した）

➡ CH_3-CH- ☐ または CH_3-C- ☐ の検出
　　　　　　　｜　　　　　　　　　　　‖
　　　　　　　OH　　　　　　　　　　　O

● ☐ には，H 原子か C 原子が直接結合している必要あり

ヒント 7 　NaHCO₃ 水溶液に気体 CO₂ を発生しながら溶けた

➡ ふつう－COOH の検出

ヒント 8 　希硫酸 H₂SO₄ または NaOH 水溶液を加えて加熱した

➡ エステル $R-C-O-R'$ を加水分解している
　　　　　　　　‖
　　　　　　　　O

● NaOH を使う場合，**けん化**とよばれる

ヒント 9 　塩化鉄（Ⅲ）FeCl₃ 水溶液を加えると呈色した

ヒント 10 　Br₂ 水を加えると置換反応が起こり，白色沈殿 $\left(\begin{array}{c}OH\\Br\diagdown\diagup Br\\ \\Br\end{array}\right)$ が生成した

➡ ⬡－OH の検出

チェック問題 4 　　　　　　標準 2分

　2 種類の有機化合物とそれらを見分ける方法の組み合わせとして適当でないものを，次の①～④のうちから 1 つ選べ。

	2 種類の有機化合物	見分ける方法
①	⬡　　　　　　⬡-OH	臭素水を加えると，一方のみ白色沈殿が生じる。
②	CH_3-C-CH_3　　　CH_3-C-H （各々 O は二重結合）	ヨウ素と水酸化ナトリウム水溶液を加え加熱すると，一方のみ黄色沈殿が生じる。
③	CH_3-C-H　　　CH_3-C-OH （各々 O は二重結合）	フェーリング液を加え加熱すると，一方のみ赤色沈殿が生じる。
④	(o-ヒドロキシ安息香酸と o-アセトキシ安息香酸)	塩化鉄（Ⅲ）水溶液を加えると，一方のみ赤紫色になる。

解答・解説

②

① ヒント10 より，フェノールのみ白色沈殿を生じる。〈正しい〉

② ヒント6 より，どちらもヨードホルム反応を示し，黄色沈殿 CHI_3 が生じる。

〈誤り〉

ヨードホルム反応を示す構造

③ ヒント5 より，アセトアルデヒド $CH_3{-}\underset{\underset{O}{\|}}{C}{-}H$ のみ Cu_2O の赤色沈殿が生じ

る。〈正しい〉

ホルミル基（アルデヒド基）は還元性を示す

④ ヒント9 より，サリチル酸 のみ $FeCl_3$ 水溶液で赤紫色になる。

$FeCl_3$ で赤紫色に呈色

〈正しい〉

ヒント11 **水で湿らせた赤色のリトマス紙が青色に変色した**

➡ **ふつう** NH₂ **の検出**

ヒント12 **さらし粉水溶液を加えると赤紫色に呈色した**

➡ NH₂ **の検出**

ヒント13 **ニクロム酸カリウム** $K_2Cr_2O_7$ **水溶液を加えると黒色に呈色した**

➡ NH₂ **の検出**

ヒント14 **無水酢酸**$(CH_3CO)_2O$ **と反応させる**
➡ **エステルが生成する場合は，**$-OH$ **の検出**
➡ **アミドが生成する場合は，**$-NH_2$ **の検出**

ふつう アニリン NH₂

チェック問題 5

標準 3分

フェノールとサリチル酸のどちらか一方のみにあてはまる記述を，次の①～⑤のうちから1つ選べ。

① 室温で固体である。
② 水酸化ナトリウム水溶液に溶ける。
③ 塩化鉄(Ⅲ)水溶液を加えると呈色する。
④ 炭酸水素ナトリウム溶液を加えると，気体が発生する。
⑤ 無水酢酸と反応させるとエステルが生成する。

④

フェノール　　　　　　　　サリチル酸

① どちらにもあてはまる。④が答えとわかることで，どちらも固体と判断できる。
② どちらとも酸なので，NaOH と反応する。
③ ヒント 9 より，どちらとも呈色する。
④ ヒント 7 より，−COOH をもつサリチル酸のみ反応する。
⑤ ヒント 14 より，どちらとも−OH をもっているため，エステルが生成する。

思 考力のトレーニング　〔やや難〕〔3分〕

　下の5つの芳香族化合物の中には，次式のような還元反応の反応物と生成物の関係にあるものが二組ある。それぞれの還元反応の生成物として適当なものを，下の①〜⑤のうちから2つ選べ。ただし，解答の順序は問わない。

還元反応
反応物 ⟶ 生成物

①，③

　ニトロベンゼンを水素 H_2 で還元するとアニリンが生じる。

④ニトロベンゼン　　還元反応　　①アニリン

　よって，一組目は「ニトロベンゼンとアニリン」であり，この還元反応の生成物は①のアニリン。
　二組目が見つけにくい。「還元反応」の逆反応は「酸化反応」であることに気づく。

ここで、③—CH₂−OH はベンジルアルコールといい、「はしに OH」の構

造をもつので第一級アルコールである。また、② ⌬— CHO はベンズアルデヒ

ドといい、ホルミル基(アルデヒド基)−CHO をもつアルデヒドになる。

$$第一級アルコール \xrightarrow{酸化反応} アルデヒド$$

なので、$$アルデヒド \xrightarrow{還元反応} 第一級アルコール$$ となる。

よって、

となり、二組目は「ベンズアルデヒドとベンジルアルコール」であり、この還元反応の生成物は③のベンジルアルコール。

参考 トルエンをおだやかに酸化すると、ベンズアルデヒドが生じる。
ベンズアルデヒドを酸化すると安息香酸、還元するとベンジルアルコールを生じる。

第7章 高分子化合物

糖　類

1 糖の分類について

　糖類は，米やパンに多く含まれて，その一般式は $C_m(H_2O)_n$ と表されることが多く，

炭水化物とよばれる。おもな糖類として，次の❶〜❸を知っておこう。

> ❶ 単糖 ➡ 加水分解で，これ以上簡単な糖が生じない
> $C_6(H_2O)_6$ つまり $C_6H_{12}O_6$ ➡ **六炭糖(ヘキソース)**　6 → ヘキサ
>   例 グルコース(ブドウ糖)，フルクトース(果糖)，ガラクトース
> $C_5(H_2O)_5$ つまり $C_5H_{10}O_5$ ➡ **五炭糖(ペントース)**　5 → ペンタ
>   例 リボース
> ❷ 二糖 ➡ 加水分解で，2分子の単糖が生じる。$C_{12}(H_2O)_{11}$ つまり $C_{12}H_{22}O_{11}$
>   例 マルトース(麦芽糖)，スクロース(ショ糖)，セロビオース，ラクトース(乳糖)
> ❸ 多糖 ➡ 加水分解で多数の単糖が生じる。$C_{6n}(H_2O)_{5n}$ つまり $(C_6H_{10}O_5)_n$
>   例 デンプン，セルロース，グリコーゲン

😊 単糖・，二糖●─●，多糖… ─●─●─● …のイメージで覚えておくよ。

2 単糖について

　加水分解によって，これ以上簡単な糖が生じない糖が単糖だった。単糖の中で炭素数が5個や6個のものを何といったか覚えてる？

😊 5はペンタ，6はヘキサだから…
5個のものはペントース，6個のものはヘキソースだったね。

　そうだね。ペントースは五炭糖，ヘキソースは六炭糖ともいうんだ。また，**ホルミル基(アルデヒド基)** $-C\overset{O}{\underset{H}{<}}$ をもつ単糖をアルドース，**カルボニル基(ケトン基)** $\overset{}{\underset{}{>}}C=O$ をもつ単糖をケトースともいう。

第7章 高分子化合物

❶ グルコース

　ヘキソース(六単糖)は，分子式 $C_6H_{12}O_6$ のグルコース・フルクトース・ガラクトースが有名なんだ。共通テスト対策としては，グルコースの構造式を覚えよう。**グルコース**はブドウ糖ともいい，**グルコース分子(結晶)は六員環構造をもち，α-グルコースとβ-グルコースの2種類の立体異性体がある**。グルコースは，水溶液になると次のような3種類の異性体が平衡状態になって存在しているんだ。

水溶液中のグルコース

実際は平面でなく，このような立体的な形

ヘミアセタール構造という

ホルミル基(アルデヒド基)：還元性を示す

ヘミアセタール構造

α-グルコース 約38%　　鎖状構造 約0.002%　　β-グルコース 約62%

室温での存在%を表す　　極微量

α-とβ-は1位のCについている−OHの向きが違うんだね。

　そうなんだ。**−OHが下向きに書かれているものはα-，−OHが上向きに書かれているものはβ-とよぶ**。

鎖状のグルコースは−CHOをもつから，グルコースはアルドースだね。

　さすがだね。また，**グルコースの鎖状構造にはホルミル基(アルデヒド基)** $-C{\stackrel{\textstyle O}{\diagdown}}_H$

があるから，グルコースの水溶液は還元性を示すんだ。

銀鏡反応を示し，フェーリング液を還元するんだね。

$-O$
$\diagdown$
$\underset{\diagup}{C}\diagdown_{OH}$ 部分の構造を**ヘミアセタール構造**といって，この構造をもった糖の水

溶液は還元性を示すんだ。**ヘミアセタール構造は，ヒドロキシ基-OH がくっついた**
エーテル(C-O-C) と覚えておくといいよ。

ポイント　グルコースの構造式の覚え方

①CH₂OH を書く　➡　②六角形を書き，右上を　➡　③両はしの棒(-)を下向
　　　　　　　　　　　　Oにする　　　　　　　　きにつける

④棒(-)を上下交互に　➡　⑤α-グルコースの完成　➡　⑥β-グルコースの場合は，
　つける　　　　　　　　　　　　　　　　　　　右の棒(-)を上に向ける

【補足】　交点は C，棒(ー)は-OH，C の原子価が 4 価$\left(-\overset{|}{\underset{|}{C}}-\right)$であることを考えなが
　　　　ら，構造式を書けばよい。

α-グルコース　　　●を C に　　　α-グルコース
　　　　　　　　　　－を OH にする

$\ddot\smile$ 大変だけど覚えるね。

　グルコースに酵母菌中に含まれる**チマーゼ**を作用させると，**エタノール**と**二酸化炭**
素を生じる。この反応を**アルコール発酵**というんだ。

$$\underset{\text{グルコース}}{C_6H_{12}O_6} \xrightarrow{\text{チマーゼ}} \underset{\text{エタノール}}{2C_2H_5OH} + 2CO_2$$

$\ddot\smile$ グルコースだけがアルコール発酵を受けるの？

グルコース以外の単糖もアルコール発酵により，C_2H_5OH を生じる。係数がつけにくい反応式だから注意してね。この反応は，エタノールの工業的製法だったね（➡p.396）。

チェック問題 1 標準 2分

グルコースに関する記述として誤りを含むものを，①～⑤のうちから1つ選べ。

① グルコースは，5個のヒドロキシ基をもつ。
② 結晶状態のグルコースは，六員環の構造をもつ。
③ グルコースは，アルドースの一種である。
④ α-グルコースとβ-グルコースは，互いに立体異性体である。
⑤ グルコースの鎖状構造と環状構造は，同じ数の不斉炭素原子をもつ。

解答・解説

⑤

① α-グルコース，鎖状構造，β-グルコースのいずれもヒドロキシ基 −OH を5個もつ。とくに，1位や5位のC原子に注目しておこう。〈正しい〉

α-グルコース　鎖状構造　β-グルコース

③ グルコースのようにホルミル基（アルデヒド基）−CHO をもつ単糖はアルドースという。〈正しい〉

④ α-グルコースとβ-グルコースは1位のC原子につく−Hと−OHの立体配置が異なる立体異性体である。〈正しい〉

⑤ 鎖状構造は4個，環状構造（α-グルコース，β-グルコース）は5個の不斉炭素原子 C* をもつ。同じ数ではない。〈誤り〉

α-グルコース　　　　鎖状構造　　　　β-グルコース

C*は不斉炭素原子

チェック問題 2

標準 3分

次の化学反応式に示すように，グルコース(分子量180)は，アルコール発酵，燃焼のいずれによっても二酸化炭素を生じる。それぞれ x (g)のグルコースを用いて，アルコール発酵と燃焼を行ったとき，生じた二酸化炭素の質量の差は5.28 g であった。用いたグルコースの質量 x は何 g か。最も適当な数値を，下の①～⑥のうちから1つ選べ。

ただし，H = 1.0，C = 12，O = 16とする。

(アルコール発酵) $C_6H_{12}O_6 \longrightarrow 2C_2H_5OH + 2CO_2$
(燃焼) $C_6H_{12}O_6 + 6O_2 \longrightarrow 6CO_2 + 6H_2O$

① 3.60　② 4.32　③ 5.40　④ 7.20　⑤ 10.8　⑥ 21.6

解答・解説

③

$\underbrace{1C_6H_{12}O_6}_{\text{グルコース}} \longrightarrow \underbrace{2C_2H_5OH + 2CO_2}_{}$ (アルコール発酵)より，

(×2)

x (g)のグルコース(分子量180)から生じる CO_2(分子量44)の質量 (g)は，

$$\underbrace{\frac{x}{180}}_{\text{グルコース(mol)}} \times 2 \underbrace{}_{CO_2(mol)} \times 44 \underbrace{}_{CO_2(g)} = \frac{88}{180}x \text{ (g)} \cdots\cdots ①$$

$\underbrace{1C_6H_{12}O_6}_{\text{グルコース}} + 6O_2 \longrightarrow 6CO_2 + 6H_2O$ (燃焼)より，

(×6)

x (g)のグルコースから生じる CO_2 の質量(g)は，

$$\underbrace{\frac{x}{180}}_{\text{グルコース(mol)}} \times 6 \underbrace{}_{CO_2(mol)} \times 44 \underbrace{}_{CO_2(g)} = \frac{264}{180}x \text{ (g)} \cdots\cdots ②$$

となる。ここで，生じた CO_2 の質量の差が5.28 g であり，②＞①であることから，② － ① = 5.28 g となる。

$$\frac{264}{180}x - \frac{88}{180}x = 5.28$$

よって，$x = 5.40$ g とわかる。

考力のトレーニング 1 （難）（3分）

水溶液中のグルコースのような平衡状態は，グルコース以外でも見られることがわかっている。このことを参考にして，メタノール CH_3OH とアセトアルデヒド CH_3CHO の混合物中に存在すると考えられる分子を，次の①〜⑤のうちから1つ選べ。

① CH_3-CH_2-OH

② $HO-CH_2-CH_2-CH_2-OH$

③ $CH_3-\underset{\underset{\displaystyle CH_3}{|}}{CH}-O-OH$

④ $CH_3-\underset{\underset{\displaystyle OH}{|}}{CH}-O-CH_3$

⑤ $CH_3-\underset{\underset{\displaystyle O}{\|}}{C}-O-CH_3$

解答・解説

④

ホルミル基（アルデヒド基）をもつアセトアルデヒドとヒドロキシ基をもつメタノールとの関係が問われているので，水溶液中でのホルミル基（アルデヒド基）をもつグルコースの鎖状構造とグルコースの環状構造（たとえば β-グルコース）との平衡に注目したい。とくに構造式の赤色の部分に注目できるかがポイントになる。

グルコースの鎖状構造　　グルコースの環状構造（β-グルコース）

この関係をアセトアルデヒドとメタノールに置き換えて考える。

書き直すと，

$$CH_3-O-\underset{\underset{\displaystyle OH}{|}}{CH}-CH_3$$

となり，この化合物は④

❷ フルクトース・ガラクトース

フルクトースは果糖ともいい，カルボニル基（ケトン基） $\underset{}{\diagup}C=O$ をもつケトースでもある。水溶液中では，おもに3種類の異性体が次のような平衡状態になり，存在する。

フルクトースは，糖の中で最も甘い

水溶液中のフルクトース

ヘミアセタール構造

還元性を示す

−OH のくっついたエーテル C−O−C

ヘミアセタール構造

β-フルクトース
（六員環構造）

$\left(\begin{array}{l}\alpha-\text{もわずかに}\\\text{存在する}\end{array}\right)$

鎖状構造

β-フルクトース
（五員環構造）

$\left(\begin{array}{l}\alpha-\text{もわずかに}\\\text{存在する}\end{array}\right)$

フルクトースの水溶液は，鎖状構造の $-\overset{\overset{\text{O}}{\|}}{\text{C}}-\overset{1}{\text{CH}_2}-\text{OH}$ 部分が，$-\overset{\overset{\text{OH}}{|}}{\text{CH}}-\overset{1}{\overset{\overset{\text{O}}{\|}}{\text{C}}}-\text{H}$ に変

化するので還元性をもち，銀鏡反応を示し，フェーリング液を還元する。

グルコースの水溶液やフルクトースの水溶液は還元性を示すんだね。

とても重要だから忘れないようにね。
ヘキソース（六単糖）で，グルコースやフルクトース以外に何か覚えてる？

ガラクトースがあったね。

　そうだね。ガラクトースは構造式を覚える必要はないけど，**ガラクトースの水溶液もグルコースの水溶液やフルクトースの水溶液と同じように還元性を示す**んだ。

注　単糖（グルコース，フルクトース，ガラクトース，その他の単糖も）の水溶液は，どれも還元性を示す。

チェック問題 3

標準　2分

単糖類に関する記述のうち，正しいものを次の①～⑤のうちから2つ選べ。

① グルコースは，フルクトースの構造異性体である。
② フルクトースは，アルドースの一種である。
③ フルクトースは，還元性がない。
④ ガラクトースは，グルコースの立体異性体である。
⑤ グルコースとガラクトースは，六炭糖（ヘキソース）であるが，フルクトースは，五炭糖（ペントース）である。

解答・解説

①, ④

① 同じ分子式 $C_6H_{12}O_6$ をもち，構造異性体の関係にある。〈正しい〉

② フルクトースは，**ケトース**の一種である。〈誤り〉

③ フルクトースの水溶液は，**還元性をもつ**。〈誤り〉

④ ガラクトースとグルコースは，4 位の C 原子につく－H と－OH の立体配置が異なる立体異性体の関係にある。〈正しい〉

ここが
β-グルコース
と逆になる

ヘミアセタール構造

β-ガラクトース
（α-や鎖状構造も存在する）

⑤ グルコース，ガラクトース，フルクトースは，すべて六炭糖（ヘキソース）である。〈誤り〉

3 二糖について

加水分解で，2 分子の単糖が生じる糖を二糖という。 二糖の分子式は 2 分子の単糖 $C_6H_{12}O_6$ から 1 分子の H_2O がとれて縮合した

$$C_6H_{12}O_6 \ + \ C_6H_{12}O_6 \ - \ H_2O \ = \ C_{12}H_{22}O_{11}$$

になる。

おもな二糖には，次の 4 つがあるんだ。（右側にある単糖が α-のときに α-，β-のときに β-をつけてよぶことが多い。）

ヘミアセタール構造（－OHのくっついたエーテルC－O－C）

α-マルトース　グリコシド結合

β-セロビオース

β-ラクトース

スクロース

■■■ の構造が水溶液中で開環して，還元性を示す

494　第7章　高分子化合物

紹介した二糖の中では**スクロースが還元性を示さない**ことを覚えてね。あと，これら二糖のもつ C−O−C は**グリコシド結合**というんだ。

 スクロースはどうして還元性を示さないの？

次でくわしく紹介するね。

❶ スクロース

砂糖の主成分である**スクロース**は，ショ糖ともいう。スクロースは，**α−グルコースの 1 位の −OH と β−フルクトース（五員環構造）の 2 位の −OH との間**で H_2O がとれて縮合した構造をもっているんだ。

下図の β−フルクトース（五員環構造）とスクロースを構成している β−フルクトースとを見くらべてみよう。

 β−フルクトース単位のもつ C の番号の位置が左右逆になっているね。

するどいね。スクロースを書いてみるね。

β-フルクトースが左右でうら返っているんだね。

そうなんだ。だから，**スクロースの水溶液では，スクロース中のグルコース単位やフルクトース単位が鎖状構造とならず，−CHO や−CO−CH₂OH を生じないので**，還元性を示さないんだ。

また，スクロースは，希硫酸 H_2SO_4 などの希酸や酵素**インベルターゼ**（または**スクラーゼ**）により加水分解されると，**グルコースとフルクトースの等量混合物**（転化糖，ハチミツ主成分）になる。

$$C_{12}H_{22}O_{11} \ + \ H_2O \ \xrightarrow{\text{インベルターゼ}} \ C_6H_{12}O_6 \ + \ C_6H_{12}O_6 \ \Rightarrow \text{この反応を転化という}$$

スクロース　　　　　　　　　　　グルコース　　フルクトース

加水分解されて転化糖になると，グルコースもフルクトースも還元性を示すので，転化糖の水溶液は還元性を示すようになるんだ。

 他の二糖についても教えてよ。

❷ マルトース

水あめの主成分である**マルトース**は麦芽糖ともいい，デンプンを酵素**アミラーゼ**によって加水分解すると得られるんだ。

α-マルトースは，α-グルコース 2 分子が，1 位と 4 位の−OH の間で H_2O がとれて縮合した構造をもっている。

水溶液中で存在する鎖状構造はホルミル基（アルデヒド基）をもつので，マルトースの水溶液は還元性を示す。

鎖状構造

ヘミアセタール構造

α-グルコースの単位　　α-グルコースの単位

❸ セロビオース

セロビオースは，セルロースを酵素セルラーゼによって加水分解すると得られる。

β-セロビオースは，β-グルコース 2 分子が 1 位と 4 位の−OH の間で H_2O がとれて縮合した構造をもっている。

④ ラクトース

ラクトースは乳糖ともいい，**β-ラクトース**は **β-ガラクトースの1位の−OH** と
β-グルコースの4位の−OH との間で H_2O がとれて縮合した構造をもっている。

二糖は，加水分解する酵素名も次の表でチェックしておいてね。

名称	構成単糖	加水分解する酵素	水溶液の還元性
スクロース （ショ糖）	α-グルコース（1位のOH） +β-フルクトース（2位のOH）	インベルターゼ （またはスクラーゼ）	なし
マルトース （麦芽糖）	α-グルコース（1位のOH） +（αまたはβ）グルコース（4位のOH）	マルターゼ	あり
セロビオース	β-グルコース（1位のOH） +（αまたはβ）グルコース（4位のOH）	セロビアーゼ	あり
ラクトース （乳糖）	β-ガラクトース（1位のOH） +（αまたはβ）グルコース（4位のOH）	ラクターゼ	あり

表の二糖以外にも次のような二糖があるんだ。

参考 トレハロース

α-グルコース単位　　α-グルコース単位

原子くん。何か気づくことはあるかい？

 −OH のくっついた C−O−C が見つからないね。

そうなんだ。トレハロースは，−OH のくっついたエーテル (C−O−C) (➡ ヘミアセタール構造といったね) をもっていないので，**トレハロースの水溶液はスクロースの水溶液と同じように還元性を示さない**んだ。トレハロースの構造式を覚える必要はないけれど，構造式が与えられたときにその水溶液が還元性を示さないと気づけるようにしておいてね。

チェック問題 4　　　　　標準 2分

　　二糖類に関する記述として下線部に誤りを含むものを，次の①〜⑤のうちから1つ選べ。

① 　二糖は，単糖2分子が脱水縮合したもので，この反応でできた C−O−C の構造を<u>グリコシド結合</u>という。
② 　スクロースとマルトースは，<u>たがいに異性体</u>である。
③ 　スクロースを加水分解して得られる，2種類の単糖の等量混合物を，<u>転化糖</u>という。
④ 　マルトースの水溶液は，<u>還元性</u>を示す。
⑤ 　1分子のラクトースを加水分解すると，<u>2分子のグルコース</u>になる。

解答・解説

⑤

① 　グルコースの C^1 やフルクトースの C^2 に結合した−OH と別の分子の−OH の間で脱水し縮合して生じる C−O−C を，とくにグリコシド結合という。〈正しい〉

　　　H_2O がとれる　　くっつく

$$C-OH + HO-C \xrightarrow{\text{脱水縮合}} C-O-C$$

　　　　　　H_2O がとれる

② 同じ分子式 $C_{12}H_{22}O_{11}$ をもち，構造異性体の関係にある。〈正しい〉

③ スクロースを加水分解して得られる，グルコースとフルクトースの等量混合物を転化糖という。〈正しい〉

④ マルトースは，ヒドロキシ基−OH をもったエーテル C−O−C（ヘミアセタール構造）をもつので，その水溶液は還元性を示す。〈正しい〉

⑤ ラクトースはガラクトースとグルコースからなる二糖なので，１分子のラクトースを加水分解すると，１分子のガラクトースと１分子のグルコースが生じる。グルコース２分子ではない。〈誤り〉

（思）考力のトレーニング 2 　やや難 2分

次の記述（a・b）の両方にあてはまる化合物を，下の①〜④のうちから１つ選べ。

a 左側の単糖部分（灰色部分）が α - グルコース構造（α - グルコース単位）であるもの。

b 水溶液にアンモニア性硝酸銀水溶液を加えて温めると銀が析出するもの。

①

与えられた構造式の左側の単糖(灰色)部分に α-グルコース単位

をもつものは，①と③である。

↳②の構造式の
左側は
β-グルコース
単位

ここで，①と③の水溶液のうち，銀鏡反応を示す，つまり還元性を示すものは，ヒドロキシ基−OH をもったエーテル C−O−C(ヘミアセタール構造)をもつ①のみ。↳①，②，④の構造式の右側に見つけることができる

この部分構造を探せばよい

考力のトレーニング3 標準 3分

スクロース水溶液にインベルターゼ(酵素)を加えたところ，図に示す反応により一部のスクロースが単糖に加水分解された。この水溶液には，還元性を示す糖類が 3.6 mol，還元性を示さない糖類が 4.0 mol 含まれていた。もとのスクロース水溶液に含まれていたスクロースの物質量は何 mol か。最も適当な数値を，次の①〜⑤のうちから１つ選べ。

インベルターゼ
加水分解

スクロース   グルコース   フルクトース

① 3.6   ② 4.0   ③ 5.6   ④ 5.8   ⑤ 7.6

④

スクロースは分子式 $C_{12}H_{22}O_{11}$ の還元性を示さない二糖であり，グルコースやフルクトースは分子式 $C_6H_{12}O_6$ の還元性を示す単糖である。

$$\underset{\text{スクロース}}{C_{12}H_{22}O_{11}} + H_2O \xrightarrow{\text{インベルターゼ}} \underset{\text{グルコース}}{1 C_6H_{12}O_6} + \underset{\text{フルクトース}}{1 C_6H_{12}O_6}$$

反応式の係数から，グルコースとフルクトースは同じ mol 生じることがわかる。

から，加水分解で生じたグルコースやフルクトースは，それぞれ

$$\underset{\substack{\text{還元性を}\\\text{示す糖類（mol）}}}{3.6} \times \underset{\substack{\text{グルコースまたは}\\\text{フルクトース（mol）}}}{\frac{1}{2}} = 1.8 \text{ mol ずつになる。}$$

よって，
$$\underset{\substack{\text{スクロース}\\\text{1.8 mol 反応}}}{1 C_{12}H_{22}O_{11}} + H_2O \longrightarrow \underset{\substack{\text{グルコース}\\\text{1.8 mol 生成}}}{1 C_6H_{12}O_6} + \underset{\substack{\text{フルクトース}\\\text{1.8 mol 生成}}}{1 C_6H_{12}O_6}$$

となり，スクロースは 1.8 mol 反応したことがわかる。加水分解されず残っていたスクロース（還元性を示さない糖類）が 4.0 mol なので，もとのスクロース水溶液に含まれていたスクロースは，

$$\underset{\substack{\text{反応せず}\\\text{残っていた}\\\text{スクロース}\\\text{(mol)}}}{4.0} + \underset{\substack{\text{反応した}\\\text{スクロース}\\\text{(mol)}}}{1.8} = 5.8 \text{ mol}$$

になる。

4 多糖について

加水分解で，多数の単糖が生じる糖を多糖という。
多糖は n 分子の単糖から $n-1$ 分子の H_2O がとれて縮合した構造

$$n C_6H_{12}O_6 \longrightarrow H{\footnotesize-}(C_6H_{10}O_5)_n{\footnotesize-}OH + (n-1) H_2O$$

間から H_2O をとるので，
ココ ココ ココ
$n-1$ 分子の H_2O がとれる

をもつため，$H{\footnotesize-}(C_6H_{10}O_5)_n{\footnotesize-}OH$ と表せ，その分子式は**通常 n が非常に大きいので，両端の H や OH を省略して**$(C_6H_{10}O_5)_n$ **と表すんだ。**

多糖は，❶ デンプン ❷ セルロース ❸ グリコーゲン を覚えてね。

多糖
$(C_6H_{10}O_5)_n$

多糖は，どれも還元性を示さない。

❶ デンプン（米，パン，イモの主成分）
→ 多数の α - グルコースからなる

アミロース　　　　　　　　アミロペクチン
（熱水に溶けるデンプンの成分）（熱水に溶けにくいデンプンの成分）

❷ セルロース（植物細胞壁の主成分）
→ 多数の β - グルコースからなる

❸ グリコーゲン（動物体内に貯蔵されるデンプン）➡ 必要に応じてグルコースに加水分解されてエネルギー源になる
→ 多数の α - グルコースからなる

デンプンといえば，ヨウ素デンプン反応だね。

そうだね。**デンプンやグリコーゲンはヨウ素デンプン反応を示すけれど，セルロースは示さない。**あと，ヨウ素溶液 (ヨウ素ヨウ化カリウム水溶液) を加えたときの色の変化は，**デンプン ➡ 青〜青紫，グリコーゲン ➡ 赤褐色**になるんだ。

❶ デンプン

デンプンは，80℃くらいの熱水に溶ける成分である**アミロース**と溶けにくい成分である**アミロペクチン**から構成されているんだ。

〈アミロースの構造〉
拡大
拡大
α-グルコース単位
6個で1回転している
1,4結合
α-グルコース単位

〈アミロペクチンの構造〉
拡大
拡大
枝分かれ部分
1,6結合
1,4結合
α-グルコース単位

 アミロース・アミロペクチンともにらせん構造なんだね。

そうなんだ。どちらも分子内の**水素結合**により**らせん**構造をとっているんだ。**アミロースは，α-グルコースが1-4結合 (α-1,4-グリコシド結合) でつながっていて枝分かれのない直鎖状のらせん構造をとっている。それに対して，アミロペクチンは，α-グルコースが1-4結合 (α-1,4グリコシド結合) と1-6結合 (α-1,6-グリコシド結合) でつながっていて，枝分かれしたらせん構造をとっている**んだ。

	アミロース（熱水に溶ける）		アミロペクチン（熱水に溶けにくい）	
構成単糖と立体構造	α-グルコース	直鎖状のらせん構造	α-グルコース	枝分かれのらせん構造
結合のようす	1-4結合のみ		1-4結合のほか 1-6結合もある	
デンプン中の質量%	20%程度		80%程度（モチ米は，ほぼ100%）	
ヨウ素溶液を加える（ヨウ素デンプン反応）	濃青色		赤紫色	

アミロースとアミロペクチンでヨウ素デンプン反応の色がちがうね。

　そうなんだ。らせん構造が長いほど青色が濃くなるから，らせん構造が長いアミロースは濃青色になり，らせん構造が短いアミロペクチンは赤紫色になるんだ。

加熱
冷却

I_2　呈色している　　　　　　　　　　　　　無色

　ヨウ素デンプン反応で青紫色に呈色した水溶液を加熱すると，らせんが乱れ I_2 がらせんの外に出るのでこの色が消える。ただし，冷却すると再び青紫色に戻るんだ。

❷ セルロース
　植物細胞壁の主成分であるセルロースは，多数の β-グルコースが長くつながりできた直鎖状の構造をもっている。
　セルロースは，分子間で水素結合を形成して集まっているので，水やその他の溶媒に溶けにくく（ただし，シュワイツァー試薬 (p.550) には溶ける），**ヨウ素デンプン反応は示さない**んだ。

分子間水素結合
セルロース分子
紙や衣服の原料となる

1-4結合（β-1,4-グリコシド結合）　　β-グルコース単位

❸ グリコーゲン
　動物の肝臓などには，α-グルコースの多糖であるグリコーゲン $(C_6H_{10}O_5)_n$ が多く含まれている。グリコーゲンは動物デンプンともいう。アミロペクチンがもっと枝分かれしたような構造をしていて，グリコーゲンはヨウ素デンプン反応で赤褐色に呈色

するんだ。

次の ポイント のフローチャートを覚えておくと，今後さまざまなところで役に立つよ。

ポイント　多糖の加水分解

デンプンやセルロースの酵素による加水分解は，次のようになる。

デンプン $(C_6H_{10}O_5)_n$ 多糖 —[アミラーゼ]（だ液中の酵素）→ デキストリン $(C_6H_{10}O_5)_{n'}$ 多糖 —[アミラーゼ]→ マルトース $C_{12}H_{22}O_{11}$ 二糖 —[マルターゼ]（小腸の酵素）→ グルコース $C_6H_{12}O_6$ 単糖

セルロース $(C_6H_{10}O_5)_n$ 多糖 —[セルラーゼ]→ セロビオース $C_{12}H_{22}O_{11}$ 二糖 —[セロビアーゼ]→ グルコース $C_6H_{12}O_6$ 単糖

注　デンプンやセルロースは，希硫酸などの酸と加熱するとグルコースになる

チェック問題 5　　　　　　標準 3分

ある量のマルトース（分子量342）を酸性水溶液中で加熱し，すべてを単糖 A に分解した。冷却後，炭酸ナトリウムを加えて中和した溶液に，十分な量のフェーリング液を加えて加熱したところ Cu_2O の赤色沈殿 14.4 g が得られた。もとのマルトースの質量として最も適当な数値を，次の①〜⑤のうちから 1 つ選べ。ただし，単糖 A とフェーリング液の反応では，単糖 A 1 mol あたり Cu_2O 1 mol の赤色沈殿が生じるものとし，O = 16，Cu = 64 とする。

① 4.28　　② 8.55　　③ 17.1　　④ 34.2　　⑤ 51.3

解答・解説

③

二糖であるマルトース $C_{12}H_{22}O_{11}$ 1 個を完全に加水分解すると単糖 A（→グルコースのこと）が 2 個生じる。また，単糖 A（グルコース）1 mol あたり Cu_2O 1 mol の赤色沈殿が生じる。

よって，もとのマルトース（分子量342）の質量を x（g）とすると，$Cu_2O = 144$ より次の式が成り立つ。

$$\left.\frac{x}{342}\right|\ \times 2\ \left.\right|\ \times 1\ \left.\right|\ =\ \left.\frac{14.4}{144}\right|\ \ \text{より,}\ \ x = 17.1\ \text{g}$$

マルトース　　A（グルコース）　　Cu₂O（mol）　　Cu₂O（mol）
（mol）　　　　（mol）

A（グルコース）はマルトースの　　A（グルコース）と同じ物質量（mol）の
2倍生じる　　　　　　　　　　　　Cu₂O が生じる

チェック問題6　　標準　3分

　デンプンとセルロースに関する記述として誤りを含むものを，次の①〜⑧のうちから2つ選べ。

① デンプンは，α-グルコースが縮合重合した高分子化合物で，らせん状の構造をもつ。
② デンプンは，希硫酸を加えて加熱すると加水分解される。
③ 水中に分散したデンプンは，分子1個でコロイド粒子となる。
④ アミロースは，アミロペクチンより枝分かれが多い構造をもつ。
⑤ ヨウ素デンプン反応により青紫色に呈色した水溶液は，加熱するとこの色が消えるが，冷却すると再び呈色する。
⑥ セルロースは，β-グルコースが縮合重合した高分子化合物で，直線状の構造をもつ。
⑦ セルロース中にあるグルコース単位には，4個のヒドロキシ基が存在する。
⑧ セルロースは，デンプンのようならせん状ではなく，直線状の構造をとる。

解答・解説

④, ⑦
② 希硫酸を加えて加熱すると，グルコースにまで加水分解される。〈正しい〉
③ デンプンは，1分子でコロイド粒子の大きさをもつ**分子コロイド**とよばれる。また，デンプンは多くの水分子と水和しているので親水コロイドでもある。〈正しい〉
④ アミロペクチンのほうが，アミロースより枝分かれが多い。〈誤り〉
⑦ セルロース中にあるグルコース単位には，3個のヒドロキシ基−OH が存在する。〈誤り〉

セルロース

β-グルコース単位には−OH 3個

セルロースは直線状（⑧〈正しい〉）

β-グルコース単位

アミノ酸・タンパク質

38 時間目

1 α-アミノ酸について

タンパク質は長い鎖の中でたがいに共有結合した多くのアミノ酸からできている。

●■△ は, ●■△ からできている

アミノ酸は, **アミノ基-NH₂ とカルボキシ基-COOH をもつ化合物**で, これら2種類の官能基が同じ炭素原子に結合しているものを α-**アミノ酸**というんだ。

$$H_2N-\underset{\underset{H}{|}}{\overset{\overset{R}{|}}{C}}-COOH$$ ← 側鎖

ニンヒドリン溶液を加えて温めると赤紫〜青紫色になる

-NH₂ と-COOH が同じ C に結合しているので α-という

α-アミノ酸 ➡ 単にアミノ酸とよぶことが多い

注 次のようなアミノ酸は β-アミノ酸という。

$$\overset{\beta}{C}H_2-\overset{\alpha}{C}H_2-COOH$$
$$\underset{NH_2}{|}$$

側鎖の R-部分は何を表しているの?

H-, CH₃- などのいろいろな置換基を表しているんだ。R-が H- の α-アミノ酸は**グリシン**という。

$$H_2N-\underset{\underset{H}{|}}{\overset{\overset{H}{|}}{C}}-COOH$$ グリシン

不斉炭素原子がないので, 鏡像異性体(光学異性体)が存在しない

タンパク質をつくっている α-アミノ酸は約20種類が知られていて, そのうち10種類は構造式と名前を覚えておいてほしいんだ。

多いなあ……

たしかにね。ただ, 側鎖(R-)の違いで分類してから頭に入れていくと覚えることができると思うよ。R-に-COOH や-NH₂ をもたない α-アミノ酸は中性アミノ酸, R-に-COOH をもつ α-アミノ酸は酸性アミノ酸, R-に-NH₂ をもつ α-アミノ酸は塩基性アミノ酸というんだ。

―COOHや―NH₂なし

R-CH-COOH
　　　|
　　　NH₂
中性アミノ酸

―COOHあり

R-CH-COOH
　　　|
　　　NH₂
酸性アミノ酸

―NH₂あり

R-CH-COOH
　　　|
　　　NH₂
塩基性アミノ酸

じゃあ，覚えてほしい10種類のα-アミノ酸のすべてを紹介するね。

中性アミノ酸		
$H_2N-CH-COOH$ 　　　| 　　　H グリシン	$H_2N-\overset{*}{C}H-COOH$ 　　　| 　　　CH₃ アラニン	$H_2N-\overset{*}{C}H-COOH$ 　　　| 　　　CH₂ 　　　| 　　　OH　セリン
$H_2N-\overset{*}{C}H-COOH$ 　　　| 　　　CH₂ フェニルアラニン	$H_2N-\overset{*}{C}H-COOH$ 　　　| 　　　CH₂ 　　　| 　　　OH チロシン	$H_2N-\overset{*}{C}H-COOH$　$H_2N-\overset{*}{C}H-COOH$ 　　　|　　　　　　　| 　　　CH₂　　　　　(CH₂)₂ 　　　|　　　　　　　| 　　　SH　　　　　　S システイン　　　　　| 　　　　　　　　　　CH₃ 　　　　　　　　メチオニン

塩基性アミノ酸	酸性アミノ酸	
$H_2N-\overset{*}{C}H-COOH$ 　　　| 　　　(CH₂)₄ 　　　| 　　　NH₂　リシン	$H_2N-\overset{*}{C}H-COOH$ 　　　| 　　　CH₂ 　　　| 　　　COOH　アスパラギン酸	$H_2N-\overset{*}{C}H-COOH$ 　　　| 　　　(CH₂)₂ 　　　| 　　　COOH　グルタミン酸

$\overset{*}{C}$は不斉炭素原子

 グリシン以外のα-アミノ酸には不斉炭素原子があるね。

グリシンを除くα-アミノ酸には不斉炭素原子があるから，鏡像異性体（光学異性体）が存在する。 約20種類のα-アミノ酸のうち動物が体内で合成できない（合成されにくい）ので食品から摂取する必要があるα-アミノ酸を *必須アミノ酸* というんだ。

チェック問題 1　やや易 1分

不斉炭素原子をもち，塩基性アミノ酸と酸性アミノ酸のいずれにも分類されないアミノ酸（中性アミノ酸）を，次の①～⑤のうちから1つ選べ。

① H_2N-CH_2-COOH

② $H_2N-CH_2-CH_2-COOH$

③ $HO-CH_2-CH-COOH$
　　　　　　　|
　　　　　　　NH₂

④ $HOOC-CH_2-CH-COOH$
　　　　　　　　　|
　　　　　　　　　NH₂

⑤ $H_2N-(CH_2)_4-CH-COOH$
　　　　　　　　　　$\underset{NH_2}{|}$

解答・解説

③

　$-NH_2$ の数＝$-COOH$ の数である①，②，③が中性アミノ酸になる（④は酸性アミノ酸，⑤は塩基性アミノ酸）。①，②，③のうち，不斉炭素原子をもつのは③になる。

① $H_2N-\underset{\underset{H}{|}}{\overset{\overset{H}{|}}{C}}-COOH$　　② $H_2N-CH_2-CH_2-COOH$　　③ $HO-CH_2-\overset{*}{\underset{\underset{NH_2}{|}}{C}}H-COOH$

グリシン　　　　　　　　　　　　　　　　　　　　　　　　　　　　　　　セリン

不斉炭素原子ではない　　　　　　　　　　　　　　　　　　　　　C^*は不斉炭素原子

α-アミノ酸の覚え方にコツはないの？

たとえば，次のように覚えてみたらどうかな？

・α-アミノ酸の 覚え方のコツ

Step1　まず，グリシンとアラニンは，がんばって覚える

$H_2N-CH-COOH$　グリシン　　　　$H_2N-\overset{*}{C}H-COOH$　アラニン
　　　$\underset{H}{|}$　　　　　　　　　　　　　　　　$\underset{CH_3}{|}$

不斉炭素原子をもたない　　　　　　　　　　　　　　　　不斉炭素原子をもつ

最も簡単なアミノ酸。鏡像異性体なし

Step2　次に，アラニンの側鎖を利用しながら暗記量を増やす

アラニンの側鎖　$\underset{H}{\overset{CH_2}{|}}$　　間にOを入れる ➡ ①
　　　　　　　　　　　　　　　間にSを入れる ➡ ②

このHをそれぞれ，◯ に変更➡ ③，HO-◯ に変更➡ ④，HOOC- に変更➡ ⑤，HOOC-CH₂- に変更➡ ⑥

① $\underset{OH}{\overset{CH_2}{|}}$　② $\underset{SH}{\overset{CH_2}{|}}$　③ $\overset{CH_2}{|}$◯　④ $\overset{CH_2}{|}$◯-OH　⑤ $\underset{COOH}{\overset{CH_2}{|}}$　⑥ $\underset{\underset{COOH}{|}}{\overset{CH_2}{\underset{CH_2}{|}}}$

セリン　　　システイン　フェニルアラニン　チロシン　アスパラギン酸　グルタミン酸

Step3　最後に，メチオニン $(CH_2)_2$ と　リシン $(CH_2)_4$ を覚える
　　　　　　　　　　　　$\underset{S-CH_3}{|}$　　　　　　$\underset{NH_2}{|}$

Sや$-NH_2$を手がかりにすると覚えやすい

グリシン以外のα-アミノ酸には不斉炭素原子があるから，次のような一対の鏡像異性体（光学異性体）が存在する。

◢■◣で示した結合は紙面の手前側，
⫶⫶⫶で示した結合は紙面の裏側に
存在することを示している。

天然に存在するα-アミノ酸は，ほとんどが**L形**の構造になるんだ。

第**7**章

高分子化合物

チェック問題2　　標準 2分

　タンパク質を構成するα-アミノ酸（以後「アミノ酸」と略称する）は，一般式 $RCH(NH_2)COOH$ で表される。R＝Hのアミノ酸の名称は　ア　で不斉炭素原子をもたないが，他のアミノ酸は不斉炭素原子をもつので，1対の　イ　が存在する。Rの部分に硫黄原子を含むアミノ酸には　ウ　があり，またRの部分にもう1つカルボキシ基をもつアミノ酸には　エ　がある。

　1つのアミノ酸分子のカルボキシ基と別のアミノ酸分子のアミノ基との間で水1分子がとれて $-CO-NH-$ となり，2分子のアミノ酸が結合した化合物をジペプチドという。この $-CO-NH-$ 結合を　オ　といい，とくにペプチドおよびタンパク質においてはペプチド結合という。アミノ酸あるいはペプチドの水溶液にニンヒドリン水溶液を加えて温めると　カ　を示す。

(1) 　ア　，　ウ　，　エ　にそれぞれあてはまる化合物を①〜⑦から選べ。
　　① アデニン　　　② グリシン　　　③ グリセリン　　　④ グルタミン酸
　　⑤ チロシン　　　⑥ ピクリン酸　　⑦ メチオニン
(2) 　イ　にあてはまる語を①〜④から選べ。
　　① 構造異性体　　② 配座異性体　　③ 鏡像異性体（光学異性体）
　　④ シス-トランス異性体
(3) 　オ　にあてはまる語を①〜④から選べ。
　　① エーテル結合　　② エステル結合　　③ アミド結合　　④ 水素結合
(4) 　カ　にあてはまる語を①〜④から選べ。
　　① 青紫色〜赤紫色　　② 青緑色〜緑青色　　③ 赤橙色〜黄橙色
　　④ 灰色〜黒灰色

解答・解説

(1) 　ア　②　　　ウ　⑦　　　エ　④
(2) ③　　(3) ③　　(4) ①
(4) アミノ酸の水溶液にニンヒドリン水溶液を加えて温めると青紫〜赤紫色になる。
　　この反応を**ニンヒドリン反応**（➡ p.520）という。

2 アミノ酸の性質・反応について

α-**アミノ酸**の結晶は，酸性を示す－COOH から塩基性を示す－NH₂ に H⁺ が移動した正，負の両電荷を分子内にもつ**双性イオン**からできているんだ。

正と負の両電荷をもつので，

❶ イオン結晶のように高い融点をもつ

❷ 水に溶けるが，有機溶媒に溶けにくい

などの特徴がある。

 α-アミノ酸の結晶は双性イオンからできていて，融点が高いんだね。

そうなんだ。また，α-アミノ酸は－COOH や－NH₂ をもっているので塩基や酸と反応する**両性化合物**なんだ。

ただ，α-アミノ酸の－COOH はエタノール C₂H₅OH などのアルコールでエステル化されると酸としての性質がなくなり，－NH₂ は無水酢酸(CH₃CO)₂O でアセチル化されると塩基としての性質がなくなるんだ。

水溶液中の α-アミノ酸は，陽イオン，双性イオン，陰イオンが次のような平衡状態にあり，水溶液の pH によってその割合が変化する。

この α-アミノ酸の水溶液を**酸性**にすると陽イオンの比率が大きくなり，**塩基性**にすると陰イオンの比率が大きくなる。

 酸性にすれば，陽イオン ←H⁺ 双性イオン ←H⁺ 陰イオンとなるからだね。

そうなんだ。塩基性にすれば，陽イオン →OH⁻ 双性イオン →OH⁻ 陰イオンとなるね。

たとえば，グリシンの水溶液の電気泳動を行うと，**酸性水溶液中では陽イオンの比率が大きいのでグリシンは陰極側に移動する。逆に，塩基性水溶液中では陰イオンの比率が大きいのでグリシンは陽極側に移動する**んだ。

緩衝液の種類を変えたり，緩衝液のかわりに塩酸や水酸化ナトリウム水溶液を使うことでpHをいろいろな値に変えることができる。

 どちらの極へも移動しないこともあるの？

　するどいね。**どちらの極へも移動しないときは水溶液中の平衡混合物の電荷が 0 になっていればいい**よね。

　水溶液中でのアミノ酸の平衡混合物の正，負の両電荷がつり合い，全体として電荷が 0 になるときの pH の値を等電点というんだ。

　それぞれのアミノ酸は次のような固有の等電点をもっているんだ。

（酸性アミノ酸）	（中性アミノ酸）	（塩基性アミノ酸）
グルタミン酸3	グリシン6，アラニン6	リシン10

酸性アミノ酸の等電点は酸性側，中性アミノ酸の等電点は中性付近，塩基性アミノ酸の等電点は塩基性側になるんだね。

ポイント　水溶液中の α-アミノ酸について

> 等電点：アミノ酸全体の電荷が 0 になっているときの pH
> 中性アミノ酸が 6 程度，酸性アミノ酸が 3 程度，塩基性アミノ酸が10程度

 等電点はどうやって求めたらいいの？

中性アミノ酸（陽イオン A^+，双性イオン $A^\pm$，陰イオン A^- とする）の等電点は，次のように求めるんだ。

中性アミノ酸の平衡定数（電離定数）K_1，K_2 は，

$$A^+ \rightleftarrows A^\pm + H^+ \quad K_1 = \frac{[A^\pm][H^+]}{[A^+]} \quad \cdots\cdots①$$

$$A^\pm \rightleftarrows A^- + H^+ \quad K_2 = \frac{[A^-][H^+]}{[A^\pm]} \quad \cdots\cdots②$$

と表せ，全体で電気的に中性（等電点）になるためには，$[A^+] = [A^-]$（[　]はモル濃度 (mol/L)）のように正電荷と負電荷がつり合えばいいね。

ここで，$K_1 \times K_2$ を求める。すると，

双性イオンどうしなので消去できる

$$K_1 \times K_2 = \frac{[A^\pm][H^+]}{[A^+]} \times \frac{[A^-][H^+]}{[A^\pm]} = [H^+]^2$$

等電点では $[A^+] = [A^-]$ が成り立つので消去できる

となり，$[H^+]^2 = K_1 K_2$

$$[H^+] = \sqrt{K_1 K_2} \quad (> 0)$$

$$pH = -\log_{10}[H^+] = -\log_{10}\sqrt{K_1 K_2} \quad になる。$$

 等電点の $[H^+]$ は，かけ算した $K_1 \times K_2$ のルート $\sqrt{\ }$ だね。

ポイント 等電点の計算について

● 中性アミノ酸の等電点における $[H^+]$ は $[H^+] = \sqrt{K_1 K_2}$ ← かけ算したもののルートになる。

チェック問題 3

標準 2分

　アミノ酸は，水溶液中で陽イオン・双性イオン・陰イオンの形をとり，それぞれのイオンが存在する割合は水溶液の pH によって決まる。アラニンの陽イオン（X^+ と略称する），双性イオン（Y^{+-} と略称する），陰イオン（Z^- と略称する）について，水溶液中では次の電離式①と②が成り立つ。

$$
\underset{\text{陽イオン (X}^+)}{\overset{\overset{\text{CH}_3}{|}}{{}^+\text{H}_3\text{N}-\text{CH}-\text{COOH}}} \quad \rightleftharpoons \quad \underset{\text{双性イオン (Y}^{+-})}{\overset{\overset{\text{CH}_3}{|}}{{}^+\text{H}_3\text{N}-\text{CH}-\text{COO}^-}} \quad + \quad \text{H}^+ \quad \cdots\cdots①
$$

$$
\underset{\text{双性イオン (Y}^{+-})}{\overset{\overset{\text{CH}_3}{|}}{{}^+\text{H}_3\text{N}-\text{CH}-\text{COO}^-}} \quad \rightleftharpoons \quad \underset{\text{陰イオン (Z}^-)}{\overset{\overset{\text{CH}_3}{|}}{\text{H}_2\text{N}-\text{CH}-\text{COO}^-}} \quad + \quad \text{H}^+ \quad \cdots\cdots②
$$

イオン X^+，Y^{+-}，Z^- の濃度をそれぞれ $[X^+]$，$[Y^{+-}]$，$[Z^-]$ で表すと，式①と②の電離定数 K_1 と K_2 はそれぞれ次の式で表される。

$$
K_1 = \frac{[Y^{+-}][H^+]}{[X^+]} \qquad K_2 = \frac{[Z^-][H^+]}{[Y^{+-}]}
$$

さらに，等電点とよばれる pH の水溶液では，アミノ酸のほとんどは双性イオン（Y^{+-}）の形をとり，わずかに存在する陽イオン（X^+）と陰イオン（Z^-）は濃度が等しくなって，アミノ酸がもつ電荷は全体として 0 となっている。アラニンの電離定数が $K_1 = 10^{-2.3}\text{mol/L}$，$K_2 = 10^{-9.7}\text{mol/L}$ であるとき，アラニンの等電点は □ となる。□ に入れる数値を次の①〜⑤のうちから 1 つ選べ。

① 3.0　② 4.0　③ 5.0　④ 6.0　⑤ 7.0

解答・解説

④

$$
[H^+] = \sqrt{K_1 K_2} = \sqrt{10^{-2.3} \times 10^{-9.7}} = \sqrt{10^{-12}} = 10^{-6}\ \text{mol/L}
$$
$$
pH = -\log_{10}[H^+] = -\log_{10}10^{-6} = 6.0
$$

3 ペプチドについて

アミノ酸の分子間で，$-\text{COOH}$ と $-\text{NH}_2$ の間で H_2O がとれて縮合し，生成した化合物を**ペプチド**という。

$$
\underset{\alpha\text{-アミノ酸 I}}{\text{H}_2\text{N}-\overset{\overset{\text{R}^1}{|}}{\underset{\underset{\text{H}}{|}}{\text{C}}}-\overset{\overset{}{}}{\underset{\underset{\text{O}}{\|}}{\text{C}}}-\boxed{\text{OH}} + \text{H}}-\underset{\alpha\text{-アミノ酸 II}}{\overset{\overset{\text{H}}{|}}{\underset{\underset{\text{H}}{|}}{\text{N}}}-\overset{\overset{\text{R}^2}{|}}{\text{C}}-\overset{}{\underset{\underset{\text{O}}{\|}}{\text{C}}}-\text{OH}} \xrightarrow{\text{脱水縮合}} \cdots
$$

H_2O がとれる　　脱水縮合　　→ペプチド結合という　ジペプチド

$\overset{\text{O H}}{\underset{}{-\text{C}-\text{N}-}}$ をペプチド結合というんだね。

そうなんだ。**アミノ酸どうしからできたアミド結合** $\overset{\text{O H}}{-\text{C}-\text{N}-}$ **をとくに**ペプチド結

第 **7** 章 高分子化合物

合**というんだ。**

😊 ジペプチドなのに，ペプチド結合を 1 個しかもっていないね。

よく気づいたね。「ジ」って 2 を表していたよね。ジペプチドって 2 個のアミノ酸からできているからこうよぶんだ。

😊 「ジ」はペプチド結合の数じゃなくて，アミノ酸の数を表しているんだね。

そうなんだ。だから，3 個のアミノ酸から生成した化合物をトリペプチドというんだ。

ペプチド結合は 2 個！

トリペプチド

あと，多くのアミノ酸から生成したペプチドは**ポリペプチド**とよび，タンパク質はポリペプチドで構成される高分子化合物なんだ。

チェック問題 4 　　　標準 3分

　グリシン（$C_2H_5NO_2$）3 分子からなる鎖状のトリペプチド中に含まれる窒素の質量パーセントとして最も適当な数値を，次の①〜⑥のうちから 1 つ選べ。ただし，H ＝1.0，C ＝12，N ＝14，O ＝16とする。

① 17　　② 18　　③ 19　　④ 20　　⑤ 22　　⑥ 25

解答・解説

⑤

　グリシン $C_2H_5NO_2$ の分子量は75であり，グリシン 3 分子からなる鎖状のトリペプチドの分子量は $\underset{\text{グリシン}}{75} \times 3 － \underset{H_2O}{18} \times 2 ＝189$ となる。

H_2O は「間」からとれるため，アミノ酸の個数より 1 個少ない個数がとれる

　このトリペプチド 1 分子には N が 3 個含まれる。よって，N の質量パーセントは，

$$\frac{\overset{N}{14} \times 3}{189} \times 100 ≒ 22 \%$$

参考

$$H_2N-CH_2-C\underset{O}{\overset{O}{\parallel}}\boxed{OH + H}-N\underset{H}{\overset{H}{|}}-CH_2-C\underset{O}{\overset{O}{\parallel}}\boxed{OH + H}-N\underset{H}{\overset{H}{|}}-CH_2-C\overset{O}{\overset{\parallel}{}}-OH$$

グリシン　　　　　H₂O がとれる　　　　　　H₂O がとれる

脱水縮合
$$\longrightarrow H_2N-CH_2-C-N-CH_2-C-N-CH_2-COOH + 2H_2O$$

グリシン3分子からなる鎖状のトリペプチド

（■はN原子で3個含まれている）

4 タンパク質について

　アミノ酸の分子間で H₂O がとれて生成した化合物を**ペプチド**，このとき生成した
$-\overset{O}{\overset{\parallel}{C}}-\overset{H}{\overset{|}{N}}-$ を**ペプチド結合**といったね。**多くのアミノ酸から構成された**ポリペプチドの構造がタンパク質の構造の**基本**になっているんだ。

$$H_2N-\overset{R^1}{\underset{H}{\overset{|}{C}}}-C\boxed{O-H + H}-N-\overset{R^2}{\underset{H}{\overset{|}{C}}}-C\boxed{O-H} + \cdots + \boxed{H}-N-\overset{R^n}{\underset{|}{C}}-C-O-H$$

脱水縮合して
つながると…
$$\longrightarrow H_2N-\overset{R^1}{\underset{H}{\overset{|}{C}}}-\boxed{\overset{H}{\underset{O}{\overset{|}{C}-N}}}-\overset{R^2}{\underset{H}{\overset{|}{C}}}-C \cdots -N-\overset{R^n}{\underset{|}{C}}-C-OH + (n-1)H_2O$$

ポリペプチド

多くのタンパク質は，数十〜数百個のアミノ酸がペプチド結合してできている

　　　　タンパク質にはどんなものがあるの？

α-アミノ酸だけからできている単純タンパク質，**α-アミノ酸の他に糖，リン酸，核酸，色素などからできている**複合タンパク質**がある**んだ。

タンパク質 ┬ **単純タンパク質**：α-アミノ酸だけからできている
　　　　　 └ **複合タンパク質**：α-アミノ酸以外に糖，リン酸，核酸，色素
　　　　　　　　　　　　　　　 などからできている

あと，タンパク質は形によって分類することもできるんだ。

タンパク質 ┬ **繊維状タンパク質**：水に溶けない
　　　　　 └ **球状タンパク質**：水に溶けるものが多い

よじった糸のように
なっている。強くて
水に溶けないので，
動物のひづめや筋肉
をつくっている。

繊維状タンパク質

親水基を外側に向けて球形
になっており，水に溶けて
細胞の中で移動できる。知
られている酵素のほとんど
は球状タンパク質である。

球状タンパク質

例 ケラチン，コラーゲン　　例 アルブミン，グロブリン

ポイント　タンパク質の種類について

● タンパク質─┬ 単純タンパク質
　　　　　　　└ 複合タンパク質

● タンパク質─┬ 繊維状タンパク質
　　　　　　　└ 球状タンパク質

タンパク質をつくっているα-アミノ酸の配列順序（くっついている順番）のことをタンパク質の**一次構造**というんだ。

タンパク質は，ペプチド結合の ＼C＝Oと ＼N－H との間で ＼C＝O … H－N＼ のような**水素結合**を形成し，規則的な立体構造をつくって安定化している。

タンパク質で見つけることのできるせまい範囲で起こる規則的な立体構造を二次構造といい，α-ヘリックス構造やβ-シート構造のような二次構造があるんだ。

水素結合

羊毛や爪などに存在するケラチンの
α-ヘリックス構造

絹に存在するフィブロインの
β-シート構造

 α-ヘリックス構造って，らせん構造だね。

そうなんだ。**α-ヘリックス構造はふつう右巻きのらせん構造，β-シート構造はひだ状の平面構造**なんだ。

また，多くのタンパク質は，α-ヘリックス構造・β-シート構造・R－どうしの水素結合やイオン結合・**ジスルフィルド結合－S－S－**などで複雑に折りたたまれた立体構造（**⇒三次構造**という）になっている。

システインのもつ－SHどうしの間につくられる－S－S－結合のことをジスルフィド結合という。

$-S\boxed{H + H}S- \xrightarrow{\text{酸化}} -S-S-$

（システイン）　（システイン）

H_2 1個がとれる

タンパク質の水溶液に，熱・強酸・強塩基・重金属イオン（Cu^{2+}，Hg^{2+}，Pb^{2+} など）・有機溶媒（アルコールなど）を作用させると，水素結合などが切れてタンパク質の立体構造が変化することで凝固したり沈殿したりする。この現象は**タンパク質の変性**とよばれ，変性を起こしたタンパク質はふつうもとには戻らない。

正常なインスリンの立体構造　　　　　　　変性したインスリン

 たしかに，生卵を加熱してゆで卵にしたらもう生卵には戻らないね。

チェック問題 5 標準 4分

タンパク質およびタンパク質を構成するアミノ酸に関する記述として下線部に誤りを含むものを，次の①〜⑨のうちから2つ選べ。

① 分子中の同じ炭酸原子にアミノ基とカルボキシ基が結合しているアミノ酸を，α-アミノ酸という。

② アミノ酸の結晶は，分子量が同程度のカルボン酸やアミンと比べて，融点の高いものが多い。

③ グリシンとアラニンからできる鎖状のジペプチドは1種類である。

④ 水溶性のタンパク質が溶解したコロイド溶液に多量に電解質を加えると，水和している水分子がうばわれ，コロイド粒子どうしが凝集して沈殿する。

⑤ タンパク質のポリペプチド鎖は，分子内で形成される水素結合により二次構造をつくる。

⑥ タンパク質はα-アミノ酸 $R-CH(NH_2)-COOH$ から構成され，その置換基 R どうしが相互にジスルフィド結合やイオン結合などを形成することで，各タンパク質に特有の三次構造に折りたたまれる。

⑦ タンパク質が強酸や加熱によって変性するのは，高次構造が変化するためである。

⑧ 球状タンパク質では，複数のポリペプチドの鎖が束（束状）になっている。

⑨ 加水分解したとき，アミノ酸のほかに糖類やリン酸などの物質も同時に得られるタンパク質を，複合タンパク質という。

解答・解説

③, ⑧

① −NH₂ と−COOH が同じ C 原子に結合しているアミノ酸を α-アミノ酸という。〈正しい〉

　　β-アラニン H₂N−CH₂−CH₂−COOH のように α-アミノ酸以外のアミノ酸も存在する。

② アミノ酸は結晶中で双性イオンになっていて，双性イオンどうしがたがいに静電気力で強く引き合うので融点の高いものが多い。〈正しい〉

③

　　以上のように，グリシンとアラニンからできる鎖状のジペプチドには構造異性体が 2 種類考えられる。

　　また，鏡像異性体まで考えると 4 種類考えられる。1 種類ではない。〈誤り〉

　　グリシルアラニン | グリシルアラニン　　アラニルグリシン | アラニルグリシン
　　の実像 | の鏡像　　　　　　　　の実像 | の鏡像
　　　　　　鏡　　　　　　　　　　　　　　　　　　鏡

④ タンパク質やデンプンは親水コロイドであり，多量の電解質を加えると，水和している水分子がとり除かれることで沈殿する(塩析)。〈正しい〉

⑤ α-ヘリックス構造や β-シート構造のような二次構造は，分子内で水素結合を形成する。〈正しい〉

⑥ 二次構造を形成したポリペプチド鎖どうしのイオン結合などや，ジスルフィド結合−S−S−などにより折りたたまれてできた特有の立体構造を三次構造という。〈正しい〉

⑦ タンパク質の二次構造以上をまとめて高次構造といい，高次構造が変化するために変性する。〈正しい〉

⑧ 球状タンパク質ではなく，繊維状タンパク質。〈誤り〉

⑨ 加水分解したときにアミノ酸だけを生じるタンパク質は，単純タンパク質という。〈正しい〉

思 考力のトレーニング　　標準 3分

分子量 2.56×10^4 のポリペプチド鎖 A は，アミノ酸 B（分子量89）のみを脱水縮合して合成されたものである。図のように，A がらせん構造をとると仮定すると，A のらせんの全長 L は何 nm か。最も適当な数値を，下の①〜⑥のうちから1つ選べ。ただし，らせんのひと巻きはアミノ酸の単位3.6個分であり，ひと巻きとひと巻きの間隔を0.54 nm（ $1 \text{ nm} = 1 \times 10^{-9} \text{ m}$ ）とする。

H ＝1.0，C ＝12，N ＝14，O ＝16

ポリペプチド鎖 A のらせん構造の模式図

①	43	②	54	③	72
④	1.6×10^2	⑤	1.9×10^2	⑥	2.6×10^2

解答・解説

②

アミノ酸 B $R^B - CH - COOH$ のみからなるポリペプチド鎖 A は平均重合度を n
（分子量89）　　　|
　　　　　　　　　NH_2

とおくと，次のように表すことができる。

アミノ酸 B（分子量89）

ポリペプチド鎖 A

A はアミノ酸 B の構造から H_2O（分子量18）だけがとれた構造をもつので，くり返し単位の式量は
89−18＝71になる

よって，ポリペプチド鎖 A の分子量は $71n$ であり，この分子の分子量が 2.56×10^4 なので，n は次のように求められる。

$$71n = 2.56 \times 10^4 \qquad n \fallingdotseq 360$$

図からアミノ酸Bの単位3.6個分の間隔が0.54 nm^(ナノメートル)なので，平均で360個のアミノ酸Bからなるポリペプチド鎖Aのらせんの全長Lは，

$$L = \underset{\substack{\text{A を構成している}\\\text{アミノ酸 B の個数}\\\text{（個）}}}{360\ \text{個}} \times \underset{\substack{\text{A の全長}\\\text{（nm）}}}{\frac{0.54\ \text{nm}}{3.6\ \text{個}}} = 54\ \text{nm}$$

になる。

> **参考** アミノ酸Bは，アラニン $CH_3 - \underset{\underset{NH_2}{|}}{CH} - COOH$　（分子量89）

5 タンパク質やアミノ酸の検出反応について

タンパク質やアミノ酸の検出反応として，次の4つを知っておいてね。

❶ ニンヒドリン反応（➡ アミノ基−NH₂ の検出）
　アミノ酸やアミノ基−NH_2をもつタンパク質に，ニンヒドリン水溶液を加えて温めると赤紫～青紫色になる。

❷ ビウレット反応（➡ ペプチド結合を2つ以上もつトリペプチド以上で起こる）
　水酸化ナトリウム水溶液を加えてアルカリ性にした後，硫酸銅（Ⅱ）$CuSO_4$水溶液を加えると，赤紫色になる。この反応は，ペプチド結合中のNがCu^{2+}と配位結合で錯イオンをつくることで呈色する。

$$\underset{\text{ペプチド結合}}{H_2N - CH - \overset{\overset{R^1}{|}}{\underset{\underset{O}{\parallel}}{C}} - \overset{\overset{H}{|}}{N} - \overset{\overset{R^2}{|}}{CH} - \overset{\overset{}{|}}{\underset{\underset{O}{\parallel}}{C}} - \overset{\overset{H}{|}}{N} - \overset{\overset{R^3}{|}}{CH} - \underset{\underset{O}{\parallel}}{C} - OH}$$
トリペプチド

❸ キサントプロテイン反応（➡ ベンゼン環をもつアミノ酸やタンパク質の検出）
　濃硝酸を加えて加熱すると，ベンゼン環がニトロ化されて黄色になり，冷却後，さらに濃アンモニア水などを加えて塩基性にするとオレンジ（橙黄）色になる。
　例 ベンゼン環をもつアミノ酸

$$\text{フェニルアラニン}$$ の構造式と $$\text{チロシン}$$ の構造式

❹ 硫黄の検出（➡ 硫黄元素Sを含むアミノ酸やタンパク質の検出）
　水酸化ナトリウムを加えて加熱し，冷却後，酢酸鉛（Ⅱ）$(CH_3COO)_2Pb$水溶液を加えると，硫化鉛（Ⅱ）PbSの黒色沈殿が生じる。
　例 硫黄Sを含むアミノ酸

$$HS - CH_2 - \underset{\underset{NH_2}{|}}{CH} - COOH \qquad CH_3 - S - (CH_2)_2 - \underset{\underset{NH_2}{|}}{CH} - COOH$$
システイン　　　　　　　　　　　　　メチオニン

どれも重要な検出反応なので，しっかり覚えておいてね。

ポイント ▶ 検出反応について

タンパク質やアミノ酸の検出方法

ニンヒドリン反応	$-NH_2$ の検出
● アミノ酸やタンパク質にニンヒドリン水溶液を加えて温めると赤紫～青紫色になる。	
ビウレット反応	ペプチド結合を 2 つ以上もつトリペプチド以上のペプチドで起こる
● NaOH を加えた後，$CuSO_4$ 水溶液を加えると，赤紫色になる。	
キサントプロテイン反応	ベンゼン環をもつアミノ酸やタンパク質の検出
● 濃硝酸を加えて加熱すると，ベンゼン環がニトロ化されて黄色になり，冷却後，さらに濃アンモニア水などを加えて塩基性にするとオレンジ(橙黄)色になる。	
硫黄の検出	S を含むアミノ酸やタンパク質の検出
● NaOH を加えて加熱し，冷却後，$(CH_3COO)_2Pb$ 水溶液を加えると，PbS の黒色沈殿が生じる。	

チェック問題 6

標準 2分

　天然高分子化合物およびその構成成分の呈色反応に関する記述として下線部に誤りを含むものを，次の①〜⑤のうちから1つ選べ。

① 構成アミノ酸にシステインなどの硫黄を含むタンパク質は，水酸化ナトリウム水溶液を加えて加熱した後，酢酸鉛(Ⅱ)水溶液を加えると黒色沈殿を生じる。

② ビウレット反応では，アミノ酸2分子からなるジペプチドが，銅(Ⅱ)錯体を形成することで呈色する。

③ キサントプロテイン反応では，アミノ酸の側鎖にあるベンゼン環がニトロ化されることで呈色する。

④ アミノ酸は，ニンヒドリンと反応して呈色する。

⑤ タンパク質水溶液は，水酸化ナトリウム水溶液を加えたのち，硫酸銅(Ⅱ)水溶液を加えると，赤紫色に呈色する。

解答・解説

②

① Sの検出反応。酢酸鉛(Ⅱ)(CH₃COO)₂Pb で PbS の黒色沈殿を生じる。

〈正しい〉

② **アミノ酸3分子からなるトリペプチド**以上のペプチドが赤紫色に呈色するのが
ビウレット反応。〈誤り〉

③ ベンゼン環がニトロ化されて黄色になり，濃アンモニア水でオレンジ(橙黄)色
になる。〈正しい〉

④ ニンヒドリンでアミノ酸やアミノ基を含むタンパク質が赤紫〜青紫色に呈色す
る。〈正しい〉

⑤ ビウレット反応の説明。トリペプチド以上のペプチド(タンパク質も)で見られ
る。水酸化ナトリウム NaOH と硫酸銅(Ⅱ)CuSO₄ が用いられる。〈正しい〉

核酸と酵素

39 時間目

1 核酸について

生物の細胞には**核酸**という酸性の高分子化合物が存在し，**遺伝**や**タンパク質の合成**に中心的な役割をはたしているんだ。

 DNA だっけ？

そうだね。核酸には **DNA（デオキシリボ核酸）**と **RNA（リボ核酸）**の2種類があるんだ。

$$
核酸 \begin{cases} DNA（デオキシリボ核酸） \\ RNA（リボ核酸） \end{cases}
$$

DNA や RNA は，下のヌクレオチドが多数つながったポリヌクレオチドなんだ。

（DNA と RNA では，塩基の1つと五炭糖が異なる）

①，⑤は五炭糖の炭素原子の番号

 DNA と RNA の違いを教えてよ。

構成している**五炭糖**（ペントース）と N を含む**塩基**（➡ N を含む塩基は4種類ある）**の1種**が違うんだ。また，DNA は細胞の核に存在し**二重らせん構造**をとるけど，RNA は細胞の核と細胞質に存在し，ふつう一本鎖なんだ。

ポイント DNA と RNA

	構造	所在	役割
DNA	二重らせん構造	核に存在	遺伝情報を保持し伝える
RNA	ふつう1本鎖の構造	核と細胞質に存在	タンパク質合成に関わる

DNA と RNA ➡ 構成している五炭糖と N を含む塩基の1種が異なる

まず，五炭糖の違いを教えてよ。

DNA や RNA を構成している糖は炭素数が 5 個のペントース (五炭糖) で，それぞれ次のような構造をもっている。

(a) DNA を構成するペントース

(b) RNA を構成するペントース

デオキシリボース ←── デオキシ O がとれたという意味

リボース

 デオキシリボースの 2 の炭素原子についている H が，リボースの 2 の炭素原子では OH になっているね。

そうなんだ。**構成している五炭糖が DNA は**デオキシリボース，**RNA は**リボースなんだ。まず，この五炭糖のちがいを覚えてね。

チェック問題 1　　　　やや易 1分

核酸はヌクレオチドをくり返し単位とする高分子化合物であり，単糖，リン酸，塩基からなる。図はデオキシリボ核酸 DNA に含まれる糖の構造と，この糖に含まれる炭素原子の位置をア～オで示している。ヌクレオチドの塩基は図の糖の ☐1 の炭素原子と結合し，リン酸は ☐2 の炭素原子と結合する。☐ に最も適しているものを，それぞれ①～⑤から 1 つずつ選べ。

1 : ① ア　② イ　③ ウ　④ エ　⑤ オ
2 : ① ア　② イ　③ ウ　④ エ　⑤ オ

解答・解説

1 ①　　2 ⑤

次に，塩基の違いも教えてよ。

DNA や RNA をつくっている塩基は，それぞれ，
　　DNA ➡ アデニン（A），グアニン（G），シトシン（C），チミン（T）
　　RNA ➡ アデニン（A），グアニン（G），シトシン（C），ウラシル（U）
なんだ。
　つまり，DNA や RNA を構成している核酸塩基はそれぞれ 4 種類で，そのうちの 1 種がチミン（DNA）かウラシル（RNA）の違いがあるんだ。

(a) DNAを構成する塩基

ここが CH₃− であればチミン，
H− であればウラシル
↓

アデニン（A）　　　グアニン（G）　　　シトシン（C）　　　チミン（T）

アデニンだけ C＝O がない点に注目しよう

チミンとウラシルは C＝O が 2 個ある点に注目しよう

(b) RNAを構成する塩基

アデニン（A）　　　グアニン（G）　　　シトシン（C）　　　ウラシル（U）

ここがちがう!!

 DNA はチミンで，RNA はウラシルなんだね。

そうだね。「チミンがウラぎる（ウラシル）」と覚えておいてね。

核酸	DNA（デオキシリボ核酸）	RNA（リボ核酸）
五炭糖（ペントース）	デオキシリボース	リボース
塩基	A ・ G ・ C ・ T アデニン グアニン シトシン チミン	A ・ G ・ C ・ U アデニン グアニン シトシン ウラシル

A（アデニン）は C＝O なし，　T（チミン）や U（ウラシル）は C＝O 2 個と覚えておこう！

 これらの塩基が五炭糖（ペントース）やリン酸 H_3PO_4 と結合したものをヌクレオチド，ヌクレオチドが多数つながったものをポリヌクレオチド，このポリヌクレオチドが核酸（DNA，RNA）でいいかな？

その通りだよ。すごいね。

 そして，DNAは二重らせん構造で，RNAは1本鎖なんだよね。

さすがだね。あとは，DNAの**アデニン(A)・チミン(T)間の水素結合の数**，**グアニン(G)・シトシン(C)間の水素結合の数**を覚えてね。

❶ DNA や RNA の構造

❶ DNA の構造

二重らせん構造をとり，AとT，GとCが水素結合で対をつくっている。

アデニン(A) チミン(T)

アデニン(A)とチミン(T)の間には**2つ**の**水素結合**がある。

グアニン(G) シトシン(C)

DNAの二重らせん構造

グアニン(G)とシトシン(C)の間には**3つ**の**水素結合**がある。

これをまとめて，A2T，G3C と覚えるといいよ。

このように，決まった塩基が必ず対になって存在しているので，**AとT，GとCはそれぞれ常に同じ物質量(mol)ずつ存在する**。

❷ RNA の構造

DNAと同じポリヌクレオチドだが，ふつう1本鎖で存在している。

ポイント ▶ DNA について

A ――― T

AとTは，同数存在する

2本

G ――― C

GとCは，同数存在する

3本

―― は水素結合

チェック問題 2

天然に存在する核酸に関する記述として誤りを含むものを，次の①～⑨のうちから2つ選べ。

① 核酸の単量体に相当する分子をヌクレオチドという。
② 核酸は，それを構成する糖のヒドロキシ基とリン酸が縮合した構造をもつ。
③ 核酸は，窒素を含む環状構造の塩基をもつ。
④ RNAは5種類の塩基をもつ。
⑤ DNAは4種類の塩基をもつ。
⑥ DNAの二重らせん構造中では，水素結合によって塩基対が形成されている。
⑦ DNAの糖部分は，RNAの糖部分とは異なる構造をもつ。
⑧ DNAとRNAに共通する塩基は，3種類ある。
⑨ DNAとRNAはチミンを共通に含む。

解答・解説

④，⑨

① 核酸(DNAやRNA)は，ヌクレオチド(単量体)が多数つながったポリヌクレオチド。〈正しい〉
② DNAはデオキシリボース(糖)の−OHとリン酸 H_3PO_4 が縮合した構造をもち，RNAはリボース(糖)の−OHとリン酸 H_3PO_4 が縮合した構造をもつ。〈正しい〉
③ Nを含む環状構造の塩基(DNAはA，G，C，T，RNAはA，G，C，U)をもつ。〈正しい〉
④ RNAは，アデニン(A)・グアニン(G)・シトシン(C)・ウラシル(U)の4種類の塩基をもつ。〈誤り〉
⑤ DNAは，アデニン(A)・グアニン(G)・シトシン(C)・チミン(T)の4種類の塩基をもつ。〈正しい〉
⑦ DNAの糖部分はデオキシリボース，RNAの糖部分はリボースなので異なる構造をもつ。〈正しい〉
⑧ DNAとRNAに共通する塩基は，アデニン(A)・グアニン(G)・シトシン(C)の3種類。〈正しい〉
⑨ DNAはチミンを含むが，RNAはチミンでなくウラシルを含む。〈誤り〉

次のデオキシリボ核酸 DNA とリボ核酸 RNA の記述として，**不適切なもの**を①〜⑥のうちから**2つ選べ**。アデニン，グアニン，シトシン，チミン，ウラシルの各塩基をそれぞれ A，G，C，T，U とする。

① 二重らせん構造をとる DNA の一方の鎖の塩基配列が－C－C－T－A－G－C－A－の部分を考えたとき，この部分の二重らせんの中で形成される水素結合は18個である。

② リン酸と糖の結合はエーテル結合である。

③ 塩基と糖の結合は共有結合である。

④ RNA の構成元素は C，H，N，O，S である。

⑤ ある細胞の核内の DNA に含まれる G の個数が全ての塩基の個数の 24 %であるとき，A の個数の比率は 26 %である。

⑥ 核酸を構成するくり返し単位となる物質はヌクレオチドとよばれ，リン酸を含む。

解答・解説

②，④

① A 2 T，G 3 C を思い出そう！

```
 －G－G－A－T－C－G－T－
   3  3  2  2  3  3  2  ·····は水素結合
 －C－C－T－A－G－C－A－
```
　　　　水素結合は，（3＋3＋2＋2＋3＋3＋2）＝18個 〈正しい〉

② エーテル結合ではなく，（リン酸）エステル結合が正しい。リン酸エステルをつくっている。〈誤り〉

③

DNA の構造

④ S でなく P が正しい。リン酸 H_3PO_4 を含んでいる。〈誤り〉

⑤ G＝C＝24%

$$A＝T＝\{100-(\underset{G}{24}+\underset{C}{24})\}\times\frac{1}{2}＝26\%　〈正しい〉$$

2 酵素について

触媒としてはたらくタンパク質を酵素というんだ。

 触媒だから，活性化エネルギーを低下させるんだね。

そうなんだ。酵素については，次の3つのキーワードを覚えてね。

キーワード1 基質特異性

酵素が反応する相手を基質といい，酵素は決まった基質にしかはたらかない。これを，酵素の基質特異性という。たとえば，リパーゼという酵素は油脂(基質)を脂肪酸とモノグリセリド(グリセリンのエステル)に加水分解する反応の触媒になる。

油脂 $\xrightarrow{\text{リパーゼ}}$ 脂肪酸 ＋ モノグリセリド(グリセリンのエステル)

また，アミラーゼという酵素はデンプン(基質)をマルトースに分解する反応の触媒になる。

デンプン $\xrightarrow{\text{アミラーゼ}}$ マルトース

酵素は特定の基質にのみはたらくから，アミラーゼが油脂に作用したり，リパーゼがデンプンに作用したりはしないんだ。

キーワード2 最適温度

酵素が触媒としてはたらくとき，反応速度が最大になる温度のことを最適温度というんだ。

 何℃くらいなの？

ふつう，35〜40℃くらいで，これより高温になると酵素をつくっているタンパク質が熱で変性してしまう。高温になって酵素がその活性を失うことを酵素の失活といい，一度失活した酵素は元の温度に戻してもそのはたらきは回復しないんだ。

キーワード3 最適pH

酵素が触媒としてはたらくとき，**反応速度が最大になるpHのこと**を最適pHというんだ。

 ペプシンは胃液の中ではたらくから最適pHは2くらいなんだね。

ヒトは，糖類(デンプンなど)，脂肪，タンパク質を食べ，口，胃，小腸などから分泌される加水分解酵素によりこれらを小さな分子にまで分解するよね。このはたらきを消化といい，消化は次のフローチャートを覚えておけばいいんだ。

デンプン $\xrightarrow{\text{アミラーゼ}}$ デキストリン $\xrightarrow{\text{アミラーゼ}}$ マルトース $\xrightarrow{\text{マルターゼ}}$ グルコース

米, パンなど

脂肪(油脂) $\xrightarrow{\text{リパーゼ}}$ モノグリセリド ＋ 脂肪酸

バターなど

タンパク質 $\xrightarrow{\text{ペプシン}}$ $\xrightarrow{\text{トリプシン}}$ $\xrightarrow{\text{ペプチダーゼ}}$ アミノ酸

肉, 卵など

「プ」がついている
酵素はペプチド
（タンパク質）に関連

チェック問題 4

標準 2分

次の文章は，栄養素の体内への摂取のようすを述べている。空欄 [1] ～ [4] にあてはまる語として最も適当なものを，①～⑧のうちから1つずつ選べ。[3] と [4] の解答の順序は問わない。

タンパク質はいろいろな [1] が多数結合した高分子である。[2] により，いったん [1] に分解され，腸壁から吸収されたのち，再び結びついて，必要なタンパク質になる。

油脂は水に溶けずそのままでは体に吸収されないので，すい臓の [2] により，[3] と [4] に分解され，腸壁から吸収されたのち，再び結びついて，必要な脂肪になったり，他の物質を合成する材料となったりする。

① グルコース　② 酵素　③ アミノ酸　④ 脂肪酸
⑤ ビタミン　⑥ スクロース　⑦ グリセリンのエステル　⑧ ホルモン

解答・解説

[1] ③　　[2] ②　　[3] [4] ④, ⑦　（順不同）

チェック問題 5

標準 2分

生体高分子に関する記述として誤りを含むものを，①～⑤のうちから1つ選べ。

① 酵素と活性部位で複合体を形成できる物質のみが，基質として触媒作用を受ける。
② 酵素の多くが加熱により触媒作用を失うのは，構成するタンパク質が変性するためである。
③ デオキシリボ核酸中では，リン酸部分の3つのヒドロキシ基は，いずれもリン酸エステル結合している。
④ 人体内ではたらく酵素の中には，最適 pH が中性付近でないものがある。

⑤　酵素の濃度が一定の条件では，基質の濃度の増加にともなって酵素反応の反応速度は大きくなり，ある濃度で反応速度は最大値に達するが，それ以上の濃度では反応速度は一定になる。

解答・解説

③

①　酵素には基質と結合する場所があり，この場所を**活性部位**または**活性中心**という。酵素はこの活性部位で基質と結合し，**酵素－基質複合体**をつくり，その後，基質は生成物に変化する。〈正しい〉

③　いずれもではない〈誤り〉

DNAの構造

④　たとえば，ペプシンの最適 pH は約 2 になる。〈正しい〉

⑤　基質の濃度がある濃度に達すると，反応速度 v は一定（最大速度）になる。
〈正しい〉

酵素反応の反応速度と基質濃度の関係
（酵素濃度は一定）

40 時間目 プラスチック（合成樹脂）

1 プラスチックの分類について

プラスチック（合成樹脂）は，石油などを原料として人工的につくられた物質で，**熱による性質の違い**により次のように分類できる。

プラスチック（合成樹脂）
- **熱可塑性樹脂**…加熱すると**軟らかく**なり，冷えると**固まる**性質をもつプラスチック
- **熱硬化性樹脂**…加熱すると**硬く**なる性質をもつプラスチック

熱可塑性樹脂は**付加重合**や**縮合重合**，熱硬化性樹脂は**付加縮合**でつくられるものが多いんだ。

> 付加重合や縮合重合は覚えているけど，付加縮合は
> はじめて出てきたんじゃない？

付加縮合は，付加反応と縮合反応をくり返して進む重合のことをいうんだ。だから，付加と縮合をおさえておけば大丈夫だよ。

プラスチックは，小さな分子が数百から数千以上も共有結合でつながってできている。**小さな分子を単量体（モノマー），モノマーが多数つながったものを重合体（ポリマー），単量体が共有結合し重合体になる反応を重合**というんだ。

$$n \bigcirc \xrightarrow{\text{重合}} {\left[\bigcirc \right]}_n \quad n：重合度$$
単量体（モノマー）　　　　重合体（ポリマー）　　（くり返しの数）

> 重合のしかたには，付加重合や縮合重合があったね。

① 付加重合： C＝C 結合などをもつ化合物が，付加反応で次々と結びつく反応

② 縮合重合： H_2O などの簡単な分子がとれ，次々と結びつく反応

注　2種類以上の単量体を使って重合を起こすときは，とくに**共重合**という。

チェック問題 1　標準 2分

　合成高分子化合物に関する記述として誤りを含むものを，次の①〜⑤のうちから1つ選べ。

① 鎖状構造だけでなく，網目状構造の高分子もある。
② 重合度の異なる分子が集まってできている。
③ 非結晶部分(無定形部分)をもたない。
④ 明確な融点を示さない。
⑤ 熱可塑性樹脂は，加熱によって成形加工しやすくなる。

解答・解説

③

① ポリエチレン $\left[CH_2-CH_2 \right]_n$ (➡ p.534)のような鎖状構造だけでなく，フェノール樹脂(➡ p.540)のような網目状構造もある。〈正しい〉

② 合成高分子は $\left[CH_2-CH_2 \right]_n$ (ポリエチレン)のように表し，この n を重合度という。高分子化合物は，n の値が異なる分子が集まってできている。〈正しい〉
そのため，合成高分子の分子量を考えるときには，平均分子量を用いる。

③ 高分子化合物は，分子鎖が規則正しく配列した結晶部分と不規則に配列した非結晶部分(無定形部分)からなる。〈誤り〉

④ 明確な融点を示さず，徐々に軟化しはじめて液体になる。〈正しい〉

⑤ 加熱により軟らかくなるので成形加工しやすい。〈正しい〉

結晶部分　　非結晶部分

高分子化合物の構造

2 熱可塑性樹脂について

❶ 付加重合によってつくられる熱可塑性樹脂

付加重合によりつくられるプラスチックのほとんどが熱可塑性で，その単量体（モノマー）はビニル基 $CH_2=CH-$ や $\diagdown C = C \diagup$ などの C＝C 結合をもっていることが多い。

ビニル基をもった
単量体（モノマー）

付加重合
→

重合体
（ポリマー）

－X がさまざまに変化することで，さまざまな熱可塑性樹脂になるんだ。

😊 －X が－H の単量体（モノマー）はエチレンだから，エチレンの重合体（ポリマー）がポリエチレンになりそうだね。

そうなんだ。ポリエチレンには低密度と高密度のものがあって，それぞれ低密度ポリエチレン，高密度ポリエチレンという。

$nCH_2 = CH_2 \xrightarrow{\text{付加重合}} \{CH_2-CH_2\}_n$ ➡ ポリ袋や容器などに利用

エチレン　　　　　　　　　　ポリエチレン

1950年代以前は，高圧，高温（約200℃）でエチレンを付加重合させて得られる低密度ポリエチレンしかつくれなかったんだ。低密度ポリエチレンは，低密度だからすきまが多く，透明でやわらかい性質がある。

その後，**チーグラー触媒**という触媒が開発され，低圧，低温（約60℃）でエチレンから高密度ポリエチレンをつくれるようになったんだ。高密度ポリエチレンは，高密度だからすきまが少なく，不透明でかたい性質がある。

低密度ポリエチレンの例

ポリ袋
透明で軟らかい

結晶部分が少なく，
枝分かれが多い!!
（すきまが
多い）

高密度ポリエチレンの例

ポリバケツ
半透明で硬い

結晶部分が多く，
枝分かれが少ない!!
（すきまが
少ない）

😊 「低密度は高圧・高温」，「高密度は低圧・低温」でつくるんだね。

チェック問題 2

ポリエチレンに関する記述として誤りを含むものを，①〜⑤から1つ選べ。

① 熱可塑性プラスチックである。
② 付加重合によってつくられる。
③ 結晶性が低いものは，結晶性が高いものと比べて透明で軟らかい性質を有している。
④ 袋や容器などに利用されている。
⑤ 分子中に炭素原子間の単結合と二重結合が交互に並んでいる。

解答・解説

⑤

付加重合でつくられる(➡ ②)ポリエチレンは，熱可塑性プラスチックであり(➡ ①)，袋や容器などに利用されている(➡ ④)。①，②，④はすべて〈正しい〉。

③ 結晶性が低いもの(低密度ポリエチレン)は，結晶性が高いもの(高密度ポリエチレン)より透明で軟らかい〈正しい〉。

⑤ ポリエチレン $\left[\begin{array}{cc} H & H \\ -C-C- \\ H & H \end{array}\right]_n$ の分子中には，C=C 結合は存在しない。〈誤り〉

チェック問題 3

☐ にあてはまる文を次の①〜④のうちから1つ選べ。

ポリエチレンは合成法の違いにより，高圧で合成される低密度ポリエチレンと触媒を用いる高密度ポリエチレンがある。低密度ポリエチレンは高密度ポリエチレンに比べると ☐ 。

① 枝分かれが少なく，結晶化しやすく，軟らかくて，透明である。
② 枝分かれが少なく，結晶化しにくく，硬くて，不透明である。
③ 枝分かれが多く，結晶化しにくく，軟らかくて，不透明である。
④ 枝分かれが多く，結晶化しにくく，軟らかくて，透明である。

解答・解説

④

付加重合でつくられるプラスチックは，ポリエチレンの他に次の6つを覚えてね。

❶ $n\text{CH}_2=\text{CH}$
  　　　　CH_3
  プロピレン

付加重合 →

$\left[\begin{array}{c}\text{CH}_2-\text{CH}\\ \quad\quad\text{CH}_3\end{array}\right]_n$
ポリプロピレン

➡ 容器などに利用

❷ $n\text{CH}_2=\text{CH}$
  　　　　Cl
  塩化ビニル

付加重合 →

$\left[\begin{array}{c}\text{CH}_2-\text{CH}\\ \quad\quad\text{Cl}\end{array}\right]_n$
ポリ塩化ビニル

➡ パイプや消しゴムなどに利用

❸ $n\text{CH}_2=\text{CH}$
  　　　　OCOCH_3
  酢酸ビニル

付加重合 →

$\left[\begin{array}{c}\text{CH}_2-\text{CH}\\ \quad\quad\text{OCOCH}_3\end{array}\right]_n$
ポリ酢酸ビニル

➡ 接着剤などに利用

❹ $n\text{CH}_2=\text{CH}$
  スチレン

付加重合 →

$\left[\begin{array}{c}\text{CH}_2-\text{CH}\end{array}\right]_n$
ポリスチレン（スチロール樹脂）

発泡スチロール

➡ 容器，梱包材などに利用

❺ $n\text{CH}_2=\text{C}$
  　　　　CH_3
  　　　　COOCH_3
  メタクリル酸メチル

付加重合 →

$\left[\begin{array}{c}\quad\quad\text{CH}_3\\ \text{CH}_2-\text{C}\\ \quad\quad\text{COOCH}_3\end{array}\right]_n$
ポリメタクリル酸メチル
メタクリル樹脂（アクリル樹脂）

➡ 有機ガラスともよばれ，光ファイバーや強化ガラスなどに利用

注　メタクリル酸メチルの構造式は，次の流れで覚えよう。

$\text{CH}_2=\text{CH}$
　　COOH
アクリル酸

−Hを−CH₃にすると，→

$\text{CH}_2=\text{C}$
　　CH_3
　　$\text{CO}\,\boxed{\text{OH}}$
メタクリル酸

メタノール CH₃OH とエステルをつくると，→

$\text{CH}_2=\text{C}$
　　CH_3
　　COOCH_3
メタクリル酸メチル

$+\;\boxed{\text{H}_2\text{O}}$ とれる！

❻ $\begin{array}{cc}\text{F}&\text{F}\\ \text{C}=\text{C}\\ \text{F}&\text{F}\end{array}$
テトラフルオロエチレン

付加重合 →

$\left[\begin{array}{cc}\text{F}&\text{F}\\ \text{C}-\text{C}\\ \text{F}&\text{F}\end{array}\right]_n$
フッ素樹脂（テフロン）

◀ テトラフルオロエチレンは，エチレン $\text{CH}_2=\text{CH}_2$ の水素原子 H 4個がフッ素原子 F になっている
テトラ → フルオロ

テフロンは熱に強く，フライパンなどの表面の加工に使われている。

ポイント ▶ 付加重合によってつくられるプラスチックについて

● ポリエチレン，ポリプロピレン，ポリ塩化ビニル，ポリ酢酸ビニル，
　　　低密度　高密度

　ポリスチレン，メタクリル樹脂，テフロンを用途とともにおさえておこう。

チェック問題 4
　　　　　　　　　　　　　　　　　　　　　　　　標準 2分

高分子化合物に関する記述として誤りを含むものを，①～⑥から2つ選べ。

① ポリスチレンは，ベンゼン環を含む高分子化合物である。
② 水族館の水槽やプラスチックレンズに用いられるポリメタクリル酸メチルは，付加重合によって生成する。
③ ポリ袋に用いられる低密度ポリエチレンは，ポリ容器に用いられる高密度ポリエチレンより結晶部分が多い。
④ ポリメタクリル酸メチル(メタクリル樹脂)は，透明度が高い。
⑤ ポリプロピレンは，加熱すると軟化し，冷却すると硬くなる。
⑥ ポリプロピレンでは，分子間に水素結合が形成されている。

解答・解説

③，⑥
① ポリスチレンは，ベンゼン環を含む。〈正しい〉
② メタクリル酸メチルの付加重合により生成する。〈正しい〉
③ 低密度ポリエチレンの結晶部分は，高密度ポリエチレンより少ない。〈誤り〉
④ 透明度が高く，水族館の水槽やプラスチックレンズに用いられる。〈正しい〉
⑤ 加熱すると軟化し，冷却すると硬くなる熱可塑性樹脂である。〈正しい〉
⑥ 水素結合は形成されず，ファンデルワールス力がはたらいている。〈誤り〉

❷ 縮合重合によってつくられる熱可塑性樹脂

縮合重合でつくられるプラスチックは，ナイロンとポリエステルを覚えてね。

 ナイロンやポリエステルって繊維じゃないの？

そうだね。ただ，糸状にせず樹脂状にすることもできる。樹脂状にすれば熱可塑性樹脂として使われるんだ。

ナイロンやポリエステルは，H_2O などを分子間でとり除きながら縮合重合により

第7章 高分子化合物

モノマーを多数つないでつくるんだ。

❶ ナイロン66（6,6-ナイロン）

ヘキサメチレンジアミンのアミノ基$-NH_2$と**アジピン酸**のカルボキシ基$-COOH$の間の縮合重合によりナイロン66が合成される。

$$n \; H-\overset{\overset{\displaystyle H}{|}}{N}-(CH_2)_6-\overset{\overset{\displaystyle H}{|}}{N}-H \;+\; n \; HO-\overset{\overset{\displaystyle O}{\|}}{C}-(CH_2)_4-\overset{\overset{\displaystyle O}{\|}}{C}-OH$$

H_2O がとれる

ヘキサメチレンジアミン　　　　　　　　　アジピン酸

アミド結合

$$\xrightarrow{\text{縮合重合}} \left[\overset{\overset{\displaystyle H}{|}}{N}-(CH_2)_6-\overset{\overset{\displaystyle H}{|}}{N}-\overset{\overset{\displaystyle O}{\|}}{C}-(CH_2)_4-\overset{\overset{\displaystyle O}{\|}}{C} \right]_n \;+\; 2n H_2O$$

ナイロン66

😄 $-COOH$ から OH が，$-NH_2$ から H がとれているね。

そうだね。$-\overset{\overset{\displaystyle O}{\|}}{C}-\overset{\overset{\displaystyle H}{|}}{N}-$ を**アミド結合**といったよね。アミド結合が多数つながっているので，**ナイロン66はポリアミド**ともいうんだ。

😄 名前がややこしいね。

そうだね。ただ，「ヘキサ」は6，「メチレン」はメチレン基$-CH_2-$の部分，「ジ」は2，「アミン」はアミノ基$-NH_2$の部分を表していることや「66」はヘキサメチレンジアミンの炭素数とアジピン酸の炭素数を表していることを手がかりに覚えていくといいよ。**ナイロン66（6,6-ナイロン）は摩擦に強く，弾力もあって，靴下やロープなどに使われる。**

←水素結合→

ナイロンの水素結合のようす

ナイロン66は，アメリカのカロザースによって発明された

❷ ポリエチレンテレフタラート（PET）

テレフタル酸のカルボキシ基$-COOH$と**エチレングリコール**のヒドロキシ基$-OH$との間の縮合重合によりポリエチレンテレフタラートが合成される。

$$n\ \text{HO}-\overset{\text{O}}{\underset{}{\text{C}}}-\text{<ベンゼン環>}-\overset{\text{O}}{\underset{}{\text{C}}}-\text{OH}\ +\ n\ \text{H}-\text{O}-(\text{CH}_2)_2-\text{O}-\text{H}$$

H₂O がとれる

テレフタル酸　　　　　　　　　　　　　　　　　　エチレングリコール

エステル結合

$$\xrightarrow{\text{縮合重合}}\ \left[\overset{\text{O}}{\underset{}{\text{C}}}-\text{<ベンゼン環>}-\overset{\text{O}}{\underset{}{\text{C}}}-\text{O}-(\text{CH}_2)_2-\text{O}\right]_n\ +\ 2n\text{H}_2\text{O}$$

ポリエチレンテレフタラート（PET）

😊 －COOH から OH が，－OH から H がとれたエステルだね。

　そうだね。ポリエチレンテレフタラートのように，**多数のエステル結合** $-\overset{\text{O}}{\underset{}{\text{C}}}-\text{O}-$ **をもつ重合体はポリエステル**という。**ポリエチレンテレフタラートは，丈夫で乾きやすいことから，繊維としてはワイシャツなどに使われたり，樹脂としては，ペットボトル**などに使われたりするんだ。

チェック問題5　　　　　　標準　3分

　あるポリエチレンテレフタラートの分子量を測定したところ $2.0×10^5$ であった。このポリエチレンテレフタラート分子には，およそ何個のエステル結合が含まれるか。最も適当な数値を，次の①～⑥のうちから1つ選べ。ただし，H＝1.0，C＝12，O＝16とする。

① $1.0×10^3$ 　　② $2.0×10^3$ 　　③ $1.0×10^4$
④ $2.0×10^4$ 　　⑤ $1.0×10^5$ 　　⑥ $2.0×10^5$

解答・解説

②

ポリエチレンテレフタラート（分子量 $192n$）

より，$192n = 2.0×10^5$

$$n = \frac{2.0×10^5}{192} ≒ 1.0×10^3$$

構造式を $\left[(\text{CH}_2)_2-\text{O}-\overset{\text{O}}{\underset{}{\text{C}}}-\text{<ベンゼン環>}-\overset{\text{O}}{\underset{}{\text{C}}}-\text{O}\right]_n$ と書き直すと，

エステル結合

エステル結合 $\left[-\overset{\text{O}}{\underset{}{\text{C}}}-\text{O}-\right]$ はくり返し単位中に2個含まれている。よって，ポリエチレンテレフタラート分子には $n×2 = 1.0×10^3×2 = 2.0×10^3$ 個のエステル結合が含まれる。

└── $n = 1.0×10^3$ を代入する

3 熱硬化性樹脂について

1分子中3か所以上に重合する原子や原子団をもつ単量体(モノマー)を使い，この単量体を重合させて得られる重合体(ポリマー)が**熱硬化性樹脂**(熱硬化性プラスチック)になる。**熱硬化性樹脂は，立体網目構造をもち，硬く，熱や薬品に強い性質**をもっているんだ。

 立体網目構造って？

分子間に橋架け構造ができていることをいうんだ。熱硬化性樹脂は，**❶ フェノール樹脂 ❷ 尿素樹脂 ❸ メラミン樹脂**の3つを覚えてね。

❶ フェノール樹脂(ベークライト)

フェノール樹脂(ベークライト)は，フェノールとホルムアルデヒドを反応させ，**ノボラック**や**レゾール**とよばれる中間生成物を経て合成される。

付加反応と縮合反応がくり返されてつくられるので，**付加縮合**というんだ。

❷ 尿素樹脂（ユリア樹脂）

尿素とホルムアルデヒドを加熱すると，**付加縮合**が起こり尿素樹脂が得られる。

尿素　ホルムアルデヒド

尿素樹脂（ユリア樹脂）

> コンセントなどの電気器具や木材の接着剤などに使われている

❸ メラミン樹脂

メラミンとホルムアルデヒドを加熱すると，**付加縮合**が起こりメラミン樹脂が得られる。

> 食器，塗料などに使われている

ホルムアルデヒド

メラミン

メラミン樹脂

チェック問題 6　標準 2分

プラスチックに関する次の記述①〜④のうちから，**誤り**を含むものを１つ選べ。

① ポリエチレンとポリスチレンは，ともに熱可塑性樹脂であり，加熱すると軟らかくなるので，いろいろな形に成形できる。

② ポリ塩化ビニルは電気を通しやすいので，電線の被覆材には用いられない。

③ ポリ塩化ビニルの小片を，強熱した銅線につけてバーナーの炎の中に入れると，炎が青緑色になる。

④ フェノール樹脂と尿素（ユリア）樹脂は，ともに熱硬化性樹脂である。

解答・解説

②

② ポリ塩化ビニル は，電気を通し**にくい**ので，電線の被覆材に用いる。〈誤り〉

③ 塩化銅（Ⅱ）$CuCl_2$ が生じ，銅の青緑色の炎色反応があらわれる。
（➡ バイルシュタイン試験という。）〈正しい〉

チェック問題 7

標準 1分

高分子化合物に関する記述として誤りを含むものを，①〜⑤から1つ選べ。

① ポリエチレンテレフタラートはエステル結合をもつ。
② 尿素樹脂は，熱硬化性樹脂である。
③ フェノール樹脂は，フェノールとホルムアルデヒドの付加縮合でつくられる。
④ フェノール樹脂は，電気伝導性が高い。
⑤ メラミン樹脂は，アミノ樹脂の一種である。

解答・解説

④

① PET は，エステル結合をもつ。〈正しい〉
④ フェノール樹脂は，電気絶縁性に優れている。〈誤り〉
⑤ アミノ基−NH₂ をもつ化合物とホルムアルデヒド HCHO を付加縮合させてつくるメラミン樹脂のような熱硬化性樹脂をアミノ樹脂という。〈正しい〉

4 機能性高分子化合物について

　イオンを交換することのできる官能基をもつ合成樹脂（プラスチック）を**イオン交換樹脂**というんだ。イオン交換樹脂は，陽イオンを交換することができる**陽イオン交換樹脂**と陰イオンを交換することができる**陰イオン交換樹脂**をおさえてね。

 イオンはどんなふうに交換されるの？

　たとえば，NaCl 水溶液を陽イオン交換樹脂に加えると Na^+ と H^+ が，陰イオン交換樹脂に加えると Cl^- と OH^- が交換されるんだ。

NaCl 水溶液が塩酸や水酸化ナトリウム水溶液
に変化しているね。

　そうなんだ。陽イオン交換樹脂と陰イオン交換樹脂をあわせて使えば，NaCl 水溶液を純粋な水（純水）にすることができるんだ。

$\underset{\substack{\text{塩化ナトリウム} \\ \text{水溶液}}}{Na^+Cl^-}$ → $\boxed{\substack{\text{陽イオン} \\ \text{交換樹脂}}}$ → $\underset{\substack{\text{塩酸} \\ (Na^+ と H^+ が \\ 交換される)}}{H^+Cl^-}$ → $\boxed{\substack{\text{陰イオン} \\ \text{交換樹脂}}}$ → $\underset{\substack{H_2O \\ \text{純粋な水になる} \\ (Cl^- と OH^- が \\ 交換される)}}{H^+OH^-}$

　得られた純水を脱イオン水という。

 イオン交換樹脂ってどうつくるの？

　陽イオン交換樹脂のつくり方を紹介するね。
　スチレンに少量の p-ジビニルベンゼンを混ぜて共重合（➡ p.532）させると，2 本のポリスチレンの鎖が連結された架橋構造をもつポリスチレンが得られる。

$\underset{\text{スチレン}}{\substack{CH=CH_2 \\ \bigcirc}}$　$\underset{\substack{p\text{-ジビニルベンゼン} \\ (\text{少量})}}{\substack{CH=CH_2 \\ \bigcirc \\ CH=CH_2}}$ $\xrightarrow{\text{共重合}}$ $\underset{\substack{\text{架橋された} \\ \text{ポリスチレン}}}{\substack{\cdots-CH-CH_2-CH-CH_2-CH-CH_2-\cdots \\ \bigcirc \quad\;\; \bigcirc \quad\;\; \bigcirc \\ \cdots-CH-CH_2-CH-CH_2-CH-CH_2-\cdots \\ \bigcirc \qquad\qquad \bigcirc}}$

　この立体網目状のポリスチレンを濃硫酸でスルホン化すると，ベンゼン環に酸性の基であるスルホ基 $-SO_3H$ が導入された陽イオン交換樹脂をつくることができる。この陽イオン交換樹脂をつめたカラム（筒状容器）の上部から，たとえば NaCl 水溶液を流すと，スルホ基の H^+ が Na^+ と置き換わり，カラム下部から塩酸 HCl が流出してくる。この性質を利用し，水溶液中の陽イオンを H^+ と交換することができるんだ。

第 7 章

高分子化合物

ここで，$-SO_3^-Na^+$ となった樹脂に，多量の塩酸 HCl を通すと，樹脂を再び $-SO_3H$ に戻すことができる。この操作を**イオン交換樹脂の再生**というんだ。

> 陰イオン交換樹脂のしくみも教えてよ。

スルホ基のかわりに，塩基性の原子団，たとえば，アルキルアンモニウム基 $-N^+R_3OH^-$（R はアルキル基）を導入すると，**陰イオン交換樹脂**をつくることができる。この陰イオン交換樹脂を詰めたカラムの上部から，NaCl 水溶液を流すと，樹脂の OH^- が Cl^- と置き換わり，カラム下部から NaOH 水溶液が流出してくるんだ。

思考力のトレーニング　やや難 4分

　陽イオン交換樹脂を用いると，水溶液に含まれるナトリウムイオン Na^+ を除去することができる。$3.0×10^{22}$ 個のスルホ基 $-SO_3H$ をもつ陽イオン交換樹脂を用いて，0.050 mol/L の硫酸ナトリウム Na_2SO_4 水溶液 60 mL から Na^+ を除去した。完全に除去できたものとすると，硫酸ナトリウム水溶液中の Na^+ との交換に使われたスルホ基は，用いた陽イオン交換樹脂のスルホ基のうち何％か。最も適当な数値を，次の①〜⑥のうちから１つ選べ。ただし，アボガドロ定数は $6.0×10^{23}$/mol とする。

① 1.2 ② 3.0 ③ 6.0 ④ 12 ⑤ 30 ⑥ 60

解答・解説

④

アボガドロ定数は，6.0×10^{23} 個/mol で与えられている。

（個がかくれている — 1がかくれている）

陽イオン交換樹脂 R−SO₃H に硫酸ナトリウム Na₂SO₄ 水溶液を通すと，次の反応が起こる。

$$R-SO_3^- H^+ + Na^+ \longrightarrow R-SO_3^- Na^+ + H^+$$

この反応式から，Na^+ 1 mol がスルホ基−SO₃H の H^+ 1 mol とイオン交換されることがわかる。よって，0.050 mol/L の Na₂SO₄ 水溶液 60 mL 中の Na^+ との交換に使われた−SO₃H（個）は，

$$0.050 \times \frac{60}{1000} \,\Big|\, \times 2 \,\Big|\, \times 1 \,\Big|\, \times 6.0 \times 10^{23} = 3.6 \times 10^{21} \text{個}$$

Na₂SO₄（mol）　Na^+（mol）　交換された H^+（mol）　−SO₃H（個）
‖
Na^+ との交換に使われた−SO₃H（mol）

よって，$\dfrac{Na^+ \text{との交換に使われた−SO}_3\text{H（個）}}{\text{陽イオン交換樹脂のもつ−SO}_3\text{H（個）}} = \dfrac{3.6 \times 10^{21} \text{個}}{3.0 \times 10^{22} \text{個}} \times 100 = 12\ \%$

あと，**機能性高分子化合物** として **❶** 導電性高分子，**❷** 高吸水性高分子，**❸** 生分解性高分子 も覚えておいてね。

❶ 導電性高分子

アセチレン CH≡CH の付加重合によりつくられるポリアセチレンは，I_2 などのハロゲンを添加することで金属に近い電気伝導性を示す。

$$\left[CH = CH \right]_n$$ ポリアセチレン（単結合と二重結合を交互にもつ）

ポリアセチレンのような電気伝導性を示す高分子化合物を**導電性高分子**というんだ。

❷ 高吸水性高分子

架橋したポリアクリル酸ナトリウム $\left[\begin{array}{c} CH_2-CH \\ | \\ COONa \end{array} \right]_n$ は，水の吸収力がとても強く，樹脂中に多くの水を保持することができる。多くの水を吸収・保持してくれるので，紙おむつなどに使われる。

| 高吸水性高分子の吸収のしくみ |

ポリアクリル酸ナトリウムの網目のすき間に水がとりこまれると，−COONa が電離し，親水基の−COO⁻ どうしが反発し，網目のすき間が拡大する。この網目のすき間に多量の水が入り，水は−COO⁻ や Na^+ に水和することで網目構造に吸収・保持

される。

❸ 生分解性高分子（生分解性プラスチック）

　ポリ乳酸やポリグリコール酸は，生体内や微生物により最終的に CO_2 と H_2O に分解されるので**生分解性高分子**（生分解性プラスチック）といい，農業用フィルムや手術糸などに使われているんだ。

　ポリ乳酸は，乳酸2分子が脱水し縮合した環状のエステルを開環重合（➡ p.553）させ，つくることができる。

チェック問題 8　　標準 2分

　高分子化合物に関する記述として誤りを含むものを，①〜⑥から1つ選べ。

①　高分子化合物の多くは電気を通さないが，ヨウ素などのハロゲンを添加することで金属に近い電気伝導性を示すものがある。

②　陰イオン交換樹脂は，強塩基の水溶液で処理することにより再生できる。

③　カルボン酸のナトリウム塩を分子内に含む網目構造の高分子は，高い吸水性をもち，紙おむつなどに用いられる。

④　紙おむつに用いられる樹脂が高い吸水性を示すのは，エステル結合が加水分解されるためである。

⑤　合成高分子には，酵素や微生物によって分解されるものがある。

⑥　ポリアセチレンは，分子中に二重結合をもつ。

解答・解説

④

①　ポリアセチレン $\left[CH=CH\right]_n$ にヨウ素などのハロゲンを加えてつくった金属に近い電気伝導性を示す高分子化合物を導電性高分子という。〈正しい〉

②　使用後の陽イオン交換樹脂や陰イオン交換樹脂は，それぞれ強酸や強塩基の水溶液で処理すると再生できる。〈正しい〉

③　高吸水性高分子であるポリアクリル酸ナトリウム $\left[\begin{array}{c}CH_2-CH \\ \quad\quad COONa\end{array}\right]_n$ は，カルボン酸のナトリウム塩を含み，紙おむつなどに用いられる。〈正しい〉

④　高吸水性高分子は，吸水により $-COO^-$ と Na^+ に電離し，$-COO^-$ どうしの反発により網目が拡大して水がしみこむ。〈誤り〉

⑤　ポリ乳酸などは生分解される合成高分子化合物であり，生分解性高分子という。〈正しい〉

⑥　ポリアセチレン $\left[CH=CH\right]_n$ は，分子中に二重結合をもっている。〈正しい〉

チェック問題9 標準 **3**分

　図に示すポリ乳酸は，生分解性高分子の一種であり，自然界では微生物によって最終的に水と二酸化炭素に分解される。ポリ乳酸 6.0 g が完全に分解されたとき，発生する二酸化炭素の 0 ℃，$1.013×10^5$ Pa における体積は何 L か。最も適当な数値を，次の①〜⑤のうちから1つ選べ。ただし，ポリ乳酸は，図に示すくり返し単位(式量72)のみからなるものとする。

$$\left[\begin{array}{c}O-CH-C \\ \quad CH_3 \quad\ \| \\ \quad\quad\quad O\end{array}\right]_n$$

①　1.9　　②　3.7　　③　5.6　　④　7.5　　⑤　9.3

解答・解説

③

C 原子に注目して考える。

ポリ乳酸 $\left[\begin{array}{c} O-CH-C \\ \quad\ \ \ | \quad\ \ \| \\ \quad\ \ CH_3\ \ O \end{array}\right]_n$ 1分子のもつ C 原子は $3n$ 個であり，この C 原子が最

終的に CO_2 となり発生する。

つまり，ポリ乳酸1個から発生する CO_2 は $3n$ 個 になる。

また，ポリ乳酸 $\left[\begin{array}{c} O-CH-C \\ \quad\ \ \ | \quad\ \ \| \\ \quad\ \ CH_3\ \ O \end{array}\right]_n$ の分子量は $72n$，0 ℃，1.013×10^5 Pa で CO_2

$\underbrace{\qquad\qquad\qquad}_{\text{くり返し単位の式量72}}$

1 mol の体積は 22.4 L であることに注意する。

よって，発生する CO_2 は $\underset{\substack{\uparrow \\ \text{ポリ乳酸(mol)}}}{\dfrac{6.0}{72n}} \times \underset{\substack{\uparrow \\ \text{発生する} \\ CO_2\text{(mol)}}}{3n} \times \underset{\substack{\uparrow \\ CO_2\text{(L)}}}{22.4} = 5.6\ \text{L}$ になる。

繊維とゴム

1 繊維について

　衣服は，繊維からできているね。**繊維には，植物や動物からとれる天然繊維，天然繊維の構造を変化させたり石油からつくられたりする化学繊維がある**んだ。

繊維 ┬ **天然繊維**…植物や動物からとれる繊維
　　　└ **化学繊維**…天然繊維の構造を変化させた繊維や石油からつくられる繊維
衣服をつくる

2 天然繊維について

　天然繊維には，**綿や麻などの植物からとれる植物繊維，絹（シルク）や羊毛などの動物からとれる動物繊維がある**んだ。

　　😊 —< 綿は植物のワタ，麻は植物のアサから得られるんだよね。

　そうなんだ。どちらも主成分が**セルロース** $[C_6H_7O_2(OH)_3]_n$ であることを知っておいてね。
　　　　　↳ $(C_6H_{10}O_5)_n$ のもつ3個の OH をわかりやすく示した表し方

セルロース $[C_6H_7O_2(OH)_3]_n$ の構造
↑
β-グルコースどうしから H_2O がとれてつながった構造をもっている

β-グルコース $C_6H_{12}O_6$

　絹（シルク）はカイコのまゆ糸，羊毛はヒツジの体毛から得られ，**どちらも主成分はタンパク質**なんだ。絹をつくるまゆ糸は**フィブロインとセリシン**からできている。このまゆ糸を合わせてつくった生糸からセリシンの一部を除いて絹糸をつくる。
　また，羊毛は**ケラチン**とよばれるタンパク質からできていて，S を多く含んでいる。

天然繊維 ┬ **植物繊維**…綿，麻
　　　　　└ **動物繊維**…絹（シルク），羊毛

3 化学繊維について

化学繊維には，再生繊維（レーヨン），半合成繊維，合成繊維があるんだ。

化学繊維 —— 再生繊維（レーヨン）
　　　　—— 半合成繊維
　　　　—— 合成繊維

 再生繊維（レーヨン）って？

木材から得られるパルプは繊維としては短いので，これを長い繊維として再生したものをいうんだ。つまり，短いセルロース $[C_6H_7O_2(OH)_3]_n$（パルプ）を長いセルロース $[C_6H_7O_2(OH)_3]_n$ として再生するので，再生繊維というんだよ。

 どうやって再生するの？

塩基性の水溶液に溶かして，希硫酸などの酸の中で長い繊維として再生する。**塩基性の水溶液として NaOH 水溶液を使い得られる再生繊維はビスコースレーヨン，シュワイツァー試薬を使い得られる再生繊維は銅アンモニアレーヨン（キュプラ）という。**

 シュワイツァー試薬って？

水酸化銅（Ⅱ）$Cu(OH)_2$ を濃アンモニア水に溶かして得られる $[Cu(NH_3)_4]^{2+}$ を含む深青色の溶液のことなんだ。

再生繊維（レーヨン）

 セロハンって？

ビスコースをうすい膜状に再生したものをいうんだ。

 次は，半合成繊維について教えてよ。

パルプなどから得られるセルロース $[C_6H_7O_2(OH)_3]_n$ のもつ－OH の一部を化学変化させてつくった繊維をいう。天然繊維部分と合成繊維部分が両方存在しているか

ら半合成というんだ。

 半合成繊維にはどんなものがあるの？

セルロースのもつ−OH の一部をアセチル化し，酢酸エステル $-O-\overset{O}{\overset{\|}{C}}-CH_3$ にしたアセテート繊維（アセテート）があるんだ。

半合成繊維

> −OH がすべてアセチル化されたもの。
> −OH をすべて失うと，繊維としては使えない。

セルロース
$[C_6H_7O_2(OH)_3]_n$
→（無水酢酸 $(CH_3CO)_2O$）→
トリアセチルセルロース
$[C_6H_7O_2(OCOCH_3)_3]_n$

→（エステル結合の一部を加水分解する H_2O）→
アセテート繊維
（ジアセチルセルロース）
$[C_6H_7O_2(OH)(OCOCH_3)_2]_n$

$-O-\overset{O}{\overset{\|}{C}}-CH_3$ を−OHに戻している

チェック問題 1 　　標準 3分

繊維に関する記述として下線部に誤りを含むものを，①〜⑨から2つ選べ。

① アセテート繊維は，トリアセチルセルロースの一部のエステル結合を加水分解した後，紡糸して得られる。

② セロハンは，セルロースに化学反応させてつくったビスコースから，薄膜状にセルロースを再生させてつくられる。

③ 木綿（綿）の糸は，タンパク質からなる繊維をより合わせてつくられる。

④ セルロースの再生繊維は，レーヨンとよばれる。

⑤ セルロースは，β−グルコースが縮合重合した高分子化合物で，直線状の構造をもつ。

⑥ セルロースでは，分子内や分子間に水素結合が形成されている。

⑦ 銅アンモニアレーヨン（キュプラ）とビスコースレーヨンは，いずれもくり返し単位の構造がセルロースとは異なる。

⑧ 濃アンモニア水に水酸化銅(Ⅱ)を溶かした水溶液は，銅アンモニアレーヨン（キュプラ）の製造に用いられる。

⑨ トリニトロセルロースは火薬の原料となる。

③, ⑦

① トリアセチルセルロース $[C_6H_7O_2(OCOCH_3)_3]_n$ のもつエステル結合 $\begin{matrix} O-C-CH_3 \\ \parallel \\ O \end{matrix}$

の一部を加水分解して $-OH$ に戻し，アセテート繊維 $[C_6H_7O_2(OH)(OCOCH_3)_2]_n$ をつくる。〈正しい〉

② ビスコースからセルロースを薄膜状に再生させてセロハンをつくる。〈正しい〉

③ **木綿（綿）**は，植物繊維なので**セルロースからなる**繊維をより合わせてつくられる。動物繊維（絹や羊毛）がタンパク質からなる繊維である。〈誤り〉

④ ビスコースレーヨン，銅アンモニアレーヨン（キュプラ）は，いずれもセルロースの再生繊維である。
レーヨンとは，セルロースを原料とした再生繊維のことをいう。〈正しい〉

⑤ セルロースは，β-グルコースが縮合重合した高分子で直線状。〈正しい〉

⑥ セルロースは，分子内や分子間の水素結合により繊維を形成している。〈正しい〉

⑦ レーヨンはセルロース $[C_6H_7O_2(OH)_3]_n$ を繊維状に再生したものなので，再生繊維とよばれている。銅アンモニアレーヨン，ビスコースレーヨンともにその示性式は $[C_6H_7O_2(OH)_3]_n$ と書くことができ，いずれもくり返し単位の構造はセルロースと同じになる。〈誤り〉

⑧ 濃アンモニア NH_3 水に水酸化銅（Ⅱ）$Cu(OH)_2$ を溶かして得られる $[Cu(NH_3)_4]^{2+}$ を含む水溶液（シュワイツァー試薬）が銅アンモニアレーヨン（キュプラ）の製造に用いられる。〈正しい〉

⑨ セルロースに濃硝酸と濃硫酸の混合物（混酸）を反応させると，エステル化により火薬の原料となるトリニトロセルロースをつくることができる。

$$[C_6H_7O_2(OH)_3]_n + 3nHNO_3 \xrightarrow{\text{エステル化}} [C_6H_7O_2(ONO_2)_3]_n + 3nH_2O$$

セルロース 　　　　　硝酸 　　　　　　　　トリニトロセルロース

火薬の原料

● エステル化のようす

$$-O{-}H+H{-}O{-}NO_2 \longrightarrow -O{-}NO_2 + H_2O$$

ヒドロキシ基 　　硝酸 　　　　　　硝酸エステル 　　　　〈正しい〉

:-) 最後は合成繊維だね。

おもに石油から得られる単量体（モノマー）を重合させてつくった重合体（ポリマー）を繊維状にしたものが合成繊維なんだ。

合成繊維は，❶ **アクリル繊維** ❷ **ナイロン** ❸ **ポリエステル** ❹ **ビニロン** が有名なんだ。

❶ アクリル繊維

アクリロニトリルを付加重合させるとポリアクリロニトリルが得られるんだ。

$$n\text{CH}_2=\underset{\underset{\displaystyle\text{CN}}{|}}{\text{CH}} \xrightarrow{\text{付加重合}} \left[\begin{array}{c} \text{CH}_2-\underset{\underset{\displaystyle\text{CN}}{|}}{\text{CH}} \end{array}\right]_n$$

アクリロニトリル　　　　　　　　ポリアクリロニトリル

　ポリアクリロニトリルを主成分とする繊維を**アクリル繊維**といい，軽くて軟らかく，保温性に優れているので，セーターや毛布などに使われる。

　アクリル繊維を高温で処理して得られる繊維が**炭素繊維**(カーボンファイバー)で，軽く，高強度・高弾性なのでゴルフクラブ，飛行機の翼や胴体などに使われるんだ。

❷ ナイロン(ポリアミド系合成繊維)

多くのアミド結合 $-\overset{\overset{\displaystyle\text{O}}{\|}}{\text{C}}-\overset{\overset{\displaystyle\text{H}}{|}}{\text{N}}-$ をもつ高分子化合物が**ポリアミド**だったね。

❶ ナイロン66(6,6-ナイロン)

　ヘキサメチレンジアミンのアミノ基$-$NH$_2$ とアジピン酸のカルボキシ基$-$COOH の間の縮合重合によりナイロン66が合成される。

$$n \, \text{H}-\underset{\underset{\displaystyle\text{H}}{|}}{\text{N}}-(\text{CH}_2)_6-\underset{\underset{\displaystyle\text{H}}{|}}{\text{N}}-\text{H} \; + \; n \, \text{HO}-\overset{\overset{\displaystyle\text{O}}{\|}}{\text{C}}-(\text{CH}_2)_4-\overset{\overset{\displaystyle\text{O}}{\|}}{\text{C}}-\text{OH}$$

ヘキサメチレンジアミン　　　　　　　　アジピン酸

H$_2$O がとれる

$$\xrightarrow{\text{縮合重合}} \left[\begin{array}{c} \underset{\underset{\displaystyle\text{H}}{|}}{\text{N}}-(\text{CH}_2)_6-\underset{\underset{\displaystyle\text{H}}{|}}{\text{N}}-\overset{\overset{\displaystyle\text{O}}{\|}}{\text{C}}-(\text{CH}_2)_4-\overset{\overset{\displaystyle\text{O}}{\|}}{\text{C}} \end{array}\right]_n + \; 2n\text{H}_2\text{O}$$

ナイロン66(6,6-ナイロン)　　アミド結合　　くつ下やロープなどに使う

❷ ナイロン6(6-ナイロン)

　環状の(ε-)カプロラクタムに少量の水を加え，加熱し**ナイロン6**を合成する。アミド結合が切れて，次のような**開環重合**が起こる。

七員環はやや不安定で開環しやすい

$$n \, \text{H}_2\text{C}\underset{\diagdown \text{CH}_2-\text{CH}_2}{\overset{\diagup \text{CH}_2-\text{CH}_2}{}} \underset{\underset{\displaystyle\text{N}-\text{H}}{}}{\overset{\text{C}=\text{O}}{}} \xrightarrow{\text{開環重合}} \left[\begin{array}{c} \underset{\underset{\displaystyle\text{H}}{|}}{\text{N}}-(\text{CH}_2)_5-\overset{\overset{\displaystyle\text{O}}{\|}}{\text{C}} \end{array}\right]_n$$

切れる！

(ε-)カプロラクタム　　ナイロン6(6-ナイロン)　アミド結合　日本で開発された合成繊維

❸ アラミド繊維

　テレフタル酸ジクロリドとp-フェニレンジアミンの縮合重合により合成される**アラミド**を覚えておいてね。ベンゼン環どうしをアミド結合が結びつけた高分子化合物をアラミドといい，**アラミドは，高強度(鉄より強い！)で耐熱性・耐薬品性に優れているので，防弾チョッキ，消防服などに使われている**んだ。

テレフタル酸ジクロリド　　　　p-フェニレンジアミン

アラミド繊維

❸ ポリエステル（ポリエステル系合成繊維）

多くのエステル結合 $-\overset{O}{\overset{\|}{C}}-O-$ をもつ高分子化合物が**ポリエステル**だったね。

●ポリエチレンテレフタラート（PET）

テレフタル酸のカルボキシ基$-COOH$とエチレングリコールのヒドロキシ基$-OH$との間の縮合重合により**ポリエチレンテレフタラート（PET）**が合成される。

テレフタル酸　　　　　　　　　　エチレングリコール

> 乾きやすくてしわになりにくいのでワイシャツなどに使われている

ポリエチレンテレフタラート（PET）

チェック問題 2

　化学の応用に関する次の記述ア〜ウにあてはまるものを，下の①〜⑥のうちから１つずつ選べ。ただし，同じものをくり返し選んでもよい。

ア　絹に似て，絹より強い糸をつくりたいとの願いから合成された最初の繊維。
イ　引っ張ったときの強度が鋼よりも強い繊維。
ウ　歯車や刃物に使われている，軽くて熱に強く耐久性にすぐれた新素材。

　① ナイロン　　　　　② ビニロン　　　　　③ 炭素繊維
　④ ポリエステル　　　⑤ ニューセラミックス　⑥ ステンレス

解答・解説

ア　①　　イ　③　　ウ　⑤

ア　カロザースは，絹の構造に着目し，ナイロン66をつくることに成功した。

イ　ポリアクリロニトリルを高温で処理すると，元素 C を主成分とする炭素繊維になる。

ウ　ファインセラミックスともいう。無機物質を原料としている。

チェック問題 3 ［標準］［3分］

飽和脂肪族ジカルボン酸 $HOOC-(CH_2)_x-COOH$ とヘキサメチレンジアミン $H_2N-(CH_2)_6-NH_2$ を縮合重合させて，図に示す直鎖状の高分子を得た。この高分子の平均重合度 n は100，平均分子量は 2.82×10^4 であった。1分子のジカルボン酸に含まれるメチレン基 $-CH_2-$ の数 x はいくつか。最も適当な数値を，次の①〜⑤のうちから1つ選べ。ただし，$H = 1.0$，$C = 12$，$N = 14$，$O = 16$とする。

$$\left[\begin{array}{c} \overset{\displaystyle}{\underset{\displaystyle O}{C}}-(CH_2)_x-\overset{\displaystyle}{\underset{\displaystyle O}{C}}-\overset{H}{N}-(CH_2)_6-\overset{H}{N} \end{array} \right]_n$$

①　4　　②　6　　③　8　　④　10　　⑤　12

解答・解説

③

図の高分子の平均分子量 $\overline{M}$ は，

より，

$$\overline{M} = \{ \underset{C}{12} + \underset{O}{16} + \underset{C}{(12} + \underset{H}{1.0 \times 2)} \times x + \underset{C}{12} + \underset{O}{16} + \underset{N}{14} + \underset{H}{1.0} + \underset{C}{(12} + \underset{H}{1.0 \times 2)} \times 6 + \underset{N}{14} + \underset{H}{1.0} \} \times n$$

$$= (14x + 170)n$$

と表せる。ここで，$n = 100$，$\overline{M} = 2.82 \times 10^4$ なので，次の式が成り立つ。

$(14x + 170) \times 100 = 2.82 \times 10^4$ より，$x = 8$ となる。

---

❹ ビニロン

ビニロンは綿によく似た感触をもつ日本で最初に開発された合成繊維なんだ。

ビニロンは，ポリビニルアルコール (PVA) の $-OH$ の約3分の1が**アセタール化**されているので，分子中に親水基である $-OH$ が残っており繊維に適度な吸湿性を与え

ている。ビニロンは，ロープや魚網などに使われている。

ビニロンはどうやってつくるの？

ビニロンは次の❶〜❹の流れでつくるんだ。

❶ アセチレンに酢酸を付加して酢酸ビニルをつくる。

❷ 酢酸ビニルを付加重合させて，ポリ酢酸ビニルをつくる。

❸ ポリ酢酸ビニルを水酸化ナトリウム NaOH 水溶液で加水分解（けん化）して
ポリビニルアルコールをつくる。

❹ ポリビニルアルコールの多数の−OH の一部をホルムアルデヒド水溶液（ホ
ルマリン）で**アセタール化**してビニロンをつくる。

だったね。

チェック問題 4 （標準 3分）

繊維に関する記述として誤りを含むものを，次の①～⑧のうちから2つ選べ。

① アクリル繊維のおもな原料は，アクリロニトリルである。
② ビニロンは，ポリビニルアルコールのアセタール化によって合成される。
③ ポリプロピレンは，合成繊維としても利用される。
④ ポリエチレンテレフタラート（PET）は，合成繊維としても合成樹脂としても用いられる。
⑤ アラミド繊維は，付加重合によって得られる。
⑥ ナイロン6は，（ε-）カプロラクタムの開環重合でつくられる。
⑦ ナイロン6は，くり返し単位の中にアミド結合を2つもつ。
⑧ ポリ酢酸ビニルを加水分解すると，ポリビニルアルコールが生じる。

解答・解説

⑤，⑦

① アクリル繊維は，アクリロニトリル $CH_2=\overset{\displaystyle |}{\underset{\displaystyle CN}{CH}}$ を付加重合させて得られるポリアクリロニトリルを主成分とした合成繊維のこと。〈正しい〉

② ポリビニルアルコールをホルムアルデヒド HCHO でアセタール化するとビニロンが合成できる。〈正しい〉

③ 容器に用いられるポリプロピレンは，合成繊維としても利用される。〈正しい〉

④ PET はペットボトルの原料（合成樹脂）として有名だが，乾きやすくしわになりにくいので合成繊維として衣類などにも利用される。〈正しい〉

⑤ アラミド繊維は**縮合重合**によって得られる。〈誤り〉

⑦　ナイロン6 $\left[\begin{matrix} H \\ | \\ N \end{matrix} - (CH_2)_5 - \begin{matrix} O \\ || \\ C \end{matrix}\right]_n$ を $\left[- (CH_2)_5 - \begin{matrix} O & H \\ || & | \\ C & N \end{matrix}\right]_n$ と書き直すとくり返し単

位の中にアミド結合 $-\begin{matrix} O & H \\ || & | \\ C & N \end{matrix}-$ は1つしかないとわかる。〈誤り〉

⑧　水酸化ナトリウム NaOH 水溶液で加水分解(けん化)すると，ポリビニルアル
　　コールが生じる。〈正しい〉

4 天然ゴムについて

　ゴムの木の樹皮に傷をつけると，ラテックス(乳濁液)とよばれる白い粘性のある液
体が得られる。これを集めて，酸を加えて固めたものが天然ゴム(生ゴム)で，天然ゴム
の主成分はポリイソプレン $(C_5H_8)_n$ なんだ。
　ポリイソプレンは，イソプレン C_5H_8 が付加重合した構造をもつ。

イソプレン

$\begin{matrix} C \\ | \\ C-C \\ | \\ C \end{matrix}$ なので，$\overset{馬}{\diagup\!\!\diagdown}$ と覚えよう！

イソプレン単位

天然ゴム
(ポリイソプレン構造)

シス形　シス形

1位と4位が付加重合
するので，2位と3位
に新しくC=Cができる

　ポリイソプレンは C=C 結合のところでシス形やトランス形をとることができ，**天
然ゴムはすべてシス形**になる。また，ある種類の植物の樹液からはトランス形のポリ
イソプレンを得ることができ，これをグタペルカとよぶんだ。
　天然ゴムは弾性が小さく，暑さや寒さに弱く，耐久性があまりないんだ。

　　天然ゴムは，弱点だらけだね。

　そうなんだ。天然ゴムを空気中に放置すると，C=C 結合部分が空気中の O_2 や空
気中にわずかにあるオゾン O_3 に酸化されて弾性を失い，劣化していく。この現象を
ゴムの老化というんだ。
　このままでは天然ゴムは使いものにならないので，天然ゴムに少量の硫黄 S を加
えて加熱し，弾性をもった強度のある弾性ゴムにする。

なぜ弾性が大きな，強いゴムになるの？

硫黄 S 原子による架橋構造ができるからなんだ。S を加えて加熱する操作を**加硫**といい，S をより多く加えて長時間加熱すると，**エボナイト**という黒色のかたい物質になるんだ。

S により
橋が架かる

弾性ゴム

> ### ポイント ▶ 弾性ゴムについて
>
> ● 天然ゴムであるポリイソプレン(シス形)を加硫してつくる。
> ● 架橋構造をもつ

チェック問題 5　　　標準 2分

天然ゴム(生ゴム)に関する記述として，誤っているものを①〜⑤から 1 つ選べ。

① ゴムノキ(ゴムの木)の樹皮を傷つけて得られたラテックスに酸を加え，凝固させてつくられる。
② イソプレンが付加重合し，$\{CH=C(CH_3)-CH=CH\}$ のくり返し単位をもつ。
③ 空気中に長く放置しておくと，分子中の二重結合が酸素やオゾンによって酸化されてゴム弾性を失う。
④ 数%の硫黄を加えて加熱すると，弾性が向上する。
⑤ 30〜40%の硫黄を加え長時間加熱すると，エボナイトとよばれる硬い物質になる。

解答・解説

②
② 天然ゴム(生ゴム)は，$\{CH_2-C(CH_3)=CH-CH_2\}_n$ の構造をもつ(C=C の位置に注意しよう)。〈誤り〉

5 合成ゴムについて

イソプレンに似た分子構造をもつ単量体（モノマー）を付加重合させると，**合成ゴム**をつくることができる。

合成ゴムには，ジエン化合物から付加重合でつくる**ブタジエンゴム（BR）**や**クロロプレンゴム（CR）**があるんだ。ジエンの「ジ」は 2 個，「エン」はアルケン（C＝C）を表しているよ。

❶ ブタジエンゴム（BR）

1,3-ブタジエン $CH_2＝CH－CH＝CH_2$ の付加重合で合成し，タイヤ，ホースなどに使われる。

中央に C＝C が移動する

$$n CH_2＝CH－CH＝CH_2 \xrightarrow{\text{付加重合}} \left[CH_2－CH＝CH－CH_2 \right]_n$$

1,3-ブタジエン　　　　　　　　　　　ブタジエンゴム（BR）
　　　　　　　　　　　　　　　　　　（ポリブタジエン）

❷ クロロプレンゴム（CR）

クロロプレン $CH_2＝CCl－CH＝CH_2$ の付加重合で合成し，コンベアーベルトなどに使われる。

中央に C＝C が移動する

$$n CH_2＝\underset{\underset{Cl}{|}}{C}－CH＝CH_2 \xrightarrow{\text{付加重合}} \left[CH_2－\underset{\underset{Cl}{|}}{C}＝CH－CH_2 \right]_n$$

クロロプレン　　　　　　　　　　　クロロプレンゴム（CR）
　　　　　　　　　　　　　　　　　（ポリクロロプレン）

2 種類以上の単量体（モノマー）を重合させることを**共重合**といったね。たとえば，単量体 A と B を共重合（付加重合）させてつくることのできる重合体（ポリマー）は，次のようになる。

$$x A, \ y B \xrightarrow{\text{共重合}} \cdots\cdots－A－B－B－A－B－A－\cdots\cdots$$

単量体（モノマー）　　　　　　　　　　　$\left(A \right)_x \left(B \right)_y$　重合体（ポリマー）

> A と B が交互につながるわけじゃないんだね。

そうなんだ。二重結合（C＝C）のうち 1 つが切れてくっつくだけだからね。共重合でつくる合成ゴムは，

スチレンブタジエンゴム（SBR）やアクリロニトリルブタジエンゴム（NBR）
styrene butadiene rubber　　　　　　　　acrylo nitrile butadiene rubber

を覚えてね。

❸ スチレンブタジエンゴム (SBR)

1,3-ブタジエン $CH_2=CH-CH=CH_2$ とスチレン $CH_2=CH-C_6H_5$ を共重合させて合成する。耐摩耗性や耐熱性が大きく，自動車のタイヤなどに使われる。

$$x\ CH_2=CH-CH=CH_2\ +\ y\ CH_2=CH \xrightarrow{\text{共重合}} \left[CH_2-CH=CH-CH_2\right]_x\left[CH_2-CH\right]_y$$

1,3-ブタジエン

スチレン

スチレンブタジエンゴム (SBR)

❹ アクリロニトリルブタジエンゴム (NBR)

1,3-ブタジエン $CH_2=CH-CH=CH_2$ とアクリロニトリル $CH_2=CH-CN$ を共重合させて合成する。耐油性が大きく，石油ホース，耐油性パッキンなどに使われる。

$$x\ CH_2=CH-CH=CH_2\ +\ y\ CH_2=CH \xrightarrow{\text{共重合}} \left[CH_2-CH=CH-CH_2\right]_x\left[CH_2-CH\right]_y$$
$$\underset{CN}{} \qquad \underset{CN}{}$$

1,3-ブタジエン

アクリロニトリル

アクリロニトリルブタジエンゴム (NBR)

合成ゴムも天然ゴムと同じように，加硫して弾性を強く，強度を大きくするよ。

❺ シリコーンゴム (ケイ素ゴム)

シリコーンゴムは，耐熱性，耐寒性，耐薬品性に優れ，電子レンジのパッキンや医療材料などに使われているんだ。

Si に注目しよう

$$\left[\begin{array}{c} R \\ | \\ Si-O \\ | \\ R \end{array}\right]_n$$

（ $R=CH_3$ が通常のシリコーンゴム。
Rの一部を $CH_2=CH-$ にするとビニルシリコーンゴム。）

合成高分子化合物に関する記述として，**誤りを含むもの**を，①〜⑤のうちから1つ選べ。

① 共重合体は，2種類以上の単量体が重合することで得られる。
② スチレン-ブタジエンゴムは，スチレンとブタジエンの共重合でつくられる。
③ 生ゴム（天然ゴム）を乾留すると，おもにイソプレンが生成する。
④ すべての合成ゴムは，分子内に二重結合を2つもつ化合物のみから合成される。
⑤ クロロプレン $CH_2=CCl-CH=CH_2$ の重合体は，合成ゴムになる。

解答・解説

④

③ 生ゴム（天然ゴム）を乾留すると，おもにイソプレンが生成する。〈正しい〉

$$\left[CH_2-\underset{\underset{CH_3}{|}}{C}=CH-CH_2\right]_n \xrightarrow{\text{乾留}} n\,CH_2=\underset{\underset{CH_3}{|}}{C}-CH=CH_2$$

ポリイソプレン　　　　　　　　　　イソプレン
（天然ゴム）

④ シリコーンゴム $\left[\underset{\underset{CH_3}{|}}{\overset{\overset{CH_3}{|}}{Si}}-O\right]_n$ のように，$\underset{\underset{CH_3}{|}}{\overset{\overset{CH_3}{|}}{Cl-Si-Cl}}$ のような二重結合をもたない化合物からつくられる合成ゴムもある。すべてではない。〈誤り〉

⑤ クロロプレンゴム（CR）は耐熱性に優れた合成ゴムでコンベアーベルトなどに使われる。〈正しい〉

思 **考力のトレーニング**　　　標準 3分

アクリロニトリル（C_3H_3N）とブタジエン（C_4H_6）を共重合させてアクリロニトリル-ブタジエンゴムをつくった。このゴム中の炭素原子と窒素原子の物質量の比を調べたところ，19:1であった。共重合したアクリロニトリルとブタジエンの物質量の比（アクリロニトリルの物質量:ブタジエンの物質量）として最も適当なものを，次の①〜⑦のうちから1つ選べ。

① 4:1　② 3:1　③ 2:1　④ 1:1　⑤ 1:2　⑥ 1:3　⑦ 1:4

⑦

物質量 (mol) の比は (個) の比と同じ値になる点がポイント!!

アクリロニトリル $CH_2=CH$ とブタジエン $CH_2=CH-CH=CH_2$ を共重合させ
　　　　　　　　　　　　　｜
　　　　　　　　　　　　　CN

てつくるアクリロニトリル-ブタジエンゴム (NBR)

アクリロニトリル単位　　　　ブタジエン単位

$$\left[CH_2-CH\right]_1 \left[CH_2-CH=CH-CH_2\right]_x$$ のもつ C 原子 (個) が N 原子 (個) の

N はここだけ！　　Nが1とあるので1とおく　　ここはわからないので x とおく

19 倍なので，このゴムのくり返し単位は次のように表すことができる。

19：1より

アクリロニトリル単位　　　　ブタジエン単位

$$\left[CH_2-CH\right]_1 \left[CH_2-CH=CH-CH_2\right]_4$$

Cは3個　　　CN　　　Nは1個　　　　　　　　　　　　　　　　Cは4個

ブタジエン単位が
もつすべての
Cは $4\times4=16$個

$x=4$ とすれば，
ゴム全体のもつCが19個になる

アクリロニトリル単位が
もつすべての
Cは $3\times1=3$個

よって，アクリロニトリルとブタジエンの mol の比は，

アクリロニトリル (mol)：ブタジエン (mol) $=1：4$

(mol) の比は (個) の比と同じ！

最後まで本当によくがんばったね。これからも化学の
勉強をしっかり続けていってね！

さくいん

本書の重要語句を中心に集めています。

元素の周期表

原子番号 →	1
	H ← 元素記号
原子量 →	1.0
	水素 ← 元素名

■：気体
■：液体
他は固体

	1	2	3	4	5	6	7	8	9
1	1 H 1.0 水素								
2	3 Li 6.9 リチウム	4 Be 9.0 ベリリウム							
3	11 Na 23.0 ナトリウム	12 Mg 24.3 マグネシウム							
4	19 K 39.1 カリウム	20 Ca 40.1 カルシウム	21 Sc 45.0 スカンジウム	22 Ti 47.9 チタン	23 V 50.9 バナジウム	24 Cr 52.0 クロム	25 Mn 54.9 マンガン	26 Fe 55.8 鉄	27 Co 58.9 コバルト
5	37 Rb 85.5 ルビジウム	38 Sr 87.6 ストロンチウム	39 Y 88.9 イットリウム	40 Zr 91.2 ジルコニウム	41 Nb 92.9 ニオブ	42 Mo 96.0 モリブデン	43 Tc 〔99〕テクネチウム	44 Ru 101.1 ルテニウム	45 Rh 102.9 ロジウム
6	55 Cs 132.9 セシウム	56 Ba 137.3 バリウム	57-71 ランタノイド	72 Hf 178.5 ハフニウム	73 Ta 180.9 タンタル	74 W 183.8 タングステン	75 Re 186.2 レニウム	76 Os 190.2 オスミウム	77 Ir 192.2 イリジウム
7	87 Fr 〔223〕フランシウム	88 Ra 〔226〕ラジウム	89-103 アクチノイド	104 Rf 〔267〕ラザホージウム	105 Db 〔268〕ドブニウム	106 Sg 〔271〕シーボーギウム	107 Bh 〔272〕ボーリウム	108 Hs 〔277〕ハッシウム	109 Mt 〔276〕マイトネリウム

ランタノイド	57 La 138.9 ランタン	58 Ce 140.1 セリウム	59 Pr 140.9 プラセオジム	60 Nd 144.2 ネオジム	61 Pm 〔145〕プロメチウム	62 Sm 150.4 サマリウム	63 Eu 152.0 ユウロピウム
アクチノイド	89 Ac 〔227〕アクチニウム	90 Th 232.0 トリウム	91 Pa 231.0 プロトアクチニウム	92 U 238.0 ウラン	93 Np 〔237〕ネプツニウム	94 Pu 〔239〕プルトニウム	95 Am 〔243〕アメリシウム

＊ ₁₀₄Rf 以降の元素の性質はわかっていない。

* 2024年8月現在

18
2 He 4.0 ヘリウム

13	14	15	16	17	
5 B 10.8 ホウ素	6 C 12.0 炭素	7 N 14.0 窒素	8 O 16.0 酸素	9 F 19.0 フッ素	10 Ne 20.2 ネオン
13 Al 27.0 アルミニウム	14 Si 28.1 ケイ素	15 P 31.0 リン	16 S 32.1 硫黄	17 Cl 35.5 塩素	18 Ar 39.9 アルゴン

10	11	12	13	14	15	16	17	18
28 Ni 58.7 ニッケル	29 Cu 63.5 銅	30 Zn 65.4 亜鉛	31 Ga 69.7 ガリウム	32 Ge 72.6 ゲルマニウム	33 As 74.9 ヒ素	34 Se 79.0 セレン	35 Br 79.9 臭素	36 Kr 83.8 クリプトン
46 Pd 106.4 パラジウム	47 Ag 107.9 銀	48 Cd 112.4 カドミウム	49 In 114.8 インジウム	50 Sn 118.7 スズ	51 Sb 121.8 アンチモン	52 Te 127.6 テルル	53 I 126.9 ヨウ素	54 Xe 131.3 キセノン
78 Pt 195.1 白金	79 Au 197.0 金	80 Hg 200.6 水銀	81 Tl 204.4 タリウム	82 Pb 207.2 鉛	83 Bi 209.0 ビスマス	84 Po 〔210〕 ポロニウム	85 At 〔210〕 アスタチン	86 Rn 〔222〕 ラドン
110 Ds 〔281〕 ダームスタチウム	111 Rg 〔280〕 レントゲニウム	112 Cn 〔285〕 コペルニシウム	113 Nh 〔278〕 ニホニウム	114 Fl 〔289〕 フレロビウム	115 Mc 〔289〕 モスコビウム	116 Lv 〔293〕 リバモリウム	117 Ts 〔293〕 テネシン	118 Og 〔294〕 オガネソン

64 Gd 157.3 ガドリニウム	65 Tb 158.9 テルビウム	66 Dy 162.5 ジスプロシウム	67 Ho 164.9 ホルミウム	68 Er 167.3 エルビウム	69 Tm 168.9 ツリウム	70 Yb 173.0 イッテルビウム	71 Lu 175.0 ルテチウム
96 Cm 〔247〕 キュリウム	97 Bk 〔247〕 バークリウム	98 Cf 〔252〕 カリホルニウム	99 Es 〔252〕 アインスタイニウム	100 Fm 〔257〕 フェルミウム	101 Md 〔258〕 メンデレビウム	102 No 〔259〕 ノーベリウム	103 Lr 〔262〕 ローレンシウム

橋爪　健作（はしづめ　けんさく）

東進ハイスクール・東進衛星予備校化学科講師、駿台予備学校化学科講師。

高校現役生から高卒クラスまで幅広く担当。その授業は基礎から応用まであらゆるレベルに対応。やさしい語り口と、情報が体系的に整理された見やすくわかりやすい板書で、すべての受講生から圧倒的に高い支持を受ける超人気講師。

著書に『改訂版　大学入学共通テスト　化学基礎の点数が面白いほどとれる本』（KADOKAWA）、『橋爪のゼロから劇的にわかる』シリーズ（旺文社）、『化学　一問一答　完全版』『化学レベル別問題集』（以上、東進ブックス）、共著書に『化学［化学基礎・化学］基礎問題精講　五訂版』『化学［化学基礎・化学］標準問題精講　七訂版』（以上、旺文社）などがある。

改訂版　大学入学共通テスト

化学の点数が面白いほどとれる本

0からはじめて100までねらえる

2020年 7 月10日　初版　第 1 刷発行
2024年 8 月26日　改訂版　第 1 刷発行

著者／橋爪　健作

発行者／山下　直久

発行／株式会社KADOKAWA
〒102-8177　東京都千代田区富士見2-13-3
電話 0570-002-301(ナビダイヤル)

印刷所／TOPPANクロレ株式会社

製本所／TOPPANクロレ株式会社